DER KUNST BROCKHAUS

Band 10

DER KUNST-BROCKHAUS

Aktualisierte Taschenbuchausgabe
in zehn Bänden

Band 10
Tir–Zz

B.I.-Taschenbuchverlag
Mannheim/Leipzig/Wien/Zürich

Redaktion der Taschenbuchausgabe:
Eberhard Anger M. A.

Layout: Gerd Schäfer

CIP-Kurztitelaufnahme der Deutschen Bibliothek
Der Kunst-Brockhaus: Aktualisierte Taschenbuchausg. in 10 Bd. - Mannheim; Wien, Zürich: BI-Taschenbuchverlag
ISBN 3-411-02930-7
Bd. 10. Tir–Zz. - 1987
ISBN 3-411-02940-4

Lizenzausgabe mit Genehmigung des
Verlages F. A. Brockhaus GmbH, Mannheim

Druck: Druckhaus Kaufmann, Lahr
Einband: Augsburger Industriebuchbinderei GmbH
Printed in Germany
Gesamtwerk: ISBN 3-411-02930-7
Band 10: ISBN 3-411-02940-4

Tir

Tirol, ital. **Tirolo,** Gem. nördlich von Meran, 2200 Ew., Südtirol. Bei dem Dorf T. auf einem Sandsteinfelsen das **Schloß T.,** Stammburg der Grafen von T. (um 1140 erbaut, nach 1900 restauriert), am Eingang zum Palas Rundbogenportal mit reichem Skulpturenschmuck (um 1170); Kapelle (roman. Portal mit reicher Gliederung; im Inneren Fresken, Ende 14. Jh.; spätgot. Flügelaltar, um 1520).

Tirthankara [Skt.], Heilige der Jaina-Religion in Indien, die vom letzten der 24 T., dem Mahavira Vardhamana, Zeitgenosse des Buddha (um 500 v. Chr.), begründet wurde. Parallel zum Buddhabild wurden die T. seit dem 1. Jh. in der Steinplastik Mathuras dargestellt.

Tiruvannamalai, Ort in Tamil Nadu, S-Indien, mit dem von 3 konzentr. Höfen umgebenen Shivatempel der Chola-Zeit. 4 mächtige Gopuras in axialer Anordnung wurden vom 14. bis zum 18. Jh. in spätdravidischem Stil errichtet.

Tiryns, myken. Burg und Stadt in der Argolis, nördlich von Nauplion (Griechenland). Die Burg wurde seit 1884/85 durch H. SCHLIEMANN und W. DÖRPFELD, seit 1905 durch das Dt. Archäolog. Institut in Athen ausgegraben. Im 3. Jahrtsd. v. Chr. stand auf dem Burgfelsen ein Rundbau von etwa 28 m Durchmesser (wohl Wehrturm und Fürstensitz). Die Blütezeit von T. begann mit der 1. Befestigung der Oberburg im 15. Jh. v. Chr. Im 13. Jh. v. Chr. wurde die Befestigung erweitert und die nördlich angrenzende, ebenfalls mit Gebäuden bestandene Unterburg in die bis zu 6 m dicke Burgmauer aus grob behauenen Blöcken (Kyklop. Mauer) eingeschlossen. Der Palast auf der Oberburg erhielt zu dieser Zeit seine endgültige Gestalt; er hatte mehrere Höfe mit Torbauten sowie ein großes und ein kleines Megaron. Von den Freskomalereien haben sich viele Reste gefunden. Nach Zerstörung der Oberburg um 1200 v. Chr. (durch Erdbeben?) blieben die Unterburg und die Unterstadt bis ins 11. Jh. v. Chr. bewohnt. In einem bescheidenen Heiligtum der Unterburg wurden eindrucksvolle bemalte Tonidole gefunden.

Führer durch T., hg. v. U. JANTZEN (Athen 1975).

Tisch, Möbelstück mit waagerechter Platte. Antike T. sind meist klein und dreibeinig; von den Römern wurden sie zu reich verzierten Prunkstücken aus Bronze ausgestaltet oder mit Platten von Marmor und seltenen Hölzern versehen. Als Zweckmöbel bestand der T. im MA. anfänglich aus Brettern, die über Böcke gelegt wurden; im 14. Jh. ruhte die Platte auf schrägstehenden Brettern als Stützen **(Schragen-T.).** Beim **Wangen-T.** ruhte die Platte auf 2 breiten, senkrecht stehenden und durch ein Querholz (Steg) verbundenen Seitenteilen, beim **Stollen-T.** auf mehr senkrecht oder leicht schräg stehenden Beinen. Der **Kasten-T.** mit einer Platte und schrankartigem Unterteil kam in der Spätgotik auf. Aus der ital. Renaissance wurde der einfüßige T. übernom-

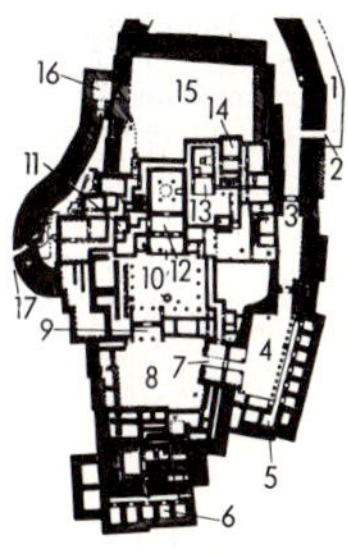

Tiryns

Oberburg; **1** Rampe, **2** Außentor, **3** Inneres Tor, **4** Vorhof, **5** und **6** Kasematten, **7** Äußeres Propylon, **8** Äußerer Palasthof, **9** Inneres Propylon, **10** Innerer Palasthof, **11** Baderaum, **12** Megaron, mit Thronraum, **13** und **14** Kleine Megara, **15** Mittelburg, **16** Turm, **17** Westpforte

men (T. RIEMENSCHNEIDER, Würzburg, Mainfränk. Mus., 1506). Im 16. Jh. entstand der **Pfosten-T.** mit Säulen oder Balustern als Stützen, die mit Zargen verbunden wurden. Für N-Dtl. wurde der niederländ. **Auszieh-T.** im 17. Jh. vorbildlich.

Bestandteil der Raumdekoration ist der seit der Zeit König LUDWIGS XIV. an der Wand aufgestellte **Konsol-T.** Der **Klapp-T.** verbreitete sich im 17. Jh. von England aus (Gateleg Table), daneben war im 18. Jh. der runde Klapp-T. mit umlegbarer Platte beliebt. Die Platte konnte Gegenstand besonderer Gestaltung sein; der Bild-T. mit Malerei wurde in Gotik wie in Renaissance gefertigt, im 16. und 17. Jh. wurden Platten mit →Solnhofener Steinätzungen geschätzt. Zur gleichen Zeit begannen intarsierte T.-Platten Mode zu werden.

Tischbein, Malerfamilie des 18./19. Jh.

1) Johann Friedrich August, Neffe von 2), *Maastricht 9. 3. 1750, †Heidelberg 21. 6. 1812, Schüler seines Vaters, des Hildburghausener Hofmalers Valentin T. (*1715, †1767), und seines Onkels, nach Studien in Paris (J. G. WILLE) und Italien (J. L. DAVID, A. R. MENGS) an versch. Orten tätig, seit 1800 Direktor der Akad. in Leipzig, malte Porträts mitteldt. Fürsten in der vornehmen, malerisch gelockerten Art der großen engl. Porträtmaler (T. GAINSBOROUGH, G. ROMNEY).

2) Johann Heinrich d. Ä., Onkel von 1) und 3), *Haina (Hessen) 14. 10. 1722, †Kassel 22. 8. 1789, ebd. seit 1752 Hofmaler, seit 1776 Direktor der Akad., malte im Stil des Rokoko relig. und mytholog. Bilder, auch Porträts mitteldt. Fürsten.

3) Johann Heinrich Wilhelm, Neffe und Schüler von 2), *Haina (Hessen) 15. 2. 1751, †Eutin 26. 6. 1829, zeichnete in Rom (seit 1779) bei A. TRIPPEL nach der Antike und studierte hier die Werke RAFFAELS und MICHELANGELOS. In Rom malte T. das Porträt ›Goethe in der Campagna‹ (1786/87; Frankfurt am Main, Städelsches Kunstinstitut); in Neapel seit 1789 Direktor der Akad., lebte dann in Hamburg und (seit 1808) in Eutin. – Sein Malstil wandte sich von der Tradition des

J. H. W. Tischbein: Goethe in der Campagna; 1786/87 (Frankfurt am Main, Städelsches Kunstinstitut)

Rokoko dem Klassizismus, in seinem Spätwerk der frühen Romantik zu.

Tischgesellschaft, über deren Darstellung in der Malerei →Gesellschaftsstück.

Tismana, Dorf im Tismana-Tal im Kr. Gorj, SW-Rumänien. Auf einem Felsen das Kloster T., 1377/78 durch Fürst RADU I. gegr. Die Kirche (serb. Typus, 3 Kuppeln über oktogonalen Tambouren) wurde nach Verfall im 16. Jh. wiederaufgebaut (restauriert 1934 und 1954); die Wandmalereien im Innern, von 1564, wurden 1732 und 1766 erneuert.

Tissot [tis'o], James (eigtl. Jacques-Joseph), frz. Maler, Radierer, *Nantes 15. 10. 1836, †Buillon (Doubs) 3. 8. 1902, lebte lange in England, schuf v. a. Darstellungen eleganter weibl. Schönheit; Bibelillustrationen.

Titanen, grch. Mythos: das von Uranos und Gaia abstammende zweite unsterbl. Göttergeschlecht, nach HESIOD zu Geschwisterpaaren verbunden: Okeanos und Thetys, Koios und Phoibe, Hyperion und Theia, Kronos und Rhea; Kreios und Iapetos hatten nichttitan. Frauen, Themis und Mnemosyne waren Gattinnen des Zeus. Die T. wurden von Zeus und seinem Geschlecht besiegt **(Titanomachie)** und in den Tartarus geworfen. Als Gegenkräfte (wie die sterbl. Giganten) der olymp. Götterwelt gehen die T. vielleicht auf vorgrch. Gottheiten zurück. In der Kunst sind sie von den Giganten nicht eindeutig zu unterscheiden (Figuren des Artemistempels von Korfu, 6. Jh. v. Chr., Korfu, Mus.), sie sind mit Sicherheit am S-Fries des Pergamonaltars dargestellt, sonst selten nachweisbar.

Titanweiß, Maltechnik: Titandioxid, v. a. in der Rutilform hervorragend deckendes Weißpigment. 1916 entdeckt, hat T. das giftige Bleiweiß ersetzt.

Tito, Santi di Tito, ital. Maler, *Borgo San Sepolcro (Toskana) 6. 10. 1536, †Florenz 24. 7. 1603, Schüler des BRONZINO, 1558–61 in Rom, seit 1566 in Florenz tätig, schuf v. a. Altarbilder in gemäßigt manierist., zu akadem. Naturalismus neigendem Stil.

Tittmoning, Stadt an der Salzach, Kr. Traunstein, Oberbayern, mit maler. Ortsbild und weitgehend erhaltener ma. Befestigung mit Toren. Die spätgot. ehem. Kollegiatsstiftskirche St. Laurentius (15./16. Jh.) wurde nach Brand 1815 verändert wiederaufgebaut; Barockkapelle Maria Ponlach, ein Zentralbau von 1716 mit einheitl. Dekoration; ehem. Klosterkirche der Augustiner-Eremiten (Allerheiligenkirche) mit prunkvoller Ausstattung der Erbauungszeit (1681–83). Das Burgschloß (13. und 15.–17. Jh.) ist ein stattl. Komplex mit Wehrgang (Heimat-Mus.).

Titulus, *Mz.* **Tituli,** die in Versen oder in Prosa gehaltene lat. Inhaltsangabe eines frühchristl. oder ma. Wandbildes, die unter oder in diesem angebracht war. Die Angaben sind nur selten nachprüfbar (Mosaiken in S. Marco, Venedig) und nicht unbedingt zuverlässig. Doch sind die oft früher als die Bilder entstandenen und selbständig überlieferten Tituli für viele untergegangene Fresken die einzige Quelle.

Tizian: Selbstporträt; um 1565/70, Ausschnitt (Madrid, Prado)

Titusbogen, eintoriger Triumphbogen auf dem Forum Romanum in Rom (KARTE Rom im Altertum), 81 n. Chr. zu Ehren des Sieges von Titus über die Juden (Eroberung von Jerusalem 70 n. Chr.) errichtet. Der Reliefschmuck des T. beschränkt sich v. a. auf die Zwickelfelder über den Bogenöffnungen auf beiden Seiten (Victorien, Flußgötter) und auf 2 Reliefs (Triumphzug des Kaisers) im Bogendurchgang, wichtige Beispiele für den illusionist. Reliefstil der Kunst unter den flavischen Kaisern.

Tityos, grch. Mythos: urspr. ein böot. Heros und Zeussohn, dann in zweiter Geburt riesenhafter Sohn der Gaia, der sich an Leto vergreifen wollte und von Apoll und Artemis getötet wurde. Seinen Frevel büßte er damit, daß 2 Geier im Hades an seiner immer nachwachsenden Leber fraßen. Die Tötung durch Apoll ist Thema der ›T.-Schale‹ des Penthesileamalers (5. Jh. v. Chr., München, Staatl. Antikensamml.).

Tiv, große Volksgruppe auf dem Benue-Plateau in O-Nigeria, mit bed. Schnitz- und Bronzeguß-Tradition. Die Ahnenfiguren (Masken sind nicht bekannt) werden aus sehr hartem Holz (›Eisenholz‹) geschnitzt und zeichnen sich durch ihren statuar. Ausdruck und schalenförmige Ohren aus. Die weibl. Figuren tragen als Schmucknarben meist konzentr. Kreise um den Nabel.

Tivoli, ital. Stadt und Bischofssitz östlich von Rom, am Aniene, 45 500 Ew. Das in vorröm. Zeit gegr., mit maler. Felsenufern und Wasserfällen reizvolle T. entwickelte sich zu einer beliebten Sommerfrische der Römer **(Tibur),** die hier Villen und Tempel bauten. Aus dem frühen 1. Jh. v. Chr. stammt z. B. der korinth. Rundtempel (Sibyllentempel) auf einer Höhe über dem Aniene-Tal. Ihre Blüte erlebte die Stadt unter HADRIAN, der seine Villenanlagen 6 km unterhalb von T. erbauen ließ (→Hadriansvilla). Der in roman. Zeit erneuerte Dom wurde größtenteils barockisiert (im Innern eine in Holz geschnitzte Gruppe der Kreuzabnahme vom Anf. des 13. Jh. und ein Triptychon des 12. Jh.). In der einschiffigen roman. Kirche S. Silvestro sind Fresken des 13. Jh. am Triumphbogen und in der Apsis erhalten. In der Renaissance wurde für Kardinal IPPOLITO II. D'ESTE die **Villa d'Este** von P. LIGORIO 1550 ff. angelegt, die v. a. durch ihre großartige Parkgestaltung – in Terrassen abfallend mit einer Folge von Wasserspielen und zahlreichen Brunnen und Grotten – Bedeutung erlangte. Im Park der **Villa Gregoriana** (Anf. 19. Jh.) Grotten, Aussichtsterrassen und die Wasserfälle des Aniene.

Tizian, eigtl. Tiziano **Vecelli(o)** [vetʃ'ɛlli(o)], ital. Maler, *Pieve di Cadore (Dolomiten) um 1477 oder um 1488/90, †Venedig 27. 8. 1576, einer der größten Meister der Hochrenaissance, der die strenge Gebundenheit der klass. Bildform durch die Lebensfülle seiner Menschengestaltung und die Kraft seiner Farben überwand. T. kam mit neun oder zehn Jahren nach Venedig und lernte bei GIOVANNI BELLINI. 1508 malte er als Mitarbeiter von GIORGIONE einen Teil der Außenfresken am Fondaco dei Tedeschi (nicht erhalten; durch Stiche bekannt). Unter dessen Einfluß schuf er um 1515/16 das Gemälde der ›Himmlischen und irdischen Liebe‹

Tizian: Dornenkrönung; um 1570/71 (München, Alte Pinakothek)

(Rom, Gal. Borghese) und einige Halbfigurenbilder.

Von monumentaler Größe und leidenschaftlich gesteigerter Bewegung ist seine 1516–18 gemalte Himmelfahrt Mariä (›Assunta‹, Venedig, S. Maria dei Frari). In rascher Folge entstand nun eine große Zahl von Meisterwerken, sowohl Altarbilder (Madonna Pesaro, 1519–26, Venedig, S. Maria dei Frari) als auch mytholog. Szenen (Bacchanal, um 1518, Madrid, Prado; Bacchus und Ariadne, 1523, London, Nat. Gal.), in denen sich lebensvolle Menschendarstellung und Farbenpracht mit stark bewegter Komposition verbinden. Von ruhigerer Art, verfeinerter in den Farbabstufungen und der Wiedergabe des Stofflichen sind die Werke der 1530er Jahre (Tempelgang Mariä, 1534–38, Venedig, Accademia; Venus von Urbino, 1538, Florenz, Uffizien; Vorbild für Aktdarstellungen von D. VELÁZQUEZ, F. GOYA, É. MANET u. a.). Mit seinem Aufstieg erhöhte sich die Zahl der Porträtaufträge. 1531 malte T. Kaiser KARL V., von dem er zum Hofmaler ernannt und geadelt wurde (BILD Porträt). Zeitweilig wandte er sich kühleren, z. T. erdigen Tönen zu (Dornenkrönung, um 1542, Louvre; Ecce homo, um 1543, Wien, Kunsthistor. Mus.).

1545 war T. als Gast Papst PAULS III. in Rom tätig. Um diese Zeit kehrte die Glut der Farben in seine Bilder zurück, es entstanden viele mytholog. Arbeiten in nur wenig voneinander abweichenden Fassungen unter Beteiligung seiner Werkstattgehilfen (Danae, 1545/46, Neapel, Mus. Nazionale di Capodimonte, und Madrid, Prado). Die gleichzeitig entstandenen Porträts wie die Darstellung Papst Pauls III. mit seinen Nepoten (1545; Neapel, Mus. Nazionale di Capodimonte) sind Meisterwerke überlegener Menschenschilderung und psycholog. Verständnisses.

Der um die Mitte der 1550er Jahre einsetzende Altersstil ist von tief durchgeistigter Gelöstheit. In den Werken der Spätzeit, wie der ›Nymphe mit dem Schäfer‹ (um 1570; Wien, Kunsthistor. Mus.) und der ›Dornenkrönung‹ (um 1570/71; München, Alte Pinakothek), ist die Gestaltung durch ausdrucksbetonte Bewegungsmotive bestimmt, die Farben scheinen sich von den Gegenständen zu lösen und gewinnen symbol. Aussagewert.

WW: Frühwerk: Zeichnungen zur Holzschnittfolge ›Trionfo della Fede‹; Fresken aus der Antoniuslegende (1511, Padua, Scuola del Santo); Hl. Markus mit vier Heiligen (Venedig, S. Maria della Salute); Zigeuner-Madonna (Wien, Kunsthistor. Museum); Kirschen-Madonna (ebd.); Salome (1512; Rom, Gal. Doria-Pamphili); Flora (1515; Florenz, Uffizien); Venusfest (um 1518; Madrid, Prado); Der Zinsgroschen (um 1518; Dresden, Gemäldegalerie).

1520er Jahre: Mann mit Handschuh (um 1520; Louvre); Madonna mit den Hl. Franziskus u. Aloisius (um 1520, Ancona, Mus.); Altar mit Auferstehung Christi (1522; Brescia, SS. Nazaro e Celso); Hl. Christophorus (1523; einziges in Venedig erhaltenes Fresko T.s, Dogenpalast); Grablegung Christi (um 1525; Louvre).

1530er Jahre (Porträts): La Bella (um 1536; Florenz, Palazzo Pitti); Junger Engländer (um 1540; ebd.); Francesco Maria della Rovere, Herzog v. Urbino und seine Gattin (1536–38; Florenz, Uffizien); Franz I. (1538/39; Louvre).

1540er Jahre: Töchterchen des R. Strozzi (1543; Berlin-West, Staatl. Museen); Venus mit Amor (um 1545; Florenz, Uffizien); Johannes der Täufer (um 1545; Venedig, Accademia); Venus mit dem Orgelspieler (um 1545; Madrid, Prado; andere Fassung, um 1550, Berlin-West, Staatl. Museen); P. Aretino (1545; Florenz, Gal. Pitti); Karl V. sitzend (München, Alte Pinakothek) und zu Pferd (Madrid, Prado; beide 1548 in Augsburg gemalt); Philipp II. (1550; Madrid, Prado); T.s Tochter Lavinia (Berlin-West, Staatl. Museen).

Spätwerke: La Gloria (1554; Madrid, Prado); Venus u. Adonis (1554; ebd.); Marter des Hl. Laurentius (um 1555; Venedig, Jesuitenkirche); Perseus u. Andromeda (um 1555; London, Wallace Collection); Raub der Europa (1559, Boston, Gardner Mus.); Grablegung Christi (1559; Madrid, Prado); Selbstporträt (1562, Berlin-West, Staatl. Museen); Verkündigung (1565; Venedig, S. Salvatore); Erziehung des Amor (um 1565; Rom Gal. Borghese); Selbstporträt (um 1565/70; Madrid, Prado); J. Strada (1568; Wien, Kunsthistor. Mus.); Sündenfall (um 1570; Madrid, Prado); Dornenkrönung (um 1570/71; München, Alte Pinakothek); Pietà mit den Hl. Magdalena und Hieronymus (1573–76; Venedig, Accademia; von PALMA GIOVANE vollendet).

C. CAGLI u. F. VALCANOVER: L'opera completa di Tiziano (Mailand 1969); G. DELOGU: Tiziano, 2 Bde. (Florenz 1969); R. PALLUCCHINI: Tiziano, 2 Bde. (ebd. 1969); J. E. WETHEY: The paintings of Titian, 3 Bde. (London 1969–75); Titian. His world and his legacy, hg. v. D. ROSAND (London 1982).

Tjuringa aus Inneraustralien, Schiefer mit rotem Ocker bemalt, 32 cm lang

Tjuringa [austral.], **Tjurunga** *Mz.*, Kultobjekt der zentralaustral. Stämme (→Australier): flach, oval und länglich aus Holz (meist unverziert) oder aus Stein, mit geometr. Ornamenten (konzentr. Kreise, kleine Winkel u.a.) und bedeutungsvollen Zeichen verziert. Die T. zählen als Träger schöpfer. Kräfte der myth. Ahnen zu den geheiligten Symbolen der Stammesüberlieferungen. Die enge Assoziation mit dem traum- und schöpfungszeitl. Geschehen und mit den Seelenkräften des Einzelnen und seiner Gruppe verbieten den leichtfertigen Umgang mit T.; unter austral. Jurisdiktion kann gegen die öffentl. Zurschaustellung geklagt werden.

Tlacolula, Ort im Bundesstaat Oaxaca, Mexiko; in der Pfarrkirche (1647, mit Barockfassade) Christuskapelle mit Stuckornamentik und silbernem Hauptaltar.

Tlaloc, der Gott des Regens und des Wassers in Mesoamerika; eine der ältesten und am weitesten verbreiteten Göttergestalten. Dem T. entspricht bei den Maya Chac. Charakteristisch bei der Darstellung des Regengotts sind bei T. in Zentralmexiko die brillenartig umrahmten Augen, bei Chac im Maya-Gebiet die zu einem nach oben gekrümmten Rüssel ausgearbeitete Nase.

Tlatilco, archäolog. Fundort am Rand der Hauptstadt Mexikos; in Hunderten von präklass. Gräbern (um 1000 v. Chr.) wurden reiche Grabbeigaben gefunden: in Hohlform hergestellte oder handgeformte Figuren mit komplizierten Frisuren und Körperbemalung statt Kleidung; häufig mit Stummelarmen und übertrieben dicken Schenkeln.

Tlaxcala [tlask'ala], Hauptstadt des Staates T., Mexiko, 2255 m ü. M., etwa 25 000 Ew. Die einschiffige Klosterkirche S. Francisco (16. Jh.) hat schöne holzvertäfelte Decke im Mudéjarstil (geschnitzte Bandmuster, vergoldete Sterne), barocken Hochaltar (17. Jh.), Offene Kapelle und 2 der ehem. 4 Prozessionskapellen (→Posas). Etwas oberhalb der Stadt der ›Schrein der Jungfrau von Ocotlán‹. Diese Wallfahrtskirche, Werk eines indian. Künstlers (Mitte 18. Jh.), gilt als einer der schönsten Sakralbauten Mexikos. Die Außenteile der Fassade (Basis der Türme) sind mit sechseckigen unglasierten Tonplatten überdeckt. Das Barockportal aus weißem Bruchstein mit Estípite-Pfeilern sowie die Glockentürme sind mit manierist. weißen Stuckornamenten überdeckt. Im Innern (Mitte 19. Jh. fertiggestellt) reich verzierte Retabel; die Nische mit der Hl. Jungfrau mit indianisch beeinflußter, vielfarbiger Stuckdekoration.

Tlaxcala: Wallfahrtskirche ›Schrein der Jungfrau von Ocotlán‹; Mitte 18. Jh.

Tlemcen [tlɛms'ɛn], Stadt in NW-Algerien, 282 000 Ew.; 1082 von den Almoraviden als **Tagrart** gegr., städtebaul. Blüte unter den Almohaden (12./13. Jh.) und den Abdalwadiden (13.–16. Jh.) als Hauptstadt des mittleren Maghreb. Durch Ansiedlung span. Muslime im 13. Jh. wurde T. zum Kunstzentrum Algeriens. Seine 37 sakralen Bauwerke und die Stadttore zeigen sämtl. Elemente der spanisch-maur. Ornamentik in vervollkommneten Formen, v. a. damaszierte Arabeskenstukkaturen und feingliedrige Steinskulpturen. Im Zentrum des von der almohad. Wehrmauer (12. Jh.) umgebenen maler. Stadtkerns liegt die almoravid. Große Moschee El-Kebir (1136 voll.) mit dreizehnschiffigem Betsaal (60 × 50 m), breitem Mittelschiff (betont durch reichverzierte polylobe Bögen und 2 Kuppeln) und quadrat. Sahn. Über der prachtvoll ornamentierten Michrabfassade eine versetzte zwölfeckige Kuppel mit 24 Kreuzrippen, durchbrochenem Marmorflechtwerk und Mukarnasspitze (Vorbild der Kuppel in →Taza). Das quadrat. Minarett (1236; 43 m hoch) hat schönes Rautenflechtwerk und polylobe Blendarkaden (→maurischer Stil). Die dreischiffige Moschee Sidi Bel Hasan (1296) besticht durch arabesken Stuckfiligran der Michrabfassade, glänzend facettiertes Stalaktitengewölbe und prachtvolle Artesonadodecke aus dunklem Zedernholz; im angeschlossenen Archäolog. Mus. die beste Samml. almoravid. und almohad. Kunst in Algerien. Die dreischiffige Ouled-Imam-Moschee (1310) hat ein quadrat. Minarett mit schönen Fliesenfayencen. Im N, vor der Stadtmauer, die fünfschiffige Grabmoschee Sidi Halaoui (1353) in T-Konzeption, mit schönem Bogendekor über Onyxsäulen, Schmuckmichrab und reichverziertem quadrat. Minarett. Im ummauerten Mechouar-Komplex (ehem. Sitz des Emirs) kleine Moschee (restauriert) mit schönem Minarett (frühes 14. Jh.) und restauriertem Palast. Im Vorort Agadir zahlreiche Kubbas aus dem 11./12. Jh., v. a. das ›Grab der Sultanin‹ (Achteckkuppel über polyloben Bögen), sowie Minarett (13. Jh.) mit Flechtornamentik, Blendarkaden und vielfarbigen Fliesenbändern. T. ist bed. Kunsthandwerkszentrum (Teppiche, Metall, Leder, Keramik, Musikinstrumente). Weitere bed. Bauwerke im Vorort →El-Eubbad und in →Mansoura.

Tlịngit, nördlichster Stamm der →Nordwestküsten-Indianer, an der Pazifikküste Kanadas. Mit großer künstler. und techn. Meisterschaft schnitzten sie aus Walroßelfenbein kleine Amulette, aus Holz Hausbalken, Wappenpfähle, Bootsteile u. a. Ihre Stärke lag in der zweidimensionalen Gestaltung mit üppigen Dekorationen und sicherem Gefühl für Formen, Farben und Komposition (reliefartige Schnitzerei; Malerei; Weberei, →Chilkat).

Tobey [t'əʊbɪ], Mark, amerikan. Maler, Graphiker, *Centerville (Wisconsin) 11. 12. 1890, †Basel 24. 4. 1976, bereiste u. a. den Fernen Osten, lebte seit 1960 in Basel. Seine zart strukturierte Malerei (›white writings‹, engl. ›weiße Zeichen‹) zeigt zunächst noch gegenständl. Anklänge, bis die Darstellung auf ein rhythm., sensibles Liniengewebe beschränkt wird. T.s Werk stellt Verbindungen zw. dem amerikan. Action Painting, das er beeinflußte, der europ. Malerei (P. KLEE) und der ostasiat. Philosophie und Tuschmalerei her.

H. HEIDENHEIM: M. T. Das druckgraph. Werk (1975).

Tobias, im A. T. Name von 2 Helden (Vater und Sohn) einer erbaul. Legende, die in ihren Szenen von der bildenden Kunst oft dargestellt wurde (›Der alte T. begräbt die Toten‹, ›Erblindung des alten T.‹, ›Abschied des jungen T.‹, ›T. und Raphael auf der Wanderschaft‹, ›T. und der Fisch‹, ›Vermählung des jungen T. mit Sara‹, ›Heilung des alten T.‹, ›Raphael verläßt die Familie‹). Der frühchristl. Kunst galt T. als Symbol für die Seele des Verstorbenen, die von Gott auf dem Weg in die Ewigkeit beschützt wird (auch Darstellungen mit dem Fisch, dem Symbol für Christus). Sinnbildlich tritt T. in der Kunst des MA. Christus gegenüber, der die Blinden sehend macht (Gumpertsbibel des 12. Jh., katalan. Bibelillustrationen, Statuen am rechten Seitenportal der N-Fassade von Chartres). In Votivbildern des 15. Jh. in Italien werden die T.-Geschichten als Dank für eine gut überstandene Reise dargestellt (PINTURICCHIO, S. BOTTICELLI). In der Nachfolge von A. ELSHEIMERS T.-Bild entstanden nach 1600 viele Kopien und Varianten. T.-Darstellungen waren auch in der niederländ. Malerei des 17. Jh. häufig (v. a. REMBRANDT, Gemälde ›Abschied des Engels Raphael von der Familie des T.‹, 1637; Louvre).

Tobolsk, Stadt im Gebiet Tjumen, Russ. SFSR, am rechten Steilufer des Irtysch, 65000 Ew. 1587 von Kosaken als Festung gegr., war T. seit 1708 Zentrum des Gouv. Sibirien und seit 1796 des Gouv. T.; seit 1620 Bischofssitz. Im Kreml (Ende 17.–Anf. 18. Jh.; erster steinerner Kreml Sibiriens) sind mehrere Bauwerke des 17./18. Jh. erhalten, u. a. Sophien-Uspenskij-Kathedrale (1683–86; Fünf-Kuppel-Kirche mit 2 Pfeilern; Schatzkammer und Glockenturm, 1796–98), Gasthof (1703–05) mit Innenhof und 4 Festungstürmen an den Ecken, Schwed. Palast (1714–16) und ehem. Bischofspalais (1773; heute Mus.).

Todgha-Tal, Todra-Tal, Schlucht im Hohen Atlas, S-Marokko, 168 km östlich von Ouarzazate. Mehrere berber. Stampflehm-Kasbas und Zawijas. Vor der Schlucht die Oase **Tinerhir,** ein großer Ksar mit maler. Kasba-Gruppen, v. a. die prachtvolle Feudalkasba des Pascha von Marrakesch (›El-Glaoui‹).

Todi, Stadt und Bischofssitz auf einem Hügel über dem Tibertal in der ital. Prov. Perugia, 17300 Ew. Neben dem ma. Mauerring sind Reste der etrusk. und röm. Mauerringe, des Amphitheaters und 4 Nischen mit dorischem Gebälk (wohl Teile einer röm. Basilika oder eines Forums) erhalten. Mittelpunkt der Stadt ist die ma. Piazza del Popolo, umgeben von dem im 12. Jh. erbauten, in der Gotik und später z. T. veränderten Dom und Palästen des 13. Jh.: Palazzo del Popolo, Palazzo del Capitano (mit Pinakothek und Archiven) und Palazzo dei Priori (voll. im 14. Jh.). Aus got. Zeit stammt die dreischiffige Hallenkirche S. Fortunato (beg. 1292), in deren Krypta FRA JACOPONE DA TODI beigesetzt ist. Unterhalb von T. liegt die Wallfahrtskirche S. Maria di Consolazione, ein kuppelüberwölbter Zentralbau über grch. Kreuz mit Halbkuppeln über den 4 Kreuzarmen, seit 1508 wohl von Schülern BRAMANTES erbaut (Kuppel 1607 voll.).

Toepffer, Rodolphe, frz.-schweizer. Schriftst., Zeichner, *Genf 31. 1. 1799, †ebd. 8. 6. 1846; volkstüml., humorvolle Romane und Erzählungen, die er mit eigenen Zeichnungen versah; schuf auch humorist. Bildergeschichten und Karikaturen.

HW: Bildergeschichten: M. Jabot; M. Crépin; Mr. Pencil; Le Dr. Festus; Histoire d'Albert; Les amours de Monsieur Vieux-Bois; Monsieur Cryptogame (dt. Fahrten u. Abenteuer des Herrn Steckelbein). – Komische Bilderromane, hg. v. K. RIHA (1975).

Togidashi-e [-ʃi-], eine Technik der japan. →Lackkunst.

Tohaku, Familienname **Hasegawa,** japan. Maler, *Nanao (Präfektur Ishikawa) 1539, †Edo 19. 3. 1610, neben KANO EITOKU bed. Maler der Muromachi- und Momoyama-Zeit. T. wandte die Technik der spontanen Tuschmalerei der Zen-Mönche auf japan. Themen an. Neben dekorativen monochromen Tuschmalereien malte er auch in Grün-, Braun- und Grautönen auf Goldhintergrund Bilder auf Stellschirmen und Schiebetüren in vielen Tempeln und Palästen in Kioto, Osaka und Edo (heute Tokio).

Toilette|szenen [twa-], in Malerei und Graphik Darstellungen von Frauen vor dem Spiegel am Putztisch bei der Toilette. Als Motiv zunächst v. a. bei Venus-Darstellungen verwendet, wurde es seit der Renaissance ein Lieblingsthema sinnenfroher Malerei (GIOVANNI BELLINI, ›Junges Mädchen bei der Toilette‹, Wien, Kunsthistor. Mus.). Durch den höf. Geschmack mit der Neigung zum Frivolen erreichten die T. im 17. und 18. Jh. als erot. Genrestück große Beliebtheit. Eine dezente Auffassung zeigen dagegen die T. in der holländ. Malerei des 17. Jh., wo die fertig gekleidete Frau intime Zwiesprache mit ihrem Spiegelbild hält (G. TERBORCH, F. VAN MIERIS D. Ä.).

Tokat, Hauptstadt der türk. Prov. T. im nördl. Mittel-Anatolien, 48 500 Ew. Der bedeutendste Bau unter den Denkmälern (Güdük Minare Camii, 1. H. 15. Jh.; Hatuniye Camii, 1485; Ali Pascha Camii, 1572/73; Ulu Camii, 1679) ist die Gök Medrese (um 1275, heute Mus.) mit reichem Bauornament und Fliesendekoration; Türben des 13. und 14. Jh.; Bedestan (vor 1522).

Tokio, Tokyo [›Osthauptstadt‹], Hauptstadt von Japan, auf Honshu, 11,4 Mio. Ew. 1603 wurde das damalige **Edo** von TOKUGAWA IEYASU als Residenz und Verwaltungssitz des Tokugawa-Shogunats bestimmt. Die im 15. Jh. gegr. Burg wurde durch den 2. Tokugawa-Shogun zu der größten und prächtigsten Burgstadt Japans ausgebaut. In den Wirren der Meiji-Restauration wurde sie völlig zerstört. An ihrer Stelle wurde, nachdem 1868 die Hauptstadt nach Edo verlegt und der Name in T. geändert worden war, der Kaiserpalast gebaut, der im 2. Weltkrieg zerstört und 1968 wieder aufgebaut wurde. Wegen wiederholter Zerstörungen durch Feuer (bes. 17. Jh.), Erdbeben (v. a. 1923), sowie im 2. Weltkrieg hat T. nur wenige kunsthistor. Bauten und Anlagen. Bed. Schreinanlagen sind der Meiji-Schrein, in dem der Kaiser Meiji verehrt wird (1920, 1958 wie-

Tokio: Meiji-Schrein; 1920, 1958 wiederaufgebaut

deraufgebaut), der Toshogu-Schrein (1626) im Stadtteil Ueno, im Gongen-Stil (→Nikko) erbaut, und der Yasukuni-Schrein (den Kriegstoten geweiht). Von den vielen buddhist. Tempelanlagen sind nur wenige von kunsthistor. Interesse, z. B. das Torgebäude (Sammon) des Asakusa-Tempels im O der Stadt.

Aus der Meiji-Zeit sind öffentl. Bauten in dem von Europa stark beeinflußten modernen oriental. Architekturstil erh.: Bahnhofempfangsgebäude (1914), Parlamentsgebäude in Kasumigaseki (1936), die Nihonbashi-Brücke (1911), der Akasaka-Palast (1909) des Kronprinzen im Stil der frz. Palastarchitektur des 18. Jh.

Von den ehem. zahlreichen Gartenanlagen der Daimyo-Residenzen sind einige als Landschaftsgärten zugänglich: im N (Bunkyo-Ku) der Rikugi-en, der Koraku-en und der Ueno-Park; der Kiyosumi im O gilt als der schönste Landschaftsgarten in T.

Zu den bed. Beispielen zeitgenöss. Architektur gehören die Bauten von K. Tange (Olympia-Bauten, Rathaus, Marienkathedrale, Presse- und Rundfunkgebäude), K. Sone (Chuo Univ.-Bibl.), K. Mayekawa (Metropolitan Festival Hall, Gakushuin Univ.-Bibl., Setagaya Community Center) und S. Okada (Reichsgericht).

Die umfassendsten Kunstmuseen der Stadt liegen im Ueno-Park. Das Nat.-Mus. für Westl. Kunst, 1959 nach einem Entwurf von Le Corbusier erbaut, enthält v. a. frz. Gemälde und Skulpturen seit der Romantik (P. Cézanne, E. Degas, C. Monet); in der Städt. Kunstgal. (Tokyo Metropolitan Art Gallery) Werke zeitgenöss. japan. Künstler. Das Nat.-Mus. ist das größte Mus. Japans; im Gebäude Hyokeikan (1901–08) archäolog. Funde (Haniwa-Figuren), im Zentralbau (erb. 1937) japan. Kunst vom MA. bis zur Meiji-Zeit, im Toyokan-Gebäude (erb. 1962–68) Kunst aus Indien, China, Korea sowie Spezialausstellungen zur japan. Kunst; ein eigenes Gebäude ist den Kunstschätzen aus dem Horyuji (bei Nara) gewidmet.

Tokonoma, Nische mit erhöhtem Boden im japan.

Haus, in der je nach Jahreszeit oder Anlaß eine bestimmte Hängerolle aufgehängt und ein Gefäß aufgestellt wurde, z. T. mit Blumengesteck.

Tokugawa-Zeit, japan. Geschichtsperiode. Für die →japanische Kunst in diesem Zeitraum ist die Bez. Edo-Zeit gebräuchlicher (1615–1868).

Toledo, 1) [tol'eðo], span. Provinzhauptstadt und Erzbischofssitz auf einem vom tiefeingeschnittenen Tajo umflossenen Granitsporn der Meseta Neukastiliens, 46 000 Ew. T., das röm. **Tolętum,** gehört zu den ältesten Städten Spaniens, wurde 192 v. Chr. von den Römern erobert, war 534–712 Hauptstadt der Westgoten in Spanien. In maur. Zeit (712–1085) erlebte T. seine größte Blüte. Unter ALFONS VI. von Kastilien wurde T. Residenz (1087) und kirchl. Mittelpunkt. Nach Ausweisung der Juden und Mauren Ende des 15. Jh. sowie nach Verlegung der Residenz nach Madrid unter PHILIPP II. (1563) verlor es seine Bedeutung.

T. ist reich an Baudenkmälern aus maur. und christl. Zeit. Viele Kirchen entstanden durch Umbau von Moscheen und Synagogen oder wurden als christl. Bauten noch 3 Jh. nach der christl. Wiedereroberung (Reconquista) stark von maur. Stilelementen (Mudéjar-Stil) beeinflußt: Ermita Cristo de la Luz (ehem. Moschee aus dem späten 10. Jh. mit Gewölbe auf Hufeisenbögen, ähnlich der Moschee von Córdoba), S. María la Blanca (ehem. Synagoge des 12./13. Jh.), Synagoge del Tránsito (1365, mit reichem Stuckdekor), die Kirche Santiago del Arrabal (kurz nach der Wiedereroberung erbaut, maur. Einflüsse). Die fünfschiffige Kathedrale ist eine der bedeutendsten got. Kirchen Spaniens, 1227–1493 gebaut, mit skulpturen- und reliefgeschmückten Portalen (v. a. Puerta del Reloj, Ende 13. Jh., und Puerta de los Leones, 2. H. 15. Jh.) und reicher Innenausstattung: Altarretabel von N. →Tomé, prächtiges geschnitztes Chorgestühl von A. BERRUGUETE und F. VIGARNY (1539–43), Capilla de los Reyes Nuevos (1531–34, von A. DE COVARRUBIAS), Kapitelsaal im Cisneros-Stil von E. EGAS (1504–12) mit Gemälden von J. DE BORGOÑA und L. TRISTÁN und prächtiger Artesonado-Decke. Sakristei mit Gemälden von F. GOYA und EL GRECO, von dem auch eine Skulpturengruppe

Toledo 1): Spätgotischer Kreuzgang der Klosterkirche San Juan de los Reyes

stammt. Die Klosterkirche S. Juan de los Reyes (1475 ff. im Isabellin. Stil von J. GUAS erbaut, Fassade von Covarrubias), urspr. als Grabstätte für die Kath. Könige bestimmt, hat einen prachtvollen spätgot. zweigeschossigen Kreuzgang mit Kassettendecke und plateresker Treppe von Covarrubias. Im Hospital S. Cruz von E. →Egas (1504 beg.) das Provinzialmus. (archäolog., westgot., arab., keram. Samml., 18 Werke El Grecos). Der Alcázar, das Stadtbild beherrschend, wurde unter KARL V. errichtet (urspr. röm. und maur. Anlagen), nach Zerstörung im Span. Bürgerkrieg wiederaufgebaut und zum nationalen Monument erklärt. Die Brücken (Puente de Alcántara, Puente de San Martín) und Stadttore (Puerta Vieja de Visagra, Puerta del Sol) sind z. T. maur. Ursprungs. Neben der Casa del Greco das Greco-Mus. – Außerhalb von T. das Kloster S. Bautista de Afuera (nach 1541 von B. BUSTAMANTE für Kardinal Tavera erbaut, mit Gemälden und Skulpturen El Grecos, Grabmal Taveras von A. BERRUGUETE).

F. CHUECA-GOITIA: Madrid, T. (a. d. Span., 1973).

2) [təl'i: dəu], Stadt im Staat Ohio, USA, 354600 Ew.; im T. Mus. of Art bed. Glassamml.; die Gemäldesamml. enthält u. a. Werke von FILIPPINO LIPPI, EL GRECO, H. HOLBEIN D. J., P. P. RUBENS, CLAUDE LORRAIN.

Toledo [tol'eðo], Juan Bautista de, span. Baumeister, †Madrid 19. 5. 1567, wahrscheinlich in Italien Schüler MICHELANGELOS, seit 1559 Hofarchitekt PHILIPPS II. und Leiter der königl. Bauten. T. verbreitete in Spanien die Errungenschaften der italienischen Hochrenaissance, sein größter Auftrag war die Planung des →Escorial, dessen Grundsteinlegung 1563 erfolgte. Nach T.s Tod übernahm sein Schüler und Gehilfe J. DE HERRERA die Bauleitung.

Tolentịno, ital. Stadt und Bischofssitz in der Prov. Macerata, Marken, 18000 Ew. Das bedeutendste Bauwerk ist die Basilika S. Nicola (13. Jh., mehrfach verändert), mit Frührenaissance-Portal an der Barockfassade, einschiffigem, reich dekoriertem Inneren (barokke Kassettendecke) und großer got. Kapelle des Hl. Nikolaus von T., ausgemalt mit Freskenzyklus des 14. Jh. Der Kirche benachbart ist ein Keramikmus. sowie das Städt. Mus. (archäolog. Funde u. a.).

Tollan, Hauptstadt der Tolteken, →Tula 2).

Tolsạ́, Manuel, span. Architekt, Bildhauer, *Enguera (Valencia, Spanien) 24. 12. 1757, †Veracruz (Mexiko) 24. 12. 1816, war tätig in Mexiko, wo er zum Hauptmeister des Neoklassizismus wurde. T. leitete die Fertigstellung der Kathedrale von Mexiko-Stadt (1813), deren Kuppel er auch geschaffen hatte (1791). Als sein HW gilt der Palacio de la Mineria (1797–1813) mit dem davor aufgestellten bronzenen Reiterdenkmal Karls IV. von Spanien; in der Hauptstadt schuf T. u. a. auch den Palacio de Buenavista und Altäre in den Kirchen La Profesa und S. Domingo sowie den Hauptaltar der Kathedrale in Puebla (um 1800).

Tolstọj, Fjodor Petrowitsch Graf, russ. Medailleur, Bildhauer, Maler, Graphiker, *St. Petersburg 21. 2.

1783, †ebd. 25. 4. 1873, schuf im klassizist. Stil Reliefs, die sein scharfes Beobachtungsvermögen zeigen, u. a. für die Bronzetüren der Isaak-Kathedrale in St. Petersburg und der Erlöserkathedrale in Moskau sowie allegor. Medaillons zur Erinnerung an den Vaterländ. Krieg 1812.

Tolteken: klassischer Chacmool des Quetzalcoatl-Tempels in Tula

Tolteken, Volk in Mesoamerika, das zw. 700 und 1200 das Hochtal von Mexiko und das umliegende Gebiet beherrschte, Hauptstadt war Tula (Tollan) im heutigen Bundesstaat Hidalgo. Im Kunstschaffen der T. spiegelt sich deutlich der eher krieger. Aspekt ihrer Kultur wider. Ihre Architektur ist gekennzeichnet durch mäßig hohe Pyramiden und säulenbestandene Hallen. Aus mehreren Steinen zusammengesetzte Pfeiler in Form der Federschlange schmücken die Tempel. Charakterist. Skulpturen sind die Atlanten von →Tula 2) und der →Chacmool. Motive der Reliefkunst sind Krieger, Menschenopfer und Raubtiere (Jaguar und Adler), szen. Darstellungen sind selten. Die Keramik ist gekennzeichnet durch Gefäße (meist Dreifußschalen), rot bemalt auf hellbraunem Grund. Bes. auffallend (spätere Mosaiktechniken der Azteken und Mixteken vorwegnehmend) ist ein mit Perlmutterplättchen besetztes Tongefäß in Form eines Koyotenkopfes, in dessen Maul ein Kriegerantlitz steckt. Die Merkmale der toltek. Kunst erscheinen wieder (z. B. Chichén Itzá) im nördl. Yucatán im Maya-Gebiet, in das um 900 toltek. Gruppen eindrangen.

Tölz, Bad T., Stadt an der Isar, Oberbayern, 13 100 Ew. Die Marktstraße mit meist bemalten Flachgiebelhäusern (18./19. Jh.) bietet eines der schönsten Stadtbilder Oberbayerns. Spätgot. Stadtpfarrkirche (1466 voll., 1612 umgestaltet); schlichte barocke Dreifaltigkeits-(Franziskaner-)Kirche (1733–35). Wallfahrtskirche auf dem Mühlfeld (1735–37 nach Plänen von J. Schmuzer) mit Chorfresko von M. Günther. Kalvarienberg mit äußerlich zusammengezogener Unterer und doppeltürmiger Oberer Kirche (mit Hl. Stiege, 1723–32); westlich die Leonhardikapelle (1718–22). Heimat-Mus. (v. a. Bauernmöbel und sakrale Plastik).

Toma, Loma, Volksgruppe im Länderdreieck von Sierra Leone, Liberia und Guinea, die v. a. Masken (nur wenige Figuren) verwendet. Diese treten bei den Zeremonien des Poro-Geheimbundes auf, sind meist stark abstrahierend und lassen sich in 3 Typen unterscheiden: die männl. ›Landa‹, die weibl. ›Nyangbai‹ sowie gehörnte Masken.

Toma, Gioacchino, ital. Maler, *Galatina (Apulien) 24. 1. 1836, †Neapel 12. 1. 1891, malte Landschaften, Stilleben, Porträts von eigentümlich zarter Licht- und Farbenstimmung.

Tomar [tum'ar], portug. Stadt 80 km nordöstlich von Lissabon, 16 000 Ew.; überragt von der ehem. Ordensburg der Christusritter, einem ausgedehnten Baukomplex des 12.–17. Jh., 1160 von den Tempelrittern gegr., seit 1320 Stammsitz der Christusritter. Vom Bau des 12. Jh. sind ein Kreuzgang, Teile der Burg und die frühgot. Rotunde der Templerkirche erh. Dieser Zentralbau besteht aus einem achteckigen Mittelteil mit sechzehneckigem Umgang (1162) und ist mit Fresken niederländ. Maler geschmückt (1510). Im 15. Jh. kamen ein Palast, 2 Kreuzgänge sowie ein zweigeschossiger Arkadenhof hinzu. Am nachhaltigsten wurde der Bau Anf. des 16. Jh. unter König EMANUEL I. durch J. DE CASTILHO und D. DE ARRUDA im Emanuelstil mit seinem bizarren Formenreichtum geprägt. Man setzte an die Rotunde einen zweigeschossigen Bau, der im Untergeschoß den Kapitelsaal (von Arruda), im Obergeschoß den Hochchor (von Castilho) birgt. An der Nahtstelle zw. Rotunde und Chor schuf Castilho ein üppig dekoriertes Portal (Maria thront auf der Spitze einer gewaltigen Figurenpyramide). König JOÃO III. ließ nach 1523 nach der Umwandlung des Ritterordens in einen Mönchsorden eine große kreuzförmige Klosteranlage errichten; um 1540 begann D. TORRALVA den erst unter den span. Königen von F. TERZI vollendeten zweigeschossigen Renaissance-Kreuzgang (Claustro dos Filippos). In der Stadt sind bemerkenswert die Kirche S. João Baptista

Tomar: Portal der Christusritterkirche; nach 1510

(um 1520) und die ehem. Templerkirche S. Maria do Olival (um 1540 umgebaut) sowie die Kirche Nossa Senhora da Conceição (um 1550, in italienischen Renaissanceformen).

Tombak [malaiisch tembaga ›Kupfer‹] *das,* zur Herstellung von Schmuckwaren, Musikinstrumenten und Beschlägen verwendetes Messing mit 67–90 % Kupfer, Rest Zink; Farbe je nach Zinkgehalt rot, gold, gelb.

Tomé, Narciso, span. Baumeister, Bildhauer, Maler des 18. Jh., aus der Bildhauer- und Architektenfamilie T. aus Toro, tätig zw. 1715 und 1742, führender Meister des →Churriguerismus. Sein HW ist das Altarretabel in der Kathedrale von Toledo, ein gigant., in Marmor, Jaspis und Bronze ausgeführter Altaraufbau (1721–32), der als eine der großartigsten Schöpfungen des span. Barock gilt.

Tomlin, Bradley Walker, amerikan. Maler, *Syracuse (New York) 19. 8. 1899, †New York 11. 5. 1953, studierte u. a. 1923/24 in Paris, fand in den 1930er Jahren mit zw. Abstraktion und Kubismus stehenden Stilleben seinen eigenen Stil, gelangte dann unter dem Einfluß des Abstrakten Expressionismus zu großformatigen, farblich gedämpften Bildern mit Zeichen, die an ostasiatische Kalligraphie erinnern.

Tommaso (Tomaso) da Modena, ital. Maler, *Modena zw. 9. 3. 1325 und 6. 6. 1326, †vor 16. 7. 1379, tätig bes. in Treviso; einer der wichtigsten Meister des seit Mitte des 14. Jh. erwachenden Realismus. Seine im Auftrag Kaiser Karls IV. für die Burg Karlstein in Böhmen geschaffenen Tafelbilder haben die böhm. Malerei nachhaltig beeinflußt. (→Böhmische Malerschule)

HW: Freskoporträts bed. Dominikaner, Treviso, Kapitelsaal von S. Niccolò (1352); Madonna mit zwei Heiligen (Burg Karlstein in Böhmen); Freskenzyklus mit der Legende der Hl. Ursula (Treviso, Mus. Civico).

Ton, 1) Der **Farbton** gibt eine der 24 Farben des Farbkreises an; zus. mit der **Sättigung** und der **Dunkelstufe** dient er der Bestimmung farbiger Erscheinungen. In der Umgangssprache wird T. synonym für Nuance gebraucht. **Tonig** nennt man ein Kolorit, das von einer Grundfarbe bestimmt wird.

2) Zerfallsprodukt von Feldspat, Grundstoff für die Herstellung von Keramik. Farbige T. dienen aufgeschlämmt als Pigment.

Ton, Konstantin Andrejewitsch, K. A. →Thon.

Tonantzintla, Ort im Staat Puebla, Mexiko, 2000 Ew. Die Kirche S. María (frühes 17. Jh.), Fassade (später) aus rotem Stein mit weißblauen Azulejos, im Innern überreich mit farbigen Stukkaturen im Poblano-Stil (Heilige, Engel, Früchte, Blumen, Vögel) geschmückt, gehört zu den schönsten indianisch beeinflußten Kirchen Mexikos.

Tondern, dän. **Tønder** [t'ønər], Stadt nahe der dt.-dän. Grenze, 12 500 Ew.; reich ausgestattete Christuskirche, eine Backstein-Hallenkirche, trotz der späten Bauzeit (1591) noch in reiner Spätgotik; Rathaus (1643–47), Patrizier- und Bürgerhäuser des 17.–18. Jh.,

Kunst-Mus. (Kunst-Sammlung und Kulturhistorisches Mus.).

Tondo [ital. ›rund‹], *das,* Rundbild, schon in der Antike als Medaillon, Münzbild und v.a. auf Schaleninnenbildern der grch. Vasenmalerei, die erstmals die Rundfläche als besondere Gestaltungsaufgabe auffaßte. Als Ziermotiv wurde es auch in der Malerei und Plastik des MA. bevorzugt. Bes. in der florentin. Renaissance wurden T. sowohl in der Malerei (MASACCIO, D. VENEZIANO, S. BOTTICELLI) wie in der Plastik (DONATELLO, B. ROSSELLINO, L. DELLA ROBBIA) bevorzugt, da die Formtheoretiker in der Kreisform des T. den Inbegriff der Vollkommenheit sahen.

Tonga-Inseln, zu Westpolynesien gehörende Inselgruppe, deren plast. Kunst an die Traditionen der Fidschi-Inseln anknüpft. Bemerkenswert sind Figuren aus Elfenbein (10–15 cm hoch; meist weiblich, mit gerundeten Formen und kräftigen Beinen), deren Gesichter in Form und Ausdruck äußerst individuell wirken. Daneben finden sich schöne Formen bei der Holzverarbeitung (Schalen, Trommeln, Keulen u.a.) sowie v.a. mit geometr. Mustern dekorierte →Tapa.

Tongdosa, eine der 3 größten Tempelanlagen Koreas auf dem Berg Youngch'ui, Yangsan, Prov. Süd-Kyŏngsang. Sie wurde 646 errichtet. Bei der Hideyoshi-Invasion 1592 abgebrannt, 1603 neu erbaut und 1641 erweitert. Die im 17. Jh. entstandene Haupthalle Taeungjŏn ist eine einstöckige Halle von 3 Interkolumnien Breite und 5 Interkolumnien Tiefe, worin sich eine dreistöckige Steinpagode, Reliquien-Pagode und Steinlaterne aus der Silla-Zeit befinden. Außerdem wird ein Bronzeräuchergefäß mit eingelegtem Dekor in Silber aus der Koryo-Zeit aufbewahrt.

Tongern, fläm. **Tongeren** [t'ɔŋərə], frz. **Tongres** [tɔ̃gr], Stadt in der belg. Prov. Limburg, das röm. **Aduatuca Tungrorum.** Die got. Liebfrauenkirche (um 1240 beg., der unvoll. hohe Turm 14.–16. Jh.) mit roman. Kreuzgang birgt eine wertvolle Ausstattung, u.a. roman. Kruzifix (11. Jh.), prächtige Dinanderien (Adlerpult, mehrere Leuchter, Ende 14. Jh.), Renaissancefenster (1550), Antwerpener Schnitzaltar (16. Jh.). Der Kirchenschatz ist einer der reichsten Belgiens (roman. und got. Reliquiare, Christuskopf, 11. Jh., Elfenbeinarbeiten). Gallo-röm. Provinzial-Mus.

Tonholzstich, Tonstich, →Holzstich.

Tonitza, Nicolae, rumän. Maler, Zeichner, Kunstkritiker, *Bîrland 13. 4. 1886, †Jassy 27. 2. 1940, studierte u.a. in München und Paris, malte Landschafts-, Blumen-, Interieur- und v.a. Kinderbilder von leuchtender Farbigkeit und z.T. mit sozialkrit. Aussage.

Tonmalerei, Fa-presto-Malerei, Malerei auf →Farbiger Grundierung. Die Modellierung wird dabei durch unterschiedlich starken Auftrag der Farben erreicht; bei dünnem Auftrag ergeben sich opt. Mischtöne mit der durchscheinenden, meist rotbraunen oder gelben Farbe des Bolusgrundes.

Tonnengewölbe, Baukunst: →Gewölbe.

Tönning, Stadt auf der Halbinsel Eiderstedt, Schlesw.-Holst., 4900 Ew. Die Laurentiuskirche (Kern 12. Jh., sonst 17./18. Jh.) mit ihrem auffallenden Barockturm (1703–06) hat reiche Ausstattung, u. a. spätmanierist. Hochaltar und Emporenlettner mit Knorpelwerkschnitzereien (1634/35), vollständig bemaltes hölzernes Tonnengewölbe (1704).

Tonplastik, plast. Werke, bes. der Kleinkunst, aus meist ungebranntem Ton; über Werke aus der Antike und der ital. Kunst des Quattrocento (L. DELLA ROBBIA u. a.) →Terrakotta. T. werden v. a. die im 15. Jh. in Dtl. entstandenen kleinformatigen Tonwerke des →Schönen Stils (die ›Nürnberger Tonapostel‹; um 1400, German. Nat.-Mus., Nürnberg; die ›Lorcher Kreuztragung‹; um 1425, Berlin-West, Mus. Dahlem, und die von demselben mittelrhein. Meister geschaffene ›Beweinung‹; um 1420, Limburg a. d. Lahn, Diözesan-Mus.) genannt. Die kleinfigurigen T. sind eine wichtige Teilerscheinung der Spätgotik. – Aus der Renaissance und dem Barock sind zahlreiche →Bozzetti aus Ton erhalten.

Für einige außereurop. Kulturen hat sich T. als umfassendere Bez. gegenüber Terrakotta durchgesetzt, obwohl es sich häufig um gebrannte Tonfiguren handelt.

In China wurden T. v. a. als Grabbeigaben hergestellt: Herausragendes Beispiel ist die Armee von lebensgroßen, nach dem Brand naturnah, kalt bemalten Terrakotta-Figuren (BILD chinesische Kunst), die Ch'in Shih-huang-ti in seiner gewaltigen unterird. Grabanlage in Stellung bringen ließ. Aus Gräbern der Han-Zeit sind neben Tonmodellen von Häusern (BILD Haus), Ställen und Turmbauten sowie anderen Gebrauchsgegenständen sehr zahlreiche kalt bemalte oder mit Bleisilikatglasuren überzogene Grabfiguren ausgegraben worden. Nach dem Zusammenbruch des Han-Reiches bildeten sich in der Zeit der Teilstaaten Lokalstile aus. Grabfiguren der Nördl. Wei-Dynastie stehen z. B. stilistisch den Ton-Stuck-Plastiken der Höhlentempel nahe. Die naturalist., schwungvoll körperbetonten Grabfiguren der T'ang-Zeit geben ein eindrucksvolles Bild von der kosmopolit. Kultur dieser Epoche: Figuren von Ausländern, Damen, Tänzerinnen, Musikantinnen in prachtvoller Aufmachung, Zivil- und Militärbeamten, Kamelen und Pferden u. a. Aus dem 12. Jh. sind Plastiken von meditierenden →Lohan aus bunt glasiertem Steinzeug erh. Etwa seit dem Ende der T'ang-Zeit wurde die tönerne Grabplastik zunehmend durch bei der Bestattung verbrannte Papierfiguren ersetzt; Ton wurde weiterhin für Kleinplastiken verwendet.

In Japan sind T. aus der Frühzeit erh.: magisch-groteske Tonfigürchen (Dogu) in der Jomon-Zeit und →Haniwa in der Kofun-Zeit. Aus ungebranntem, in mehreren Schichten auf einen strohumwickelten Holzkern aufmodelliertem Ton entstanden im 8. Jh. viele ausgezeichnete buddhist. T., z. T. bemalt und mit eingesetzten Augen, u. a. kleine Statuen von 711 in der Pagode des Horyuji, Nara; T. des Nikko- und des Gakko-Bosatsu und 2 Ni-o (Mitte des 8. Jh.; BILD japanische Kunst) im Hokkedo des Todaiji in Nara oder einer der

12 göttl. Generäle, um 750 im Shin-Yakushiji, Nara. Aus dem vorkolumb. Amerika sind Tonfigurinen in Mesoamerika v. a. aus Tlatilco, Teotihuacán, von den Maya aus Jaina, aus Remojades überliefert. Von den Westmexikan. Kulturen stammen neben Tonfiguren auch plastisch gearbeitete Keramikgefäße, die sich auch bei den Zapoteken finden (→Figurengefäße). Aus dem andinen Gebiet sind Tonfiguren, bes. von der Küste Ecuadors, aus Esmeraldas, Tumaco und der angrenzenden Küstenregion Kolumbiens überliefert. Figurengefäße stammen v. a. aus der Moche-Kultur.

China: M. PRODAN: Chines. Keramik der T'ang-Zeit (1961); E. SCHLOSS: Ancient Chinese ceramic sculpture from the Han through T'ang (Stanford, California, 1977). – **Amerika:** A. v. WUTHENAU: Altamerikan. T. (1965); F. PRATT u. C. GAY: Ceramic figures of ancient Mexico (1978).

Tonsur [lat. tonsura ›das Scheren‹, weil hier den Klerikern Kopf- und Barthaar geschoren wurde] *die,* Brunnenhaus – häufig in Form eines Rund- oder Polygonalbaus – innerhalb des ma. Klosterbezirks, das den Mönchen als Waschraum diente. Seit dem 12. Jh. wurde die T. mit dem Kreuzgang verbunden. Die T. im Liebfrauenkloster in Magdeburg (um 1150) ist das früheste erhaltene Beispiel in Dtl.

Toorop, Jan (eigtl. Johannes Theodor), niederländ. Maler, *Purworejo (Java) 20. 12. 1858, †Den Haag 3. 3. 1928, lebte seit 1869 in den Niederlanden. Er malte v. a. Figurenbilder und Porträts, zunächst pointilistisch, dann unter Einfluß der Symbolisten in linear stilisierender Art, schließlich i. S. des Jugendstils; wandte sich nach 1905 relig. Themen zu.

Topeng [javan.], →Maske.

Topfenkase|in, Maltechnik: →Kasein aus Topfen (Quark).

Töpferei, →Keramik.

Toplou [tɔpl'u], Kloster in NO-Kreta, östlich von Sitia, um 1300 gegr., im 17. Jh. festungsähnlich ausgebaut, nach Zerstörung 1718 erneuert. In der Kirche mehrere Ikonen, u. a. die Erschaffung der Welt in vielen Einzeldarstellungen (1770).

Topoľčianky [t'ɔpɔljtʃianki], Schloß nordöstlich von Neutra, Westslowak. Kr., ČSSR. Durch Umbau (1578) einer Wasserburg aus dem 15. Jh. (Teile erh.) entstand zunächst ein Renaissanceschloß mit Innenhof und Arkadenloggien, 1662 kamen barocke Elemente hinzu. 1825–30 wurde der Bau im klassizist. Stil umgestaltet und ein engl. Garten angelegt; Samml. von Möbeln versch. Epochen.

Topor, Roland, frz. Zeichner poln. Abstammung, *Paris 7. 1. 1938; satir., oft düster makabre Graphiken, die dem Surrealismus nahestehen; auch Illustrationen zu eigenen Romanen.

HW: Toxicologie (1970); Tragödien, Zeichnungen 1958–68 (1971); Tagträume, Farbige Zeichnungen 1964–74 (1975).

Toprak-kala [türk. ›Erdburg‹], Ruinenstätte in der Usbek. Sozialist. Sowjetrep., eine choresmische Stadtanlage mit gewaltigem Burgkomplex der choresm. Könige des 3.–4. Jh. n. Chr. Die Burg enthielt u. a. Räume, die zweistöckig angelegt sind und mit Skulpturen und Malereien geschmückt waren. Als eindrucksvollster Raum gilt der ›Saal der Könige‹ (200 m²), der seinen Namen von den hier gefundenen zahlreichen Tonskulpturen erhielt, die möglicherweise eine Art Porträtgalerie der Herrscher Choresmiens darstellten.

B. STAWISKI: Mittelasien-Kunst der Kuschan (1979).

Toraja, Toradja, den Altvölkern Indonesiens zugehöriges Volk auf Celebes (Sulawesi), etwa 600000 Menschen, früher gefürchtete Kopfjäger, trotz jahrhundertelanger indischer, christl. und islam. Einflüsse weitgehend ihren alten Vorstellungen und Künsten verhaftet, bes. auf dem Gebiet der Begräbniskulte. Die Felsengräber weisen Nischen mit bekleideten Holzfiguren auf, Abbilder der Ahnen (Grabwächter); die älteren dieser ›tau-tau‹ haben starre ausdruckslose Gesichter, die neueren realistischere Züge. Die künstlerisch herausragendsten Schöpfungen der T. sind ihre Häuser aus Bambus und Holz, die Ähnlichkeiten zu den Kulthäusern im Sepik- und Maprik-Gebiet Neuguineas aufweisen. Die geschwungene Form der Dächer mit weit vorstehenden Giebeln erinnert an die eines Schiffrumpfes; die Flächen sind reich mit Ornamenten und geometr. Mustern bemalt und verziert, wobei den versch. Motiven und Farben jeweils kultisch-symbol. Bedeutung zukommt.

Torana [Skt.], Tor, Eingang zu Tempeln und Stupas in Indien. An Steinzäunen von Stupas wurden T. in den 4 Himmelsrichtungen bes. prachtvoll reliefiert (Bharhut, Sanchi u. a.). Über den Stambhas tragen weibl. Stützfiguren (Shalabhanjika) dreifache, szenengeschmückte Architrave. Freistehende T. als Ehrenpforten wurden vor Tempeln errichtet.

Toraja: verzierter Giebel eines Hauses in der Nähe von Rentepao

Torbido, Francesco, eigtl. F. di Marco **India,** gen. **il Moro,** ital. Maler, *Venedig 1482 oder 1483, †Verona Okt. 1562, führte, unter dem Einfluß von LIBERALE DA VERONA und GIORGIONE, zahlreiche Fresken, Tafelbilder und Porträts in Verona aus.

Torcello [-tʃ-], zur Gem. Venedig gehörende Laguneninsel. Die Siedlung T. wurde im 7. Jh. von der auf dem Festland gelegenen, zerstörten Stadt Altinum (Altino) aus gegr.; Blütezeit 9.–12. Jh., Bischofssitz bis zum 18. Jh.; Dom (639 gegr., im 9. Jh. umgebaut, im 11. Jh. erneuert, Vorhalle 14./15. Jh.; im Inneren bed. Mosaiken, v.a. 12. Jh.); Kirche S. Fosca, Zentralbau (11. Jh.) über grch. Kreuz, außen achteckig, an 5 Seiten Säulenumgang aus dem 12. Jh.

Tordesillas [tɔrðes'iʎas], span. Stadt in Altkastilien, am Duero, rd. 7000 Ew. Das Kloster S. Clara (ehem. königl. Palast, zw. 1340–44 unter Alfons XI. erbaut) ist ein prächtiger Bau im Mudéjar-Stil: von maur. Bögen gesäumter Patio, hervorragende Artesonado-Decke im Kirchenchor.

Toreutik [grch.], **Treib|arbeit,** das Herstellen oder Verzieren von Gegenständen aus Metallblech durch Bearbeiten mit Hammer und Punze auf kaltem Weg. Geeignet sind fast alle Metalle, bes. aber die weichen (Gold, Silber, Kupfer). Als Unterlage für die T. dient ein Holz- oder Eisenklotz mit kantigen Löchern. In diese werden kleine Ambosse mit verschiedenförmiger Oberfläche gesteckt, auf denen abwechselnd mit versch. Hämmern (Treib-, Planier- oder Polierhammer, Schweifhammer) das Blech von der Vorder- und Rückseite her getrieben wird. Künstler. T. aus Edelmetall wird über dem nachgiebigen Treibpech, einer Mischung von Pech und Ziegelmehl, mit Treibpunzen ausgeführt.

Toreut. Arbeiten waren in allen Kulturen des Altertums verbreitet; aus Ägypten und dem kretisch-myken. Raum sind Werke der T., v.a. aus Gold und Silber, überliefert: Gefäße, Möbelbeschläge, Goldmaske aus dem Grab des Tut-ench-Amun sowie reiche Funde aus den Schachtgräbern von Mykene (Gesichtsmasken, Schmuck, Gefäße). Material toreut. Arbeiten Griechenlands war in der archaischen Epoche fast ausschließlich Bronze, im Hellenismus und der röm. Kaiserzeit gewannen die Edelmetalle Gold und Silber die Oberhand. Anwendungsgebiete waren Geräte aller Art, Waffen (›kretische Schilde‹, 7. Jh. v. Chr.), Möbelbeschläge, Spiegel, Behälter (u. a. etrusk. Cisten) und, seit Ausweitung des Luxus in den hellenist. Königreichen, bes. Tafelgeschirr (Hauptzentren Alexandria und Pergamon). Die T. fand nur selten in der Bildhauerei Anwendung, sie wurde dort schnell durch die Gußtechnik verdrängt. Formen und Verzierungsschemata (→Emblem) der griechisch-hellenist. T. wurden in der röm. Kaiserzeit fortgeführt: Silberfunde von Boscoreale und aus dem Menanderhaus in Pompeji, von Hildesheim und Berthouville (Frankreich), für die Spätantike die Funde vom Esquilin in Rom, von Mildenhall, Traprain in Schottland und Kaiseraugst.

Im MA. wurden kirchl. Geräte wie Pokale, Mon-

Toreutik: Detail des Elisabethschreins; in Kupfer getrieben und vergoldet, um 1240 (Marburg, Elisabethkirche)

stranzen, Reliquiare, Buchdeckel, v.a. aber die Kleinplastik an den reichen Reliquienschreinen, durch T. hergestellt. In der Spätgotik und Renaissance trat bes. das profane Gerät aus vergoldetem Silber in den Vordergrund. T. in Messing schufen seit dem 15. Jh. die Beckenschläger v. a. in Dinant (Dinanderien), später im Rheinland, auch in Nürnberg. Einen Höhepunkt erreichte die T. in Stahl bei der Herstellung von Prunkharnischen im 16. Jh. Im 18. und 19. Jh. wurden Kolossalfiguren aus Kupfer getrieben (z. B. Herkules in Wilhelmshöhe; Quadriga auf dem Brandenburger Tor). – Auch in den vorkolumb. Kulturen Mittel- und Südamerikas wurden T., bes. in Gold und Tumbaga, hergestellt.

Torgau, Stadt im Bez. Leipzig, Dt. Dem. Rep., an der Elbe, 21 600 Ew. Die Marienkirche, eine spätgot. Hallenkirche (beg. um 1390) mit zweitürmigem spätroman. Westwerk (1. H. 13. Jh.), birgt eine reiche Ausstattung, u. a. ›14 Nothelfer‹ von L. CRANACH D. Ä. (angeblich Predella des Sippenaltars im Frankfurter Städelschen Kunstinstitut, datiert 1509), Grabstein der Katharina von Bora, der Frau M. Luthers. Schloß Hartenfels, mächtige, unregelmäßige Vierflügelanlage, u. a. spätgot. Albrechtsbau (1470 beg., wohl unter Mitwirkung ARNOLDS VON WESTFALEN), Johann-Friedrich-Bau (1533 bis 1536 von K. KREBS), ein HW der dt. Frührenaissance, mit vorspringendem Wendelstein in der Mitte, Schloßkirchenflügel mit dem reich verzierten ›Schönen Erker‹ (1544); die Schloßkirche ist einer der ersten prot. Kirchenbauten. Renaissance-Rathaus (1561–65); Bürgerhäuser (nach dem Stadtbrand 1482 entstanden).

Torii

Tori Busshi [japan. ›Buddhabildner Tori‹], japan. Bildhauer chines. Abstammung des 7. Jh., schuf die ältesten erh. Bronzefiguren Japans in der Technik der verlorenen Form. Von ihm stammen, inschriftlich belegt, der ›Yakushi‹ (607) und die ›Shaka-Trias‹ (623, beide im Horyuji bei Nara; BILD japanische Kunst). Seine Figuren kennzeichnet ein archaisches Lächeln; ihre Gewänder zeigen symmetr. Faltenwurf.

Torii [japan. ›Vogelsitz‹], Tor vor Shinto-Heiligtümern (→Schrein 2), gebildet aus 2 senkrechten, manchmal leicht einander zugeneigten Holzpfeilern, die durch 2 Querbalken verbunden und oft mit einem Seil aus Stroh mit gefalteten Papierstreifen geschmückt sind.

Torii-Schule, japan. Schule und Familie von Holzschnittzeichnern in Edo, v. a. für Theatergraphik (Bühnenszenen und Plakate), aber auch großfigurige Kurtisanenbilder; gegr. von →Kiyonobu, fortgesetzt im 18. Jh. von KIYOMASA I und II, KIYOSHIGE, KIYOHIRO, KIYOMITSU, Meister des Farbholzschnitts im schmalen Hochformat (Hoso-e) und Pfeilerbildern (Hashira-e). →Kiyonaga löste sich vom Torii-Stil der Schauspielerbilder und wandte sich anderen Themen zu. Ein letzter Vertreter der großen Torii-Sippe ist KIYOMINE (*1787, †1869).

Tornio, schwed. **Torneå** [t'ɔrnəo:], Stadt in Finnland, am N-Ende des Bottn. Meerbusens, 20 900 Ew. Die Holzkirche (1684) hat eine z. T. bemalte Holzdecke und wertvolle Schnitzereien.

Toro, Stadt in der span. Prov. Zamora (León), 9500 Ew. Die Stiftskirche S. María (1160–1240) besitzt eine mächtige Kuppel mit 4 Ecktürmchen und 2 Etagen schlanker Rundbogenfenster, die mit effektvollen Blatt- und Perlornamenten geschmückt sind, qualitätvolle Bauplastik am N-Portal (v. a. in der oberen Archivolte, 12. Jh.) und am W-Portal (Mitte 13. Jh.). In der Kirche S. Lorenzo Hauptretabel von F. GALLEGO (um 1490; 24 Tafeln mit Darstellung im Tempel); zahlreiche Kirchen, Klöster und Paläste des 13.–15. Jh.

Toronto [tər'ɔntəʊ], Hauptstadt der Prov. Ontario, Kanada, am NW-Ufer des Ontariosees, 633 300 Ew. Die im Schachbrettmuster angelegte Altstadt wurde kürzlich saniert. Ältester Ziegelbau der 1793 (an einem Handelsposten) gegr. Stadt ist ›The Grange‹, ein typ. Herrenhaus von 1830. Wahrzeichen der modernen Stadt ist die City Hall (2 konkave Hochhäuser), 1958 bis 1965 von V. REVELL erbaut. Das bed. Royal Ontario Mus. hat u. a. eine Samml. chines. Kunst; die Art Gal. of Ontario enthält Werke europ. (TINTORETTO, F. HALS, REMBRANDT, P. PICASSO u. a.) und amerikan. Maler.

Torpa, Schloß im schwed. Län Älvsborg, südwestlich von Ulricehamn (Ende 15. Jh.; um 1550 und Anf. 17. Jh. erweitert); Rittersaal mit Renaissanceholzdecke und barocke Schloßkapelle (1699).

Torpo, Gem. im südnorweg. Hallingdal. Von der basilikalen Stabkirche (Ende 12. Jh.) ist nur das Schiff erh.; Vorhalle und Türen mit Schnitzereien, Deckengemälde Ende 13. Jh.

Torralva, Diogo (span. Diego) de, portug. Baumeister span. Herkunft, †1566, kam 1525 nach Portugal, wo er zu einem Hauptmeister des Renaissance-Stils wurde (HW: Chor des Hieronymiten-Klosters in Belém, um 1550; großer Kreuzgang, ›Claustro dos Filippos‹, des Christusklosters in Tomar, um 1540 beg.; voll. von F. TERZI).

Torres del Río, span. Ort etwa 60 km südwestlich von Pamplona. Kunsthistor. Bedeutung hat die kleine Kirche S. Sepulcro (spätes 12. Jh.), ein oktogonaler Zentralbau mit W-Turm und O-Apsis und Kuppel mit sternförmigem achtstrahligem Bandrippengewölbe.

Torres García, Joaquín, uruguay. Maler, *Montevideo 28. 7. 1874, †ebd. 8. 8. 1949, lebte seit 1891 in Spanien, 1920–22 in New York, seit 1924 in Frankreich und kehrte 1934 nach Montevideo zurück. T. G. kam von konventionellen Fresken über kubisch abstrahierte Spielzeugskulpturen und betont primitivist. Bilder Ende der 1920er Jahre durch die Begegnung mit T. VAN DOESBURG und P. MONDRIAN zu seinem eigenen Stil: Seine Bilder verbinden seitdem die Geometrie des Neoplastizismus mit den Bildzeichen der präkolumb. Kunst und indian. Folklore.

Torriti, Jacopo, ital. Maler, Mosaizist, tätig in Rom gegen Ende des 13. Jh. Die von ihm zw. 1288 und 1292 oder wenig später ausgeführten Apsismosaiken in der Lateransbasilika und in S. Maria Maggiore weisen ihn als einen noch der byzantin. Tradition verpflichteten

Künstler des Duecento aus, der jedoch zugleich Einflüsse der frz. Gotik verarbeitete.

Torroja y Miret [tɔrrˈɔxa i-], Eduardo, span. Ingenieur, Architekt, *Madrid 27. 8. 1899, †ebd. 15. 6. 1961, wirkte bahnbrechend für die Entwicklung des Schalenbaus (Tribünenüberdachung der Pferderennbahn La Zarzuela bei Madrid, mit C. ARNICHES und L. DOMINGUEZ, 1935).

Schrift: Logik und Form (1961).

Torsion [lat.], Archäologie: kurvenförmiges Dekorationsprinzip keram. Gefäße, u. a. im Donau-Balkan-Raum, auf Kreta und im westl. Vorderasien.

Torso [ital.], *der, Mz.* **Torsi,** auch **Torsos,** fragmentarisch erhaltene oder unvollendete Statue mit abgebrochenen Gliedmaßen. Die Antike kannte den T. als selbständige Kunstform nicht. – Im 16. Jh. wurde der T. nach dem Vorbild des →Belvederischen Torso zum Studienobjekt; er entstand als bildhauer. Entwurf, als →Bozzetto. In der Malerei zum ersten Mal 1524 als Personifikation der Bildhauerei verwendet (B. LICINIO, ›Familienbildnis‹; Rom, Gal. Borghese), wurde der T. zum gängigen Typus der bildenden Kunst. In der Plastik läßt sich der T. zunächst in der Bauskulptur des Manierismus als Karyatide und Herme mit abgeschnittenen Armen i. S. eines pseudo-antiken T. nachweisen (1555, Louvre), um die Antike zu symbolisieren. Erst im 17. Jh. war der T. als Sinnbild der Bildhauerei in der Plastik bekannt. Legte MICHELANGELO, der von seiner Kunstvorstellung her die Vollendung einer Skulptur für nicht angemessen hielt, viele seiner Arbeiten als ›unvollendet‹ an, so erhob A. RODIN, der Michelangelos Werke als ›vollendet‹ verstand, das ›non finito‹, den T., zur Kunstform. Das 20. Jh. konnte den T. weiter reduzieren und abstrahieren (W. LEHMBRUCK, A. ARCHIPENKO, C. BRÂNCUŞI, H. ARP).

Das Unvollendete als künstler. Norm, hg. v. J. A. SCHMOLL gen. EISENWERTH (1959); J. GANTNER: Das Bild des Herzens (1979); W. SCHNELL: Der T. als Problem der modernen Kunst (1980); T. als Prinzip, Ausst.-Kat., Kassel (1982).

Tortosa, span. Stadt und Bischofssitz in der Prov. Tarragona, 47 200 Ew. Die Altstadt wurde im Span. Bürgerkrieg zerstört, verschont blieb nur das Viertel um die Kathedrale (urspr. 12. Jh., 1347 erneuert, 1708 verändert), die im Innern ein reich skulptiertes und bemaltes Hauptretabel (1351) besitzt; Kreuzgang (14. Jh.); Bischofspalast (1350); Markthalle (1368); prächtiger Renaissance-Innenhof mit dreistöckiger Gal. im Colegio de S. Luis (1544). Stadtmus.

Toruń [tˈɔrujn], poln. Name der Stadt →Thorn 1).

Torup, Schloß östlich der schwed. Stadt Malmö, eine stattl. Vierflügelanlage (Mitte 16. Jh.) mit 2 diagonal gestellten Ecktürmen, eines der besterhaltenen Renaissance-Schlösser Schonens.

Torus [lat.] *der,* das halbrunde Polster antiker (ionischer und korinth.) Säulenbasen. (→Trochilus)

Torus:
a Torus, b Trochilus

Torwächterfiguren, Skulpturen oder Reliefs mit apotropäischem Charakter an Tempel- oder Palasteingängen altoriental. und pers. Bauten in Form von Löwen, Stieren, Fabelwesen, z.B. geflügelten Genien, Stiermenschen, Flügelstieren. Bereits an den Zugängen zur elam. Zikkurat von Tschoga Zanbil (1250 v.Chr.) und am medischen Stadttor von Bisutun (700 v.Chr.) standen feindabwehrende Löwen und Stiere. In Pasargadai (550 v.Chr.) waren es Reliefs mit Fabelwesen und geflügelten Genien; in Persepolis (500–400 v.Chr.) standen vollplast. kolossale Flügelstiere am Eingang; Reliefs mit Kampfdarstellungen zw. Löwe und Stier oder zw. König und Fabeltier waren an Treppen und Türen der Paläste angebracht. In hellenist. Zeit wurden Statuen des Herakles in den Toren aufgestellt (Bisutun, Hatra). – Über T. am japan. Tempel →Ni-o.

Törzburg, rumän. **Bran,** auf einem Kalkfelsen in den Südkarpaten gelegene Burg im Kr. Braşov (Kronstadt), Rumänien, Ende des 14. Jh. als ungar. Königsburg LUDWIGS I. errichtet, später im Besitz der Kaufleute von Braşov (1622/23 unter Fürst GABRIEL BETHLEN umgebaut). 1758 wurde die inzwischen verfallene Burg wiederaufgebaut (heute Mus.).

Tosa-Schule, japan. Malerschule, die die Tradition des Yamato-e fortführte und v. a. für Kaiserhof und Hofadel tätig war. Sie malte auf Bildrollen, Fächerbilder, Alben und Stellschirme miniaturhaft fein, in leuchtenden Farben und in konventioneller Wiederholung des Stils der erzählenden Querrollen des 12. bis 14. Jh. mit ihren stilisierten Figuren. Als Hauptmeister der T.-S., die seit T. YUKIHIRO Anf. des 15. Jh. so benannt sein soll, gelten T. MITSUNOBU (*um 1430, †um 1521) und T. MITSUOKI (*1617, †1691).

Tosi, Arturo, ital. Maler, *Busto Arsizio (Varese) 25. 7. 1871, †Mailand 3. 1. 1956, malte, vom Impressionismus und P. CÉZANNE angeregt, Landschaftsbilder und Stilleben in fein abgestufter Farbigkeit.

toskanischer Inkrustationsstil, die in der Toskana weit verbreitete Art der Wandverkleidung (meist an der Fassade) aus marmornen Blendsteinen (vorwiegend weiß, rot, grün) an Bauten des 11.–13. Jh., v.a. in Florenz (Baptisterium, S. Miniato al Monte), Fiesole (Badia Fiesolana), in Empoli (Collegiata) und am Dom von Pisa.

Tossa de Mar, span. Ort an der Costa Brava, rd. 35 km südlich von Gerona, gut erh. ma. Stadtbild mit feudalem Wehrbau Vila Vella (11. und 14. Jh.); Mus. für moderne Kunst (u.a. Werke von M. CHAGALL).

Totenbanner, chines. **Fei-i** [›Gewand zum Fliegen‹], mehrfarbig bemaltes Seidentuch mit mytholog. Szenen im Hochformat. Erstmalig wurde ein T. 1972 aus einem südchines. Frauengrab des 2. Jh. v.Chr. bei Ch'angsha (Prov. Hunan) geborgen. Die dreiteilig gegliederte Komposition zeigt Figuren der altchines. Mythologie, die Verstorbenen mit ihren Dienern, ein Totenmahl, das Himmelstor, Phantasietiere, Planeten und Musikinstrumente und gibt Vorstellungen vom Weiterleben nach dem Tod wieder.

Totenbuch, altägypt. Samml. von Sprüchen, die sich auf das Leben nach dem Tod und auf die Überwin-

Totenbuch: Osiris; Malerei auf Papyrus (Kairo, Ägypt. Museum)

dung jenseitiger Gefahren beziehen, seit dem Neuen Reich v.a. auf Papyrus geschrieben und meist mit Bildern geschmückt, die den Inhalt eines Spruches zusammenfassen. Diese ägypt. Buchmalerei ist gekennzeichnet durch knappe, sichere Striche, in der Spätzeit oft nur skizzenhaft, während die Figuren im Neuen Reich farbig ausgemalt wurden.

Totenleuchte
auf dem Friedhof von Château-Larcher, Vienne; 12. Jh.

Totenleuchte, Lichtsäule, Lichthäuschen, ein im MA. auf Friedhöfen, bei Beinhäusern, auch an Kirchen errichteter steinerner Aufbau: auf einer Basis von meist gebündelten Säulen eine Tabernakel-Form, die als Laterne des ›Armeseelenlichtes‹ diente. Die T. kam wohl im 11. Jh. in Süd-Frankreich auf, in Dtl. seit dem 13. Jh. (T. in Pforta, 1268; bed. auch die 1381 gestiftete T. in Klosterneuburg).

Totenmahlrelief, Gattung des grch. Grabreliefs, die einen oder mehrere Männer hinter einem Tisch mit Speisen, oft umgeben von Angehörigen, darstellt. Das T. verbindet Züge der Feier des Gedächtnismahles mit der Vorstellung vom Weiterleben des Toten im Jenseits. Mahldarstellungen des gleichen Typus wurden im 5. und 4. Jh. v. Chr. Heroen der Vorzeit und auch chthon. Gottheiten in Heiligtümern gestiftet (Heroen-Göttermahle). Erst seit dem späten 4. Jh. v. Chr. überwog ihre Verwendung als Grabreliefs für jüngst Verstorbene.

Totenschild, in Kirchen u.a. aufgehängtes Gedächtnismal in Form eines Schildes (mit Leder überzogenes Holzbrett, grundiert und bemalt, oft mit Edelsteinen), das in herald. Schmuck (Wappen u.a.) und Schrift an den Tod eines Ritters erinnern sollte. Seit dem 12. Jh. nachweisbar (bed. der T. des 1308 verstorbenen Landgrafen HEINRICH I. von Hessen), wurde die Sitte später auch vom Bürgertum übernommen (reiche

Beispiele in Nürnberg) und führte hier zu oft noch reicherer Ausschmückung. T. gab es bis in das Zeitalter des Barock.

Totentanz, frz. **Danse macabre** [dãsmak'abr], Darstellung von Menschen jeden Alters und Standes, die einen Reigen mit Toten tanzen, von denen sie gepackt und weggerafft werden. Die Bilder wurden durch Verse erläutert, in denen die dem Tod Verfallenen mit ihren Partnern Zwiegespräche halten. In späteren, nicht mehr einen Tanz darstellenden Bilderfolgen, ebenfalls als T. bezeichnet, erscheint jeweils einem Lebenden ein nunmehr den Tod selbst verkörperndes Skelett zugeordnet, oft mit Sense und Stundenglas. – Die nicht zu den offiziellen kirchl. Themen gehörenden T. wurden, zuerst wohl in Frankreich, meist auf Mauern von Kirchhöfen, Kapellen und Beinhäusern gemalt, so auf dem Kirchhof der Saint-Innocents in Paris (1425; zerstört). Nicht erh. sind auch die durch Kopien und Nachzeichnungen überlieferten T. der Marienkirche in Lübeck (1463), des Baseler Dominikanerklosters (um 1470; ›Tod von Basel‹) und des Dominikanerklosters in Bern (von N. Manuel, 1517–19). Unter den graph. Darstellungen ragen 2 Holzschnittfolgen hervor: ›La danse macabre‹ von G. Marchant (Paris 1491/92) und der ›Totentanz‹ von H. Holbein d. J. (Lyon 1538), mit dem die Entwicklung ihren Abschluß fand.

H. Rosenfeld: Der ma. T., Entstehung, Entwicklung, Bedeutung ([3]1974).

Totfarben, Mattfarben, Maltechnik: altdt. Bez. für Farben, die ›tot‹, ›matt‹, d. h. optisch nicht aktiv sind, als Untermalung z. B. in Grisaille oder mit ungebrochenen (reinen) Farben, die z. B. durch die darauf gemalten Lasurfarben das fertige Bild ›leuchtend‹ erscheinen lassen.

Totentanz: Illustration aus ›La danse macabre‹ von G. Marchant; Paris, 1491/92

Totonaken: Tonfigur 44 cm hoch (Jalapa, Mexiko, Anthropolog. Museum)

Totonaken, Volk an der Golfküste Mexikos, im Gebiet des Bundesstaates Veracruz; Zentren waren in vorkolumb. Zeit in der klass. Epoche (bis etwa 900) möglicherweise El Tajín, in nachklass. Zeit Cempoala und, nordwestlich davon, Misantla. Der Kunststil der T. wird auch der des nachklass. Veracruz genannt, da die Zuordnung der archäolog. Hinterlassenschaften (600 bis 1521) zu den T. nicht immer gesichert ist. In der älteren Zeit übernahmen die T. in der Steinplastik Kunstformen der Olmeken; dem Stil von Teotihuacán nähert sich ihre Keramik: Gefäße mit flachem Boden, dekoriert mit eingeritzten Mustern, die die weiße Grundierung zum Vorschein brachten, oder bemalt in Rot, Braun oder Orange mit Tierfiguren in eckigem Silhouettenstil. Die Tonfiguren der T. sind realistisch gestaltet, häufig Würdenträger in steifer Haltung, Figuren mit Göttermasken oder Figuren, die Szenen aus dem Alltag wiedergeben. Die Steinskulpturen der Joche, Hachas und Palmas werden ebenfalls den T. zugerechnet.

Toul [tu:l], Stadt im frz. Dép. Meurthe-et-Moselle, an der Mosel, westlich von Nancy, 16 800 Ew. T., von S. VAUBAN zur Festung ausgebaut, wird überragt von der ehem. Kathedrale St. Étienne (Ostteil 13., Langhaus 14.–15., Kreuzgang 14., W-Fassade im Flamboyant-Stil 15. Jh.; 2 Renaissance-Kapellen; Bischofsthron des 13. Jh.). Das Bischofspalais daneben (18. Jh.) ist heute Rathaus. Inmitten der Stadt und ihrer alten Häuser (16.–18. Jh.) liegt die got. Kirche St. Gengoult (13. bis 15. Jh.) mit Glasfenstern der gleichen Zeit und maler. Kreuzgang (16. Jh.).

Toulouse [tul'u:z], Hauptstadt des südfrz. Dép. Haute-Garonne, an der Garonne, 383 200 Ew.; Mittelpunkt der Region Midi-Pyrénées; kath. Erzbischofssitz. Die roman. Basilika St. Sernin (Ende 11.–13. Jh.), eine bed. monumentale Wallfahrtskirche an der Pilgerstraße nach Santiago de Compostela mit fünfstöckigem Vierungsturm (12.–13. Jh.; Vorbild für zahlreiche Kirchentürme des Languedoc und der Gascogne), hat hervorragenden bauplast. Schmuck an den Portalen (v. a. am S-Portal mit Darstellung der Himmelfahrt Christi, Anf. 12. Jh.) und aus der gleichen Zeit stammende Marmorreliefs im Chorumgang. Église des Jacobins, eine zweischiffige got. Hallenkirche (13./14. Jh.) mit Kreuzgang, Kapitelsaal und Kapelle St. Antonin (1326–47, vollständig ausgemalt); Kathedrale St. Étienne (um 1100–14. Jh.) mit Glasfenstern des 14.–16. Jh.; im Innern Wandteppiche des 16.–18. Jh.; barocke Kirche Notre-Dame-la-Daurade (18. Jh.). Im ehem. Augustinerkloster Mus., u. a. mit frühchristl. Sarkophagen, Plastik des MA. Mehrere Paläste aus Renaissance und Barock; Capitole (1750–60) mit Hôtel de Ville. Mus. St. Raymond (röm. Plastiken, vorgeschichtl. Keramik); Mus. Labit (asiat. Kunst, ägypt. Archäologie) u. a. Museen.

Toulouse-Lautrec [tul'u:z lɔtr'ɛk], Henri de, frz. Maler, Graphiker, *Albi 24. 11. 1864, †Schloß Malromé (Gironde) 9. 9. 1901, war ein Abkömmling der Grafen von Toulouse und wurde durch zweimaligen Beinbruch zum Krüppel. Nach privaten Studien wurde er

Henri de Toulouse-Lautrec: Die Modistin; 1900 (Albi, Musée Toulouse-Lautrec)

1882 Schüler der Pariser Akad., schloß sich aber zunächst mehr den Impressionisten an. Seit 1886 lebte er auf dem Montmartre und fand in der Welt der Dirnen, im Zirkus (Zirkus Fernando, 1888; Chicago, Art Institute), Kabarett (Die Tänzerin Jane Avril, um 1892; Tanz der Goulue, 1895; beide Paris, Musée d'Orsay; Tanz im Moulin Rouge, 1892, Prag, Nat.-Gal.) und auf Rennplätzen seine Motive, außerdem malte er zahlreiche Porträts (Suzanne Valadon, Kopenhagen, Ny Carlsberg Glyptothek; Die Engländerin vom Konzertcafé ›Star‹ in Le Havre, 1899; Albi, Mus. T.-L.; Die Modistin, 1900, ebd.). Dem maler. Impressionismus bald abgeneigt, entwickelte er, angeregt durch E. DEGAS und P. GAUGUIN u. a. sowie vom japan. Farbholzschnitt, die bewegte Linie und flächige Farbform zum eigenwilligen Ausdrucksmittel. Obwohl er von vielen Seiten Anregungen empfing, blieb er ein Außenseiter. Seine Kunst beeinflußte nachhaltig die Malerei und die Plakate des Jugendstils. Er zeichnete auch für Zeitungen, illustrierte Bücher, Programme und Buchtitel. 1892 wandte er sich der Farblithographie zu, deren Technik er in Einzelblättern und Folgen zu höchster künstler. Vollendung brachte, bes. in seinen Plakaten (La Goulue im Moulin Rouge, 1891; Aristide Bruant in seinem Kabarett, 1892; Jane Avril im Jardin de Paris, 1893), die erst durch ihn in den Bereich der Kunst erhoben wurden (BILD Lithographie). – Die größte Samml. seiner Gemälde besitzt das Mus. T.-L. in Albi.

Graph. Werk: 368 meist farbige Lithographien, darunter: Le Café concert (11 Blätter, 1893); Yvette Guilbert (16 Bl., 1894; 2. Folge 10 Bl., 1898); Mélodies de Désiré (13 Bl., 1895); Portraits d'acteurs et d'actrices (12 Bl., 1895); Elles (11 Bl., 1896); Au pied du Sinaï (10 Bl. zum gleichnamigen Buch von G. CLEMENCEAU, 1898); Illustrationen zu J. RENARD: Histoire naturelle (1899).

M. G. DORTU: T.-L. et son œuvre, 6 Bde. (Paris 1971, dt. Ausg.

1980ff.); G. ADRIANI: H. de T.-L., Monographie u. Kat. des gesamten graph. Werkes (1976); A. HENZE: H. de T.-L., Leben u. Werk (1982).

Tour [tu:r], Georges **de la T.** und Quentin **de la T.**, frz. Maler, →La Tour.

Touristenkunst, →Airport Art.

Tournachon [turnaʃ'ɔ̃], →Nadar, Gaspard Félix.

Tournai [turn'ɛ], fläm. **Doornik,** Stadt in der belg. Prov. Hennegau, beiderseits der Schelde, 70300 Ew., kath. Bischofssitz; röm. Gründung **(Turris Nerviorum),** im 5. Jh. Sitz der merowing. Könige. Das Stadtbild wird von den Türmen der Kirchen St. Brice, St. Jacques, Ste. Madeleine, St. Nicolas, St. Piat, St. Quentin (alle 12./13. Jh.) und v. a. der fünftürmigen Gruppe der Kathedrale Liebfrauen beherrscht, dem bedeutendsten Kirchenbau Belgiens, einer kreuzförmigen dreischiffigen Basilika (12. Jh.), bed. Bauplastik am nördl. (12. Jh.) und am südl. Seitenportal (14. Jh.); roman. Freskenreste im Querschiff, Glasmalereien (15. Jh.), Lettner von C. FLORIS (1570–73), Gemälde von M. DE VOS, F. POURBUS D. Ä., Q. MASSYS, J. JORDAENS, P. P. RUBENS; in der Schatzkammer u. a. Marienschrein (1205) von NIKOLAUS VON VERDUN und Eleutheriusschrein (1247). Am dreieckigen Marktplatz steht die Tuchhalle, ein 1610 beg. Renaissancebau, nahebei der älteste Belfried Belgiens (12./14. Jh.). Im Musée des Beaux-Arts u. a. alte Meister (R. VAN DER WEYDEN, J. GOSSAERT), belg. Malerei (19./20. Jh.), frz. Impressionisten.

Im 14. und 15. Jh. war T. ein Zentrum der spätma. Tapisseriekunst (seit dem 13. Jh. urkundlich belegt; →Bildwirkerei). Die Blüte der Manufakturen von T. war um die Mitte des 15. Jh., v. a. durch große Bildteppichfolgen für den burgund. Hof. – 1751 wurde in T. eine Manufaktur für Weichporzellan gegr., die aus einer Fayence-Manufaktur hervorging und bis 1885 be-

Tournai: Kathedrale; 12. Jh.

stand. Beliebte Dekors: →Décor bois, das →Zwiebelmuster und Muster im Sèvres-Stil.

Tournus [turn'y], Gem. im frz. Dép. Saône-et-Loire, an der Saône, 7800 Ew.; T. hat mehrere roman. Kirchen, v.a. St. Philibert, um 1000 beg., mit westwerkähnl., dreischiffiger Vorkirche; im dreischiffigen Langhaus und in der Vorkirche mächtige Rundstützen; Chor (12. Jh.) und Krypta (Fresken des 12. Jh.) mit Kapellenumgang. Aus dem 11. Jh. stammt St. Valérien, aus dem 12. Jh. Ste. Madeleine. Mus. Greuze mit Werken des in T. geborenen Malers J.-B. GREUZE.

Tournus: St. Philibert, Mittelschiff und Chor; um 1000 begonnen

Tours [tu:r], Hauptstadt des frz. Dép. Indre-et-Loire, zw. den Ufern von Loire und Cher, 145400 Ew.; kath. Erzbischofssitz. Trotz der Zerstörungen im 2. Weltkrieg ist das Altstadtbild mit zahlreichen Kirchen und Profanbauten erh. geblieben. Von der im 5. Jh. vom Hl. MARTIN gegr. Abtei St. Martin blieben vom Kirchenneubau des 11.–13. Jh., einer bed. Wallfahrtskirche des MA., nur geringe Reste (Tour Charlemagne; Tour de l'Horloge), heutiger Bau 1887–1924. Die got. Kathedrale St. Gatien (13.–16. Jh.), mit reich verzierter spätgot. W-Fassade im Flamboyant-Stil und dem Kreuzgang ›Psallette‹ (15./16. Jh.), besitzt prächtige Glasfenster des 13.–15. Jh.; got. Kirche St. Julien (13. Jh.). In den Renaissancebauten Hôtel Gouin und Hôtel Babou de la Bourdaisière sowie im Erzbischofspalast (17./18. Jh.) heute Museen (Skulpturen und Kunsthandwerk; Archäologie; Gemäldegal.). – T. war z.Z. KARLS D. GR. ein bed. Zentrum karoling. Buchmalerei (Schule von →Tours). BILD S. 36

Tours [tu:r], **Schule von T.**, karoling. Buchmalerei-Schule von der Zeit KARLS D. GR. bis zum Normannen-

Tours: Kathedrale St. Gatien; 13.–16. Jh.

sturm 853; unter Abt ALKUIN (†804) wurde sie zum führenden Zentrum der Bibelreform und -herstellung und brachte in der Folgezeit die ältesten, vollständig erhaltenen, bebilderten Bibeln hervor. Die ›Grandval-Bibel‹ (benannt nach der Abtei Moutier-Grandval, Schweiz, der sie im späten 16. Jh. gehörte; heute London, British Library) weist eine Fülle ornamentaler Motive und 4 ganzseitige Deckfarbenbilder mit Genesis-, Exodus- und Apokalypsedarstellungen auf. Die Szenen sind kontinuierlich ablesbar und in Streifen übereinander komponiert, wie auch bei der anderen großen touron. Bibel, der ›Viviansbibel‹ (845/46; Paris, Bibl. Nat.). Ein weiteres HW ist das ›Lothar-Evangeliar‹ (ebd.), das 849/51 im Auftrag Kaiser LOTHARS I. vom Hauptmeister der ›Viviansbibel‹ angefertigt wurde (mit Darstellung des thronenden Herrschers).

W. KOEHLER: Die Karoling. Miniaturen, 1 (Nachdr. 1963); H. KESSLER: The illustrated Bibles of Tours (1977).

Toyokuni, Utagawa, Künstlername des KURAHASHI KUMAKICHI, japan. Maler und Holzschnittzeichner für das →Ukiyo-e in Edo, *1769, †1825, Schüler des UTAGAWA TOYOHARU (*1733, †1814). Neben →Shunsho und →Sharaku führend in der Darstellung von Schauspielern und Theaterszenen, die ihm den Ruf des größten Ukiyo-e-Künstlers eintrugen. Mit ihm übernahm die Utagawa-Schule die Führungsrolle in diesem Kunstzweig von der Katsukawa(Shunsho)- und der →Torii-Schule. Seinen manierist. Spätstil führten 4 Meister des gleichen Namens fort, von denen T. II, Schüler und Erbe des Meisters, anfangs den Namen TOYOSHIGE führte und T. III unter dem Namen KUNISADA bekannt ist. Zu seinen vielen Schülern gehörte auch KUNIYOSHI.

Tozeur [tɔz'œ:r], Oasenstadt in SW-Tunesien, Provinzhauptstadt der Djerid-Region, an der Stelle des röm. **Thusuros,** 16800 Ew. (zur Blütezeit im 14. Jh. über 100000 Ew.). Älteste Häuser wie moderne Bauten haben geometr. Backsteinreliefs: Kombination alter Berber-Motive mit aragones. Mudéjar-Stil und span. Renaissance-Einfluß. Im Viertel El-Hader Backsteinminarett auf Fundamenten des Römerkastells; neunschiffige Moschee (1027–30) mit Kuppel in prachtvollem spanisch-maur. Dekor und Michrab (1193) mit Stukkaturen der letzten Almoravidenherrscher. 13 km nordöstlich in Ouled Majed sehr alte Moschee und Backsteinminarett mit 4 Kuppeln (9. Jh.) auf röm. Unterbau.

Traben-Trarbach, Stadt an der Mosel, Rheinl.-Pf.; 7100 Ew. In Traben (links der Mosel) die spätgot. Peterskirche (15. Jh., 1968/69 erweitert) und die Ruine der Festung Montroyal (1687–92 von S. DE VAUBAN); in Trarbach (rechts der Mosel) die spätgot. Nikolauskirche (14./15. Jh.), die ehem. Lateinschule (1573), die Ruine Grevenburg (um 1350), das Rokoko-Haus Kayser (1762, wohl nach Plan von J. SEITZ) und das barocke Haus Böcking (um 1760, darin Mittelmosel-Mus.).

Trabzon [-z'ɔn], Hauptstadt der türk. Prov. T., 97200 Ew., das alte **Trapezus,** seit 1204 Hauptstadt eines eigenen byzantin. Kaiserreiches, 1461 von den Türken erobert. Außer der Gülbahar Hatun Camii (16. Jh.) sind fast alle übrigen Moscheen (Fatih oder Ortahisar Camii, Yeni Cuma Camii) umgewandelte christl. Kirchen; Bedestan (überdachter Markt) des 15. Jh.

Trag|altar, Portatile, kleine Altarplatte in Tafel- oder Kastenform ohne Unterbau (Stipes), die nachweislich seit dem 6. Jh. hohen geistl. Würdenträgern auf Reisen der Zelebrierung des Meßopfers diente. Meist war in die obere Fläche eine Reliquie eingelassen, auf die man den Kelch setzte. In entwickelter Form wurde der T. zu einem mit Metall oder Elfenbein ummantelten

Tragaltar: Abdinghofer T. des Rogerus von Helmarshausen; um 1100 (Paderborn, Franziskanerkirche)

Kästchen oder Miniaturaltar mit Füßen (häufig in Säulchenform). Das älteste erhaltene und sehr kostbar gestaltete Beispiel ist der T. des Königs ARNULF von Kärnten (nach 893, München, Schatzkammer der Residenz). Viele T. mit symbol. und typolog. Schmuck in Grubenschmelz brachte das 12. Jh., bes. die Maaskunst, hervor. Beispiele: T. im Welfenschatz, darunter der des Meisters EILBERTUS (1150–60); Abdinghofer T. des ROGERUS VON HELMARSHAUSEN (um 1100). Im späten MA. löste der Klappaltar den T. ab.

Tragant, Maltechnik: Gummi des Astragalus-Strauches; Bindemittel für Pastellfarben.

Tragstein, Baukunst: →Konsole 1).

Traini, Francesco, ital. Maler, etwa 1321–65 in Pisa und Bologna tätig. Sein monumentaler Stil, der Anregungen der Brüder LORENZETTI u. a. sienes. Meister sowie der bolognes. Schule verarbeitete, zeichnet sich durch Ausdrucksstärke und volkstüml. Realismus aus.

HW: Fresken mit dem Triumph des Todes, Weltgericht, Inferno und Thebais (Pisa, Camposanto; im 2. Weltkrieg beschädigt); Dominikus-Triptychon (1345 voll.; Mitteltafel in Pisa, Mus. Nazionale di S. Matteo, Seitenflügel ebd., S. Caterina).

Trajansbogen, eintoriger Triumphbogen in Benevent (S-Italien), 114 n. Chr. dem Kaiser TRAJAN gewidmet für die von ihm erbaute Straße von Benevent nach Brindisi (Via Traiani). Der T., ähnlich gestaltet wie der Titusbogen in Rom, zeigt einen Reliefschmuck, dessen figurenreiche Szenen die Verherrlichung des Kaisers darstellen.

Trajans|säule, Gedenksäule (mit Sockel 33 m hoch) auf dem Trajansforum in Rom (KARTE Rom im Altertum), 113 n. Chr. errichtet; auf Reliefbändern (rd.

Trajansbogen: Ausschnitt des Bogens in Benevent: Minerva, Jupiter, Juno (Kapitolin. Trias) mit Hercules, Liber, Ceres und Merkur; 114 n. Chr.

200 m Länge), die spiralartig die Säule umziehen, ist die Eroberung von Dakien durch TRAJAN (101–02 und 105–06) dargestellt; im Sockel einst die Urne mit der Asche des Kaisers; den Abschluß der Säule bildete eine Statue Trajans, die im MA. verlorenging.

Trakas [tr'eɪkəs], George, kanad. Bildhauer, *Quebec 11. 5. 1944, kam 1963 nach New York; schuf begehbare Horizontale Plastiken mit architekton. Elementen. Von ›Haus‹-Konstruktionen kam er zu Holz- und Stahlbrücken, die in vielschichtigen Bezügen zur jeweiligen landschaftl. und räuml. Situation stehen (documenta 6, Kassel 1977).

Tramin, ital. **Termeno,** Weinbauort im Überetsch, 2800 Ew., südlich von Bozen, Südtirol; Pfarrkirche St. Julitta und Quiricus mit got. Chor (um 1400; an Außen- und Innenwänden Fresken, Anf. 15. Jh.), Turm mit Maßwerkgalerie und Spitzhelm (1466–92); roman. Fresken (2. H. 13. Jh.) in der Apsis von St. Jakob in Kastellaz; Friedhofskirche St. Valentin (13. Jh., mit Fresken des 14./15. Jh.).

Trani, ital. Hafenstadt und Erzbischofssitz in der Prov. Bari, an der Adria, 42 100 Ew.; Kathedrale, seit 1097 über einem Vorgängerbau (Krypta erh.) errichtet,

Trani: Westfassade der Kathedrale; seit 1097 errichtet

am W-Portal plast. Schmuck und Bronzetürflügel nach byzantin. Vorbildern von BARISANUS VON TRANI (um 1175); weitere Kirchen des 12. Jh.: Basilika Ognissanti (reich gestaltete Vorhalle), S. Francesco, S. Andrea (Kreuzkuppelkirche); Kastell, 1230–49 unter FRIEDRICH II. erbaut.

Transenna [lat.], Baukunst: Fensterfüllung in Gitterform aus Holz oder Stein v. a. im Mittelmeerraum und in oriental. Gebieten.

Transept(um) [lat.], Baukunst: →Querschiff.

Transfergold, Maltechnik: →Sturmgold.

Transformer [trænsf'ɔ: mə, engl.], eine Richtung der zeitgenöss. Kunst, in der Künstler die Veränderung ihrer Persönlichkeit durch Verkleidung oder Maskierung zum Thema machen. Ihre Medien sind die Performance vor einem Publikum, die Photosequenz oder das Videoband. Ihre Grundidee zielt auf die Überwindung konventioneller männlich-weibl. Rollenklischees, mit einer Vorliebe für androgyne Fiktionen (J. KLAUKE) und auf die Mehrschichtigkeit des eigenen Wesens (U. LÜTH).

›T.‹, Aspekte der Travestie, Ausst.-Kat., Luzern (1974).

Translozierung, Translokation, Denkmalpflege: das Versetzen eines fest mit dem Standort verbundenen Kulturdenkmals aus konservator. Erwägungen. Der Abbau und die Wiedererrichtung ist eine letzte Notmaßnahme, z. B. bei Talsperren- und Straßenbau, um das Kulturdenkmal zu retten, auch wenn dabei ein wichtiger Teil, die Verbindung des Kulturdenkmals mit dem histor. Ort seiner Entstehung, verloren geht.

Transversalbogen, Baukunst: →Gurtbogen.

Trapani, ital. Stadt und Bischofssitz an der NW-Küste Siziliens, 69 900 Ew. Die 1313–32 erbaute und später mehrfach veränderte Wallfahrtskirche Madonna dell'Annunziata hat noch ihre urspr. Fassade mit Fensterrose und got. Portal sowie Kapellen aus Gotik und Renaissance, wurde aber sonst stark umgestaltet. Im ehem. Kloster der Annunziata befindet sich das Mus. Nazionale Pepoli (archäolog. Samml., Pinakothek). Zahlreiche Kirchen, u. a. S. Maria del Gesù (Anf. 16. Jh.), aus dem Barock der Dom und die Kollegiatskirche.

Trapesa [grch. trapeza ›Tisch‹, ›Tafel‹], der Speisesaal des ostkirchl. Klosters, meist ein selbständiges Gebäude, an der Ostseite als Kirche ausgebaut. Einige T. des späten 17. Jh. im Moskauer Raum haben palastartigen Charakter. – Seit dem 17. Jh. wird die T. in Rußland oft zum Gemeinderaum, an den sich im O die Kirche, im W der Glockenturm anschließen.

Trapezkapitell, byzantin. Form des Kapitells mit abgeschrägten Ecken und trapezförmig nach oben verbreiterten glatten Ansichtsseiten.

Traß [von ital. terrazzo], aus vulkan. Schlammströmen oder aus Glutwolken abgesetzter, glasierter Bimstuff, der als Zusatz zu Kalkmörteln deren Erhärtung (Karbonisierung) beschleunigt und Abbindung auch unter Luftabschluß ermöglicht. Schon in der Antike wurde T. im Unterwasserbau und bei Gußmörtel eingesetzt.

Tratteggio-Malerei [tratt'eddʒo-, ital. ›Strichelung‹], strichelnde Malweise der altital. Tempera- und Freskomalerei.

Tratzberg, Schloß am O-Abhang des Karwendelgebirges, Österreich, an der Stelle einer 1491 abgebrannten ma. Burg 1500–15 (S- und O-Flügel spätgotisch) und 1560–70 (W- und N-Flügel in Renaissancestil) als Vierflügelanlage errichtet, Innenräume z. T. mit originaler Einrichtung.

Traufenhaus, Haus mit zur Straße quergestellter Traufe i. Ggs. zum giebelständigen Haus.

Traunstein, Stadt im Chiemgau, Oberbayern, 17 100 Ew. Die Salinenkapelle St. Rupert ist ein frühbarocker Zentralbau (1630); die Oswaldkirche, ein Neubau (1675–96 nach Entwurf von G. ZUCCALLI) auf got. Grundmauern, besitzt eine vorwiegend neubarocke Innenausstattung (1904–09). Brothausturm (14. Jh.) am W-Ende des weiten Stadtplatzes (250 × 85 m).

Traut, Wolf, Maler und Zeichner für den Holzschnitt und für Glasgemälde, *um 1480, †Nürnberg 1520, Sohn des Malers Hans T. (†1516), seit 1505 in der Werkstatt A. DÜRERS. Sein Werk zeigt dessen Einfluß und den von HANS VON KULMBACH.

HW: Johannes-Altar (1511; Nürnberg, German. Nat.-Mus.); Mauritius-Vincentius-Altar (1516–18, urspr. Nürnberg, Tuchmacherkapelle der Hl. Anna bei St. Lorenz; Heilbronn, Münster). – Holzschnitte für A. Dürers ›Ehrenpforte Kaiser Maximilians‹ (1512–15).

Trautmann, Johann Georg, Maler, Radierer, *Zweibrücken 23. 10. 1713, †Frankfurt am Main 11. 2. 1769, gehörte zu den in Goethes Vaterhaus verkehrenden Frankfurter Meistern der Kleinmalerei in niederländ. Art. T. ahmte bes. REMBRANDT nach.

Travee [frz.] *die,* Baukunst: →Joch.

Travertin [ital.] *der,* lockerer, poröser Kalkstein; Werk- und Dekorationsstein, der, lagenweise hellgelb bis bräunlich gefärbt, in bergfeuchtem Zustand leicht zu bearbeiten ist. Vorkommen u. a. in Tivoli bei Rom und bei Bad Cannstatt. Neben Marmor ist T. in der Baukunst seit der Antike (v. a. in Rom) bis in die Gegenwart das häufigst verwendete Material.

Travnik, Stadt in Mittelbosnien, Jugoslawien, nördlich von Sarajevo, 13 000 Ew., ehem. Sitz der türk. Wesire, überragt von einer Festung mit Wehrtürmen (15. Jh.); in der Stadt einige Moscheen, u. a. die ›Bunte Moschee‹ (18. Jh.) mit farbigen Pflanzenornamenten an den Fassaden und die Hadschi-Ali-Beg-Moschee (1757–59) mit Uhrturm, ferner das Mausoleum der Wesire (1787).

Trawulan, Trowulan, kleines Dorf bei Mojokerto auf O-Java mit Ruinen des 14. und 15. Jh. von der Hauptstadt Majapahit. Es handelt sich um 3 Candis und einen imposanten Candi Bentar. Einzelfunde und Architekturteile im Mus. ebd. und im Mus. von Jakarta.

Trebenište [tr'ebeniʃte], Dorf bei Ohrid (Rep. Makedonien, Jugoslawien). Fundort einer hallstattzeitl. Nekropole mit mehreren fürstl. Gräbern mit Beigaben (z. B. Totenmasken aus Goldblech). Die Funde von T. gaben der wohl illyrischen T.-Kultur den Namen. (BILD S. 42)

Trebitsch, tschech. **Třebíč** [trʃ'ɛbi:tʃ], Stadt im Südmähr. Kr., ČSSR, 23 900 Ew. – An der Stelle des 1101 gegr. Benediktinerklosters entstand im 16. Jh. ein Renaissance-Schloß, das später umgebaut wurde. Die romanisch-got. St.-Prokop-Kirche, 1240–60 gebaut, wurde im 18. Jh. renoviert und z. T. umgestaltet; an der Nordseite ist ein Portal aus dem 13. Jh. erhalten.

Trebenište: Goldmaske aus einem Fürstengrab; Ende des 6. Jh. v. Chr. (Belgrad, Nationalmuseum)

Trebnitz, poln. **Trzebnica** [tʃɛbn'itsa], Stadt in der poln. Wwschaft Wrocław (Breslau), 9000 Ew. Kirche der Zisterzienserabtei, eine spätroman. Basilika von 1203–40 (Turm 1785) mit Querschiff, roman. Portalen mit plast. Schmuck und Krypta (vor 1214, später umgebaut) unter dem Presbyterium. Neben dem Chor die Kapelle der Hl. Hedwig (1269; 17./18. Jh. umgebaut) mit barockem Grabmal. An die Kirche stößt das barokke Klostergebäude (1697–1726).

Třeboň [tʃ'ɛbɔnj], →Wittingau.

Trecento [tretʃ'ɛnto, ital. ›dreihundert‹, Abk. für 1300], ital. Bez. für das 14. Jh.; i. e. S. in der Kunstgeschichte Stilbegriff für die Epoche der ital. Hochgotik, die vom →Duecento eingeleitet worden war. HW der Baukunst des T. sind die (z. T. ins 15. Jh. hineinreichenden) Dombauten in Florenz, Mailand und Orvieto; im Profanbau die für Italien typ. ma. Palazzi (z. B. Palazzo Vecchio, Florenz) und die offenen, großbogigen Hallen (z. B. Loggia dei Lanzi, Florenz). In der Plastik des T. ragen die Werke von ANDREA und NINO PISANO, A. ORCAGNA und die →Scaliger-Gräber heraus. In der Malerei wies GIOTTO mit seinem Monumentalstil für die ital. Malerei neue Wege. Neben ihm war SIMONE MARTINI der bedeutendste Maler des T.

Trechtingshausen, Gem. am linken Rheinufer nördlich von Bingen, Rheinl.-Pf., mit spätroman. Clemenskirche (Anf. 13. Jh.) und den Burgen **Reichenstein** (13.–15. Jh.), 1899 neugotisch ausgebaut und wertvoll eingerichtet (Mus.), und **Rheinstein** (13./14. Jh.), 1825 bis 1829 zu einer der eindrucksvollsten Rheinburgen ausgebaut, mit neugot. Kapelle (1844).

Treffurt, Stadt im Kr. Eisenach, Dt. Dem. Rep.; Stadtkirche mit spätroman. Chor und Querschiff (um 1260), reiches N-Portal, got. Langhaus (1341). Über T. Burgruine Normannstein mit Palas und 2 Wohntürmen.

Tréguier [tregj'e], Gem. im frz. Dép. Côtes-du-Nord, Bretagne. Das Stadtbild wird bestimmt durch die spätgot., aus Granit gebaute Kathedrale (13.–15. Jh., mit Kreuzgang des 15. Jh.).

Treib|arbeit, →Toreutik.

Trelleborg [-bɔr], Wikingeranlage, →Slagelse.

Trembleuse [trãbl'ø:z, von frz. trembler ›zittern‹], Tasse, die in einer körbchenförmigen Vertiefung der Untertasse steht, um ein Abgleiten zu verhindern. Die häufig zweihenkelige T. kam im 18. Jh. auf und wurde aus Silber, Porzellan oder Fayence hergestellt.

Tremblieren [trãbl'i:rən, von frz. trembler ›zittern‹], **Tambulieren, Trambulieren,** auch **Flecheln** oder **Fleckeln,** zickzackförmige Linienführung, die der Graveur als Verzierung bes. auf Zinngerät anwandte.

Tremolierstich, Tremulierstich, Ziselierstich, Wüchsenzeichen, Zackenlinie, die mit der Graviernadel meist auf dem Boden von Silbergegenständen eingegraben wird, um etwas Silber zu entnehmen. Durch einen Zusatz von Blei ist es nach dem Schmelzen der Probe möglich, den Feingehalt des Silbers zu prüfen.

Trenčin [tr'ɛntʃin], →Trentschin.

Trendelburg, Stadt im Kr. Kassel, Hessen, hat ma. Stadtgrundriß nach Art staufischer Gründungen. In der got. Pfarrkirche (13.–15. Jh.) spätgot. Wandmalereien (Anf. 16. Jh.). Völlig erh. ist die turmreiche Burg (13./15. Jh.) mit Palas, Ringmauer und Bergfried. Fachwerkbauten (17./18. Jh.) und Fachwerkrathaus (1582).

Trentschin, slowak. **Trenčín** [tr'ɛntʃi:n], Stadt im Westslowak. Kr., ČSSR, 38800 Ew., an der Waag, überragt von einer Burg, im 11. Jh. erwähnt und mehrmals umgebaut. Die ältesten Teile aus dem 13. Jh. sind der fünfstöckige Turm und der Palas. Seit einem Brand, 1790, verfiel die Burganlage und wird heute konserviert. In der Altstadt am Marktplatz Renaissance-Bürgerhäuser (z. T. im 19. Jh. verändert) und doppeltürmige Kirche (1653–57, erneuert 1708–12).

Treppe, Stiege, Steige, Aufgang aus Stufen, der eine schiefe Ebene in senkrechte Steigungen und waagerechte Auftritte gliedert. Die erste Stufe heißt **Antritt,** die letzte **Austritt,** eine Stufenreihe **Lauf** oder **Arm.** Ein Wechsel der Gangrichtung wird durch Einbau von Wendelstufen erreicht; bei größeren Geschoßhöhen werden **T.-Absätze** (Zwischenpodeste) eingefügt.

Frei-T. dienen als Aufgang zu einem Gebäude. **Wendel-T.** werden mit Mittelsäule als **Spindel-T.** oder gewundener innerer Wange als **Hohl-T.** mit einem **Treppenauge** ausgeführt.

Geschichtliches. Im Altertum haben früher als im profanen Bereich bei sakralen Bauten Mythen und Riten zu einer Architektur der T. geführt, die v. a. Symbolcharakter hat und keine Rücksicht auf das menschl. Schrittmaß nimmt (Zikkurat in Babylonien, Kultbauten Zentralamerikas, grch. und röm. Tempel); der Palastbau machte sich z. T. schon im Altertum den repräsentativen Charakter der T. nutzbar (Persepolis, Susa, Chorsabad, Kreta). Im Hoch-MA. bekam dann die T. neue zeremonielle Bedeutung als **Frei-T.** vor stauf. Pfalzen (Eger, Gelnhausen), vor Rathäusern, Schlössern, Klöstern; sie erreichte gestalter. Höhepunkte im 17. und 18. Jh., v. a. durch ital. Architekten.

Die **Wendel-T.** entstammt den antiken Triumphsäulen (Rom, Trajanssäule u. a.), wurde aber erst im MA. mit Kirchtürmen verbunden (Aachen, Essen). Zuvor erstieg man Türme mit Hilfe von Leitern oder im Mauerwerk ausgesparter T. An Lettnern (Dome von Mainz, Naumburg, 1. H. 13. Jh.) entstanden erste kunstvolle Aufgänge. Vorbild für demonstrative Wendel-T. an den Münstern in Ulm und Straßburg war die Wendel-T. am Prager Veitsdom (1372/73). Die erforderl. Meisterschaft und die hohen Herstellungskosten ließen die Wendel-T. im ausgehenden MA. zu einem Statussymbol der Bauherren werden; zus. mit Türmen wurde sie Bestandteil der Architektur. Seit der Renaissance wurde der T.-Aufgang als geradläufige T. in das Innere des Gebäudes verlegt; es entwickelten sich großartige T.-Häuser, die ihre größte Prachtentfaltung in barocken Schlössern und Klöstern erreichten (Pommersfelden, Brühl, Würzburg, Göttweig).

Das formale Repertoire des Barock wurde im 19. Jh. unter anderen räuml. und techn. Voraussetzungen nachgeahmt (Justizpaläste, Opernhäuser, Theater usw.). War die Innen-T. ein den barocken Prachtaufwand steigerndes Element, ist sie dann oftmals zum Selbstzweck geworden. Im 20. Jh. haben techn. Hilfsmittel wie Stahlbeton und Glas dem T.-Bau neue gestalter. Möglichkeiten erschlossen.

T. als Teil der Architektur finden sich bes. ausgeprägt in Mesoamerika. Der die Pyramiden krönende Tempel ist hier nur über eine sehr steile T. zu erreichen. In der toltek. oder toltekisch beeinflußten Architektur haben die Treppen Balustraden. Die T. der Maya sind in der Frühklassik gelegentlich mit Masken (Kohunlich, Uaxactún), die Stufen mit Hieroglypheninschriften versehen (so die 62-stufige Hieroglyphen-T. in Copán).

Treppenbrunnen, →Stufenbrunnen.

Treppengiebel, Baukunst: →Giebel.

Treptow a. d. Rega [-to:-], poln. **Trzebiatów** [tʃɛbjˈatuf], Stadt in der poln. Wwschaft Szczecin (Stettin), 9300 Ew., mit z. T. erh. Wehrmauer (13. Jh.) an der Rega; got. Pfarrkirche (14. Jh.), Turm 1773 angebaut; spätgot. Kapelle der Hl. Gertrud (15. Jh.).

Tresguerras [-ɣˈɛrras], Francisco Eduardo, mexikan. Architekt, Maler, *Celaya 13. 10. 1759, †ebd. 3. 8. 1833, war einer der Hauptvertreter des Klassizismus.

HW: Kirche Nuestra Señora del Carmen (1802–07; Celaya); Teatro Alarcón (1827; San Luis Potosí).

Tres Zapotes [-sa-], archäolog. Fundort einer präkolumb. Kultur (300 v. Chr.–300 n. Chr.), nahe der Golfküste im S des Bundesstaats Veracruz, Mexiko; Kunst und Ikonographie gehen auf die Olmeken zurück. Neben Kolossalköpfen und Reliefskulpturen wurde die Stele C gefunden mit einer der ältesten bekannten Inschriften aus Mesoamerika mit einer Datumsangabe, die dem Jahr 31 v. Chr. entspricht.

Tretjakow-Galerie, Mus. für russ. Kunst in Moskau, entstanden aus der 1856 begründeten Privatsamml. des Kaufmanns P. M. TRETJAKOW (*1832, †1898), die er 1892 der Stadt Moskau schenkte. Nach der Verstaatlichung (1918) wurde die Samml. durch Übertragung der Bestände russ. Malerei aus dem Rumjanzew-Mus., der Zwetkow-Gal. und die Ikonensamml. I. S. OSTROUCHOWS und P. D. KORINS erweitert.

Treuenbrietzen, Stadt am Nordrand des Fläming, Dt. Dem. Rep., 7000 Ew.; 2 spätroman. dreischiffige Pfeilerbasiliken (1. H. 13. Jh.): St. Nikolai, mit Vierungsturm (Aufsatz von 1776), und St. Marien, mit Westturm und reichem Westportal; spätgot. Heiliggeistkapelle (2. H. 15. Jh.), ein achteckiger Zentralbau.

Treviso, nordital. Stadt und Bischofssitz in Venetien, 90200 Ew.; von ma. Mauern und Wassergräben umschlossen. Mittelpunkt der im 2. Weltkrieg stark zerstörten Altstadt (z. T. wiederaufgebaut) ist die Piazza dei Signori, an 3 Seiten umschlossen von Backsteinpalästen des 13. Jh. mit offenen Arkaden im Erdgeschoß; an der Südseite der Palazzo dei Trecento (nach den 300 Ratsherren benannt, die sich hier im Saal des Großen Rats versammelten). Im späten 11. und 12. Jh. entstand die Kirche S. Giovanni del Battesimo, im 13. Jh. die Loggia dei Cavalieri (außen und innen mit Fresken weltl. Inhalts, durch Kriegseinwirkungen größtenteils zerstört). Der bedeutendste got. Bau ist die in Backstein errichtete dreischiffige Dominikanerkirche S. Nicolò (1282 beg., 1389 voll.), mit hohem steilem Innenraum, der von einer kielförmigen Holzdecke überwölbt ist; erhalten sind im ehem. Dominikanerkloster got. Fresken von TOMMASO DA MODENA (2. H. 14. Jh.). Der Dom geht auf eine roman. Krypta zurück, über der im 15. und 16. Jh. der Neubau errichtet wurde (Langhaus 1759 bis 1836). Eine reizvolle Eigenart sind die Fassadenfresken, mit denen Paläste und Häuser, bes. in der Renaissance, z. T. von bed. Malern geschmückt wurden. Das Mus. Civico birgt eine archäolog. Samml. und eine Gemäldegalerie.

Treysa, Teil der Stadt Schwalmstadt, Oberhessen, mit maler. Ortsbild (v. a. Markt und Steingasse). Originelles Rathaus (15./17. Jh.) mit 4 Schauseiten. Die ehem. Dominikanerklosterkirche (14. Jh.) ist eine sehr steile, lange Halle im asymmetrisch zweischiffigen Typ der Bettelordenskirchen. Eindrucksvoll die Ruine der Totenkirche (13. Jh.), einer spätromanisch-frühgot. Pfeilerbasilika mit Anklängen an die Marburger Elisabethkirche. Heiliggeisthospital (1367 gen.) mit spätgot. Bauten.

Trezzini, Domenico Andrea, in Rußland Andrej **Tresini,** russ. Baumeister schweizer. Herkunft, *Astano (Tessin) um 1670, †St. Petersburg 2. 3. 1734, arbeitete 1703 in Kopenhagen und war als Hofarchitekt des russ. Kaisers PETER I. maßgebend an Planung und Aufbau St. Petersburgs beteiligt: Festungsbau in Narwa (1705), Peter-und-Pauls-Festung mit Kasernen, Speichern, Pulverturm (1706), Alexander-Newskij-Kloster (1713 nach seinen Plänen beg.), Peter-und-Pauls-Kathedrale (1712–33); Entwürfe für die Bebauung der Wassilij-Insel sowie Pläne der Musterhäuser für die ›einfachen‹ Bürger und für die ›Wohlhabenden‹. Zu den erhaltenen Bauten T.s gehört das Zwölf-Kollegien-Gebäude (1722–34, heute Univ.).

Triangulation, Triangulierung [lat.], Baukunst:

Trianon: Petit T. im Park von Versailles; 1762–66 von J.-A. Gabriel errichtet

Verwendung des gleichseitigen, auch des spitzwinkligen Dreiecks als Maß- und Verhältniseinheit, bes. in der Gotik. VILLARD DE HONNECOURT (13. Jh.) bezeugt, daß die T. auch in den darstellenden Künsten angewendet wurde.

Trianon [trian'ɔ̃], Lustschlösser im Park von Versailles: **Grand T.** [grã-], unter LUDWIG XIV. 1687/88 von J. HARDOUIN-MANSART für die Marquise de Maintenon erbaut (im Innern prächtige Holztäfelungen); **Petit T.** [pti-], unter LUDWIG XV. von J.-A. GABRIEL 1762–66 errichtet (später Lieblingsaufenthalt Marie-Antoinettes).

Tribhạnga [Skt.], bewegte Körperhaltung ind. Skulpturen mit doppelter Achsbrechung (BILD Sthanakamurti).

Trịbolo, eigtl. Niccolò **Perịcoli,** gen. **il T.,** ital. Bildhauer, Baumeister, *Florenz 1500, †ebd. 20. 8. 1550, Mitarbeiter von MICHELANGELO in Florenz (Neue Sakristei, Bibliothek von S. Lorenzo, Medici-Grabmäler), war als Gartenarchitekt (Anlage des Boboli-Gartens in Florenz, 1549 beg.) und Bildhauer für die Medici tätig (Brunnen für die Villen della Petraia und Reale di Castello bei Florenz).

Tribsees, Stadt im Kr. Stralsund, Dt. Dem. Rep.; in der Thomaskirche, einer frühgot. Backstein-Hallenkirche (1. H. 14. Jh.), prächtiger Schnitzaltar (1. H. 15. Jh.) aus Rostocker Werkstatt.

Triẹnt, ital. **Trẹnto,** Hauptstadt der Region Trentino-Südtirol, Italien, an der Etsch, 98 200 Ew.; Erzbischofssitz. Der Dom (seit 1212 errichtet, Mitte des 16. Jh. voll.) ist der bedeutendste roman. Bau Venetiens (1964–77 Reste der Vorgängerbauten aus dem 6., 9. und 11./12. Jh. unter dem Dom freigelegt und zugänglich gemacht), 1545–63 Hauptsitz des Trienter Konzils (kleinere Sitzungen tagten in der Kirche S. Maria Maggiore, 1520–23); im Inneren Fresken des 14. Jh. Die N-

Seite des Doms schließt im S die Piazza del Duomo mit Neptunbrunnen (1768), Palazzo Pretorio (13. Jh., heute Diözesanmus. mit Domschatz und fläm. Wandteppichen des 16. Jh.) und Torre Civica ab. An der Via Belenzani, die vom Domplatz zur Jesuitenkirche S. Francesco Saverio (1701 von A. Pozzo beg.) führt, prachtvolle Paläste des 15. und 16. Jh., z. T. mit reichem Freskenschmuck an den Fassaden (v. a. Casa Alberti-Colico und Palazzo Geremia). T. ist reich an weiteren Kirchen des MA. (S. Lorenzo, S. Apollinare, S. Pietro u. a.) und Palästen, bes. der Renaissance und des Barock (Palazzo Tabarelli, Anf. 16. Jh.; Palazzo Galasso, Anf. 17. Jh.). Das Castello del Buon Consiglio, ehem. Residenz der Fürstbischöfe, ist ein ausgedehnter Gebäudekomplex mit reich ausgestalteten ma. und Renaissancebauten (heute Nat.-Mus.); im Adlerturm Freskenzyklus der Monatsbilder (vor 1407).

Trier, Stadt an der Mosel, Rheinl.-Pf., 96 800 Ew.; das röm. **Augusta Treverorum,** im 3./4. Jh. röm. Kaiserresidenz; kath. Bischofssitz. Aus röm. Zeit stammen: die Porta Nigra (im 2. Jh. erbautes N-Tor der röm. Stadtmauer, im 11./12. Jh. zur Simeonskirche umgebaut; BILD Porta Nigra), die als besterhaltenes antikes Baudenkmal nördlich der Alpen gilt, die Barbara- und Kaiserthermen (2./4. Jh.), das 20 000 Zuschauer fassende Amphitheater (um 100) und die ›Basilika‹ (Palastaula Kaiser Konstantins, um 305), neben dem Pantheon in Rom der größte Innenraum, der aus röm. Zeit erh. blieb. Der Dom ist der älteste in Dtl. (Kern 4. Jh., roman. Erweiterungsbau mit der einzigartigen frühsalischen W-Fassade, 11. Jh., O-Chor 1196 gew., Langhauswölbung 1235 voll.); seit dem Umbau im 18. Jh. eine dreischiffige Basilika mit Querhaus; 3 roman. Krypten (11./12. Jh.); aus der kostbaren Einrichtung ragen heraus: die Ostchorschranken (um 1190), das Ivo-Grab (Mitte 12. Jh.), die Kanzel (1570–72) und zahlreiche Grabaltäre (16.–18. Jh.); frühgot. Kreuzgang (um 1245–70). Neben dem Dom die Liebfrauenkirche (1235–53), einer der wenigen großen Zentralbauten dieser Zeit und neben der Marburger Elisabethkirche der erste rein got. Kirchenbau in Dtl.; das W-Portal ist das früheste Figurenportal in Dtl. Ein gut erhaltenes Beispiel eines großen ma. Klosters ist die Benediktinerabtei St. Matthias (vor 707 gegr.) mit got. Konventsgebäuden und Kreuzgang (1237–57); die Kirche ist eine roman. Pfeilerbasilika (1127–60, spätgot. Gewölbe 1496–1510). Die Kirche der 853 gen. Benediktinerabtei St. Maximin wurde Ende 17. Jh. in nachgot. Formen errichtet. Am Markt die Stadtpfarrkirche St. Gangolf (958 gegr., spätgot. Neubau 1410–59) mit W-Turm des 14./16. Jh. In der spätgot. Antoniuskirche (1458–1514) prächtige Rokokokanzel (1762) und Grottenaltar (1780). Über röm. Getreidespeichern entstand die ehem. Benediktinerinnenabtei St. Irminen (gegr. 7. Jh.); festl. Klosterwestfront (1726–44), barocke Abteikirche (1768–71). Neben dem barocken Jesuitenkolleg (1610–14, Ostflügel 1773–75 von J. SEITZ) die got. Dreifaltigkeitskirche (13. Jh.). Ein HW von J. B. NEUMANN ist St. Paulin (1734–54, Hochaltar von F. DIETZ, 1755). Ma. Profanbauten sind der Frankenturm, ein roman. festungsartiger Wohnturm (wohl um 1100), das roman. Dreikönigshaus mit palastartiger Fassade (12./13. Jh.) und die ›Steipe‹ (15. Jh.), das repräsentative Festhaus der Bürgerschaft. Das Erzbischöfl. (Kurfürstl.) Schloß besteht aus 2 Flügeln einer urspr. vierflügeligen Renaissanceanlage (1615 beg.) und dem prächtigen barocken S-Flügel (1756–62 von Seitz); im Treppenhaus Geländer und Brüstungen aus Sandstein in lebhaften Rocailleformen von Dietz. Bedeutendster Adelspalast ist das barocke Palais Kesselstatt (1740–45 von J. V. THOMANN) mit genialer Ausnutzung des Straßenverlaufs (geknickte Fassade). Zahlreiche Domherrenkurien (17./18. Jh.) und Bürgerhäuser (14.–19. Jh.). Bischöfl. Dom- und Diözesan-Mus. (u. a. Funde der Domgrabungen); Rhein. Landes-Mus. (v. a. provinzialröm. Kunst, Gläser); Domschatz (u. a. otton. Andreas-Tragaltar von 977–993); Städt. Mus. im roman. Simeonsstift (11. Jh.; u. a. spätantike Kunst). Im Stadtteil **Quint** Rokokoschloß (um 1760); bei T. das klassizist. Lustschloß Monaise (1779–83).

Der Trierer Dom, hg. v. F. RONIG (1980); Die kirchl. Denkmäler der Stadt T. ..., bearb. v. H. BUNJES u. a. (1982); W. REUSCH: Augusta Treverorum ([12]1982).

Trier, Hann, Maler, Graphiker, *Kaiserswerth (heute zu Düsseldorf) 1. 8. 1915, Mitgl. der Gruppe Zen; seine Bilder stehen dem Action Painting und der Informellen Kunst nahe, sind aber durch einen netzartigen Rhythmus stärker strukturiert (Deckenmalerei in Schloß Charlottenburg, Berlin-West, 1972).

Trierer Malerschule, →Gregormeister.

Triest, ital. **Trieste,** slowen. **Trst,** Hauptstadt der Region Friaul-Julisch-Venetien, Italien; Hafenstadt und Bischofssitz am Adriat. Meer an der Grenze zu Jugoslawien, 265 500 Ew. Das röm. Theater (2. Jh. n. Chr.) wurde 1937/38 freigelegt. Auf dem Burghügel, auf dem sich die antike Stadt befand, liegen das Kastell (15.–17. Jh.; mit Mus.) und der Dom; er entstand aus der Vereinigung zweier roman. Kirchen, die, auf antiken und frühchristl. Vorgängerbauten errichtet, im 14. Jh. durch ein Mittelschiff verbunden wurden und eine gemeinsame Fassade erhielten (Weihe 1385); im Inneren prächtiges Apsismosaik (um 1200) erh. Auf dem ehem. Friedhof des Doms, seit 1829 archäolog. Park (›Orto Lapidario‹), der Kenotaph des 1768 in T. ermordeten J. J. WINCKELMANN. 1627–82 wurde die Jesuitenkirche S. Maria Maggiore gebaut. Im 18./19. Jh. entstanden klassizist. Bauten (Theater, 1718–1801; von P. v. NOBILE S. Antonio Nuovo, 1827–49, u. a.). Mus. Civico di Storia e Arte (archäolog. Bestände, Samml. von Zeichnungen G. B. TIEPOLOS), Mus. Civico Revoltella (ital. Malerei und Plastik des 19. und 20. Jh.) und weitere Museen; nördlich von T. das an der Küste gelegene Schloß **Miramare** (1858–60 von Erzherzog MAXIMILIAN VON ÖSTERREICH erbaut), heute Nat.-Mus. (mit Gemäldegal. venezian. Maler des 16.–18. Jh.).

Trifels, salisch-staufische Reichsburg im Pfälzer Wald bei Annweiler, Rheinl.-Pf. Der Palas der Burg aus dem 11./12. Jh. (seit 17. Jh. Ruine) wurde 1938–50 wieder aufgebaut. Der erh. Bergfried war gleichzeitig Tor- und Kapellenturm.

Triforium [lat.] *das,* Drillingsöffnung, ein im roman., bes. im got. Kirchenbau zuerst in Dtl., dann in Frankreich erscheinender Laufgang unter den Fenstern des Chors, dann auch des Mittel- und Querschiffs, der sich in Bogenstellungen zum Kircheninnern öffnet. Voraus ging das **Blendtriforium,** dessen Bogenstellungen der Mauer nur vorgeblendet sind. Das T. dient v.a. der Gliederung der Hochwand. Die hohe Gotik durchfensterte auch die Außenwand hinter der Bogengalerie, erstmals in Saint-Denis, auch in der Kathedrale von Amiens und dem Veitsdom in Prag.

Triforium

Triglyph [grch. ›Dreikerb‹] *der,* **Triglyphe** *die,* rechteckige Steinplatte im Gebälk des grch. dorischen Tempels, in die senkrechte Kerben eingeschnitten sind, wohl hervorgegangen aus den urspr. mit Brettchen verkleideten Balkenköpfen der Dachkonstruktion. Die T. bilden mit den Metopen den Fries des Tempels (BILD Säulenordnung).

Trikonchos, Baukunst: →Dreikonchenanlage.

Trimurti [Skt.], die gemeinsame Darstellung der hinduist. Götter Brahma, Vishnu und Shiva in 3 nebeneinanderstehenden Gestalten. Fälschlich werden dreiköpfige Shivareliefs (Panchavaktra Shiva) wie das von Elephanta als T. bezeichnet.

Trinetra [Skt.], die Dreiäugigkeit ind. Bildwerke, zuerst bei Shiva und Indra, später auch bei Bodhisattvas und der Tara. Das zusätzl. Stirnauge bedeutet höchste Erkenntnis und einem Feuerstrahl vergleichbare meditative Energie.

Trinidad, Stadt auf Kuba, 35 000 Ew. Das 1514 gegr. T. zeigt noch ein geschlossenes kolonialzeitl. Stadtbild (unter Denkmalschutz) mit bed. Kirchen: La Santísima Trinidad (frühes 17. Jh., 1894 umgestaltet) mit kunstvollen Schnitzereien aus Mahagoniholz (Altäre, Skulpturen); La Popa (1726); de Paula (1873) mit Marmorarbeiten und Holzschnitzereien im Innern. Archäolog. Mus., Mus. für dekorative Kunst.

Trinität, Dreieinigkeit, Dreifaltigkeit, in der christl. Glaubenslehre die Dreiheit der göttl. Personen (Vater, Sohn, Hl. Geist) in der Einheit des göttl. Wesens. Die T. wird in der bildenden Kunst i. d. R. symbolisch dargestellt, v.a. im gleichseitigen oder gleichschenkligen Dreieck, z. T. erweitert durch laufende Beine oder das A und O. Im MA. weniger häufig (Uta-Kodex des 11. Jh.; Regensburg, mit der Hand Gottes), kommt es in nachmittelalterl. Zeit oft mit dem Auge Gottes vor. Symbole der T. sind auch 3 in einen Kreis eingeschriebene Kreise, 3 Kugeln und der Dreipaß, ferner 3 einander sich berührende und ornamental zugeordnete Figuren und Tiere (Hasen, Fische, Löwen) in einem Kreis. Symbole in der byzantin. Kunst sind der leere Thron Gottes, das Kreuz und die Taube **(Etimasia).** – Als Hinweis auf die T. gelten Darstellungen wie der Besuch der 3 Männer bei Abraham (Mosaik, vor 340; Rom, S. Maria Maggiore) und die 3 Jünglinge im Feuerofen. In der spätmittelalterl. Typologie werden die 3 Männer bei Abraham als Typus zur Darstellung der Offenbarung Gottes in der →Maiestas Domini ge-

Trinkhorn
in Form eines Fisches, der Jonas ausspeit; Büffelhorn mit vergoldeter Silberfassung, um 1600 (Berlin-West, Staatliche Museen)

stellt. Später galt überhaupt die Darstellung von 3 gleichaltrigen Männern als Symbol der T., im späten MA. häufig in andere Bereiche miteinbezogen (Schöpfungsgesch., Marienkrönung u. a.). Durch Attribute (Gottvater mit Schwert und Tiara, Sohn mit Zepter und Krone, Hl. Geist mit Lilie und Krone) wie durch das Aussehen (Gottvater als Greis, Christus als Auferstandener oder Kind, Hl. Geist als Jüngling) sind die 3 Personen voneinander unterschieden worden. Eine eigene Darstellungsform ist der →Gnadenstuhl. In der Emblematik des Barock gibt es verschlüsselte Ausdrucksformen der T. (Schloß mit 3 Schlüsseln u. a.).

Trinkgefäße, Gefäße aus Metall, Keramik, Glas, auch Holz und Horn, in Form von Krügen, Bechern, Kelchen und Schalen mit oder ohne Henkel. Die T. der Zünfte (Willkomm) wurden oft wie Handwerkszeug gebildet (Hobel, Fingerhut u. a.). →Goldschmiedekunst, →Glas, →Römer, →Angster, →Sturzbecher, →Nautiluspokal, →Tummler, →Trinkhorn.

RENATE SCHOLZ: Humpen und Krüge. T. 16.–20. Jh. (1978).

Trinkhorn, Trinkgefäß aus dem Horn eines Ochsen, Büffels, auch anderer Tiere oder aus Elfenbein, Metall, Glas, Ton in Hornform, oft reich mit Metall verziert.

Trint, Peter, Architekt, *Berlin 5. 10. 1929, und Ursula T., Architektin, *Hamburg 30. 6. 1931, entwerfen gliederungsreiche und phantasievolle Wohn-, Geschäfts- und Verwaltungsbauten sowie Schulen.

HW: Musikhochschule in Köln (mit den Gruppen ›Werkgruppe 7‹ und ›Bauturm 1978‹); Kunstmus. Hannover mit Samml. Sprengel (1979, mit D. QUAST); Berufsgenossenschaftl. Akad. Hennef (1980, mit D. QUAST und K. SCHMUCKER).

Tripel, Trippel *der,* Maltechnik: Erde aus Tripolis, weiße, graue oder bräunl. Kieselerden, die als Substrat, Füllstoff und als Poliermittel gebraucht werden.

Tripoli, arab. **Tarabulus esch-Scham, Trablos,** Provinzhauptstadt im nördl. Libanon, 175 000 Ew. Aus der Kreuzfahrerzeit (12. Jh.) stammen die Ruinen des Kastells St. Gilles (arab. Kal'at as-Sanjil); erh. Mauern und Wälle, Tor und Innenhof, ferner die Ruinen der Kathedrale Ste. Marie de la Tour (im 14. Jh. in die Große Moschee umgewandelt; der frühere Glockenturm in lombard. Stil dient heute als Michrab). Die Teilani-Moschee (auch Tainal-Moschee) wurde im 14. Jh. um eine ehem. Karmeliterkirche des 12. Jh. (Schiff mit röm. Säulen z. T. erh.) erbaut. Bed. sind auch versch. Medresen, v. a. die Kartawiya-Medrese, im 14. Jh. auf dem Grundriß des früheren Baptisteriums der Kathedrale erbaut (Fassade mit reichem Marmormosaik) und die Burtasiyat-Medrese (1360) in mameluck. Stil (Michrab mit reichem Goldmosaik); am Hafen der ›Löwenturm‹, ein 1441 erbauter Wachtturm der Mamelucken.

Tripolis, arab. **Tarabulus el-Gharb,** Hauptstadt Libyens, 900 000 Ew.; aus röm. Zeit Quadrifrons (Doppeldurchgangsbogen) für Kaiser MARC AUREL (163 n. Chr.); Kastell 1533 auf einer Festung der Malteser erbaut (Nat.-Mus. mit archäolog. und volkskundl. Abteilung); Moscheen: en-Naga Camii des 10. Jh. (1611 erneuert), Karamanli Camii (urspr. span. Kirche, 1736 in eine Moschee umgewandelt), Gurgi Camii (1833).

Tripolje-Kultur, spätneolith. Kulturgruppe der Ukraine, benannt nach dem Dorf Tripolje bei Kiew. Ihre Träger lebten in planmäßig angelegten Dörfern und stellten eine schwarz-weiß, später rot-schwarz bemalte Keramik her, ferner weibl. Statuetten, Hausmodelle und Tierfiguren aus gebranntem Ton.

Trippel, Alexander, schweizer. Bildhauer, *Schaffhausen 23. 9. 1744, †Rom 24. 9. 1793, schuf nach Studien in London, Kopenhagen und Paris (Einfluß J. A. HOUDONS) in Rom (seit 1778) Bildwerke in frühklassizist. Stil; bedeutendster Vorläufer von A. CANOVA.

HW: Kolossalbüste Goethes (1789; Arolsen, Schloß; 2. Exemplar 1790; Weimar, Landesbibl.); Büste Herders (1790; ebd.); Grabdenkmal Geßners (1791; Zürich, Kunsthaus); Grabdenkmal Joh. Fürst zu Schwarzenberg (1793; Wittingau, Böhmen).

Triptolemos, grch. Mythos: Sohn des Königs Keleos von Eleusis und der Metaneira. In einem mit geflügelten Drachen bespannten Wagen brachte T. die ihm von Demeter geschenkten Ähren als Frucht den Menschen und lehrte sie den Ackerbau. Auf archaischen Vasen wurde T. reichgewandet und bärtig mit Zepter und Ähren auf einem mit Rädern versehenen Sessel dargestellt, in der klass. Zeit wurden den Rädern mit Schlangen durchflochtene Flügel hinzugefügt, später zogen Drachen den Wagen. T. erscheint seit dem 5. Jh. v. Chr. in Jünglingsgestalt, so auf einem Marmorrelief von Eleusis (Athen, Nat.-Mus.), auf dem er zus. mit →Demeter und Kore dargestellt ist.

Triptychon [grch.] *das,* dreiteiliges Tafelbild, bes. der dreiteilige Flügelaltar, der aus einem Mittelstück und 2 halb so breiten, bewegl. Flügeln besteht.

Tripurantaka [Skt.], der hinduist. Gott Shiva, der mit flammenden Pfeilen die 3 Dämonenstädte zerstört. Shiva als T. wurde z. B. in Felsreliefs in Elura als Bogenschütze auf einem Wagen fahrend dargestellt.

Trishula [-ʃ-, Skt.], der indische Dreizack, Attribut des hinduist. Gottes Shiva, möglicherweise über hellenist. Darstellungen Poseidons (auf baktrischen und parthischen Münzen) in die ind. Ikonographie übernommen; auch Hauptwaffe Durgas als Mahishasuramardini.

Tristán, Luis, span. Maler, *bei Toledo 1586(?), †Toledo 7. 12. 1624, arbeitete im Atelier EL GRECOS, der ihn entscheidend beeinflußte. In seinen relig. Bildern, Altargemälden und Porträts bevorzugte er die Darstellung von Schmuck und kostbarer Kleidung in warmen Rot- und Gelbtönen und verarbeitete Anregungen der Helldunkelmalerei CARAVAGGIOS.

HW: Enthauptung Johannes des Täufers (1613; Toledo, Kirche der Karmeliterinnen); Hochaltar der Kirche in Yepes (1616); Porträt des Erzbischofs Bernardo de Sandoval y Rojas (1624; Kapitelsaal der Kathedrale von Toledo).

Triton, grch. Mythos: Aus einem urspr. wohl vorgrch. Seedämon bildete sich eine fischleibige Meeresgottheit heraus, Sohn des Poseidon und der Amphitrite. Als Fischdämonen treten die T. auf Vasen und Reliefs des 6. Jh. v. Chr. eindeutig in Erscheinung (frühere Darstellungen sind nicht sicher zu deuten), dann auch zu zweit und weiblich, zunehmend in der Vielzahl; im 4. Jh. v. Chr. zus. mit Nereiden und Eroten, in der Gestalt menschlicher. Meeresszenen jeder Art zeigten auch im Hellenismus und in der röm. Kunst, sogar im MA. und oft in neuzeitl. Darstellungen T. und zahlreiche andere Seewesen (Tritonenbrunnen auf der Piazza Navona, Rom, 17. Jh.). Attribute der T., die auch als Meereskentauren dargestellt wurden, waren Fische, Delphine, Dreizack, Zepter, Muschelhörner, Trink- und Fruchtgefäße u. a.

Triumphbogen, Ehrenbogen, lat. **Fornix, Arcus,** seit dem 3. Jh. n. Chr. vereinzelt auch **Arcus Triumphalis,** statuentragender, bisweilen reliefverzierter Bogen, der in der röm. Republik v. a. siegreichen Feldherren und Verstorbenen, in der Kaiserzeit meistens dem Kaiser und seiner Familie errichtet wurde.

Die 4 ältesten, nur literarisch überlieferten T. in Rom wurden 196 und 190 v. Chr. errichtet. Zahlreich sind die erh. Bögen aus der Kaiserzeit, in der der T. architektonisch seine klass. Form in der harmon. Verbindung der Bogenarchitektur des Kernbaus mit der vorgeblendeten Säulengliederung erhielt.

Eintorig sind u. a. die T. in Rimini (27 v. Chr.), Aosta (25 v. Chr.), Susa (8 v. Chr.), der Sergierbogen in Pula (um 30 v. Chr.), der Titusbogen in Rom (nach 81 n. Chr.), die Trajansbögen in Benevent (114) und Ancona (115), dreitorig neben vielen anderen der nur in den Fundamenten erh. Bogen des Augustus auf dem Forum Romanum (29 v. Chr.), des Severus (203) und des Konstantin (312; BILD römische Kunst) in Rom, in Orange und Timgad (Ende 2. Jh.), der Galeriusbogen in Saloniki (um 300), viertorig z. B. der Severusbogen in Leptis Magna (Quadrifrons, 1. Jh.).

Triumphbogen: Titusbogen in Rom; nach 81 n. Chr.

Der Reliefschmuck der T. besteht aus Bildern der Triumphsymbolik (Victorien, Genien, segenbringende Gottheiten, Waffen) und Darstellungen des speziellen Ereignisses, das die Errichtung des Bogens veranlaßte (Kriegszüge mit Ansprachen, Opfern, Schlachten, Unterwerfungen, Gnadenakten, feierl. Aus- und Einzügen des Kaisers in Rom u. a.).

Die Form des antiken T. wirkte in der europ. Architektur weiter, so in Fassaden roman. Kirchen (St. Gilles, Arles), in der Renaissancefassade von S. Francesco in Rimini, im Triumphtor für König ALFONS I. am Castel Nuovo in Neapel. Für fürstl. Einzüge wurden T. oft aus vergängl. Material hergestellt (Entwürfe J. B. FISCHER V. ERLACHS in Wien), in ihrem Gefolge entstanden bes. seit dem Klassizismus T., die Akzente in der Stadtarchitektur setzten: Triumphpforte in Innsbruck (1765), Brandenburger Tor in Potsdam (1770), Arc de Triomphe in Paris (1806–37), Siegestor in München (1843–50).

Im Kirchenbau heißt der hohe Bogen vor dem Chor T. (in frühchristl. Zeit oft mit Darstellungen des Triumphes Christi geschmückt; →Triumphkreuz).

Triumphkreuz, monumentales Kruzifix, das seit dem 11. Jh. erhöht unter dem Triumphbogen der Kirche zw. Chor und Laienhaus angebracht wurde. Das Kreuz kann entweder an Ketten hängen oder über den Chorschranken oder dem Lettner (BILD) festmontiert sein, wozu der Triumphbalken dient. Die Herausbildung des T. folgte der Gewohnheit des frühen MA., im Langhaus der Kirche den Kreuzaltar aufzustellen, dem jeweils ein bes. ausgezeichnetes Kreuz zugeordnet war (z. B. der →Gerokruzifixus des Kölner Doms). T.-Gruppen errichtete man z. B. in Frankreich und in England; diese fielen jedoch durchweg historisch-religiös bedingten Ereignissen zum Opfer.

Triumphkreuz: T. in der Kirche von Öja (Gotland); um 1270–80

Das T. ist als ›crux triumphalis‹ Sinnbild des Sieges Christi über den Tod. Dies wird deutlich bei den gekrönten roman. Kruzifixen, die offene Augen und keinerlei Schmerzensausdruck zeigen (Boppard, St. Severus, vor 1200). Erst im 13. Jh. erscheint der Gekreuzigte mit der Dornenkrone und gebrochenen Augen als leidvoll Gestorbener (Naumburg, Dom, um 1260). Das T. zeigt den Gekreuzigten meist ohne Nebenfiguren; in den dreipaßförmigen Kreuzesenden erscheinen die Symbole der 4 Evangelisten (Osnabrück, Dom, um 1220). Die T. des 13. Jh. erweitern (bei verändertem Programm der Kreuzesenden) das Kruzifix zu einer Kreuzigungsgruppe, zu der v. a. Maria und Johannes gehören (Halberstadt, Dom, um 1220; Wechselburg, Schloßkirche, um 1230–35; Öja, Gotland, Kirche, um 1270–80). Für die got. T. ist Rankenwerk charakteristisch, das die Kreuzesbalken mit dem Baum des Lebens gleichsetzt (Nürnberg, St. Lorenz, Ende 14. Jh.).

Während die T. nördlich der Alpen meist plastisch aus Holz geschnitzt sind (Ausnahmen finden sich v. a. in Zisterzienserkirchen, z. B. Schulpforta, 13. Jh.), verbreitete sich in Italien im 13. und 14. Jh. das gemalte Großkreuz (→Kruzifix).

R. HAUSHERR: T.-Gruppen der Stauferzeit, in: Die Zeit der Staufer, Ausst.-Kat., Stuttgart, 5 (1979); EIKE OELLERMANN u. a.: T. im Dom zu Lübeck ([2]1979).

Trivandrum, Hauptstadt des südind. Staates Kerala, 499 200 Ew. Im Zentrum der quadratisch angelegten, umwallten Altstadt befindet sich der vishnuit. Padmanabha-Tempel, ein doppelgeschossiger Bau des 16. Jh. mit auf Holzkonstruktion ruhendem Giebeldach.

Trivikrama [Skt.], die 5. Verkörperung des hinduist. Gottes Vishnu. Aus seiner Zwerggestalt (Vamana) erwuchs der Riese T., der mit 3 Schritten das gesamte Universum durchmaß und es dem Dämon Bali abgewann. T. wurde seit der Gupta-Zeit in Mathura dargestellt; bed. Felsreliefs in Badami, Mahabalipuram, Elura u. a.

Trnava, Stadt in der ČSSR, →Tyrnau.

Trobriand-Inseln, →Massim.

Trochilus [lat.], **Trochilos** [grch.] *der,* das eingekehlte, mittlere Glied der dreiteiligen, attischen Säulenbasis; es entstand wohl aus dem mehrfach gekehlten Zylinder, der den unteren Teil der doppelten, ionischen Säulenbasis bildete. (BILD Torus)

Trockenlack, japan. Lacktechnik, →Kanshitsu.

Trockenstoff, Maltechnik: →Sikkativ.

Troger, 1) Paul, österr. Maler, Zeichner, Radierer, getauft Welsberg (Südtirol) 30. 10. 1698, †Wien 20. 7. 1762, bildete sich bis 1725 in Venedig (G. B. PIAZZETTA), Rom, Neapel (F. SOLIMENA) und Bologna (G. M. CRESPI), war dann in Gurk und Salzburg, seit 1728 in Wien tätig (1754–57 Direktor der Akad.). T. malte, außer Altar- und Andachtsbildern von düsterer Stimmung und tiefem relig. Ausdruck, für österr. Kirchen und Klöster monumental-dekorative Deckenfresken in zunehmend verfeinertem, kühlem Kolorit, mit kühner, ins Visionäre gesteigerter Raumillusion. Seine Kunst war maßge-

Paul Troger: Harmonie zwischen Glaube und Wissenschaft; Deckenmalerei im Marmorsaal der Benediktinerabtei Seitenstetten, 1735

bend für die spätbarocke Malerei in Österreich; zu seinen Schülern gehörte F. A. MAULBERTSCH.

HW: Fresken: Salzburg (1727; Kajetanerkirche), Stift Melk (1731, Marmorsaal; 1732, Bibl.), Zwettl (1732/33; Bibl. der Zisterzienserabtei), Altenburg (1733/34; Stiftskirche), Geras (1738; Marmorsaal des Prämonstratenser-Chorherrenstifts), Stift Göttweig (1739), Abtei Seitenstetten (1735–41), Brixen (1748–50; Dom). – Altar bilder: Steinigung des Hl. Stephanus (1745; Baden bei Wien, Pfarrkirche), Hl. Sebastian (1746; Melk, Stiftskirche), Abendmahl (1748/49; Zwettl, Zisterzienserabtei), Christus am Ölberg (um 1750; Wien, Österr. Barockmus.), Martyrium des Hl. Sebastian (1753; Graz, Landesmus.).

2) Simon, Bildhauer, Elfenbeinschnitzer, *Abfaltersbach (Osttirol) 13. 10. 1693, †(München-)Haidhausen 25. 9. 1768, ausgebildet in Meran seit 1721, in Innsbruck um 1723/24 und München (seit 1726). Hier ar-

Simon Troger: Herakles tötet den nemeischen Löwen; Elfenbein, Holz, um 1740, Höhe 39,5 cm (München, Bayer. Nationalmuseum)

beitete T. seit 1730 in der Werkstatt von A. FAISTENBERGER und gründete in Haidhausen mit Unterstützung des Kurfürsten eine eigene Werkstatt. – T. schuf virtuose Stücke aus Elfenbein, meist in Verbindung mit anderem Material (Holz, Metall, Diamanten, Glaspasten u.a.), die v.a. als fürstl. Prunkgeschenke dienten. Die größte Samml. befindet sich im Bayer. Nat.-Mus. in München. Bekannt sind v.a. seine Bettlerfiguren. Zu seinen besten Werken gehört ein kleines Reiterstandbild AUGUSTS DES STARKEN (1732; Leningrad, Eremitage) und eine Reiterstatuette CHRISTIANS VI. von Dänemark (um 1733; Kopenhagen, Schloß Rosenborg).

Trogir, Stadt in Kroatien, Jugoslawien, 5000 Ew., größtenteils auf einer Insel an der Adriaküste gelegen. Das im 3. Jh. v. Chr. von den Griechen gegr. **Tragurion** gehörte später u.a. zum Röm. Reich, zu Venedig, Österreich; es war 1062–1822 Bischofssitz. Nach Zerstörung 1123 erlebte T. eine wirtschaftl. und kulturelle Blüte und hat unter den Städten Dalmatiens am besten das mittelalterl. Stadtbild bewahrt. Der älteste Bau ist die kleine Barbarakirche (9.–11. Jh.), der bedeutendste romanisch-got. Bau die St.-Lorenz-Kathedrale, eine roman. dreischiffige Basilika aus dem 13. Jh. (Hauptportal mit reichem plast. Schmuck um 1260) mit got. Kreuzrippengewölbe (14. Jh.). Im 15. Jh. wurden Taufhalle und die Ursini-Kapelle (Frührenaissance) angebaut (Glockenturm im 15./16. Jh.); im Innern bed. v.a. die Marmorkanzel (13. Jh.), das Ciborium (14. Jh.), got. Chorgestühl; Kirche Johannes des Täufers (1270; ein Relief um 1470); Dominikaner-Klosterkirche (14. Jh.), ein einschiffiger got. Bau mit Kreuzgang; Nikolauskirche (16. Jh., mehrmals umgebaut), Profanbauten, u.a. Čipiko-Palast (15. Jh.), Rathaus (15. Jh., im 19./20. Jh. umgebaut), Loge am Marktplatz (15. Jh.) mit reich verzierten Kapitellen. Von den im 19. Jh. zerstörten Stadtmauern blieben Tore und die Festung Kamerlengo erh.

Troia, südital. Gem. in der Prov. Foggia, Apulien. Der 1093 beg., im 13. Jh. voll. roman. Dom, eine dreischiffige Basilika über lat. Kreuz, ist eine der bedeutendsten Kirchen S-Italiens. Der Außenbau wird durch ringsumlaufende schmale Blendarkaden gegliedert, an der W-Front ist die Giebelfläche durch eine Maßwerkrose und Bauplastik geschmückt; Bronzetüren in byzantin. Stil (1119); Domschatz.

Troilos [grch.], **Troilus** [lat.], grch. Mythos: jüngster Sohn des Trojanerkönigs Priamos und der Hekabe, wurde von Achill getötet. Wie Achill T. verfolgt (Françoisvase), mit Hektor um ihn kämpft (tyrrhen. Amphora, 6. Jh. v. Chr., München, Staatl. Antikensamml.) und tötet (Schildreliefs, 6. Jh. v. Chr., Olympia, Mus.) sind bed. Themen v.a. der griechisch-archaischen Kunst. Im 5. Jh. v. Chr. wird bevorzugt Achill, T. am Brunnen auflauernd, dargestellt (Schale des BRYGOSMALERS, Louvre). Die Schilderungen der Untat lassen sich noch in der hellenist. und röm. Kunst nachweisen (Pompeji).

Troize-Sergijewa Lawra [russ. ›Dreifaltigkeits-Sergij-Kloster‹], →Sagorsk.

Troja, auch **Ilios, Ilion,** lat. **Ilium,** der sagenumwobene Hauptort der antiken Landschaft Troas an der

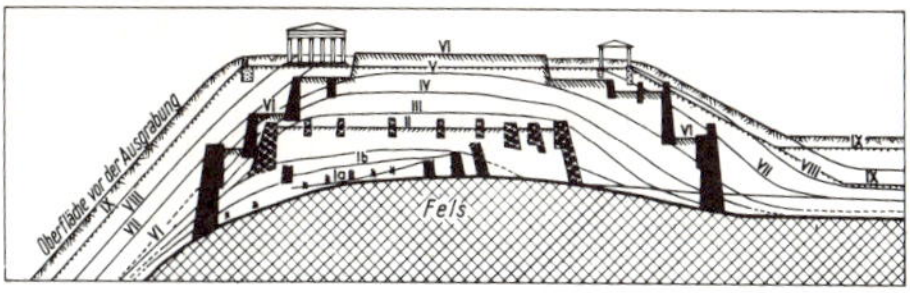

Troja: Der Hügel Hissarlik nach den Ausgrabungen (überhöhter Schnitt)

NW-Spitze Kleinasiens, mit der Burg Pergamos; einer der Herrscher war nach der grch. Sage Priamos. T., von H. SCHLIEMANN auf dem Hügel Hissarlik (6 km landeinwärts von den Dardanellen) festgestellt, wurde von ihm seit 1870 ausgegraben. W. DÖRPFELD hat die Ausgrabungen nach Schliemanns Tod fortgesetzt; eine amerikan. Expedition unter C. W. BLEGEN führte sie 1932–38 zum Abschluß. Als Schenkung Schliemanns waren seine Funde (›Goldschatz des Priamos‹) bis zum 2. Weltkrieg in Berlin (Prähistor. Abteilung der Museen) ausgestellt; sie sind seit 1945 zum Teil verlorengegangen.

Die neun von Dörpfeld ermittelten Schichten (Schema auf Seite 565) sind durch Unterteilungen inzwischen auf über 40 zeitlich gegeneinander abgesetzte Niveaus erweitert worden. Die Dörpfeldschen Schichten I–V gehören der westkleinasiat. Kultur der Frühen Bronzezeit an, die zu Beginn des 2. Jahrtsd. v. Chr. endete. Die erste auf dem gewachsenen Boden angelegte Burg (I) hatte eine Ringmauer (90 m ∅) und mindestens ein Tor im S. T. II ist eine Erweiterung mit viel stärkeren Mauern und Toren. Wohl im 22. Jh. v. Chr. fiel diese Burg einem Brand zum Opfer. Für Schliemann war sie das homer. T. Schätze von Gold- und Silbergeschirr und von goldenem Geschmeide wurden gefunden. Das Tongeschirr zeigt, daß man bereits die Töpferscheibe kannte. Die Formen der Mittleren Bronzezeit treten mit dem Beginn der Schicht VI auf, die einen größten Durchmesser von etwa 200 m hatte. Sie wurde wohl im Verlauf des 18. Jh. v. Chr. gegr.; gleichzeitig tritt die graue →minysche Keramik auf. Die amerikan. Ausgräber von T. nehmen an, daß eine neue Bevölkerung, die ebenso wie die mit ihr verwandten indogerman. Griechen im 1. Viertel des 2. Jahrtsd. v. Chr. in den ägäischen Raum eindrang, die VI. Stadt erbaut habe. Später erscheinen in T. VI die versch. Gruppen der mattbemalten und der mit Glasurfarbe bemalten Keramik der myken. Welt als Einfuhrware (→Mattmalerei).

Nach der Zerstörung durch ein Erdbeben im 13. Jh. v. Chr. wurde die wiederaufgebaute Burg (VII A) vielleicht durch die myken. Griechen (Achaier) um 1200 v. Chr. niedergerissen; dieses Ereignis wäre dann der geschichtl. Hintergrund der Sage vom Trojan. Krieg. Die mit Buckeln verzierte Keramik der Schicht VII B belegt Verbindungen von T. nach Mitteleuropa; sie gilt als illyrisch und weist auf die große Ägäische Wanderung hin. Schicht IX ist hellenistisch und römisch.

In geschichtl. Zeit war die Stätte des ehem. T. zunächst nur noch Kultstätte der Athena; von dem in späthellenist. Zeit errichteten Tempel sind außer 23 Metopen nur Fundamentgruben erh. Von ALEXANDER D. GR. und den Diadochen gefördert, gewann der Ort

Trommel:
1 Sanduhr-T. aus Neuguinea, Länge 74 cm.
2 T. der Kuba, Zaire; Höhe etwa 70 cm (Hamburg, Museum für Völkerkunde)

einige Bedeutung, bis AUGUSTUS hier eine neue Stadt (Ilium novum) gründete.

C. W. BLEGEN: Troy and the Trojans (London 1963); W. DÖRPFELD: T. u. Ilion, 2 Bde. (Nachdr. 1968).

Trojan, Stadt in Bulgarien, am N-Hang des Balkangebirges, 31 000 Ew., Keramikerzeugung. Südöstlich von T. das 1600 gegr. **Trojan-Kloster (Trojanski manastir)**, dessen heute bestehende Gebäude aus dem 19. Jh. stammen: die dreischiffige Kirche Mariae Himmelfahrt (1835) mit 3 kuppeltragenden Apsiden und Fresken (1847–49) von S. SOGRAF sowie die dreigeschossige Klausur mit offenen Galerien (1865 und später). In nahegelegener Einsiedelei geschnitzte Ikonostas-Tür (1794).

Trökes, Heinz, Maler, Graphiker, *Hamborn (heute zu Duisburg) 15. 8. 1913, lehrt seit 1965 an der Akad. in Berlin (West). T. kam um 1950, vom Surrealismus ausgehend, zu einer abstrakten Zeichensprache mit poet., oft an außereurop. Folklore orientierten Chiffren, die in den 1960er Jahren wieder in eine buntfarbige herald. Figurenornamentik übergingen.

H. T., Ausst.-Kat., Berlin-West (1980).

Trommel, 1) Musikinstrument. Die T. ist das wichtigste Instrument in Ozeanien (neben Querflöten) und Afrika und wird deshalb künstlerisch bes. gestaltet und verziert. Die sanduhrförmige Röhren-T. galt ebenso wie die Wasser-T. (Aufschlagidiophon) auf Neuguinea als Stimme der Ahnen und Geister, und ist, je nach Region, figürlich oder mit geometr. Ornamenten verziert. Die gongartige Schlitz-T., aus einem ausgehöhlten Baumstamm gearbeitet, zeigt fast immer Verzierungen, oft mit figürl. Elementen (bes. einem gestreckten Kopf; der T.-Körper wird dann als Körper eines Lebewesens aufgefaßt) und/oder mit flächigen Ornamenten. Bes. kunstvoll sind die Becken-T. Polynesiens, z. B. die mit vielen kleinen Figuren und geometr. Mustern beschnitzten T.-Körper von den Tubuai-Inseln. – In Afrika werden kunstvolle T. bes. bei den Baule, Senufo, Baga, Ashanti, Yoruba, Zande, Mbembe, Kuba und im Kameruner Grasland hergestellt; sie sind Königen und Häuptlingen vorbehalten.

2) Baukunst: →Säule.

3) Baukunst: →Tambour.

Trompe [frz.] *die,* Baukunst: nischenartig vorgekragte Wölbung in Trichter- oder Halbkugelform zw. 2 rechtwinklig aneinanderstoßenden Mauern zur Überführung eines quadrat. Raumes in einen polygonalen; bes. bei oriental. und ma. Kuppelbauten. (→Pendentif) (BILD S. 59)

Trompe l'œil [trɔ̃pl'œj, frz. ›Täuschung des Auges‹], **Quodlibet** [lat. ›was beliebt‹], eine besondere Art des Stillebens, in der die Gegenstände so naturgetreu gemalt sind, daß sie dem Auge als Wirklichkeit erscheinen. Der lat. Schriftst. PLINIUS D. Ä. berichtet in seiner ›Historia Naturalis‹, der grch. Maler ZEUXIS (5. Jh. v. Chr.) habe Trauben so trügerisch gemalt, daß Vögel angelockt worden seien. Wenige antike Beispiele haben sich erh. (in Pompeji, Haus der Vestalinnen, 1. Jh.

Trompe l'œil: William Michael Harnett, ›Music and Good Luck‹; 1888 (New York, Metropolitan Museum of Art, Catherine Lorillard Wolfe Fund)

v. Chr.). Erst wieder im Realismus des 15. Jh. wird bei Stilleben, bes. auf den Außenseiten von Altarflügeln, diese Darstellungsweise angewendet, die dem Künstler die Möglichkeit gibt, sein Können (Perspektive, Licht- und Schattenwirkung) unter Beweis zu stellen. Ein weiteres wesentl. Stilmittel ist, daß die Gegenstände durch ihre Umgebung hervorgehoben werden: z. B. eine Fläche wie der Fußboden eines antiken Mosaiks (Rom, Lateranmuseum), eine Wand wie in dem Stilleben von J. DE' BARBARI (1504; BILD Stilleben), die mit Bändern an eine Bretterwand befestigten Briefe des W. VAILLANT oder durch architekton. Nischen und Rahmen wie auch durch geöffnete Schranktüren.

Trondenes, Ort auf der nordnorweg. Insel Hinnøy; in der got. Steinkirche (um 1250) 3 Altäre mit spätma. Altarschreinen.

Trompe

Trondheim [tr'ɔnhɛjm], drittgrößte Stadt Norwegens, 134700 Ew.; als **Nidaros** im MA. kultureller Mittelpunkt des Landes, seit 1152 Erzbischofssitz. Der über dem Grab des Hl. Olaf errichtete Nidarosdom ist das bedeutendste ma. Bauwerk des Landes: Querschiff und Kapitelhaus in anglonormannisch beeinflußter Spätromanik (Mitte 12. Jh.), got. Hochchor mit Kuppelachteck, dreischiffiger Langchor und dreischiffiges Langhaus, überaus reich gegliederte W-Fassade mit Rose und Skulpturen (1248 beg.). Der nach der Reformation durch mehrere Brände z. T. zerstörte Dom wurde im 19. und 20. Jh. restauriert. Südlich des Doms der ma. Steinbau der ehem. erzbischöfl. Residenz. Got. Liebfrauenkirche (Vor Frue kirke, 13. Jh., im 17. Jh. umgebaut). Kunstverein (norweg. Malerei). Außerhalb der Innenstadt die Festung Kristiansten (1682–84).

Troost, 1) Cornelis, holländ. Maler, *Amsterdam 8. 10. 1696, †ebd. 7. 3. 1750, begann mit Gruppenbildnissen, malte seit den 1730er Jahren bes. Theater- und

Genreszenen, häufig in Pastelltechnik. T. verband die Tradition des 17. Jh. mit den Strömungen seiner Zeit und fand eine eigene Form des Sittenbildes für das 18. Jh.

HW: Das Gastmahl des Biberius (fünfteiliger Pastellzyklus, 1739/40, Den Haag, Mauritshuis).

2) Paul Ludwig, Architekt, *Elberfeld (heute zu Wuppertal) 17. 8. 1878, †München 21. 1. 1934, schuf in traditioneller Art Wohnungsbauten und Innenausstattungen, bes. für Dampfer des Norddt. Lloyds. Für A. Hitler entwarf er in München das Haus der Dt. Kunst (1933–37) und Parteibauten in einem monumentalen, neoklassizist. Stil im Zusammenhang mit der Umgestaltung des Königsplatzes (1933/34).

Tropaion [grch.], **Tropaeum** [lat.] *das,* antikes Siegesmal. (→Adamclisi)

Tropinin, Wassilij Andrejewitsch, russ. Maler, *Karpowo (Gouv. Nowgorod) 30. 3. 1776, †Moskau 16. 5. 1857, Maler des russ. Biedermeier; Genrebilder (›Spitzenklöpplerin‹, 1823, Moskau, Tretjakow-Gal.), wegweisend für die realistische Malweise der Moskauer Kunstschule, die sich Mitte des 19. Jh. herausbildete.

Troppau, tschech. **Opava,** Stadt im Nordmähr. Kr., ČSSR, nahe der poln. Grenze, 63 800 Ew. T., ehem. Residenz der Herzöge von T., im 2. Weltkrieg stark zerstört. Erh. blieben u. a. die zweitürmige Marienkirche aus dem 13.–15. Jh. (innen barockisiert), der Wartturm von 1618 (früher Rathausturm), das frühere Jesuitenkollegium mit Kirche (z. Z. Staatsarchiv), die Minoritenkirche (13. Jh.; nach 1945 erneuert), das barocke Blücher-Palais (heute bed. Mus.) u. a. Paläste. In der Vorstadt Kateřinky die Heiligkreuzkapelle (1394) mit Wandmalereien.

Troubetzkoy, Trubezkoj, Paolo (Pawel Petrowitsch), russ.-ital. Bildhauer, *Intra (heute zu Verbania) 15. 2. 1866, †Suna (ebd.) 12. 2. 1938, Autodidakt, von A. Rodin beeinflußt, bes. Porträtist und Tierdarsteller. 1897 vom Zaren nach St. Petersburg berufen, arbeitete er an dem Monumentaldenkmal Alexanders III. und beteiligte sich an Ausst. des Mir Iskusstwa; 1906–14 in Paris (Ausst. im Salon d'Automne). Seine Kleinplastiken und Porträtbüsten (Stadtmus., Verbania-Pallanza) wirken durch Unmittelbarkeit und Frische der Konzeption sowie durch skizzenhafte und temperamentvolle Behandlung der Sujets.

Troy [trwa], **1)** François de, frz. Maler, Vater von 2), *Toulouse 9. 1. 1645, †Paris 1. 5. 1730, porträtierte Ludwig XIV., Mitgl. seines Hofs, der adligen Gesellschaft, Künstler, Musiker, Schauspieler. Weibl. Modelle stattete er oft mit Attributen antiker Göttinnen aus und schuf so den Typ des mytholog. Frauenporträts, den J.-M. Nattier d. J. zur Blüte führte.

2) Jean-François de, frz. Maler, Sohn von 1), *Paris 27. 1. 1679, †Rom 26. 1. 1752, malte, von P. P. Rubens und Paolo Veronese beeinflußt, Szenen mytholog. und höfisch-galanter Art, Historienbilder und bibl. Themen; auch Entwürfe für Gobelins.

Troyes [trwa], Hauptstadt des frz. Dép. Aube, an der Seine, 75 500 Ew., kath. Bischofssitz. T. hat eine gut erh. Altstadt mit Häusern des 16.–18. Jh. und ist reich an Kirchen der Gotik und der Renaissance, so v. a. die got. Kathedrale St. Pierre-et-St. Paul (13.–17. Jh.) mit Glasfenstern des 13.–16. Jh. und reichem Kirchenschatz. Weitere Sakralbauten: die ehem. Stiftskirche St. Urbain (1262 von Papst Urban IV. gegr.), die Kirchen St. Jean (14.–17. Jh.), Ste. Madeleine (12.–16. Jh., mit Lettner im Flamboyant-Stil, 1508–16), St. Martin-des-Vignes (1589–1610, im Renaissancestil), St. Pantaléon (16. Jh., Barockfassade). Mus. des Beaux-Arts mit Gemälde-Gal.; Mus. für moderne Kunst (v. a. Werke des Fauvismus).

Troyon [trwaj'ɔ̃], Constant, frz. Maler, *Sèvres 28. 8. 1810, †Paris 20. 3. 1865, gehörte der Schule von →Barbizon an; schuf v. a. Darstellungen von Tieren in stimmungsvollen Landschaften.

Trubezkọj, Pawel Petrowitsch, Paolo →Troubetzkoy.

Trübglas, Sammelbez. für Gläser, die durch Zusätze zur Glasschmelze undurchsichtig gemacht wurden (→Beinglas, →Opalglas, →Milchglas).

Trübner, Wilhelm, Maler, *Heidelberg 3. 2. 1851, †Karlsruhe 21. 12. 1917, Schüler von H. CANON (*1829, †1885) in Karlsruhe und W. v. DIEZ in München, seit 1871 mit W. LEIBL bekannt und Mitgl. des Leibl-Kreises (befreundet mit H. THOMA und A. LANG, Besuch Italiens und der Niederlande mit C. SCHUCH), lebte 1875–96 in München, unterrichtete seit 1896 in Frankfurt am Main, seit 1903 in Karlsruhe. – Neben Porträts besteht T.s sehr persönl. Beitrag zum dt. Realismus in Landschaften, die in gedämpftem Kolorit (Tonmalerei) Hell-Dunkel-Kontraste zeigen. Spätere Landschaften (nach mytholog. und relig. Kompositionen) seit 1890 sind

Wilhelm Trübner:
Im Heidelberger Schloß; 1873 (Darmstadt, Hess. Landesmuseum)

dem dt. Impressionismus verwandt. Seit 1892 war T. mit den von ihm beeinflußten L. CORINTH und M. SLEVOGT Mitgl. der Sezession.

HW: Bürgermeister Hoffmeister (1872; Berlin-West, Staatl. Museen); Beim röm. Wein (1872; Hamburg, Kunsthalle); Im Atelier (1872; München, Neue Pinakothek); Im Heidelberger Schloß (1873; Darmstadt, Hess. Landesmus.); Klostergebäude auf der Herreninsel im Chiemsee (1874; Berlin-West, Staatl. Museen); Birken auf der Herreninsel im Chiemsee (1874; Karlsruhe, Kunsthalle); Porträts der Eltern (1874; Mannheim, Kunsthalle); Selbstporträt (1875; München, Neue Pinakothek); Carl Schuch (1876; Berlin-West, Staatl. Museen); Hof im Schloß Amorbach (1899; Mannheim, Kunsthalle); Stift Neuburg bei Heidelberg (1913; Frankfurt am Main, Städelsches Kunstinstitut).

W. T. und sein Kreis, Ausst.-Kat., Karlsruhe (1951).

Truhe, Kastenmöbel, vornehmlich zur Aufbewahrung von Kleidern, Wäsche, Kostbarkeiten und Lebensmitteln bestimmt. Diesem Zweck diente die T. schon in der Antike. Vereinzelt erhaltene Beispiele zeigen für das MA. einen ausgehöhlten Baumstamm mit Eisenbeschlägen als Truhe.

Nach der Art der Beschaffenheit werden unterschieden: die v. a. in Nieder-Dtl. verbreitete **Frontalstollen-T.,** bei der Brettstollen, die den Kasten vom Boden abheben, in Vorder- und Rückwand einbezogen sind; die **Seitenwandstollen-T.** mit über den Kasten hervortretenden Seitenwänden, auf denen dieser ruht; die in Nieder-Dtl. um 1600 heimisch werdende **Kufen-T.** mit Kufen unter den Seitenwänden; die **Sockel-T.** mit einem dem Kasten untersetzten Sockel. Eine Sonderform ist die **Dach-T.** des frühen MA. mit dachförmigem Deckel, deren Bestandteile aus gespaltenem Holz bestehen können. Gegenüber diesen durchweg in das MA. zurückreichenden T.-Typen ist diejenige mit Balusterfüßen jünger, ebenso die bes. im 18. Jh. gebräuchl., durch gewölbten Deckel und meist Eisenbeschlag charakterisierte **Koffer-T.** (Koffer).

Die Ausstattung der T. wechselt im Hinblick auf die Anzahl der Felder (Zwei-, Drei-, Vierfelder-T. mit der entsprechenden Anzahl echter oder imitierter Füllungen) und die angewandten Ziertechniken. T. aus der Romanik (z. B. aus S. Valeria ob Sitten) schließen sich an die Architektur der Zeit an und sind durch Arkaden auf Doppelsäulen gegliedert, der Kasten selbst kann auf Säulen ruhen. In der Gotik wurden die Vorderwände niederdt. T. mit Tierfiguren in Kreisen und generell mit Maßwerk geschmückt. Got. T. wurden daneben bei glattem Holz reich mit Eisenbändern beschlagen. Höhepunkte künstler. Gestaltung der T. in der Renaissance sind der ital. →Cassone, die niederdt. T. mit figürl. Schnitzwerk, das allegor. wie bibl. Motive darstellt (in Schlesw.-Holst. bes. von H. RINGELINK, †1629, und H. GUDEWERDT I., †1642), und die intarsierten T. Südeuropas. Während die T. in den Städten seit dem 17. Jh. zu Gunsten anderer Möbel (z. B. Schrank, später Kommode) zurücktraten, wurden sie auf dem Land z. T. bis in das 19. Jh. gefertigt und mit Schnitzwerk, Intarsien und Bemalung geschmückt. Niedrige T. wurden vielfach als Sitzmöbel benutzt. Gebräuchlich war auch als Kombination die T.-Bank (in Italien →Cassapanca), die in Dtl. bis in das 19. Jh. gefertigt wurde.

H. KREISEL: Die Kunst des dt. Möbels, 1 ([3]1981).

Trujillo [trux'iʎo], span. Stadt in der Prov. Cáceres, 9800 Ew., umgeben von ma. Stadtmauern und überragt von einem maur. Kastell; das Stadtbild wird bestimmt von den Palästen der Konquistadoren, so v. a. an der arkadengesäumten Plaza Mayor mit Reiterstandbild F. PIZARROS und mit einem geschlossenen Ensemble von Herrensitzen des 16.–18. Jh. In der got. Kirche S. María (15. Jh.) ein Hauptretabel aus 24 Tafelbildern von F. GALLEGO (1500).

Trullo [ital.] *der, Mz.* **Trulli,** einräumiges, steinernes Rundhaus mit kuppelförmigem Scheingewölbe, bes. in Apulien.

Trumbull [tr'ʌmbəl], John, amerikan. Maler, *Lebanon (Connecticut) 6. 6. 1756, †New York 10. 11. 1843, studierte in London bei B. WEST, in Paris bei J. L. DAVID; schuf v. a. histor. Gemälde (›Die Schlacht bei Bunker's Hill‹, 1787; New Haven, Univ. Art Gal.).

Trumeau [trym'o, frz.] *der,* urspr. der mittlere Steinpfeiler eines Portals, später allg. der Wandpfeiler zw. 2 Fenstern, der, mit einem Spiegel geschmückt, in der höf. Barockkunst ein bes. wichtiges Element bei der Innenraumgestaltung war; auch der Pfeilerspiegel selbst.

Trundholm [tr'ɔnhɔlm], Moor bei Nykøbing (Seeland, Dänemark), Fundort eines Kultwagens aus der mittleren nord. Bronzezeit (12.–11. Jh. v. Chr.; Kopenhagen, Nat.-Mus.): eine Bronzescheibe von etwa 25 cm ∅, auf einer Seite mit verziertem Goldblech belegt, von einem Pferd gezogen; beide sind auf ein Bronzegestell mit 6 Rädern montiert.

Trysa, antike Stadt in Kleinasien, →Gölbaşi.

Trzebiatów [tʃɛbj'atuf], polnisch für →Treptow a. d. Rega.

Trzebnica [tʃɛbn'itsa], poln. Name für →Trebnitz.

Tsạya, Volksstamm in Westafrika, →Teke.

Tschahạr Taq [pers. ›Vier Bögen‹], Feuertempel der Sassanidenzeit (3.–7. Jh.) in Iran: quadrat. pavillonähnl. Bau aus einer Art Gußmauerwerk, dessen Kuppel auf 4 Pfeilern ruht; den Übergang vom Quadrat zur Kuppel vermittelten Trompen; größte Spannweite von Kuppeln erhaltener T. T.-Bauten beträgt 20 m.

Tschạndigarh, Stadt in Indien, →Chandigarh.

Tschengtu, Stadt in China, →Ch'engtu.

Tschenstọchau, polnisch **Częstochowa** [tʃɛ̃stɔx'ɔva], Hauptstadt der Wwschaft Częstochowa, Polen, 229 000 Ew., an der oberen Warthe. – Auf dem Hügel Jasna Góra das 1382 gegr. Paulinerkloster, nach 1620 erweitert und mit Befestigungsanlagen (im 18. Jh. umgebaut) umgeben. Die got. Hallenkirche aus dem 15. Jh. wurde vielfach umgebaut, u. a. 1690–1702 nach einem Brand. Im Innern Stuckarbeiten und Fresken von 1690–1702, in der got. Marienkapelle im Ebenholzaltar (Barock) das Bild der ›Schwarzen Madonna‹ (wahrscheinlich nach dem Vorbild eines byzantin. Gemäldes, nach Zerstörungen 1430 umgemalt).

Tschernigow, Černigov, Gebietshauptstadt in der Ukrain. SSR, an der Desna, 245 000 Ew. Aus einer kulturellen und polit. Blütezeit der Stadt im 11.–13. Jh. ist einer der ältesten Kirchenbauten des Kiewer Reichs erh., die Spasso-Preobraschenskij-Kathedrale (urspr. Bau bis 1036 voll., 1237 von Mongolen zerstört, 1675 wiederaufgebaut, 1770–99 klassizistisch umgestaltet; dreischiffige Kuppelbasilika mit Emporen, 8 Pfeilern, 3 Apsiden und Narthex, von 2 Rundtürmen flankiert; Freskenfragmente, Ende 11. Jh.), ferner u. a. Elias-Kirche (Ende 11./Anf. 12. Jh., im 17. Jh. umgebaut), Boris-und-Gleb-Kathedrale (12. Jh., mehrfach umgebaut) und Paraskewa-Pjatniza-Kirche (Ende 12./Anf. 13. Jh., im 18. und 19. Jh. umgebaut; dreischiffige Kreuzkuppelkirche mit 4 Pfeilern).

Tschernjachowsk, russ. Name für →Insterburg.

Tschernowzy, Černovcy, Czernowitz [tʃ-], Gebietshauptstadt im W der Ukrain. SSR, am Prut, 221 000 Ew., ehem. Zentrum des buchenländ. Deutschtums; ehem. Rathaus (1843; heute Stadtsowjet); ehem. Residenz des Metropoliten (1864–82; heute Univ.); zahlreiche Holzgebäude, darunter mehrere Holzkirchen des 17. und 18. Jh., ferner klassizist. Gebäude.

Tschertomlyk, vorgeschichtl. Grabhügel, 20 km nordwestlich von Nikopol am Dnjepr (Ukrain. SSR), einer der größten und reichhaltigsten skythischen Kurgane Südrußlands mit mehreren Grabschächten und Kammern, in denen ein Skythenkönig mit Gefolge und Reitpferden beigesetzt war. Zu den wichtigsten Funden gehört eine grch. Silbervase mit Reliefdarstellungen aus dem Leben der Skythen, ein Kurzschwert (Akinakes) mit Griff und Scheidenbeschlag aus geprägtem Goldblech und ein goldener Köcherbeschlag mit Darstellungen aus dem Leben des Achill (4. Jh. v. Chr.).

Tschewakinskij, Čevakinskij, Sawwa Iwanowitsch, russ. Baumeister, *Weschki (Gebiet Kaliningrad) 1713, †St. Petersburg(?) zw. 1774 und 1780, Hauptmeister des russ. Spätbarocks. Typisch für seine Bauten sind dekorativer Reichtum, reiche Verwendung von Bauplastik und besondere Schmuckmotive (dreiteilige Eckpilaster, freistehende Kolonnaden, breite Gesimse, Kragsteine in Palmettenform); arbeitete seit 1745 unter B. F. RASTRELLI in Zarskoje Selo (Puschkin).

HW: Nikolaj-Marine-Kirche, St. Petersburg (1753–62).

Tschirin, Čirin, Prokopij Iwanowitsch, russ. Kirchenmaler, †um 1622, bedeutendster Vertreter des Stroganow-Stils; charakteristisch sind die miniaturartigen, verfeinert stilisierten Heiligenfiguren.

Tschirnhaus, Ehrenfried Walther Graf von, Mathematiker, Naturwissenschaftler, Technologe, *Kieslingswalde bei Görlitz 10. 4. 1651, †Dresden 11. 10. 1708, machte Versuche mit Brennspiegeln und Brennlinsen zur Erzeugung hoher Temperaturen. 1706 gelang ihm die Erzeugung des roten Steinzeugs (fälschlich Böttger-Porzellan gen.), im Oktober 1708 des weißen Porzellans. Nach dem Tod von T. führte sein Gehilfe J. F. BÖTTGER die Versuche weiter.

Meißener Porzellan 1710–1810, bearb. v. R. RÜCKERT, Ausst.-Kat., München (1966, mit Bibliographie E. W. T.).

Tschistjakow, Čistjakov, Pawel Petrowitsch, russ. Maler, Kunsttheoretiker, *Prudy (Gouv. Twer) 5. 7. 1832, †Detskoje Selo (heute Puschkin) 11. 11. 1919, malte v. a. Szenen des röm. Volkslebens; bed. als Lehrer (seit 1872 Prof. an der St. Petersburger Akad.); Schüler: I. REPIN, W. SURIKOW, W. SEROW, W. WASNEZOW, W. POLENOW, M. WRUBEL u. a.

Tschoga Zanbil [-zan-], Ruine der mittelelam. Residenzstadt **Dur Untasch** in SW-Iran, etwa 25 km südöstlich von Susa, von König UNTASCH-HUBAN um 1250 v. Chr. erbaut. Umgeben von 3 Mauerringen liegt im Zentrum die Zikkurat des Gottes Inschuschinak, noch bis zu 25 m Höhe erh.; die urspr. 5 Stockwerke waren durch überwölbte Treppen im Innern zu erreichen; daneben die Tempel der 2 Hauptgötter und ihrer Gemahlinnen; in der rechteckigen 2. Ummauerung etwa 20 Tempel weiterer Götter. Im nordöstl. Stadtgebiet Paläste und Wohnhäuser; ganz im S ein Grabbau mit 5 gemauerten Grüften (bis 17 × 4 m), die auf Betten Leichenbrand enthielten. Ein viele Kilometer langer Kanal versorgte die Stadt mit Wasser, das in einem Becken unter der Stadtmauer hindurchgeleitet wurde.

R. GHIRSHMAN u. a.: T. Z. (Dur Untasch), 4 Bde. (Paris 1966–70).

Tschokwe, Bantu-Volk im südl. Afrika, →Chokwe.

Tsimshian [ts'ɪmʃiːən], nördl. Stamm der →Nordwestküsten-Indianer, an der Pazifikküste S-Alaskas und N-Kanadas. Ihre Holzarbeiten waren leichter und eleganter gearbeitet, die Wappenpfähle höher und schlanker als die der anderen Stämme.

Tsinan, Chinan, Jinan [dʒinan], Hauptstadt der chines. Prov. Shantung, am Südufer des Hwangho und nordwestlich des →T'aishan, etwa 1,5 Mio. Ew.; Prov.-

Tsinan: Vier-Tor-Pagode; vor 544

Mus. Im südöstl. Außenbez. ›Tausend-Buddha-Berg‹, in Fels gehauene buddhist. Darstellungen, z. T. in Grotten, aus der Zeit der Nördl. Wei- und der Sui-Dynastie (frühes 6. bis Anf. 7. Jh.), stilistisch durch die Höhlentempel von →Lungmen beeinflußt. Bei der Siedlung Liupu befinden sich Überreste von Steinskulpturen und Bauwerken des 6. bis 8. Jh., darunter eine der ältesten erh. Steinpagoden (vor 544), die dem Typus der bis ins 8. Jh. beliebten Vier-Tor-Pagode (Ssu-men-t'a) mit quadrat. Grundriß und kubischem Unterbau entspricht, bei dem Mandala-Vorstellungen in Architektur umgesetzt wurden.

Tsingtau, Ch'ingtao, Qingdao [tʃiŋdao], Hafen- und Industriestadt in China, am Eingang zur Kiautschou-Bucht an der Küste der Shantung-Halbinsel, etwa 1,5 Mio. Ew.; 1898–1914 Hauptstadt des dt. Pachtgebiets Kiautschou; aus dieser Zeit, in der der Hafen gebaut wurde, sind die Residenz des dt. Gouverneurs, 2 Kirchen (kath., evang.) und zahlreiche Häuser erh. (ein- bis zweigeschossig, mit Erkern, Giebeln und roten Ziegeldächern; viele Fachwerkbauten). Im Kunst-Mus. Malerei der Yüan-, Ming- und Ch'ing-Zeit.

Tsi Poschi, chines. Maler, →Ch'i Pa-shih.

Tsoede, Kulturheros, Dynastie- und Reichsgründer der Nupe, einer nigerian. Volksgruppe nördlich des Zusammenflusses von Benue und Niger. T. lebte im 15. Jh. und soll aus der Igala-Hauptstadt Idah die Technik des Bronzegusses und auch Bronzeskulpturen in das Nupe-Reich mitgebracht haben. Die aus dieser Zeit erh. 10 **T.-Bronzen** zählen zu den größten und bedeutendsten Bronzeplastiken Afrikas und befinden sich im Nat.-Mus. in Lagos. Künstler. Verbindungen zu Ife, Benin und Owo (zw. Ife und Benin) sind sehr wahrscheinlich.

Tsogho, Volksgruppe in SW-Gabun. Wie die nördlich benachbarten Fang fertigen die T. Wächterfiguren für ihre Reliquiare, jedoch lediglich als Halbfiguren oder Köpfe. Auch im Stil sind diese den Werken der Fang (bes. den Masken) sehr ähnlich; ein besonderes Merkmal ist dabei die starke linienhafte Betonung der Augenbrauen. Die T. verwenden auch wie die anderen Stämme dieses Gebiets die ›weißen Masken des Ogowe‹ (→Punu).

Tsu, Hafenstadt in Japan, auf Honshu, etwa 65 km südwestlich von Nagoya, 140 000 Ew.; ehem. Burgstadt mit 1958 rekonstruiertem dreigeschossigen Turmgebäude. Der Tempel Shi-Tenno-ji, vom Prinzen SHOTOKU im 8. Jh. gegr., 1615 wieder aufgebaut, beherbergt einige Kunstschätze (Bild des Prinzen Shotoku; Holzstatue des Yakushi-Buddha u. a.).

Tsuba, Stichblatt am japan. Schwert. Die T. der Frühzeit wurden aus Eisen, z. T. mit Leder oder Lack bezogen, von Schwertfegern und Plattnern hergestellt; seit dem 11. Jh. auch in vergoldeter Bronze von Silberschmieden. Seit dem 16. Jh. gab es spezielle T.-Meister,

Tsuba von Matsuo Gassan (1815–75); Eisen mit Edelmetallegierungen, Ø 7,5 cm, Kioto, Edo-Zeit (Köln, Museum für Ostasiat. Kunst)

die mit versch. Metallarten arbeiteten. Dekorationstechniken fanden im 17.–19. Jh. ihren Höhepunkt, ob erhaben, durchbrochen, graviert, gepunzt, tauschiert, im Reliefschnitt auch auf Ein- oder Auflagen oder ganz aus Eisen- und Bronzedraht geflochten (Mukade-T.).

Tsuishu [-ʃ-], vermutlich seit dem 15. Jh. in Japan angewandte chines. Schnitzlacktechnik, bei der ein dikker, aus verschiedenfarbigen Lackschichten gebildeter Belag in mannigfache Formen geschnitten wird. Japan. T. sahen ihren chines. Vorbildern bis ins 19. Jh. zum Verwechseln ähnlich. Eine weniger kostspielige Variante war das →Kamakura-bori.

Tsung, chines. Zeremonialjade des Altertums in der Form eines einen Hohlzylinder umgebenden Prismas (BILD Jade).

Tuaillon [tyaj'ɔ̃], Louis, Bildhauer, *Berlin 7. 9. 1862, †ebd. 21. 2. 1919, Meisterschüler von R. BEGAS, von dessen neubarockem Stil T. in Rom (unter Einfluß von H. v. MARÉES und A. v. HILDEBRAND) zu einer klassisch empfundenen Klarheit der Form fand. Er nahm damit die Tradition des Klassizismus G. SCHADOWS und C. D. RAUCHS wieder auf. 1902 kehrte T. nach Berlin zurück und wurde 1906 Lehrer an der Akad.

HW: Amazone zu Pferd (1890–95 in Rom entstanden; Berlin-Ost, vor der Nat.-Gal.; ein vergrößertes Exemplar im Berliner Tiergarten, zerstört). Reiterstandbilder: Kaiser Friedrich III. (1905; Bremen), Kaiser Friedrich III. und Wilhelm II. (1907–08; Köln, Hohenzollernbrücke).

Lit.: →Berliner Bildhauerschule.

Louis Tuaillon: Amazone zu Pferd; Bronze, 1890–95 (Berlin-Ost)

Tübingen, Stadt am Neckar, Bad.-Württ., 73400 Ew., seit 1477 Univ.-Stadt. Die maler. Altstadt mit Fachwerkhäusern (17./18. Jh.) wird vom Renaissanceschloß Hohentübingen (1507–50), einer Vierflügelanlage mit runden Ecktürmen, überragt; prächtiges manierist. Friedrichstor (1606). Im netzgewölbten Chor der Stiftskirche St. Georg (1470–83) Grabmäler des württemberg. Herzogshauses von hohem künstler. Rang; spätgot. Kanzel und Lettner (um 1490), Glasfenster im Chorschluß (1480), gemalter Flügelaltar (1520, H. SCHÄUFELEIN zugeschrieben). Neben der Stiftskirche die Alte Aula (1547, 1777 umgestaltet). Stattl. Fachwerkrathaus (15./16. Jh.); Marktbrunnen (1617). Der ehem.

Werner Tübke: Porträt eines sizilianischen Großgrundbesitzers mit Marionetten; 1972 (Dresden, Staatl. Kunstsammlungen)

Bebenhäuser Pfleghof ist eine spätgot. Winkelhakenanlage (1492–1501), das ehem. Collegium Illustre (Wilhelmsstift) ein schloßähnl. Renaissancebau (1588–93). Bed. Antiken-Samml. des Archäolog. Instituts.

Tübke, Werner, Maler, Graphiker, Zeichner, *Schönebeck/Elbe 30. 7. 1929, seit 1972 Prof. in Leipzig. Seine virtuose, zu surrealen Visionen vorstoßende Malerei mit Stilanleihen aus Renaissance und Manierismus sprengt die Grenzen des Sozialist. Realismus, ohne dessen Engagement zu verlassen (Panorama-Wandbild über den Dt. Bauernkrieg in Bad Frankenhausen, 123 × 14,5 m, 1976ff.).

IRMA EMMRICH: W. T. (1976).

Tucher|altar, →Meister des Tucheraltars.

Tuchhalle, Gewandhaus, in größeren Städten seit dem MA. hallenartige Lager- und Messebauten der am Tuchhandel beteiligten Zünfte. Bekannt sind die Tuchhalle von Ypern (um 1280–1304, im 1. Weltkrieg zerstört, wieder aufgebaut), Brügge (13./14. Jh.), Krakau (14., 16., 19. Jh.), Bremen (1618–21) und das Gewandhaus in Braunschweig mit reicher Ostfassade (1591).

Tüchleinmalerei, Tela rensa, im späten MA. Besonderheit der Malerei mit Wasserfarben auf ungrundiertem feinen Baumwoll- oder Seidengewebe, die durch das dünne Tuch von beiden Seiten sichtbar ist.

Tückelhausen, Stadtteil von Ochsenfurt im Kr. Würzburg, Unterfranken, mit ehem. Kartäuserkloster (1351–1803; 1138 als Prämonstratenserabtei gegr.); der Klausurhof in seiner charakterist. Gesamtanlage (14 Kartausen) ist gut erh. Die urspr. roman. Klosterkirche (2. H. 12. Jh.) wurde im Echter-Stil 1613–16 durchgreifend verändert. Vorzügl. Hochaltar von J. W. VON DER AUWERA (1758).

Tucker [t'ʌkə], William, engl. Bildhauer, *Kairo 28. 2. 1935, lebt seit 1937 in Großbritannien. Beeinflußt v. a. von A. CARO, entwickelte er abstrakte Skulpturen aus Stahlplatten, Fiberglas, industriell gefertigten Balken und Röhren zur Darstellung des Raums in linearen Abläufen oder als plane Tunnelform.

Tudchalija, Tutchalija, Name mehrerer hethit. Könige, bes. bedeutend T. IV. (etwa 1250–1220 v. Chr.); der im Rahmen einer Kultreform das Heiligtum in Yazılıkaya mit Reliefs schmücken ließ, die ihn z. B. einmal allein und auf einer anderen Darstellung vom Gott Scharuma umarmt zeigen.

Tudela [tuð'ela], Stadt in der span. Prov. Navarra, am Ebro, 23 100 Ew.; alte Bischofsstadt mit zahlreichen Kirchen und Palästen, v. a. Kathedrale (12./13. Jh.) mit reichem bauplast. Schmuck von großer Qualität, bes. am W-Portal (116 Figurengruppen der Erwählten und Verdammten in den Archivolten) und an den Kapitellen des Kreuzgangs (Darstellungen aus dem N. T. und der Apostelgesch.); im Innern mehrere Altarretabel.

Tudorblatt [tj'u:də-], Baukunst: Dekorform der engl. Spätgotik in Form eines stilisierten Efeublattes.

Tudor Style [tj'u:də staıl], auch **Tudor-Gothic** [-g'ɔθık], nach der engl. Königsdynastie Tudor (1485 bis 1603) benannte Spätphase des →Perpendicular Style bis etwa 1530, die eine bes. reiche Formensprache entwickelte. Als Hauptbau gilt die Chantry Chapel von HEINRICH VII. (†1509) an Westminster Abbey in London mit reichem Fächergewölbe und hängenden Schlußsteinen. Als **Tudorbogen** (BILD Bogen) wird fälschlicherweise oft der seit dem späten 14. Jh. in der engl. Spätgotik gebräuchliche flache, angespitzte Bogen bezeichnet.

Tugend, die sittl. Haltung und Eigenschaft, näher umschrieben in den 4 Kardinaltugenden Weisheit, Maß, Tapferkeit und Gerechtigkeit. – Die Personifikation von T. und Lastern begegnet schon in der grch., häufiger in der röm. Kunst und wurde von der christl. Kunst wohl schon im 5. Jh. übernommen (auch Anlehnung an spätantike Kampfszenen). Die Skulpturen des W-Portals am Straßburger Münster zeigen den Triumph der T. über die Laster zu ihren Füßen, die Grisaillen GIOTTOS in der Arena-Kapelle zu Padua (1305–10) stellen sie ohne Kampf einander gegenüber. Unterscheidende Attribute oder Kennzeichnungen ihres Wesens begegnen häufiger erst seit dem 13. Jh. (Weisheit mit Buch, Gerechtigkeit mit der Waagschale, Maß mit Fackel und Krug, Tapferkeit mit Waffen u. a.; ebenso die theolog. T. Glaube mit Taufbecken, Hoffnung mit Olivenzweig, Liebe in einer Frauengestalt, die Speise und Trank reicht, u. a.). Nach dem Vorbild der Himmelsleiter Jakobs im A. T. werden die T. im W oft auf einer Tugendleiter dargestellt (›Hortus deliciarum‹ u. a.).

Tughra [türk.], aus der Kalligraphie entwickelte bildhafte Form des Namens der osman. Sultane, die unverwechselbar ist durch eine große, bauchige Schleife links von 3 kräftigen senkrechten Strichen über der dichtgedrängten Schrift. Sie steht am Anfang offizieller Dokumente und beglaubigt wie eine persönl. Unterschrift ihren Text; ein Hofbeamter war mit ihrer Anbringung beauftragt. T. finden sich auch auf Münzen und an Bauten.

Tuilerien [tɥilər'i:ən] frz. **Palais des Tuileries**

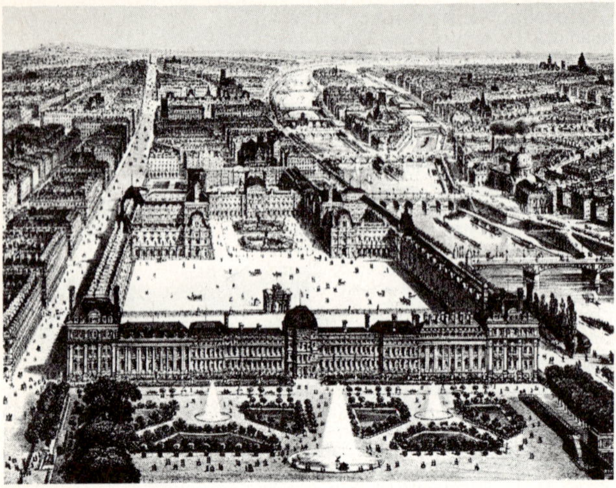

Tuilerien: Louvre mit ehem. Tuilerienschloß (vor der Zerstörung der T.); Ausschnitt aus einer Lithographie von C. Fichot

[pal'ɛ de tɥilr'i], ehem. Schloß der frz. Könige in Paris, auf dem rechten Seineufer. An der Stelle von Ziegeleien (tuileries) ließ KATHARINA VON MEDICI den Bau 1564 als Lustschloß durch P. DELORME beginnen und von J. BULLANT 1570 nach reduzierten Plänen fortführen, 1572 ganz einstellen. Der von Delorme errichtete Flügel mit Mittel- und Seitenpavillons wurde mit dem Louvre durch eine lange Gal. verbunden. Während des Kommuneaufstands im Mai 1871 wurden die T. niedergebrannt und 1882 abgetragen; heute Name der Parkanlage.

Tukulti-Ninurta I., assyr. König (1244–1208 v. Chr.), gründet nordöstlich von Assur die neue Hauptstadt →Kar-Tukulti-Ninurta. 2 Darstellungen des Königs (in stehender und kniender Haltung) zeigen ihn (lt. Inschrift) auf einem in Assur gefundenen Kultsockel (heute Berlin-Ost, Staatl. Museen).

Tula, 1) Gebietshauptstadt in der Russ. SFSR, an der Upa, etwa 190 km südlich von Moskau. Bedeutendstes Bauwerk ist der 1514–21 gegen die Krimtataren errichtete Kreml mit der Mariä-Himmelfahrts-Kathedrale (1762–64; Glockenturm 1772–76). T. war Zentrum der russ. Waffenherstellung (1632 Gründung der ersten Gewehrfabrik), bed. Waffenmuseum (1724 gegr.). – 14 km von T. entfernt liegt ›Jasnaja Poljana‹, das ehem. Gut L. TOLSTOJS (seit 1821 Mus.).

Tula 2): Einer der rundplastischen Atlanten

2) Tollan, Zeremonialzentrum der Tolteken (700 bis 1200), 60 km nördlich der Stadt Mexiko auf einem Gebirgsvorsprung. Das eigtl. Zentrum umfaßt 1 km^2, der Siedlungsbereich 10 km^2. Der zentrale Hauptplatz wird an 2 Seiten von rechteckigen, terrassierten Aufschüttungen begrenzt; auf einer Pyramide stehen die für T.

typischen, über 4 m hohen Atlanten aus Basalt. Sie sind aus einzelnen Zylindern zusammengesetzt, die jeweils einen Zapfen und ein Zapfenloch haben. 4 sind rundplastisch; 4 viereckige Pfeiler sind mit Reliefs (Schwert und Speerschleuder tragende Krieger) verziert. Weitere Reliefs an Gebäuden zeigen Adler, Jaguare und Kojoten, die Herzen verzehren. Der Bau an der Nordseite der Plaza hat eine reliefierte Wandbank, urspr. bemalt mit den für T. typ. Darstellungen von Kriegern mit großen Köpfen, gedrungenem Körper, kurzen Beinen und übergroß dargestellten Waffen.

Tula|arbeiten, Tulasilber [nach →Tula 1], Metall-, bes. Silberarbeiten in Niellotechnik (→Niello), mit der im 19. Jh. v. a. Schmuck- und Gebrauchsgegenstände (Dosen, Besteckteile u. a.) verziert wurden.

Tulle [tyl], Hauptstadt des frz. Dép. Corrèze, im engen Tal des Corrèze, 21 600 Ew.; kath. Bischofssitz. Von der Kathedrale (12.–14. Jh.), einer ehem. Abteikirche, sind das Mittelschiff, der Turm und der Kreuzgang (mit Mus.) erh. Im alten Viertel nördlich der Kathedrale stehen Renaissancehäuser.

Tulln, Stadt an der Donau, NÖ, 11 100 Ew.; Pfarrkirche St. Stephan (12. Jh., 1486–1513 gotisiert, 1752 umgestaltet), roman. W-Portal (Anf. 13. Jh.) mit beiderseits je 6 Halbfiguren (vielleicht Aposteln) in Rundbogennischen. Der Karner (Mitte 13. Jh.), im Übergang von der Romanik zur Gotik, mit reich verziertem Portal, ist einer der schönsten in Österreich.

Tulul Aqr, Ruinenstätte von →Kar-Tukulti-Ninurta.

Tulum, Zeremonialzentrum der Maya (um 1200 bis 1550) im Bundesstaat Quintana Roo, Mexiko, an der felsigen Karibikküste Yucatáns. Auf der Landseite umschließt eine bis 5 m hohe Mauer mit 5 Toren und Befestigungsanlagen ein Gebiet von 380 × 165 m, größter Gebäudekomplex ist die Tempelanlage (›Castillo‹). In einem Bau von T. sind Fresken erh.

Tuluniden, 1. islam. Dynastie türk. Herkunft in Ägypten und Syrien, 868–905. – Der am Kalifenhof in Samarra herangewachsene Sultan ACHMED IBN TULUN brachte abbasid. Stilelemente nach Kairo, v. a. die Wandverkleidung mit Stuckrelief, dessen flache Ornamentierung in abstrakten Formen die Fläche füllte (→Samarrastil, →Schrägschnitt, →islamische Kunst).

Tumaco, archäolog. Prov. in S-Kolumbien, aus der ein bestimmter Typ von Tonfiguren und -köpfen mit typischem, breit ausladendem Hinterhaupt stammt; noch nicht genau datiert (vielleicht um 500 oder um 300 v. Chr.). Es wurden auch mesoamerikan. Einflüsse für diese Objekte angenommen, sie lassen sich aber keinem der dortigen Stile zuordnen.

Tumba [lat.] *die,* sarkophagartiges, oft auf Füßen ruhendes, mit einem Baldachin überbautes →Grabmal oder die seit dem Barock üblichen Sargattrappen.

Tumbaga, Metallegierung aus Gold und Kupfer in wechselnder Zusammensetzung, meist auch mit geringem Silberanteil, im vorkolumb. Amerika in der

→Goldschmiedekunst von Kolumbien bis Südmexiko angewendet, aber nicht in Peru. Die Legierung hat in der günstigsten Zusammensetzung (60 % Gold, 40 % Kupfer) einen Schmelzpunkt von nur 778° C.

Tummler, Steh|auf *der,* Trinkglas ohne Fuß und Henkel, dessen Schwerpunkt im kräftigen, abgerundeten Boden liegt, so daß es sich aus der Schräglage von selbst wieder aufrichtet; im 16.–18. Jh. beliebtes Trinkgefäß.

Tumshuk, Tumschuk, buddhist. Klosteranlage in der Autonomen Region Sinkiang der VR China, an der Straße Aksu-Maralbashi im westl. Ostturkestan auf 3 Felsklippen gelegen. Ausgrabungen frz. und dt. Archäologen (1900–14) fanden Wandmalereien, Lehmplastik und Holzschnitzereien im indoiran. Stil aus dem 6. Jh. (?).

Lit.: →zentralasiatische Kunst.

Tumulusgrab, eine v. a. im Mittelmeerraum verbreitete Grabform, mit einem Erdhügel (Tumulus) als Bedeckung. In Etrurien bestanden die T. aus einem oder mehreren in den Fels eingetieften Kammergräbern mit langem Eingangskorridor (Dromos); sie wurden von einem etwa halbkugelförmigen Erdhügel bedeckt, als dessen Basis und Halt ein in Fels gehauener oder gemauerter Sockel (Krepis) diente. Kuppelgräber, ebenfalls mit Dromos sowie anschließendem zentralen, quadrat. oder runden Raum mit falschem Gewölbe, wurden seltener von Tumuli bedeckt (z. B. in N-Etrurien). Über T. in Makedonien →Makedonische Gräber.

Tuna el-Djebel [-dʒ-], Ort in Mittelägypten, in der Nähe von Hermopolis (KARTE Ägyptische Kunst), mit Grabbauten der Hohenpriester dieser Stadt und weiteren Gräbern aus ptolemäischer und röm. Zeit. Eine bed. Anlage ist der Grabtempel des PETOSIRIS (um 300 v. Chr.), in dessen Reliefschmuck sich grch. und ägypt. Formelemente verbinden, während die Motive und die relig. Texte rein ägyptisch sind.

Tung Ch'i-ch'ang [-tʃitʃaŋ], chines. Maler, Kalligraph, Kunstkritiker, *Huat'ing (Prov. Kiangsi) 1555, †1636, versuchte als letzter großer Theoretiker der →Literatenmalerei die Maltraditionen vorangegangener Epochen nach dem Modell der Ch'an-buddhist. Nord- und Südschule neu zu ordnen. Seine monochromen Tuschelandschaften sind durch äußerste Abstraktion gekennzeichnet.

T'ung-kou, histor. Stätte im NO der VR China an der korean. Grenze, am Yalu-Fluß. T. war die Hauptstadt des korean. Kgr. Koguryo (→koreanische Kunst), woran die Steinstele des Königs KWANGKYAET'O erinnert (414). Weiterhin sind in T. die für Könige oder Heerführer angelegten gewaltigen Hügelgräber erh., deren steinerne Grabkammern mit →Wandmalereien versehen sind.

Tunhuang, Tunhwang, amtlich chines. **Dunhuang,** volkstümlich **Ch'ien-fo-tung** [tʃiɛn-, ›Höhlen der Tausend Buddhas‹], auch **Mo-kao-k'u,** Oasenstadt zw. der Wüste Gobi und dem tibet. Hochland, 80000 Ew., mit den größten und ältesten buddhist. Höhlentempelanlagen Chinas (366 gegr.). Als Knotenpunkt an der Seidenstraße (KARTE chinesische Kunst) war T. von Bedeutung und wurde unter der Nördl. Wei-Dynastie (4. Jh.) zu einer der größten und reichsten buddhist. Gemeinden Asiens; jene schuf während der Zeit ihres Bestehens immer neue Höhlentempel mit aus Tonstuck (stuckartig aus einem Gemisch von Ton mit Pflanzenfasern über einem Holzskelett) modellierten, farbig gefaßten Bildwerken und polychromen Al-secco-Malereien, die die Wände friesartig bedecken und wichtige Aufschlüsse über die stilgeschichtl. und ikonograph. Entwicklung buddhist. Malerei sowie den frühen Landschaftsstil geben (BILD chinesische Kunst). Die um 1900 entdeckten Schätze von Hunderten von Hss. mit Miniaturen (6.–11. Jh.), Seidenbildern und Skulpturen sind durch SIR AUREL STEIN (1907) und P. PELLIOT (1908) größtenteils in europ. Museen gelangt (Brit. Mus. London; Nat.-Bibl. und Mus. Guimet, Paris).

HUA-SHIH P'ENG: Die Höhlentempel von Dunhuang (a. d. Engl., 1982).

Tunis, Hauptstadt Tunesiens, 875000 Ew. Das urspr. numid. **Tunes,** röm. **Thuni,** erlangte in arab. Zeit (ab Ende 7. Jh.) Bedeutung, bes. unter den Hafsiden (13.–16. Jh.) und durch die Ansiedlung span. Muslime (13.–17. Jh.). In der maler. Medina die Große Moschee ›Djama ez-Zituna‹, ein 732 gegr. relig. Zentrum, 864 unter den Aghlabiden voll., unter den Hafsiden und in osman. Zeit durch spanisch-maur. Architekten verändert, 1962–64 restauriert; Betsaal mit 15 Schiffen zu 6 Jochen (Hufeisenbögen über Stuckkämpfern auf antiken Säulen), reichverzierte Michrabfassade, zweifarbige Rippenkuppeln. In der Bibl. islam. Buchillustrationen (15. Jh.). Das quadrat. Minarett (Rautenflechtwerk, Fliesenfries, fünffache Bogengalerien) wurde 1653 restauriert, 1834 auf 44 m erhöht. Die Moschee el-Ksar (1106 gegr.; im Betsaal Hufeisenbögen über antiken Säulen) hat ein quadrat. Minarett (1647 erneuert) mit dreistöckigem Dekor im spanisch-maur. Stil. Die Moschee der ehem. Kasba, 1231–35 gegr., 1963/64 restauriert, hat quadrat. Minarett mit Rautenflechtwerk im almohad. Stil über Blendarkaden und Fliesenrahmen um dreifache Ajimez-Galerie. Die Moschee Hammouda Pascha (1655) im türk. Stil (7 Schiffe zu 4 Jochen, Michrab mit polychromem Marmordekor, 3 Innenhöfe) hat ein schlankes achteckiges Minarett mit Balkon; im quadrat. Mausoleum mit grünlasiertem Ziegeldach schwarzweiße Steinbögen, Ajimez-Nischen, Schmuckportale. Im Komplex der Sidi-Youssef-Moschee (1616 erb., 8 Reihen zu 6 Säulen, achteckige Trompenkuppel vor dem Michrab) mit achteckigem Minarett und Medrese (1622) dominiert der hafsid. Stil; das Mausoleum hat ein grünlasiertes Ziegeldach, zweifarbigen Hufeisenbogendekor und ein achteckiges türk. Minarett aus Kleinquaderwerk über quadrat. Sokkel. Die Sidi-Mahrez-Moschee wurde 1675 im türk. Baustil über hafsid. Unterbau errichtet; 4 gewaltige Pfeiler mit pers. Fayencen tragen große Halbkreiskuppel mit Hängezwickeln. Die Medrese es-Slimaniya (1740–50) mit Säulenvorhalle und Schmuckfassade ist ein Meisterwerk spanisch-maur. Baukunst. Der Mausoleumkomplex der Husseinitendynastie Tourbet el-Bey

(1758–82) zeigt außen in Pilastern, Gesimsen und Rechteckfenstern ital. Einfluß, im Innern der Höfe und Säle Keramikdekor, in Wölbungen und Kuppeln ziselierte Stukkaturen und polychrome Marmorinkrustationen. Das quadrat. Mausoleum Sidi Ben Arous (1491; 1654 verändert) zeigt in grünlasiertem Ziegeldach, polychromem Marmordekor und prächtigen vielgliedrigen Gipsstukkaturen höchste Verfeinerung der maur. Kunst des 15. Jh.; sein überhohes, schlankes Achteckminarett in syr. Stil mit Balkon gilt als das schönste der Stadt. Ebenso vollendete maur. Kunst in tunes. Deutung zeigt das viereckige Mausoleum Sidi Kacem el-Jalizi mit Zawija (spätes 15. Jh.) im Stadtteil Bab Jazira: zweistöckiges grünlasiertes Ziegeldach, allseitige Dreifachbögen, darüber fayencengeschmückte Blendarkaden, Innendekor des dreischiffigen Oratoriums mit Stukkaturen, Keramikplatten und Marmorsäulen hafsid. Art. Im Palast Dar Hussein (18./19. Jh.) mit 2 Arkadenhöfen und reichem Stuck- und Keramikdekor im türk. Rokokostil befindet sich das Mus. für Islam. Kunst und das Nationalinstitut für Archäologie und Kunst. Das Tor Bab Djedid (1276; Hufeisenbogen, quadrat. Innenhof, Kreuzgratgewölbe) ist ein Musterbeispiel hafsid. Baukunst. Der prachtvolle Pavillon (›Kubba‹) im Belvédère-Park (17. Jh.; 1901 vom La-Manouba-Park hierher versetzt) ist ein weiteres Meisterwerk der maur. Kunst: über zierl. Einfach- und Zwillingssäulen eine Kreuzgratgewölbekuppel mit Ecknischen, 3 offene Galerien mit Dreipaßarkaden, T-förmiger Saal mit Mukarnasgewölbe, überreiche, verklöppelte Stukkaturen und blaugrünrote tunes. Fayencen. Im westl. Vorort Bardo liegt inmitten vieler Paläste das bedeutendste Mus. Afrikas, das →Bardo-Museum.

Tunja [t'uŋxa], Stadt in Kolumbien, nordöstlich von Bogotá, etwa 69000 Ew. Die Altstadt des 1539 gegr. T. ist stark spanisch geprägt. Im Kloster S. Domingo (1551–Ende 17. Jh.) finden sich im Innern reiche Holzschnitzereien (in der der Klosterkirche zugehörigen Capilla del Rosario im indianisch geprägten Barockstil), ebenso in der Kirche S. Clara (1571–1613), die mit ihrem holzgeschnitzten Spitzbogen und ebenso verzierten Wänden und Decken als ein HW der Isabellin. Gotik gilt; die Kapelle Domínguez Camargo ist mit Ornamenten indian. Ursprungs überdeckt. S. Barbara (17. Jh.) hat Holzdecke im Mudéjar-Stil indian. Prägung. Stark indianisch beeinflußt ist auch S. Catalina (Schnitzwerk 16. Jh.). Die 1574 gew. Kathedrale, eine dreischiffige Basilika mit Renaissanceportal (1598–1600), ist ebenfalls ein HW der Isabellin. Gotik. Unter den Profanbauten u. a. das Haus von Juan de Vargas (1587–1605) mit Deckenmalereien nach europ. Stichen (u. a. der Schule von Fontainebleau).

Tuntenhausen, Wallfahrtsort (seit 1441 bezeugt) im Kr. Rosenheim, Oberbayern; der Neubau der Wallfahrtskirche (1627–30), eine Halle mit Chorumgang, übernahm die markante Doppelturmfront (1513–33) des spätgot. Vorgängerbaus; frühbarocke Stuckdekorationen (1629/30), Altäre und Kanzel (1630–33).

Tuotilo, Tutilo, Mönch des Klosters St. Gallen; T. kann mit dem in der Klosterchronik des Mönchs Ekke-

HARD IV. erwähnten T. (um 850–913?) identifiziert werden. T. nennt sich inschriftlich auf einer der beiden sehr qualitätvollen Elfenbeinplatten, Hauptwerken karoling. Elfenbeinschnitzkunst (St. Gallen, Stiftsbibl.). Auf der einen Tafel stellt T. Christus in der Mandorla dar, umgeben von Cherubim, apokalypt. Wesen u. a., auf der anderen Mariä Himmelfahrt und Szenen aus dem Leben des Hl. Gallus.

E. v. PHILIPPOVICH: Elfenbein (1961); J. BECKWITH: Die Kunst des frühen MA. (a. d. Engl., 1967).

Tür, Vorrichtung zum Verschließen einer den Zugang ermöglichenden Öffnung in einer Wand oder einem Schrank. Schon in sumer. Zeit wurden T., bes. Tempel-T., künstlerisch gestaltet.

Grch. wie röm. T. waren einflügelig, an großen öffentl. Gebäuden und Tempeln meist zweiflügelig (z. B. Pantheon in Rom); aus Herculaneum kennt man Reste einer Falttür. Die T. bestanden aus Holz, waren mit Querbohlen verstärkt und meist mit Ziernägeln oder Bronzeplatten beschlagen. Das T.-Gewände war seit myken. Zeit (Atreusgrab von Mykene) reich verziert, in griechisch-röm. Zeit mit Fascien und Ornamentleisten; das Gesims über dem Sturz war von Konsolen getragen.

Mit Reliefs geschmückte T. sind erst aus frühchristl. Zeit erh.: Holz-T. von S. Ambrogio in Mailand, 4. Jh.; S. Sabina in Rom, 5. Jh. Das MA. setzte die Tradition fort: Holz-T. von St. Maria im Kapitol in Köln, um 1065 (BILD salische Kunst); über die Entwicklung von T. aus Bronzeguß oder montierte Bronzeplatten →Bronzetüren.

Tura, Cosmè (eigtl. Cosimo), ital. Maler, *Ferrara 1429 oder 1430, †ebd. April 1495, ein Hauptmeister der Schule von Ferrara, schuf v. a. Altarwerke von großer Schärfe der Zeichnung, ausdrucksvoller Plastik der Formen und expressiver Farbigkeit; auch allegor. Szenen, Porträts. 1470/71 leitete er als Hofmaler der Este die Ausmalung des Palazzo Schifanoia in Ferrara.

HW: Hl. Georg und Verkündigung Mariä (1469, vielleicht Orgelflügel; Ferrara, Dom-Mus.); Gefangennahme und Enthauptung des Hl. Maurelius (um 1470; Ferrara, Pinakothek); Thronende Madonna mit 6 Engeln (Mitteltafel des Marientriptychons, London, Nat.-Gal.); Pietà (Louvre und Venedig, Mus. Correr); Allegorie des Frühlings (London, Nat.-Gal.).

Turạng Tepẹ, Siedlungshügel in der Gurgan-Ebene (N-Iran) nahe der SO-Küste des Kasp. Meeres (KARTE Alter Orient). Seit 1960 legten frz. Grabungen 7 Kulturschichten von neolith. bis zur sassanid. Zeit frei. Schicht I–II (6.–3. Jahrtsd. v. Chr.) enthält bemalte Keramik. In Schicht III (2500–1700 v. Chr.) wurden Lapislazuli-Perlen ähnlich denen aus den Königsgräbern von Ur gefunden. Nach der anschließenden Zerstörung setzt um 700 v. Chr. in der Mederzeit Schicht IV ein. Unter den Achaimeniden um 500 v. Chr. wurde der Hügel mit einer 14 m hohen Ziegelterrasse bedeckt, vielleicht für einen Tempel. Schicht V enthält Gebäude der Partherzeit (4. Jh. v. Chr.–3. Jh. n. Chr.) und Schicht VI einen Feuertempel in einer Festung der Sassanidenzeit (3. bis 7. Jh.). Schicht VII aus frühislam. Zeit (7.–10. Jh.) ist aufschlußreich, weil damals noch auf dem Hügel ein zarathustr. Feuertempel errichtet wurde.

Türbe, türk. Grabbau, mit Grabkrypta und überkuppeltem Betraum. Seldschuk. T. haben meist über quadrat. Sockelgeschoß einen runden oder polygonalen Aufbau und schließen mit einem kegel- oder pyramidenförmigen Helmdach (innen Kuppel) ab. Die Dekoration des Außenbaus konzentriert sich v. a. auf Portal, Kanten, Gesimse und Dächer. T. osman. Zeit unterscheiden sich von den seldschuk. hauptsächlich durch eine Kuppel als Dachform auch nach außen.

Turchi [t'urki], Alessandro, gen. **L'Orbetta,** ital. Maler, *Verona 1578, †Rom 22. 1. 1649, wurde unter venezian. Einfluß ausgebildet, zog jedoch schon vor 1620 nach Rom, wo er CARAVAGGIOS realist. Helldunkelstil in weichere und gefälligere Formen übersetzte. Neben Gemälden auf Schiefer und Marmor schuf T. Leinwandbilder mit mytholog. und christl. Themen.

HW: Herkules und Omphale (München, Alte Pinakothek); Flucht nach Ägypten (Madrid, Prado).

Turckheim [tyrk'ɛm], frz. für →Türkheim.

Turfan, amtlich chines. **Turpan,** Oase in der chines. autonomen Region Sinkiang, etwa 100 km südöstlich von Urumchi am Rand der Wüste Ostturkestans, mit rd. 15000 Ew. In T. liegen 2 Ruinenstätten: 1) das eigtl. T., das aus 2 Städten besteht, der Türkenstadt und der wenige Kilometer östlich davon gelegenen Chinesenstadt; 2) der Ort →Khocho und die wichtigsten Höhlentempel in →Bezeklik. Die 4 dt. Expeditionen (1902–1914) fanden heraus, daß T. das Zentrum der buddhistisch-chines. Kunst Ostturkestans war. Die Funde von Wandmalereien, bemalten Textilien, Skulpturen und bebilderten und unbebilderten Hss. in 17 Sprachen und 24 Schriften gaben wichtige Aufschlüsse über die hier vorhandenen relig., staatl. und sprachl. Verhältnisse. Deutlicher als aus allen anderen Funden geht aus den Texten hervor, daß nicht nur der Buddhismus in dieser Region verbreitet war. Auch das Christentum in nestorian. Form und der Manichäismus haben hier Eingang gefunden. Die T.-Funde bewahrt das Mus. für Indische Kunst West-Berlin.

Lit.: →zentralasiatische Kunst.

Turin, ital. **Torino,** Hauptstadt der Region Piemont, Italien, 1,182 Mio. Ew.; Sitz eines Erzbischofs und einer Kunstakad. Die geradlinigen, sich rechtwinklig kreuzenden Straßenzüge der röm. Stadt **Augusta Taurinorum** (mit Resten des Amphitheaters und der restaurierten Porta Palatina, beide 1. Jh. n. Chr.) blieben für die spätere Stadtanlage maßgebend. Aus MA. und Renaissance sind nur wenige Bauten erh. (Dom, 1492 bis 1498). Durch die Stadterweiterung seit dem 17. Jh. wurden in planmäßiger Strenge Straßen und Plätze mit einheitlich gebauten Häusern (in den Hauptstraßen mit durchlaufenden Bogengängen) angelegt; in reizvollem Gegensatz stehen dazu die Kirchen und Paläste des Barock, v. a. im Zentrum im Umkreis der Piazza Castello und der nördlich angrenzenden Piazza Reale: Palazzo Madama (urspr. ein röm. Tor, im MA. Kastell, Erweiterung ab 1718 mit Fassade und Treppenhaus von F. JUVARRA; heute Mus. d'Arte Antica mit Gemäldegal.,

Skulpturen und Kunsthandwerk), Palazzo Reale (Königl. Palast, 1646 beg.; mit Prunkräumen, Rüstkammer und Bibl.) und die beiden von G. GUARINI erbauten Paläste Palazzo Carignano (1680) und Palazzo dell'Accademia (1678; mit Archäolog. Mus., Ägypt. Mus. und der bed. Gemäldegal. Sabauda); auch der Zentralbau von S. Lorenzo (seit 1634) wurde 1666–87 von Guarini voll., ebenso die an den Dom angebaute Cappella della Santa Sindone, die nach seinen Entwürfen 1694 voll. wurde und das Leichentuch Christi (›Turiner Grabtuch‹) birgt sowie das Santuario della Consolata (1679 bis 1703; Innenausstattung von Juvarra, 1714). Die südlich von der Piazza Castello gelegene, von Arkaden umsäumte Piazza S. Carlo (Anlage des 17. Jh.) wird im S flankiert von 2 kleinen Barockkirchen. Wahrzeichen der Stadt ist die Mole Antonelliana (1863 von A. ANTONELLI als Synagoge geplant, später turmartig ausgebaut). Weitere Museen: Galleria Civica d'Arte Moderna (v. a. ital. Gemälde des 19. und 20. Jh.) und Gemäldegal. in der Accademia Albertina. Im S der Stadt erstreckt sich den Po entlang ein großer Park mit dem Castello del Valentino (Mitte des 17. Jh.), dem Botan. Garten (1729 gegr.) und dem Ausstellungsgelände (Bauten u. a. von P. L. NERVI). – In der Umgebung von T. die ehem. Benediktinerabtei →Sacra di San Michele sowie 2 der vollendetsten Bauten Juvarras: die Basilika →Superga (BILD Juvarra) und das Schloß →Stupinigi.

Türkheim, 1) Markt im Kr. Unterallgäu, Bayern, 5200 Ew. Stattl. spätgot. Pfarrkirche (2. H. 15. Jh., 1678/1727 umgestaltet); davor frühklassizist. Torbau (1789). Kapuzinerkloster mit Kirche und Loretokapelle (1683–97) in einfachen Barockformen. Ehem. herzogl. Schloß (1532–35, Umbauten im 17. und 18. Jh.); das Kleine Schloß 1695 von G. A. VISCARDI angebaut.

2) frz. **Turckheim** [tyrk'ɛm], Stadt im Oberelsaß, 3600 Ew.; maler. Ortskern mit Fachwerkbauten des 15. bis 17. Jh., Renaissancerathaus (1620), Stadtkirche mit spätroman. W-Turm und klassizist. Langhaus (um 1830); 3 Türme der ma. Stadtbefestigung.

Türkis [frz. turquoise, von turc ›türkisch‹] *der,* Mineral, himmelblau, blaugrün bis apfelgrün; Vorkommen weltweit in Hohlräumen und auf Klüften stark zersetzter, aluminiumreicher Gesteine. – T. wird geschliffen zu Schmuckstücken oder kleinen Gebrauchsgegenständen verarbeitet. Die Ägypter förderten T. in Gruben an der Westküste der Sinai-Halbinsel seit dem 4. Jahrtsd. v. Chr. bis zu RAMSES II. (ca. 1300 v. Chr.) und verarbeiteten den Stein in Schmuckstücken. Pers. Gruben wurden schon im Jahr 1000 urkundlich nachgewiesen. – Im vorkolumb. Amerika wurde T. v. a. zur Herstellung von Mosaiken (Schmuck, Masken, Schilde) zus. mit Muschelschale, Gold und Jade verwendet.

türkischer Knoten, Ghordesknoten, Knüpftechnik bei →Orientteppichen.

Türklopfer, →Türzieher.

Turku, schwed. **Åbo** ['o:bu:], älteste Stadt und bis 1812 Hauptstadt Finnlands, 164600 Ew., luther. Erzbischofssitz; nach verheerendem Brand (1827) im Schachbrettschema von C. L. ENGEL neu angelegt. An

Turku: Dom; 13.–15. Jh.

der Mündung des Aurajoki liegt das ma. Schloß, Ende 13. Jh. gegr., mit hohen Wohnflügeln und 2 kräftigen Türmen, im 14. und 15. Jh. ausgebaut; in den Ende 16. Jh. ausgebauten östl. Flügeln Histor. Mus. Der Dom ist das bedeutendste ma. Bauwerk Finnlands, eine spätroman. dreischiffige Basilika mit W-Turm (1290 gew.); Umgangschor (1. H. 14. Jh.) und Kapellenanbauten (14./15. Jh.) der Gotik und Renaissance; zahlreiche Grabmäler, Reste von spätmittelalterl. Malereien. Am Domplatz die klassizist. Gebäude der Alten Akad. (1802–15) und der Åbo Akademi (1833, heute Schwed. Univ.). Orthodoxe Kirche (1846) nach Plänen von Engel; neugot. Michaelskirche (1905). Kunst-Mus. (reichhaltige Samml. finn. Künstler), Väinö-Aaltonen-Mus.

Turm, Bauwerk, dessen Höhe seine Breite um ein Vielfaches übersteigt; auf rundem, viereckigem oder polygonalem Grundriß, freistehend oder einem Gebäude angefügt. Er kann kultischen Zwecken oder der Verteidigung, als Ausblick oder der Nachrichtenübermittlung dienen. Der mythische erste T.-Bau, der T. von Babel, kann als Zikkurat, nicht als T. gelten. T. sind aus der Antike unbekannt mit Ausnahme von Leucht-T. (Leucht-T. von Pharos, um 280 v. Chr., eines der 7 Weltwunder). Mit turmartigen Aufbauten waren die Tore röm. Kastelle versehen. Zum Befestigungssystem des röm. Limes gehörten hölzerne und steinerne Wach- und Beobachtungs-T. Mit den Campaniles des ravennatischen Kirchenbaus (6. Jh.) beginnt die bis in die Gegenwart reichende Geschichte des Kirch-T. als Glocken-T., aber auch als symbol., überhöhende Architekturform. Bezeichnend für den ma. Kirchenbau nördlich der Alpen seit karoling. Zeit ist die Ausbildung von T.-Gruppen. Vierungs-T., Treppen-T. und die Staffelung des →Westwerks bis zur Ausbildung der Doppelturmfassade sind bezeichnend für die roman. Epoche (St. Riquier in Centula, Aachen, Corvey, Cluny). Die für die früh- und hochmittelalterl. Architektur nördlich der Alpen kennzeichnende Vieltürmigkeit blieb bis in das 13. Jh. erhalten (Worms, Bamberg, Limburg/Lahn). Aus Frankreich kam die seit dem 11. Jh. entwickelte Doppelturmfassade und blieb in der Kathedralbaukunst gebräuchlich bis in die Spätgotik (Reims, Laon, Straßburg, St. Elisabeth in Marburg). In Dtl. löste die Einturmfassade im 14. Jh. diese ab (Freiburg; Frankfurt a. M.; Wien, Stephansdom).

In der Festungsbaukunst des MA. hatte der T. eine zentrale Funktion. Als Bergfried oder Donjon, umgeben von versch. Mauer- und Tortürmen, war er Kern der Verteidigungsanlage. Mit dem Einsatz mauerbrechender Feuerwaffen verlor der T. im Festungsbauwesen seine Bedeutung. In den ma. Handelsstädten v. a. der Toskana (Florenz, San Gimignano) sind die Geschlechter-T. Stadtburgen des Patriziats, um sich im Fall von Auseinandersetzungen innerhalb der Stadt schützen und verteidigen zu können. Brücken des MA. besaßen Brücken-T. zum Schutz und zur Einziehung von Zoll. In wohlhabenden Kaufmanns- und Handelsstädten des späten MA. waren Rathaus-T. und Glokken-T. Ausdruck bürgerl. Selbstbewußtseins. In der Schloßbaukunst des späten MA. und der Renaissance hatten Treppen-T. neben ihrem eigtl. Nutzen auch ästhet. Funktion in der Gliederung des Baukörpers (Torgau, Blois). In der Sakralarchitektur des Barock ist der T. weiterhin bedeutendes Bauglied (Vierzehnheiligen), während er in der Profanarchitektur kaum eine Rolle spielt. Mit der Entwicklung der Technik und Industrie im 19. Jh. bekam der T.-Bau neue Aufgaben als Wasser-T., Aussichts-T. (Eiffelturm in Paris, 1889), Förder-T. (Malakoff-T.). Der Turmbau ist Aufgabe des Ingenieurs geworden, verdeckt aber seine Konstruktion oft hinter histor., dem ma. Burgenbau entlehnten Verblendungen. Als neuer Typ tritt im späten 19. Jh. der Denkmal-T. hinzu (›Bismarcktürme‹). T.-Bauten mit Memorialcharakter leben im 20. Jh. weiter (Hochzeitsturm in Darmstadt von J. M. OLBRICH; Einsteinturm in Potsdam von E. MENDELSOHN). Mit den neuen Baustoffen (Stahlbeton) verwischen sich die Grenzen zw. T.-Bau und Hochhausbau, mit den Fernseh-T. entsteht eine neue T.-Gattung.

Turm der Winde, gut erhaltener, achteckiger Marmorbau aus der Mitte des 1. Jh. v. Chr. am röm. Markt in Athen (KARTE Athen im Altertum), so gen. nach den 8 Reliefs der Windgötter unterhalb des Gesimses. In dem Gebäude befand sich eine Wasseruhr.

Turmhaube, Baukunst: geschweiftes Dach eines Turmes.

Turm zu Babel, →Zikkurat.

Turnbull [t'ə:nbʊl], William, schott. Bildhauer, Maler, *Dundee 11. 1. 1922, begann unter dem Einfluß ALBERTO GIACOMETTIS, schuf dann Masken und pfahlartige Idole aus Holz, gelangte über eine zunehmende Abstraktion zu stereometr. Skulpturen aus bemaltem Stahl, die der Minimal Art nahestehen. Zugleich war T. ein Pionier der Farbfeldmalerei in England.

William Turner: Zinnoberrote Türme; Aquarell, 1834 (London, Brit. Museum)

Turner [t'ə:nə], **1)** John, engl. Keramiker, *1739, †Lane End (Staffordshire) 1786, gründete ebd. 1762 eine Manufaktur, die feines Steingut und porzellanähnl. Steinzeug im Stil von J. WEDGWOOD herstellte.

2) Joseph Mallord William, engl. Maler, *London 23. 4. 1775, †ebd. 19. 12. 1851. T. begann mit dem Kolorieren von Stichen, besuchte dann die Londoner Akad., wo er von J. REYNOLDS und der klass. Landschaftsmalerei (N. POUSSIN, CLAUDE LORRAIN) beeinflußt wurde. Sein Interesse galt zunächst mehr dem Topographischen, das er auf vielen Reisen, bes. in die Schweiz und Italien, erprobte, sowie mytholog. Themen. Sein eigtl. Bemühen galt jedoch mehr und mehr der Darstellung des Raumes; die meisten Landschaften T.s zeigen eine ungeheure Weite und Tiefe. In späteren Jahren konzentrierte er sich auf die Darstellungen versch. Situationen des Wetters (Sonne, Regen, Sturm, Nebel u. a.). Bes. in seinen späten Aquarellskizzen gelangte er zu visionären Darstellungen, in denen es keine festen Gegenstände mehr gibt (BILD Aquarellmalerei). Hauptmittel der Darstellung ist die Farbe in einer bisher kaum gekannten Reinheit; T. war einer der bedeutendsten Theoretiker der Farbe in seiner Zeit. Für sein umfangreiches Werk wird z. Z. (1983) in London neben der Tate Gal. ein eigenes T.-Mus. errichtet.

HW: Schiffbruch (um 1805; London, Tate Gal.); Zinnoberrote Türme (Aquarell, 1834; ebd., Brit. Mus.); Der Brand des Londoner Parlamentsgebäudes (1835; Cleveland/Ohio, Mus. of Art); Licht und Farbe (1843; London, Tate Gal.); Regen, Dampf und Geschwindigkeit (1844; ebd., Nat.-Gal.).

J. WALKER: J. M. W. T. (a. d. Engl., 1978); A. WILTON: J. M. W. T. Leben und Werk (a. d. Engl., 1979); ders.: W. T., Reisebilder (a. d. Engl., 1982); T. en France, Ausst.-Kat., Paris (1981, mit Briefen u. Bibliogr. W. T.).

Türzieher: LINKS T. an den Bronzetüren des Domes in Hildesheim, aus der Werkstatt Bischofs Bernwards; 1015. RECHTS Bronzener T. am Portal des Rektorenpalastes in Dubrovnik; 15. Jh.

Turrel [t'ʌrəl], James Archie, amerikan. Künstler, *Los Angeles 6. 5. 1943, Vertreter einer spezifisch kaliforn. Lichtkunst, die Licht als bildner. Material verwendet; begann mit der Projektion weißer Lichtkuben, realisierte dann Environments, in denen geometr. Lichtfelder den Raum bauen oder Licht sich als farbige Substanz verteilt.

Türsturz, Lintel, Träger über einer Türöffnung. Skulptierte T. kommen v. a. in der Mayakultur vor, bes. ausgeprägt in Yaxchilán. Sie sind meist aus Stein (hölzerne sind erh. aus Tikal, jetzt im Mus. in Basel). Die Maya-T. sind z. T. auf 3 Seiten mit Hieroglyphen oder szen. Darstellungen skulptiert. Aus Mitla sind einige bemalte T. und einige mit den typ. geometr. Steinverzierungen erh.

Türzieher, Türklopfer, an der Tür beweglich angebrachter Ring oder hammerartiger Klopfer aus Metall, mit dem gegen einen darunter befindlichen Metallknopf gepocht wird. T. aus Bronze als Löwenmaske mit einem Ring im Maul finden sich, antikem Vorbild folgend, in Mitteleuropa seit karoling. Zeit. Bes. in der Romanik, Renaissance und im Barock wurde er kunstvoll gestaltet.

URSULA MENDE: T. des MA. (1981).

Tuscania, Gem. westlich von Viterbo (Italien), 7100 Ew., aus einer etrusk. Siedlung hervorgegangen (Kammergräber, Stein- und Terrakottasarkophage mit überlebensgroßen Liegefiguren der Verstorbenen, Grabreliefs und -beigaben des 4.–1. Jh. v. Chr.); Mus. mit etrusk. Funden.

Die im 8. Jh. auf einer Anhöhe erbaute Basilika S. Pietro wurde um 1200–1250 erweitert (reich ausgestaltete Fassade mit 3 Portalen und großer Fensterrose, im Inneren Freskenreste des 12. Jh.). Dem 8. Jh. entstammt auch die im 12. Jh. völlig umgestaltete Kirche S. Maria

Maggiore (mit Fensterrose und 3 Portalen, reich geschmückt mit Bildhauerarbeiten des 12. und 13. Jh.; im Inneren Kanzel mit ornamentalen Reliefplatten des 8./9. Jh.). Nur wenig jünger und den beiden älteren Kirchen verwandt ist S. Maria della Rosa. Schaden erlitt die Stadt 1967 und 1971 durch Erdbeben.

Tusche [aus frz.], Maltechnik: Aufschwemmung von feinstgeriebenem (→Anreiben) Ruß u. ä. in Leim, Schellackseife u. a. zum Zeichnen. In China wurde seit Ende der Han-Zeit aus leimgebundenem Ruß (bevorzugt Kiefernruß) T. hergestellt, die, in Holzmodeln gepreßt, versch. Formen haben konnte (T.-Steine) und beim Gebrauch unter Zusatz von Wasser angerieben wurde. Seit der Sung-Zeit, bes. aber in der Ming- und Ch'ing-Zeit wurde die neben Papier, Pinsel und T.-Reibstein zu den ›Vier Kostbarkeiten des Studierzimmers‹ eines Gelehrten zählende T. an der Oberfläche kunstvoll verziert (Ideogramme, Gedichte, Landschafts-, Blumen- und Tierdarstellungen) und mit Duftstoffen versehen. Die häufig mit dem Namen des Herstellers oder der Werkstatt signierten Stücke wurden als Werke der Kleinkunst gesammelt.

Tuschmalerei, monochrome Malerei mit Tusche, entfaltete sich in China in der Sung-Zeit im Zusammenhang mit der →Literatenmalerei. Literatenmaler wie MI FU und SU TUNG-P'O sahen das Ziel der Amateurmalerei des Gelehrten nicht in der farbigen Wiedergabe der Naturdinge, sondern im Ausdruck der Persönlichkeit (Tuschespiel), welche sich wie in der Kalligraphie im Pinselduktus und in der Beherrschung spontaner Tuscheeffekte manifestiert. Zu den beliebtesten Motiven der T. zählte neben der Landschaft die Darstellung der symbolträchtigen Vier Edlen: Bambus, Orchis, Chrysantheme und Pflaumenblüte. In der Sparsamkeit der Mittel und in ihrem expressiven Gehalt entsprach die monochrome T. dem Geist des Ch'an-Buddhismus und wurde zu seinem Ausdrucksmittel (→Ch'an-Malerei).

In Japan wurde die monochrome T. (japan. Suibokuga oder Sumi-e) gegen Ende des 13. Jh. von japan. Zen-Mönchen aus China eingeführt und war in der Muromachi-Zeit (1336–1573) wichtigste Kunstform in Japan. Der Verzicht auf realist., farbige Wiedergabe und die Sparsamkeit der künstler. Mittel kamen dem Streben der Zen-Priester nach Konzentration auf das Wesentliche entgegen. Die →Zenmalerei nahm einen so großen Aufschwung, daß die Themen und Regeln der früheren buddhist. Malerei bedeutungslos wurden. Spontaneität und Ausdruckskraft wurden für die Klassiker der japan. T., MINCHO, JOSETSU und SHUBUN, kennzeichnend. Die Künstler entfernten sich immer mehr von den chines. Vorlagen und schufen einen eigenen japan. Stil voller Nuancen.

Tuschpa, Hauptstadt des Reiches Urartu, →Van.

Tusculum, Tuskulum, antike Stadt in Latium, beim heutigen Frascati (Italien), wohl von Latinern gegr. In T. legten sich viele Römer Villen an, so CICERO das Tusculanum. Ausgrabungen legten Reste von etwa 20 Villen, einem Theater, mehreren Tempeln und der Stadtbefestigung frei.

Tut-ench-Amun [ägypt. ›Vollkommen an Leben ist Amun‹], ägypt. König (etwa 1347 bis 1339 v. Chr.) der 18. Dynastie, ⚭ mit einer Tochter AMENOPHIS' IV. Er hieß urspr. nach dem von seinem Schwiegervater verehrten Sonnengestirn (Aton) **Tut-anch-Aton.** Unter seiner Regierung wurde die Sonnenreligion Amenophis' IV. wieder aufgegeben und die Residenz von Amarna nach Memphis verlegt. Als Regent für den minderjährigen (bei seinem Tod etwa 18jährigen) König amtierte →Haremhab. – Das nahezu unberührte Grab des Königs wurde 1922 im Tal der Könige von dem brit. Archäologen H. CARTER entdeckt. Die Vorkammer enthielt kostbare Schreine aus Alabaster und Holz mit vergoldetem Stucküberzug, vergoldete Thronsessel, Totenbetten, Königsstatuen u. a. In der ausgemalten Sargkammer standen 4 ineinandergestellte vergoldete Holzschreine, darin ein Quarzitsarkophag, der wiederum 3 reichverzierte mumienförmige Sarkophage enthielt; in dem innersten, aus massivem Gold, lag die Mumie des Königs. (BILDER ägyptische Kunst, Goldschmiedekunst, Sarkophag, Skarabäus)

CHRISTIANE DESROCHES-NOBLECOURT: T.-e.-A. (a. d. Frz., Neuausg. 1971); I. E. S. EDWARDS u. a.: T.-e.-A., Das Grab u. seine Schätze (a. d. Engl., 1978); H. CARTER: Das Grab des T.-e.-A., 3 Bde. (a. d. Engl., [6]1981).

Tutilo, Mönch aus St. Gallen, →Tuotilo.

Tuttle [tʌtl], Richard, amerikan. Künstler, *Rahway (New Jersey) 12. 7. 1941, fertigte v. a. Achteckformen aus Stoff und Papier, die auf den Boden gelegt oder an die Wand geklebt werden; auch kombiniert er dünne Drähte mit Bleistiftlinien an der Wand und schafft so wirkungsvoll sparsame Akzentuierungen des Raums zw. Zeichnung und Malerei.

J. JOHNEN: T., Poet. Punkte (1972).

Tuxen, Laurits, dän. Maler, Bildhauer, *Kopenhagen 9. 12. 1853, †ebd. 21. 11. 1927, Schüler von L. BONNAT in Paris, 1909–16 Prof. an der Kopenhagener Akad., schuf hauptsächlich Porträts europ. Fürsten.

HW: Deckengemälde, Schloß Frederiksborg; Christian IX. und seine Familie (1866; ebd.).

Túy [tuj], span. Stadt und Bischofssitz in der Prov. Pontevedra, auf einem Hügel über dem Miño, an der portug. Grenze, 13 500 Ew. T. wird überragt von der dreischiffigen romanisch-got. Kathedrale (1120–1225) mit reich skulptiertem, von der frz. Gotik geprägtem W-Portal (14. Jh.); im Innern zahlreiche Bischofsgrabmäler (14.–16. Jh.); got. Kreuzgang (13. u. 15. Jh.).

Tveje-Merløse [tv'aiə-], Ort bei Holbæk auf der dän. Insel Seeland. Die Kirche (um 1120–30) hat die einzige im urspr. Zustand erh. roman. Doppelturmfront Dänemarks; roman. Freskenreste (um 1175).

Twachtman [tw'ɔktmən], John Henry, amerikan. Maler, Radierer, *Cincinnati (Ohio) 4. 8. 1853, †Gloucester (Massachusetts) 18. 8. 1902; studierte in München und Paris. Das zunächst düstere Kolorit seiner Bilder, v. a. Landschaften, (›Arques-la-Bataille‹, 1885; New York, Metropolitan Mus.) hellte sich in späteren Werken auf.

Twombly [tw'ɔmblı], Cy, amerikan. Maler, Zeichner, *Lexington (Virginia) 25. 4. 1928, lebt seit 1957 meist in Rom; ging vom Abstrakten Expressionismus aus, den er in seinen Bildern und Zeichnungen zu einer an Kritzeleien erinnernden, Schrift- wie Textfragmente einschließenden Form entwickelte. In den 70er Jahren kam er zu strengeren Strukturen; schuf auch symmetr. Skulpturen, häufig aus kastenförmigen Elementen.

C. T., Ausst.-Kat., Köln (1982).

Tworkov [tw'ɔːkəv], Jack, amerikan. Maler poln. Herkunft, *Biała (Polen) 15. 8. 1900, †Provincetown (Massachusetts) 4. 9. 1982, kam 1913 in die USA, ging unter dem Einfluß W. DE KOONINGS zum Abstrakten Expressionismus über. Seine Bilder zeigen eine heftig bewegte, gestische Pinselschrift, die sich zu Stimmungen mit landschaftl. oder naturlyr. Assoziationen verdichtet.

Tyche [›Zufall, Glück, Unglück, Schicksal‹], grch. Göttin der Schicksalsfügung, annähernd der röm. **Fortuna** entsprechend, mit ambivalenten Zügen: Neben die urspr. Neigung zum Guten (auch Stadtgöttin) traten dann bei der Tochter des Okeanos oder Zeus Unberechenbarkeit und Unbeständigkeit. In hellenist. Zeit verbreitet sich ihr Kult, ihre Darstellungen häufen sich seit dem 4. Jh. v. Chr.: T. oft zus. mit Plutos (Reichtum), mit ihren Attributen Füllhorn, Steuerruder, Mauerkrone und Kugel. Die Monumentalplastik der T. von Antiochia von →Eutychides, um 300 v. Chr., ist in verkleinerten Kopien (Louvre) erh.

Tylissos, minoische Stadt auf Mittelkreta (KARTE kretisch-mykenische Kunst). Durch Ausgrabungen wurden 3 stattl. Häuser des 16./15. Jh. v. Chr. mit teils erhaltenen Grundmauern freigelegt; vermutlich gehörten sie zu einer größeren Stadt. Nach Zerstörung um 1450 v. Chr. erneute Bautätigkeit (u. a. myken. Megaron). Andere Siedlungsspuren reichen von mindestens 2000 v. Chr. bis in die grch.-dorische Zeit Kretas.

Tympanon [grch. ›Pauke‹] *das, Mz.* **Tympana,** Baukunst: bes. im Kirchenbau des MA. das Bogenfeld über dem Türsturz eines Portals, oft mit Reliefs geschmückt. Möglicherweise gab es T. mit Reliefs oder Mosaiken schon im 4./5. Jh. in Byzanz. Sicher besteht ein Zusammenhang mit röm. Giebelfeldern, in denen Figurenreliefs an Stelle der vollplast. Figuren an grch. Tempeln traten. Das reliefierte T. wurde im MA. bes. in Frankreich und Dtl. ausgebildet. (BILD S. 85)

Tyniec [t'injɛts], ehem. Dorf, gehört seit 1973 zu Krakau, Polen. Auf einem steilen Kalkfelsen über der Weichsel die Benediktinerabtei. Das urspr. roman. Klostergebäude (mit Wehrmauern, 17. Jh.), im 15. Jh. gotisch umgebaut, im 17. Jh. verändert, ist nach einem Brand (1834) Ruine. Die got. Kirche aus der 1. H. des 15. Jh. wurde 1618–22 umgebaut (Rückfassade 18. Jh.).

Typhon, grch. Mythos: schlangenbeiniger Riese mit 100 Schlangenköpfen, den Gaia dem Tartaros (nach einigen Quellen aus Zorn über die Vernichtung der Giganten durch Zeus) gebar; Vater des Kerberos u. a. Ungeheuer. Zeus begrub ihn nach wechselvollem Kampf.

Tympanon: T. des Hauptportals des Freiburger Münsters; 14. Jh.

Ob Pferdemenschen in der frühen grch. Kunst (seit dem 8. Jh. v. Chr.) als T. gedeutet werden können, bleibt ungewiß. Im 6. Jh. v. Chr. läßt sich der Kampf des Zeus mit dem Schlangenungetüm auf Vasen und Reliefs nachweisen (Schildrelief, Olympia, Mus.)

Typologie [grch.], Lehre vom Typus; wissenschaftl. Beschreibung und Einteilung eines Gegenstandsbereichs nach Typen. Der Begriff Typus geht auf PLATON zurück. In seiner Philosophie sind die Ideen Typen für die sinnl. Erscheinung der Dinge. Platon unterscheidet zw. dem →Archetyp(us) als Urbild und dem Ektypus als Abbild.

In der christl. Kunst nennt man T. die Zuordnung eines Typus im A.T. als Vorbild zu einem entsprechenden Antitypus im N.T. Sie setzt die Annahme eines heilsgeschichtl. Zusammenhangs von A.T. und N.T. voraus (z.B. die Apostel auf den Schultern der Propheten am Bamberger Fürstenportal). Der Antitypus kann bei einsichtigem Zusammenhang entfallen. Frühe Beispiele einer T. finden sich auf der Lipsanothek von Brescia, auf den Türen der röm. Kirche S. Sabina (um 430) und der Maximianskathedra (546–56). Reich an typolog. Bezügen sind Werke des Hoch-MA., so v.a. der 1181 von NIKOLAUS VON VERDUN in Klosterneuburg als Umkleidung eines Ambo gestaltete typolog. Zyklus (Erweiterung um 1330 nach der ›Biblia pauperum‹). Weitere typolog. Zyklen finden sich im 13. Jh. in den →Bibles moralisées und in der →Biblia pauperum, im 14. Jh. im ›Speculum humanae salvationis‹ (→Heilsspiegel). Seit dem 15. Jh. bezeichnet der Typus auch den Druckbuchstaben.

Im 18. Jh. vollzog sich eine Bedeutungsverengung des Begriffs Typus auf die gemeinsamen Merkmale einer Menge von Gegenständen (das ›Wesen‹, die ›Struktur‹, den ›Bedeutungskern‹) und wurde so von den Naturforschern G. BUFFON und C. v. LINNÉ in die klassifizierende Botanik und Zoologie eingeführt. An dieses Verständnis knüpfen bes. die Architekturtheoretiker des 18. und 19. Jh. an (M.-A. LAUGIER, A. C. QUATREMÈRE DE QUINCY, J. N. L. DURAND), die nach dem naturwissenschaftl. Vorbild die versch. Formen und Funktionen der Architektur auf einen eher funktionellen Typus (Laugiers ›Urhütte‹) oder mehrere eher formale Typen zurückzuführen versuchen. Durand kann als Wegbereiter einer technisch-ökonom. T. gesehen werden, die im 20. Jh. von den Architekten des ›Neuen Bauens‹ (W. GROPIUS, LE CORBUSIER) verfolgt wurde: Typus als optimierter Prototyp, der als standardisiertes Industrieprodukt beliebig oft in gleichbleibender Qualität reproduziert werden kann. Gegenwärtig arbeitet v. a. die ital. Architekturtheorie intensiv an einer T.: als Lehre von den unveränderl. Formprinzipien (A. ROSSI) oder als Lehre von den Beziehungen zw. histor. Funktionen und gebauten Formen (C. AYMONINO) der städt. Architektur.

Am evolutionist. Typenbegriff der Biologie orientiert sich auch die Formenkunde der prähistor. Archäologie, die von der Logik eines sich verändernden Typus (Artefakttyp, Gefäßtyp, Fibeltyp) innerhalb best. Zeitspannen ausgeht. Einfache funktionelle Formen stehen am Beginn einer Typenreihe, entwickelte, komplizierte Formen bilden den Kulminationspunkt einer Entwicklung, die u. U. wieder durch vereinfachte Formen (sekundäre Primitivität) beendet werden kann. Das Erstellen typolog. Serien (Seriation) bildet ein wichtiges Datierungsmittel in vielen kulturgeschichtl. Wissenschaftszweigen.

Tyrannenmördergruppe, eine zuerst von ANTENOR geschaffene Bronzegruppe mit der Darstellung von Harmodios und Aristogeiton, die 514 v. Chr. den Sohn des Athener Tyrannen PEISISTRATOS HIPPARCH erdolcht hatten und danach selber ermordet wurden. Als Ersatz für die von dem Perserkönig XERXES geraubte T. des Antenor wurden von KRITIOS und NESIOTES 477 v. Chr. neue Statuen geschaffen (in Kopien erh.).

Tyrnau, slowak. **Trnava,** ungar. **Nagyszombat** [n'ɔdjsombɔt], Stadt im Westslowak. Kr., ČSSR, 48 600 Ew. Erh. blieben Teile der Stadtbefestigung mit Turmbasteien aus dem 13./14. Jh. (im 15. Jh. erneuert, 1553 bis 1556 im Renaissancestil umgebaut). Die got. St.-Nikolaus-Kirche (1380 an der Stelle einer roman. Basilika gebaut) erhielt im 15. Jh. Neueinwölbung und wurde später, da sie als Dom des Bischofs diente, erweitert. Der erste große Barockbau der Slowakei ist die Jesuitenkirche der 1635 gegr. Univ. mit wertvollen Gemälden, Stuckarbeiten und dem frühbarocken Hauptaltar. An die Kirche schließen barocke Bauten der ehem. Univ. an. T. hat auch got. und Renaissance-Bürgerhäuser.

Tyros, lat. **Tyrus,** phönik. **Sor,** heute **Sur,** Stadt an der Küste Libanons (KARTE Alter Orient). Die phönik. Hafenstadt lag urspr. auf 2 Inseln, die von König HIRAM I. (969–936 v. Chr.) zu einer einzigen Insel und diese von ALEXANDER D. GR. durch einen Damm mit dem

Festland verbunden wurde. Auf dem Festland lag Palaityros, heute Tell Rachidiye. Durch Ausgrabungen konnten nur Bauten röm. Zeit (Säulenstraße, Triumphbogen, Nekropole, Thermen, Wohnviertel, christl. Basilika) gesichert werden; die phönik. Stadt ist stark zerstört und tief verschüttet (aber Funde von Keramik); auch der Hafen ist in der Rekonstruktion unsicher.

Tzintzuntzạn, die ehem. Hauptstadt der Tarasken (um 1000–1521) im Bundesstaat Michoacán, Mexiko, am Pátzcuaro-See. In T. wurden Messer, Äxte, Pinzetten, Schellen und Angelhaken aus Kupfer gefunden, ferner Bergkristall- und Obsidianarbeiten. Auf einer rechteckigen Stufenpyramide stehen in einer Reihe Ruinen von 5 Tempeln (Yácatas), eine Kombination aus runden und eckigen Baukörpern.

U

Uaxactún [uaʃakt'un], Zeremonialzentrum der Maya, 30 km nördlich von Tikal, Guatemala, mit Gruppen von Tempeln und Palästen, die auf 5 Hügeln stehen. Eine Plattform (›E VII sub‹) mit einer von Masken flankierten Treppe auf jeder der 4 Seiten ist eines der ältesten Bauwerke der Maya (300 v. Chr.–150 n. Chr.). Das ›Gebäude A‹, ein ehem. aus nur 3 Tempeln bestehender Komplex, wuchs in versch. Bauphasen zu einem komplizierten Gefüge von Palästen und Tempeln.

Ubac [yb'ak], Raoul, belg. Maler, Photograph, *Malmédy 31. 8. 1910, †Beauvais (Dép. Oise) 22. 3. 1985, lebte seit 1929 meist in Paris, stand dem Surrealismus nahe. Mit der Technik der ›Solarisation‹ (Verschiebung von Negativ und Positiv gegeneinander) erzielte er surreale Verfremdungen. Seit 1942 entstanden abstrakte Kompositionen mit kristallinen Farbstrukturen, seit 1946 Zeichnungen auf Schiefer.

Ubbelohde, Otto, Maler, *Marburg 5. 1. 1867, †Goßfelden bei Marburg 8. 5. 1922, v. a. Graphiker und Illustrator (u. a. zu den Märchen der Brüder Grimm, erschienen 1922), malte auch Landschaften und schuf Wandteppiche sowie Zeichnungen alter dt. Städte.

Úbeda ['uβeða], span. Stadt in der Prov. Jaén, Andalusien, 30 200 Ew., mit zahlreichen Toren und Türmen aus maur. Zeit und geschlossenem Stadtbild mit histor. Bauten seit dem MA., so v. a. Renaissancepaläste aus dem 16. Jh., der Blütezeit von Ú. (u. a. Palast de Vázquez Molina, 1562; Hospital Santiago mit Kirche, 1562–75), sowie die Kirche S. Salvador (1540–56; nach Plänen von D. de Siloé) mit qualitätvollen Flachreliefs mit mytholog. und christl. Themen im Portalbogen und Altarretabel von A. Berruguete im Innern. Kirche S. María de los Reales Alcázares (13. Jh.; mit Kreuzgang auf dreieckigem Grundriß, 15. Jh.).

Überfang|glas, 1) Flachglas, dem auf der Rückseite eine zweite, farbige Glasschicht aufgeschmolzen ist. **2)** aus mindestens 2 Schichten bestehendes Hohlglas. Ein an der →Glasmacherpfeife hängender hohler Tropfen aus meist farblosem Grundglas wird durch Eintauchen in eine Farbglasschmelze mit einer dünnen Glasschicht überzogen und zum gewünschten Gegenstand fertiggeblasen; häufig durch →Glasschnitt dekoriert.

Übergangs|stil, i. w. S. Bez. für alle Übergangserscheinungen zw. 2 Stilen, i. e. S. ein heute durch Epochenbezeichnungen (›spätstaufisch‹) ersetzter Stilbegriff für die dt. Baukunst am Übergang von der Romantik zur Gotik (etwa 1. H. 13. Jh.) zur Kennzeichnung der Übernahme des got. Systems der Ile-de-France und Burgunds unter gleichzeitigem Festhalten am spätroman. dt. Formengut und Formgefühl (St. Georg in Limburg/Lahn, seit 1211; St. Quirin in Neuß, seit 1209; Ostteile von St. Marien in Gelnhausen, seit etwa 1225; Vorhalle der Kirche, Herrenrefektorium und Teile des Kreuzgangs von Kloster Maulbronn, um 1220).

Überleimung, Maltechnik: zu hohe Leimkonzentration im Bindemittel oder im Überzug. Ü. verursacht charakterist. Risse oder Abplatzungen.

Überlingen, Stadt am Bodensee, Bad.-Württ., 18400 Ew., ehem. Reichsstadt mit maler., altertüml. Ortsbild. Das Münster ist eine fünfschiffige spätgot. Basilika (Chor 1350 beg., 1408 gew.; Langhaus 1424 bis 1460, Einwölbung 1512–62) und besitzt bed. manieristisch-frühbarocke Werke von J. ZÜRN (Hochaltar 1613–18, Sakramentshaus 1611, 2 Kapellenaltäre 1610/1634), ferner u. a. Rosenkranzaltar aus der Zürn-Werkstatt (um 1640). Am Münsterplatz die achteckige Ölbergkapelle (1493) und die Alte Kanzlei (1499). Spätgot. Franziskanerkirche (1466 gew.) mit Barockausstattung, u. a. Hochaltar von J. A. FEUCHTMAYER (1760). Spätgot. Rathaus (1490–94) in ital. Rustika-Bauweise; im Ratssaal holzgeschnitzte Vertäfelung. Im Reichlin-von-Meldegg-Haus, einem spätmittelalterl. Patrizierhof (um 1480, 1695 umgebaut), das Heimat-Mus. (u. a. Malerei, Plastik). – Im Stadtteil Goldbach die Sylvesterkapelle mit otton. Monumentalmalerei (um 1000), dem einzigen erh. Beispiel neben Reichenau-Oberzell.

Übermalung, Zutat von fremder Hand, oft entstellend als Ergebnis einer nicht einwandfreien Restaurierung, seltener um bewußt zu verändern. Korrigierende Ü. von der Hand des Künstlers heißen →Pentimenti.

Üblhör, Üblher, Johann Georg, Stukkateur, Bildhauer, *Wessobrunn 21. 4. 1700, †Steinbach (heute Maria Steinbach, Unterallgäu) 24. 4. 1763, arbeitete gemeinsam mit den Brüdern FEUCHTMAYER an der Stuckausstattung (von Ü. v. a. die Plastik) der Kirchen in Amorbach, Dießen, Ettal und der Residenz in Kempten. (→Wessobrunner Schule)

Uccello [uttʃ'ɛllo], Paolo, eigtl. Paolo **di Dono,** ital. Maler, *Pratovecchio (Prov. Arezzo) um 1397, †Florenz 10. 12. 1475, tätig in Florenz, 1425–30 in Venedig, 1445 in Padua, 1465–68 in Urbino. Seine Bemühungen galten v. a. der Zentralperspektive, mit der er seine stark bewegten, oft zu kühnen kompositionellen Mitteln greifenden Darstellungen körperlich-räumlich zu erfassen suchte. Seine Lokalfarben sind von flächig-durchsichtiger Art und gewinnen im Lauf seiner Entwicklung zunehmend an Leuchtkraft. U., der sich mit GIOTTO, DONATELLO, A. MANETTI, F. BRUNELLESCHI als Begründer der florentin. Kunst darstellte (um 1450, Louvre), er-

Paolo Uccello: Reiterstandbild des Sir John Hawkwood; Fresko, 1436 (Florenz, Dom)

fuhr eine ihm gerecht werdende Würdigung erst im 20. Jh.

HW: Fresken im Chiostro Verde bei S. Maria Novella, Florenz: Schöpfungsgesch. (um 1430–35) und Gesch. Noahs (um 1446–48); Reiterstandbild des Sir John Hawkwood, Fresko (1436; Florenz, Dom); 3 Tafelbilder der Schlacht von S. Romano (um 1456; Florenz, Uffizien; London, Nat. Gal.; Louvre); Jagd im Walde (Oxford, Ashmolean Mus.); Legende vom Raub einer Hostie, Predellentafel (um 1467; Urbino, Nat.-Gal.); Glasmalereien (Florenz, Dom); Mosaiken (Venedig, S. Marco).

L'opera completa di P. U., hg. v. E. FLAIANO u. LUCIA TONGIORGI TOMASI (Mailand 1971).

Uchaidir, Uhaidir, Ocheidir, Okheidir, frühabbasid. Wüstenschloß (8. Jh.), südwestlich von Kerbela, Irak, wurde vielleicht von ISA IBN MUSA, dem Neffen des Kalifen MANSUR, angelegt. Die gut erh. Schloßanlage wird von einer inneren (112 × 82 m) und einer äußeren (175 × 169 m) Mauer umgeben. Die 17 m hohe äußere Verteidigungsmauer ist mit Ecktürmen und dreiviertelrunden Türmen an den Seiten befestigt, die 4 Eingänge sind von Tortürmen flankiert. Die Verwendung von Steinplatten als Baumaterial und die Rechteckanlage erinnern an omajjad. Traditionen. Der Kern der Schloßanlage bestand aus einem dreigeteilten Haupttrakt mit Eingangsbau, Ehrenhof und Thronsaal, von Wohnanlagen mit Höfen, Stallungen und einem Betsaal umschlossen. Die Eingangshalle besteht aus einem leicht angespitzten Tonnengewölbe, das durch 4 wuchtige Pfeiler gestützt wird. Auf den Ehrenhof öffnet sich im Süden ein gewölbter Iwan. Das Schloß hat unverkennbar sassanid. Anlagen zum Vorbild.

Uclės, Kloster etwa 60 km westlich der span. Stadt Cuenca, Neukastilien, zw. 1530 und 1550 in plateresken Formen mit üppigem Dekor auf Vorgängerbauten errichtet; Kreuzgang (nach Plänen von F. DE MORA, Anf. 17. Jh.) im Desornamentado-Stil mit barockem Portal (von P. DE RIBERA, Anf. 18. Jh.); im Refektorium reich geschnitzte Holzdecke (1548).

Udaipur, Stadt in Rajasthan, Indien, im Arawalligebirge, 162 900 Ew.; 1567 von König UDAI SINGH begr. Der ausgedehnte Palast erhebt sich mit mehreren Stockwerken am künstlich aufgestauten Pichola-See und birgt in sich mehrere Einzelpaläste mit Gärten; im See 2 Palastinseln (Jag Niwas und Jag Mandir). U. war Zentrum der Malschule von Mewar (→Rajput-Malerei) und Hauptstadt des gleichnamigen Staates.

Udayagiri, 1) Felsmassiv nahe der altind. Stadt Vidisha (→Besnagar), mit hinduist. Kulthöhlen und Felsreliefs aus der Zeit CHANDRAGUPTAS II. (Anf. 5. Jh.): eine 3,5 m hohe Darstellung Vishnus als Varaha, ferner Narasimha, Durga Mahishasuramardini, Ganesha u. a., z. T. in ikonographisch neuartigen Gestaltungen.

Udayagiri 1): Varaha-Avatara; Felsrelief, Anfang 5. Jh.

2) Hügel in Orissa, →Khandagiri-Udayagiri.

Uden ['y:də], Lucas van, fläm. Maler, Radierer, *Antwerpen 18. 10. 1595, †ebd. 1672/73, malte, von J. DE MOMPER und P. P. RUBENS beeinflußt, meist kleinformatige fläm. Landschaften, deren Staffage von anderen Künstlern (J. JORDAENS, D. TENIERS D. J.) stammt. Seine Landschaftsradierungen gehören zu den wichtigsten fläm. Schöpfungen auf diesem Gebiet.

Udine, nordital. Stadt und Erzbischofssitz in Friaul, in der Tagliamento-Ebene, 103 300 Ew. Zentrum der Stadt ist die Piazza della Libertà, nach dem Vorbild des Markusplatzes in Venedig gestaltet, mit Palazzo del Comune (oder Loggia del Lionello, 1456 voll.) und der Loggia di S. Giovanni (1533–39) mit Torre dell'Orologio (1527); Dom (1225 beg., im 18. Jh. barockisiert). Im Erzbischöfl. Palast, im Dom und im Oratorio della Purità (18. Jh.) Fresken von G. B. TIEPOLO. Über der Stadt das Schloß (1517 Neubau von G. FONTANA über Ruinen des MA.; enthält heute das Mus. Civico, u.a. mit röm. Funden, die Gal. d'Arte Antica, mit Gemälden des 15. bis 18. Jh., und die Gal. d'Arte Moderna, v.a. mit Werken Friauler Maler des 19. und 20. Jh.); unterhalb des Schlosses die Kirche S. Maria di Castello (12./13. Jh.; Campanile und Fassade 16. Jh.; in der rechten Apsis Freskenzyklus, um 1250). In der Stadt zahlreiche Kirchen (S. Francesco, 1266 gew.; Madonna del Carmine, 1525 beg.; Manin-Kapelle, 1732–36) und Paläste des 16. und 17. Jh. (Palazzo Antonini, 1556 von A. PALLADIO beg.; Palazzo della Provincia, 2. H. 17. Jh.).

Udo, kleiner Ort in Nigeria, etwa 45 km südwestlich von Benin-City; rivalisierte früher mit Benin und stellte ebenfalls Gedenkköpfe aus Bronze her, wie sie am dortigen Königshof verwendet wurden. Insgesamt 13 dieser Köpfe sind bekannt. Ihr Stil wirkt etwas provinzieller als der der Köpfe von Benin; sie haben (statt einer kreisrunden) eine viereckige Öffnung am Hinterkopf und werden in das 16. Jh. datiert.

Uecker, Günther, Maler, Objektkünstler, *Wendorf (Mecklenburg) 13. 3. 1930, lehrt seit 1974 an der Akad. Düsseldorf; schuf benagelte Reliefs, deren weiß bemalte Oberfläche meditative Wirkungen anstrebt. Als Mitbegr. der Gruppe Zero wandte er sich einer kinet. Lichtkunst in Form von Lichtkästen und -mühlen, auch Lichtmodulationen in der Landschaft zu. U. malte auch Aquarelle.

G. U., Ausst.-Kat., Düsseldorf (1975); G. U. Littenheid 1980. Aquarelle und Zeichnungen. Einführung v. W. SCHMIED (1983).

Ueckermünde, Stadt an der Uecker nahe ihrer Mündung ins Stettiner Haff, Dt. Dem. Rep., 11700 Ew.; Renaissanceschloß (Neubau 1596 an Stelle einer ma. Anlage), urspr. Vierflügelanlage, 1720 bis auf S-Flügel abgebrochen; schlichte Barockkirche (1766).

Uelzen, Stadt in der Lüneburger Heide, Ndsachs., 36500 Ew., ehem. Hansestadt; nach den Zerstörungen 1646 und 1945 nur wenige histor. Gebäude erh. Die got. Marienkirche (13./14. Jh., mit Glasmalereien um 1450) besteht aus hohem Chor (1385 voll.) und niedriger, sehr breiter Rundpfeilerhalle; in der Turmhalle das ›Goldene Schiff‹ (vergoldeter engl. Tafelaufsatz, 13. Jh.). In der Kapelle des Stadtteils **Stöcken** eine seltene bemalte got. Bretterdecke (1499).

Uetersen, Stadt im Kr. Pinneberg, Schlesw.-Holst., 16900 Ew. Die Kirche des ehem. Zisterzienserinnenklosters (1235 gegr., seit 1555 adeliges Damenstift) ist ein stattl. spätbarocker Emporensaal (1748/49) mit Deckenfresko von dem Tessiner Maler G. B. COLOMBO (*1717, †1793) und monumentalem Altar-Kanzel-Orgel-Aufbau. Stiftsgebäude 17./18. Jh.

Uffenbach, Philipp, Maler, getauft Frankfurt am Main 15. 1. 1566, begraben ebd. 6. 4. 1636, schuf an der Wende von der Spätrenaissance zum Manierismus Altarbilder und eigenwillige Kupferstiche, in denen sich der Einfluß M. GRÜNEWALDS und A. DÜRERS zeigt. Sein Schüler war A. ELSHEIMER.

HW: Anbetung der Könige (1587; Weimar, Schloßmus.); Klagende Maria bei der Kreuzigung (1588; Frankfurt am Main, Städelsches Kunstinstitut); Himmelfahrt Christi (1599; ebd., ehem. Hochaltar der Dominikanerkirche, heute Histor. Mus.).

Uffịzi|en, ital. **Palạzzo degli Uffịzi** [-d'eʎi-], urspr. Verwaltungsgebäude in Florenz, heute Kunstmus. und Staatsarchiv (seit 1852), 1560 ff. im Auftrag COSIMOS I. VON MEDICI von G. VASARI errichtet, um 1581 von B. BUONTALENTI ausgebaut. Die 3 Trakte der U. umschließen einen langgestreckten Innenhof, der die Piazza della Signoria mit dem Arno verbindet. Das Obergeschoß beherbergte von Anfang an die Kunstsamml. der Medici und ist durch den ›Vasari-Korridor‹ (1565 ff. angelegt), der zu einem gedeckten Gang über den Ponte Vecchio führt, mit dem Palazzo →Pitti verbunden; 1585/86 wurde ein Theater (Teatro Mediceo) eingerichtet. Die Kunstsamml. der U. umfassen heute v. a. Meisterwerke der ital., aber auch der dt. und niederländ. Malerei, antike Bildwerke, Skulpturen der Neuzeit, Zeichnungen, Stiche sowie eine bed. Samml. von rd. 1300 Selbstporträts.

Ugarịt, heute **Ras Schạmra,** kanaanäische Stadt am Mittelmeer, 8 km nördlich von Latakia, Syrien (KARTE Alter Orient), Handelsmetropole und bed. geistiges Zentrum; schon im Neolithikum besiedelt. Seit der Mitte des 3. Jahrtsd. v. Chr. wurde U. in Dokumenten erwähnt; es nahm eine Mittlerstellung zw. Ägypten, Mesopotamien, der Ägäis und z. T. auch Kleinasien (bes. im 14./13. Jh. v. Chr.) ein. Um 1200 v. Chr. wurde U. von den Seevölkern zerstört.

Bisher sind nur spätbronzezeitl. Schichten (1500 bis 1200 v. Chr.) der stark befestigten Stadt von etwa 22 ha Fläche z. T. freigelegt: ein großer Palast im W, 2 kleinere im S und N, jeweils mit Repräsentationsräumen am Zentralhof und unregelmäßig angeschlossenen Wohntrakten. Im Akropolisbereich wurden u. a. ein Tempel des Wettergottes Dagan und Priesterhäuser mit Grüften aufgedeckt. Die reichen kunsthandwerkl. Funde (Elfenbeinarbeiten, Bronzestatuetten, Schmuck) sowie die Keramik verraten starken ägypt., aber auch ägäischen, babylon. und kleinasiat. Einfluß, der aber meist adaptiert und nach syr. Traditionen umgestaltet wurde.

G. SAADÉ: Ougarit. Métropole Cananéenne (Paris 1979, mit Lit.).

Ụglitsch, Uglič, Stadt im Gebiet Jaroslawl, Russ. SFSR, an der Wolga, 38 000 Ew. – U. war bis ins 16. Jh. Residenz einer Nebenlinie der Moskauer Großfürsten; Reste eines Palastes aus der 2. H. des 15. Jh. mit reich verzierter Fassade; Mariä-Himmelfahrts-Kirche (1628) mit 3 zeltförmigen Türmen; Dmitrij-Kirche (1692; benannt nach dem Sohn Iwans d. Schrecklichen, Dmitrij, der in U. umkam); Woskressenskij-Kloster (17. Jh.).

Uhde, Fritz von, eigtl. Friedrich Karl Hermann von U., Maler, *Wolkenburg (Sachsen) 22. 5. 1848, †München 25. 2. 1911, bildete sich in Dresden und München zum Maler aus, schloß sich 1879 in Paris M. v. MUNKÁCSY an und fand – wieder in München – unter dem Einfluß von M. LIEBERMANN zur Freilichtmalerei. In seinen relig. Bildern übertrug er das bibl. Heilsgeschehen in das zeitgenöss. Leben der Bauern und Handwerker. Bed. sind Darstellungen U.s aus dem Leben seiner Familie und Kinderbilder; sie zeigen einen Impressionismus, der das Licht als Stimmungsfaktor nutzt.

HW: Im Atelier. Porträts U.s und seiner Gattin (1881; Hannover,

Fritz von Uhde: Komm, Herr Jesu, sei unser Gast; 1885 (Berlin-West, Staatl. Museen)

Städt. Gal.); Familienkonzert (1881; Köln, Wallraf-Richartz-Mus.); In der Sommerfrische (1883; München, Neue Pinakothek); Die Jünger von Emmaus (1884; Frankfurt a. M., Städelsches Kunstinstitut); Komm, Herr Jesu, sei unser Gast (1885; Berlin-West, Staatl. Museen); Zwei Mädchen im Garten (1892; München, Neue Pinakothek); Abendmahl (1898; Stuttgart, Staatsgal.); Senator Hertz und Frau (1906; Hamburg, Kunsthalle).

Uherské Hradiště ['uhɛrskɛ: hr'adjiʃtjɛ], Stadt in der ČSSR, →Ungarisch-Hradisch.

Uhlmann, Hans, Bildhauer, *Berlin 27. 11. 1900, †Berlin (West) 28. 10. 1975, seit 1950 Prof. an der Akad. ebd. Seine Gestaltungen erstreckten sich vom streng vereinfachenden Abbild bis zu fast abstrakter, aus Draht und Blechen zusammengeschweißter Form.

W. Haftmann: H. U. (1975).

Ujazd ['ujazt], Dorf in der Wwschaft Tarnobrzeg, S-Polen; Ruinen (seit Mitte 17. Jh.) des manierist. Schlosses ›Krzyżtopór‹ (1627–44 gebaut) mit komplizierter Raumanlage, großem Hof und Befestigungen (z. T. restauriert).

Uji [udʒi], Stadt in Japan, 20 km südlich von Kioto am Uji-Fluß, 153 000 Ew. Nördlich von U. der Byodoin, urspr. eine Villa der Fujiwara-Familie, seit 1052 buddhist. Tempel. Die Phönixhalle ›Hoo-do‹ (1053) gehört zu den wenigen erh. Bauten der Heian-Zeit. Ihr Baukörper, mit 2 symmetrisch angeordneten winkelförmigen Flügeln und einem nach hinten verlaufenden Gang, soll der Form eines Phönix entsprechen. Die Wände und Türen sind frühe Beispiele des Yamato-e. Die 3 m hohe sitzende, vergoldete Holzstatue des Amitabha-Buddha wurde 1053 von Jocho geschnitzt. Aus dem 11. Jh. stammt auch die Halle Kannon-Do, die einen 11köpfi-

Hans Uhlmann: Pflanzliche Form; 1952

Uji: Byodo-in-Tempel, Phönixhalle ›Hoo-do‹; 1053

gen Kannon beherbergt. Der Glockenturm (Shoro), aus der Kamakura-Zeit, trägt die Kopie einer Bronzeglocke mit Reliefverzierungen (korean. Einfluß), deren Original sich im Schatzhaus befindet.

Der Tempel Mampuku-ji, 1661 von einem chines. Priester erbaut, zeigt den Einfluß der chines. Ming-Architektur. In der Lesehalle werden 60000 hölzerne Druckplatten buddhist. Sutren aus dem 17. Jh. aufbewahrt. Die heutigen Gebäude des Tempels Mimuroto-ji, an der Stelle einer kaiserl. Villa (8.–11. Jh.) erbaut, stammen von 1814. Dort befinden sich eine Amida-Triade (Ende der Heian-Zeit), ein Bishamon (mittlere Heian-Zeit) und ein Shaka-Nyorai. Der Senju-Kannon (8. Jh.?) ist Ziel von Pilgerfahrten.

Ujjayini [udʒ'ajini], **Ujjain** [udʒ'ain], Stadt in der Landschaft Malwa, Zentral-Indien, als 2. Hauptstadt der Maurya-Dynastie im 3. Jh. v. Chr. zu Bedeutung gelangt, zählt zu den 7 hl. Städten der Hindu. Der bed. Mahakala-Tempel fiel 1235 der muslim. Eroberung zum Opfer (skulptierte Reste eines Tores nahe dem neuzeitl. Palast). König JAI SINGH II. ließ 1728–34 in U. eines seiner architektonisch bemerkenswerten Observatorien errichten.

Ukiyo-e [japan. ›Malerei der fließenden, vergängl. Welt‹], die bürgerl. Genremalerei in Japan seit Ende des 16. Jh. Ihr Thema ist das Vergnügungsleben in den Städten, v. a. das der Kurtisanen in den Freudenvierteln und der Schauspieler des Kabukitheaters, aber auch das idealisierte Fest- und Alltagsleben des Volkes, häufig mit erot. Beigeschmack (Bijin-ga, Shunga). Das U.-e umfaßt auch den Genre-Holzschnitt (Buchillustrationen und Einzeldrucke, →Farbholzschnitt) gleicher Inhalte. MORONOBU begründete um 1660 diese Richtung in Edo (Tokio), HARUNOBU ist der erste bed. Meister des Vielfarbendrucks (1765), mit HOKUSAI und HIROSHIGE gelangte die reine Landschaftsdarstellung ab 1800 zu größerer Bedeutung.

Ulan-Bator, Hauptstadt der Mongol. VR, an der Tola, 325 000 Ew. U.-B. entstand 1639 als mobile (seit 1778 ständige) Residenz des Oberhaupts des mongol. Lamaismus. Die v. a. seit den 1940er Jahren rechtwinklig angelegten Straßen mit weiten Plätzen und Grünanlagen beziehen die alten lamaist. Klöster Tschoidschin-Lamain-Sume und Gandan sowie die ehem. Residenz Nogon-Orgu mit ein.

Uli, Kultfigur aus dem Innern Neuirlands. Die in den Proportionen gedrungenen, um 1,5 m hohen Figuren aus massivem Holz haben leicht angewinkelte Beine, oft frei vor den Oberkörper gesetzte Arme, die z. T. zusätzl. Figuren stützen, ausdrucksvolle, dominierend weiß gefaßte Gesichter mit betonten Augen und Nasen, feinen Zahnreihen im geöffneten Mund sowie einer Andeutung von Bart und kammartiger Frisur. Die U. galten den Surrealisten als Höhepunkt der phantast. Kunst Ozeaniens. Die Annahme, es handle sich um zweigeschlechtl. Wesen, ist nicht zu belegen; es scheint sich wie bei den →Malangganen um Darstellungen einflußreicher Männer zu handeln: Penis und Brüste wären somit Zeichen der herausragenden Macht und Bedeutung der Dargestellten.

Uli: U.-Figur aus bemaltem Holz mit Kreidefassung, Wurzelhaaren, Schnecken und Perlmutter; Höhe 111 cm (Basel, Museum für Völkerkunde)

Ullrich, Dietmar, Maler, *Breslau 22. 7. 1940, war Mitbegründer der Gruppe Zebra; malt bis zur Verfremdung illusionistisch übersteigerte Bilder, die häufig einen satir. Akzent haben, mit Themen v. a. aus dem Bereich des Sports.

Ulm, Stadt an der Donau, Bad.-Württ., 99 200 Ew.; bed. ehem. Reichsstadt. Wiederaufgebaut nach starker Zerstörung der Altstadt 1944 sind das repräsentative got. Rathaus (14.–16. Jh.) mit astronom. Uhr und

Ulm: Münster; 1377 begonnen

Skulpturen von H. MULTSCHER (1425 ff., Originale im Mus.), Kornhaus (1594), Schwörhaus (1612/13), Neuer Bau (urspr. Lagerhaus, 1585–93 im Renaissancestil mit Architekturmalerei), Neues Zeughaus (1665). Berühmtestes Bauwerk ist das Münster, neben dem Kölner Dom die größte und bedeutendste got. Kirche in Dtl. (124 m lang, Gewölbehöhe 42 m): 1377 unter den Baumeistern PARLER als Hallenkirche beg., 1383 Chorweihe (Netzgewölbe erst 1449), 1392–1417 Umgestaltung zur Basilika und Planung des W-Turmes durch U. ENSINGER, 1474–92 Bau des Turmvierecks unter M. BÖBLINGER, 1493–1507 Umwandlung in eine fünfschiffige Basilika durch B. ENGELBERG, 1529 Einstellung des Baus; 1844–90 Errichtung des 161 m hohen durchbrochenen Turmhelms nach Böblingers Entwurf. Wertvollste Ausstattungsstücke sind das 89sitzige Chorgestühl von J. SYRLIN D. Ä. (1469–74), ferner das 28 m hohe Sakramentshaus (1471 voll.), die 1498/99 von Engelberg umgearbeitete Kanzel (Schalldeckel 1510 von J. SYRLIN D. J.) und der Choraltar von M. SCHAFFNER (1521); am reich geschmückten W-Portal Schmerzensmann von Multscher (1429). Im Kiechelhaus (um 1600) das Ulmer Mus. (u. a. ma. Kunst Oberschwabens, spätgot. Münsterrisse, Barockmalerei). Im Ortsteil **Wiblingen** ehem. Benediktinerabtei (1093 gegr.); in den Klostergebäuden (1714–60) Bibl.-Saal mit Empore auf rot und blau marmorierten Säulen und reichem maler. und plast. Schmuck. Die Abteikirche, der letzte große Kirchenbau Oberschwabens, 1772–78 nach St. Galler Vorbild erbaut, 1778–80 unter Leitung des Malers JANUARIUS ZICK ausgestattet, ist ein HW des Frühklassizismus.

Ulrichs, Timm, Künstler, *Berlin 31. 3. 1940, seit 1972 Prof. in Münster. U. ist ein erfindungsreicher Vertreter des Neodadaismus; er prägte 1959 den Begriff der ›Totalkunst‹. Zugleich berühren seine ›Tautologien‹, in denen verbale Begriffe wörtlich in Objekte übersetzt werden, sich mit der Concept Art.

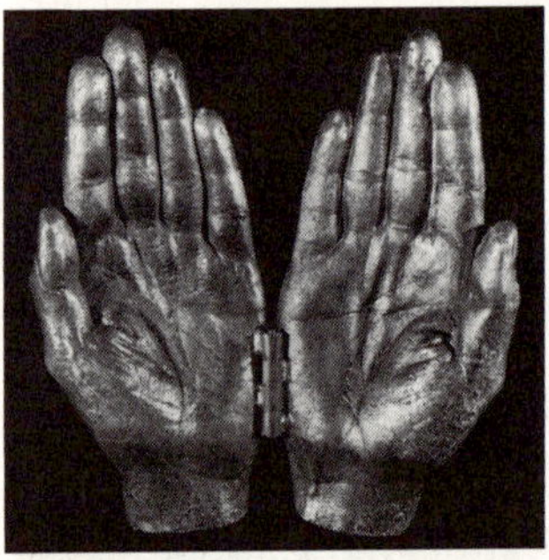

Timm Ulrichs: Handlese-Kunstbuch, 1966/77

Ulriksdal, königl. Lustschloß bei Stockholm, um 1640 erbaut, von N. TESSIN D. Ä. und D. J. zur barocken Dreiflügelanlage erweitert; Theater (Anf. des 18. Jh.), Orangerie (1705), Kapelle (1865).

Ultramarin [lat.], **Lasurblau,** Maltechnik: tiefblaues, in allen Techniken verwendbares, natürl. Mineral, das in einem komplizierten Verfahren aus dem →Lapislazuli gewonnen wurde. Im MA. bezog man U. fertig aus dem Orient, weshalb man es ›Azurum ultramarinum‹ (Blau von jenseits des Meeres) nannte. Bis ins 18. Jh. blieb U. als schönstes Blau in Gebrauch, wurde aber wegen seines hohen Preises nur für anspruchsvolle oder repräsentative Arbeiten verwendet. 1826 gelang die künstl. Herstellung, seitdem ist das natürl. U. außer Gebrauch. – **Ultramaringrün** ist ein Zwischenprodukt bei der Herstellung von künstl. U. **Ultramarinrot** und **Ultramarinviolett** werden durch Chlorierung des künstl. U. gewonnen.

Uma [Skt.], die hinduist. Göttin Parvati, Gattin Shivas. Das Gesicht von U. erscheint an den mehrköpfigen Darstellungen Shivas (Panchavaktra Shiva) nach Norden gerichtet.

Umasạhita [Skt. ›Er und Uma‹], auch **Umamahẹshvara,** der hinduist. Gott Shiva mit seiner Gattin Uma (Parvati oder Devi), ältestes Götterpaar der hinduist. Kunst (Mathura-Kunst der Kushanazeit).

Umbach, Jonas, Maler, *Augsburg um 1624, †ebd. 28. 4. 1693, schuf Landschaften, Kirchenszenen und etwa 250 histor., bibl. und landschaftl. Radierungen.

Umbra [lat. ›Schatten‹], Maltechnik: braune, eisen- und manganhaltige →Erdfarbe, die in versch. Nuancierungen vorkommt. Gebrannt geht U. in ein tiefes Braun über. Als Schatten- und Brechungsfarbe v. a. im 19. Jh. geschätzt, neigt U. in versch. Bindemitteln zum Nachdunkeln.

Umdruck, das Übertragen einer künstler. Darstellung auf einen anderen Bildträger, z. B. das 1818 von A. SENEFELDER entwickelte Verfahren, eine Zeichnung auf einen lithograph. Stein zu übertragen **(Autographie).** Gezeichnet wird seitenrichtig mit Fettkreide oder -tusche auf ein mit Kleister beschichtetes Papier **(U.-Papier),** das dann auf die Steinplatte gelegt, mit Wasser aufgeweicht, aufgepreßt und schließlich abgewaschen wird. Die Zeichnung bleibt wie ein Abziehbild auf dem Stein zurück und kann wie eine direkt, jedoch seitenverkehrt auf den Stein gezeichnete Lithographie gedruckt werden. Daraus entwickelte sich das Verfahren zum Übertragen einer Originaldruckplatte für die Herstellung einer weiteren Druckform. Von der Originaldruckform werden mit einer fetthaltigen Druckfarbe Abzüge auf ein oberflächenpräpariertes U.-Papier hergestellt, die auf einen lithograph. Stein oder eine Metallplatte umgedruckt und zur Druckform verarbeitet werden.

Umgebinde, um die Blockstube eines Hauses gestellte Traganordnung aus Pfosten, Rahmen, Riegeln und Kopfbändern für das Dach oder die Obergeschoßwand; häufig in der Lausitz und N-Böhmen.

Ụmmanz, Insel vor der W-Küste der Insel Rügen, Dt. Dem. Rep.; in der Kirche von U.-Waase bed. Antwerpener Schnitzaltar (um 1520), 10 Wappenscheiben Stralsunder Ratsherren (1697) u. a. wertvolle Stücke.

Umm en-Nar, kleine Insel im Pers. Golf (KARTE Alter Orient), wo eine Siedlung und Rundgräber, teilweise aus gut behauenen Kalksteinen und mit Reliefs (Rind, Kamel), ausgegraben wurden. Nach der hier gefundenen Buntkeramik ist eine Datierung Ende 3./Anfang 2. Jahrtsd. v. Chr. möglich.

Umriß, die eine Figur oder einen Gegenstand begrenzende Linie, →Kontur.

Uncastillo [uŋkast'iʎo], span. Ort 50 km nordwestlich von Huesca, Aragón. Von besonderer Bedeutung ist das Archivoltenportal der roman. Kirche S. María (12. Jh.) mit 3 skulpturengeschmückten Bogen (phantast. Motive, die noch einer ikonograph. Deutung bedürfen); Kirche S. Martín (12. Jh.) mit gut erhaltener roman. Apsis; Rathaus (16. Jh.). – In der Nähe Reste eines röm. Mausoleums (→Sádaba).

Ungarisch-Hradisch, Uherské Hradiště ['uhɛrskɛ: hr'adjiʃtjɛ], Stadt im Südmähr. Kr., ČSSR, 35 400 Ew. Die Siedlung aus der Zeit um 600 n. Chr. hat Festung und Stadtmauerruinen aus dem MA. Das spätgot. Rathaus mit Türmen wurde mehrmals umgebaut; im Innern Fresken aus dem 19. Jh. Ehemalige Jesuitenkirche (17. Jh.), Kirche des Franziskanerklosters (15. Jh., später umgebaut). Auf dem Hauptplatz die Apotheke mit Rokoko-Malereien. Das Mus. hat bed. folklorist. und archäolog. (u. a. aus Staré Město) Samml. und Gemälde-Gal.

Ungerer, Tomi, frz. Zeichner, Karikaturist, *Straßburg 28. 11. 1931, lebt v. a. in Irland. In seinen Karikaturen des schwarzen Humors offenbart sich scheinbar sadist. Grauen, das U. als Nachfolger von F. GOYA und G. GROSZ ausweist; auch Buchillustrator und Kinderbuchautor.

T. U., Zeichnungen und Plastiken 1954–1981, Ausst.-Kat., Düsseldorf (1981); T. U., Cartoons, Ausst.-Kat., Hannover, hg. v. JUTTA MOTZ (1982, mit Bibliogr.).

Ungers, Oswald Mathias, Architekt, *Kaisersesch/Eifel 12. 7. 1926, unterhält Ateliers in Köln (seit 1950), Berlin (seit 1964), Ithaca (New York, seit 1970), ist hauptsächlich als Theoretiker und Dozent tätig. Nach ersten Bauten und Projekten i. S. des →Brutalismus bekennt sich U. heute zu einer →Rationalen Architektur als ›visionärer Architektur der Erinnerung‹.

HW: Studentenheim, Oberhausen (1953); Mus. Preuß. Kulturbesitz, Projekt, Berlin (1965); Dt. Botschaft in Rom, Projekt (1966); Wallraf-Richartz-Mus., Projekt, Köln (1975); Wettbewerb Roosevelt Island, New York (1975); Mus. Schloß Morsbroich, Leverkusen (Planungsbeginn 1976); Bad. Landes-Bibl. Karlsruhe, 1. Preis des Wettbewerbs (1980). – **Schriften:** Works in progress 1976–80 (1981); Morphologie/City Metaphors (1982); Die Thematisierung der Architektur (a. d. Engl., 1983).

Unikat [lat.] *das,* Kunsthandel: Einzelstück (Gemälde, Aquarell, Zeichnung, Skulptur).

Universalfarben, Maltechnik: Pigmente mit gleich guten Eigenschaften in allen Anwendungsbereichen. Bis heute ist es der Industrie noch nicht gelungen, für jeden Farbton eine U. herzustellen.

Unkei, japan. Meister buddhist. Holzskulptur, *1148, †1223, Sohn des KOKEI, dessen neuen, realistisch-bewegten Stil der Kamakura-Plastik er zur Reife führte, den zusammengesetzte Holzblöcke (Yosegi-Technik), tief eingeschnittene Linien und Falten sowie eingelegte Kristallaugen kennzeichnen. (BILD japanische Kunst)

HW: 2 Ni-o (1203, über 8 m hoch; im Nandaimon des Todai-ji in Nara); Statue des Seshin (1208; Imperial Household Mus., Nara); Statuen des Muchaku und des Miroku (1208; im Kofuku-ji, Nara).

Unkel, Stadt am rechten Rheinufer, Kr. Neuwied, Rheinl.-Pf.; Pfarrkirche St. Pantaleon, eine got. Halle (Ende 13. Jh., um 1500 umgebaut), mit wertvoller Ausstattung (u. a. barocker Hochaltar 1705) und Kirchenschatz. Fachwerkhäuser (17./18. Jh.).

Unold, Max, Maler, Graphiker, *Memmingen 1. 10. 1885, †München 18. 5. 1964; anfangs vom Leibl-Kreis beeinflußt, erhielt er in Frankreich (1911–13) Anregungen von P. CÉZANNE und näherte sich dann der Neuen Sachlichkeit. Seine schlichten Porträts, Stilleben und Landschaftskompositionen zeigen gedämpfte Farbigkeit. U. hat auch zahlreiche Bücher illustriert.

Unterberger, Malerfamilie aus Südtirol.

1) Christoph, Neffe von 2) und 3), *Cavalese (Fleimstal) 27. 5. 1732, †Rom 25. 1. 1798, Schüler von G. CIGNAROLI (*1706, †1770) in Verona und v. a. von A. R. MENGS in Rom; dessen Einfluß ist in seinem Werk spürbar. U. malte Fresken im Casino der Villa Borghese in Rom, ferner Altarbilder in Innichen, Oberbozen und im Dom von Spoleto.

2) Franz Sebald, Bruder von 3), Onkel von 1), *Cavalese (Fleimstal) 1. 8. 1706, †ebd. 23. 1. 1776, schuf, nach Ausbildung in der an venezian. und Bologneser Vorbildern orientierten lokalen Malerschule, zahlreiche Andachtsbilder für Kirchen und Klöster in Brixen u. a. Orten Tirols.

3) Michel Angelo, Bruder von 2), Onkel von 1), *Cavalese (Fleimstal) 11. 8. 1695, †Wien 17. 6. 1758, zog nach Ausbildung bei G. PIAZZETTA in Venedig nach Passau und wurde 1738 an die Akad. nach Wien berufen; schuf zahlreiche Altar- und Andachtsbilder für Kirchen in Österreich und Tirol.

Unterglasurmalerei, das Auftragen von Farben (Scharffeuerfarben) auf die geglühte Keramik, bevor diese ihre Glasur erhält. In der chines. und japan. Porzellanherstellung wurde die U. mit versch. Farben bereits sehr früh verwendet, während bei der europ. Keramik, bes. beim Meißener Porzellan, lange Zeit nur die Anwendung des Kobaltblaus als Unterglasurfarbe möglich war. Erst gegen Ende des 18. Jh. konnten auch andere Farben für die U. benutzt werden.

Untermalung, Maltechnik: **1)** Im mehrschichtigen Bildaufbau wird mit kräftigen oder auch mit komplementären Farben untermalt, um bestimmte Farbeffekte zu erzielen; pastose U. dienen der Strukturierung. Bei Ölbildern untermalt man, um ein rascheres Arbeiten zu ermöglichen, häufig mit Tempera- oder Leimfarben. **2)** Anlage der Lichtmodellierung oder Durchführung der gesamten Bildkomposition in →Grauuntermalung.

Unterzeichnung, Malerei: freihändig aufgezeichnete oder gepauste Bildkomposition auf der Grundierung mit Stift, Kohle oder Pinsel als erster, gestaltender Arbeitsgang bei der Anlage eines Gemäldes. Einige Maler entwerfen die Komposition gleich auf der Bildfläche, andere entwickeln sie auf dem →Karton und übertragen sie. Seltener verzichten gegenständlich malende Künstler gänzlich auf die U. (→Sinopia)

Unzelmann, Friedrich Ludwig, Holzschneider, *Berlin Dezember 1797, †Wien 29. 8. 1854, maßgebend an der Wiederbelebung des Holzschnitts in Dtl. beteiligt; schuf u. a. Faksimileholzschnitte nach Zeichnungen von A. v. MENZEL und A. RETHEL.

Uppark [ˈʌpɑːk], Landhaus in der südengl. Cty. Sussex, 1685–90 als zweigeschossiger Backsteinbau mit Werksteingliederung und flachem, übergiebeltem Mittelrisalit nach dem Vorbild niederländ. Barockhäuser erbaut. Nach 1746 wurde das Innere neu gestaltet und 1812 die heutige Eingangsfront von H. REPTON (*1752, †1818) klassizistisch erneuert.

Uppsala, Hauptstadt der schwed. Landschaft Uppland, nördlich von Stockholm, 143 400 Ew., Erzbischofssitz, älteste Univ. N-Europas (1477 gegr.). Das Stadtbild wird von dem doppeltürmigen Dom (um 1287–1435) bestimmt, einem dreischiffigen Bau, im Grundriß und teilweise auch im Skulpturenschmuck im Stil der frz. Gotik, später Einflüsse der balt. Backsteingotik; die Kapellen des Chorumgangs und Langchors später zu Grabkapellen umgewandelt (u. a. Grabchor des Königs Gustav Wasa, Grabkapelle der Fam. Oxenstierna); die Barockkanzel (1707) wurde nach einem Entwurf N. TESSINS D. J. angefertigt. Gegenüber dem Dom das Gustavianum (um 1620), das ehem. Hauptgebäude der Univ., dann das neue Univ.-Gebäude (1879 bis 1886). Südlich des Doms liegt das Schloß, 1548 unter Gustav Wasa beg., nach dem Stadtbrand von 1702 nach Plänen C. HÅRLEMANS wiederaufgebaut. Im Upplands-Mus. u. a. Kunsthandwerk, archäolog. Samml.

Ur: Ziegenbock an Blütenstrauch aus dem Königsfriedhof von Ur; Höhe 45,7 cm, um 2500 v. Chr. (London, Brit. Museum)

Ur, sumer. Stadt in S-Mesopotamien, heute Ruinenhügel **Tell Muqayir (Mukajir),** in S-Irak (KARTE Alter Orient). Schon in der Obeid-Periode (→Tell el-Obeid) besiedelt, hatte Ur eine kulturelle Blütezeit unter der 1. Dynastie von Ur (um 2500 v. Chr.); Schachtgräber der Könige mit reichen Beigaben an kostbaren Metall- und Edelsteinarbeiten (Tierfiguren, Schmuck, Gefäße), Einlegearbeiten (→Ur-Standarte) sowie Zeugnissen von Gefolgschaftsbestattungen. Unter der 3. Dynastie von Ur (um 2000 v. Chr.) erlebte die Stadt einen weiteren kulturellen Aufschwung: Auf Vorgängerbauten wurde die 1. klass. Zikkurat (besterhaltene Mesopotamiens) für den Mondgott Nanna, Stadtgott von Ur, errichtet sowie der Tempel seiner Gemahlin Ningal, ferner Tempel und Wohnstätte seiner Hohenpriesterin, Paläste und Mausoleen der Könige; weitere Bautätigkeit in spätbabylon. Zeit (7./6. Jh. v. Chr.). Ur blieb bis in achaimenid. Zeit besiedelt.

Urach, Bad U., Stadt im Kr. Reutlingen, Bad.-Württ., 10 700 Ew., 1442–82 württemberg. Residenz, mit maler. Ortsbild im Stil des 15./16. Jh. Die ehem. Stiftskirche St. Amandus ist eine spätgot. netzgewölbte

Pfeilerbasilika (1479–99) mit geschnitztem Betstuhl des Grafen Eberhard (1472), Taufstein (1518) und Kanzel (16. Jh., Schalldeckel 1632). Spätgot. Fachwerkrathaus (1562), davor Marktbrunnen (Ende 15. Jh.). Im Schloß, einem 1443 beg. Fachwerkbau, u. a. der Goldene Saal (1474, um 1609 ausgeschmückt).

urartäische Kunst, die Kunst des Reiches Urartu vom 9. bis Anf. des 6. Jh. v. Chr. im Gebiet des armen. Hochlands um den Van-See (→Van) sowie in NW-Iran und der südl. UdSSR (→Karmir-Blur).

In der Baukunst gehen die Urartäer, v. a. mit ihren zahlreichen, stark befestigten Burganlagen sowie in der Palast- und Tempelbauweise (meist Einraumtempel), im Vergleich zu den Nachbarländern eigene Wege. Die Gebäude waren mit Wandmalereien, aber auch mit Orthostaten, z. T. prachtvoll ausgestattet.

In der Bildkunst besteht die angenommene Abhängigkeit von der assyr. Kunst oft nur vordergründig. Eine Tendenz zur Abstraktion und zur Einheitlichkeit der Gestaltung ist zwar zu beobachten, aber sie läßt eine stilist. Entwicklung bisher nicht erkennen. Besondere Bedeutung erlangte die alle Bildträger umfassende Bronzekunst in groß- und kleinformatigen Rundplastiken von Mensch und Tier (z. B. die Statuette eines Greifen, angeblich aus Toprakkale), reliefverzierten Schilden, Gürteln, Helmen, Weih- und Votivgaben, ferner in Gefäßen und Geräten, bes. der Pferde- und Wagenausrüstung. Häufige Motive sind ferner Mischwesen und Götterfiguren (u. a. der Hauptgott Chaldi) sowie den Lebensbaum flankierende Genien. Stempelsiegel und eine kombinierte Form des Roll- und Stempelsiegels bezeugen eine eigenständige Siegelkunst. In der Keramik ist eine rotpolierte Ware typisch.

Der Alte Orient, hg. v. W. ORTHMANN, Propyläen Kunstgesch. 14 (1975); Urartu, Ausst.-Kat., München (1976).

Uräus|schlange [grch.], Herrschersymbol ägypt. Könige: eine sich aufbäumende Kobra, als Diadem oder Kronenschmuck getragen. In der ägypt. Mythologie richtete sich die U. an der Stirn des Sonnengottes oder an der Sonne selbst gegen die Feinde auf und vernichtet sie mit ihrem Gluthauch. Zahlreiche ägypt. Bau-

urartäische Kunst: LINKS Brustschmuck aus Silberblech, RECHTS Bronzefigur eines Greifen; beide Fundstücke aus Toprakkale bei Van; um 700 v. Chr. (Berlin-Ost, Staatl. Museen)

Uräusschlange: Wandmalerei im Grab der Königin Titi im Tal der Königinnen, West-Theben (Ramessidenzeit)

werke wurden mit einem Fries von vielen U. als Abwehrsymbol versehen.

Urbino, ital. Stadt und Erzbischofssitz in den Marken, 16 200 Ew. Bes. unter FEDERIGO DA MONTEFELTRO (seit 1474 Herzog von U., †1482) kamen viele bed. Künstler nach U. Die Stadt hat bis heute den Charakter einer Residenzstadt der Renaissance bewahrt, überragt von dem mächtigen Palazzo Ducale (Herzogspalast). Trotz unregelmäßiger und vielgliedriger Anlage stellt der Palastkomplex ein ausgeglichenes Bauensemble dar (1444 beg., seit 1468–72 unter Leitung von L. DA LAURANA, 1563 ergänzt und erweitert). An der kostbaren Innenausschmückung (u.a. das Studierzimmer ›Studiolo‹) waren u.a. MELOZZO DA FORLÌ, JOOS VAN GENT und v.a. FRANCESCO DI GIORGIO MARTINI beteiligt; im 1. und 2. Stock heute die Gal. Nazionale delle Marche, eine der bedeutendsten ital. Gemäldegalerien mit HW u.a. von PIERO DELLA FRANCESCA, RAFFAEL, TIZIAN, L. SIGNORELLI. Dom (1474–1534, durch Erdbeben 1789 zerstört, danach erneuert) mit Diözesanmus., S. Domenico (14. Jh.), S. Giovanni Battista (Ende 14. Jh., mit reicher Freskendekoration im Innern), S. Francesco (14. Jh., im 18. Jh. verändert); östlich von U. S. Bernardino degli Zoccolanti (1491 voll.; mit Grabmälern der Montefeltro). – Im Geburtshaus Raffaels (›Casa di Raffaello‹) befindet sich die 1869 gegr. ›Accademia Raffaello‹.

Urdhvalinga [Skt.], die ithyphallische Darstellung des hinduist. Gottes Shiva. U. symbolisiert meditativ gesammelte Energie, nicht sexuelle Lust.

Urfa, Hauptstadt der türk. Prov. U. in SO-Anatolien, 154 000 Ew., in hellenist. Zeit Osrhoe und **Edessa.** U. war seit 637 arabisch, seit 1094 Mittelpunkt einer lat. Gfsch., seit 1144 seldschukisch, seit 1516 (mit kurzer

Urbino: Palazzo Ducale; 1444 beg.

Unterbrechung) osmanisch; ma. Stadtbefestigung mit Zitadelle; die ›Rizvaniye (Halilurrahman) Camii‹ (Moschee des 17. Jh.) am Rand eines mit dem See Ain Zeliha verbundenen Wasserbeckens.

Ur|firnis, mit dem Pinsel auf Tongefäße aufgetragener Tonschlicker, der durch Sauerstoffregulierung während des Brandes versch. Farben annimmt. Er wurde im Neolithikum bes. Mittelgriechenlands (›neolith. U.‹) sowie in frühhellad. Zeit zur ornamentalen Bemalung (leuchtend rotorange Muster) oder zum meist matt-bräunl. Überzug von Tongefäßen verwendet.

Urhobo, Unterstamm der Sobo, der nordwestlich des Nigerdeltas zw. den Bini (im NW) und den Isoko und Ijo (im S) lebt. Die U. stellen ausdrucksstarke Ahnenfiguren her, die meist weiß, gelegentlich auch gelb und rot gefärbt werden. Gemeinsames Merkmal sind die parallel über die Stirn verlaufenden, vertikalen Schmucknarben, rechteckige Mundgestaltung sowie die meist statuarisch wirkende Konzeption, die auch bei den seltenen Mutterfiguren kaum aufgelöst wird. Die Gesichter der Masken ähneln im Stil sehr den Gesichtern der Figuren und zeigen eine gewisse Verwandtschaft mit denjenigen der Bini; sie sind meist rot und schwarz gefärbt, meist mit einem angeschnitzten Kopfputz ausgestattet und tragen gelegentlich Hörner.

Urkundenreli|efs, Sonderform der griechisch-attischen Urkundenstelen, die Vertragstexte und Ehrendekrete in öffentl. Heiligtümern bekannt machten. U. sind oberhalb des Textes mit einem Relief geschmückt, das meist die vertragschließenden Parteien, oft vertreten durch die jeweiligen Stadtgötter, darstellt; bes. häufig im 4. Jh. v. Chr. Die aufs Jahr genau datierten U. sind für die Beurteilung der Stilentwicklung hilfreich.

Urlaub, Georg Karl, Maler, *Ansbach 3. 10. 1749, †Darmstadt 26. 10. 1811, malte kleinformatige Genreszenen aus der Goethezeit, auch Motive aus dem Revolutionskrieg 1792–98.

Urna [Skt.], Haarlocke zw. den Brauen des Buddha-Antlitzes, schon auf seinen ältesten Darstellungen in der Mathura-Kunst Kennzeichen seines Wesens.

Urnammu, sumer. Herrscher (etwa 2111–2094 v. Chr.) im südl. Mesopotamien, Begründer der 3. Dynastie von Ur. Er leitete eine umfassende Bautätigkeit in den großen sumer. Städten ein, bes. eine völlige Neugestaltung der Zikkurat von Ur und, dieser entsprechend, an anderen Orten. Eine sehr fragmentar. Stele aus Ur zeigt ihn bei Opferhandlungen (jetzt Philadelphia, Univ.-Mus.).

Urnansche, sumer. König (etwa 2520–2490 v. Chr.) des Stadtstaates von Lagasch; Darstellungen auf einer Weihplatte aus Girsu (heute im Louvre) zeigen ihn mit Familie beim Tempelbau. U. war laut Inschrift auch der Name eines Sängers, dessen Sitzbild aus Mari erh. ist (Mitte 3. Jahrtsd. v. Chr., Damaskus, Nat.-Mus.).

Urne [lat.], Gefäß zur Aufnahme von Leichenbrand, meist aus Ton gefertigt, in der Bronze- und Eisenzeit auch aus Metall, i. a. reich ornamentiert; auch als Sonderformen hergestellt (→Hausurne, →Gesichtsurne).

Urnes, Ort in der Gem. Luster am Sognefjord, mit der ältesten erh. Stabkirche Norwegens (1. H. 12. Jh.). Ungewöhnlich sind die reich geschnitzten Würfelkapitelle der Säulen (Stäbe) in Schiff und Chor. Von einem früheren Kirchenbau (2. H. 11. Jh.) stammen Balken an N-Portal, N-Wand und den Giebelfeldern mit reichen Schnitzereien im ›Urnesstil‹ (stilisierte kämpfende Tiere, verschlungen mit Bandornamenten).

Ursberg, Teil der Gem. Bayersried-U., Kr. Günzburg, Bayern, mit ehem. Prämonstratenser-Reichsabtei (1125 gegr.); in der Pfeilerbasilika (1667–70 barock umgebaut, 1776–78 neu ausgestattet) bed. spätroman. Kreuzigungsgruppe (um 1230). Vierflügelige Klosteranlage (1673/74), vor der Kirche an der N-Seite das 1897–99 im Neurenaissancestil erbaute Mutterhaus.

Urschalling, Ortsteil von Prien am Chiemsee, Oberbayern; die spätroman. Jakobskirche mit barockem Zwiebelturm enthält bed. Fresken (um 1200 und um 1380), die der besterhaltene Zyklus ma. Wandmalerei in Bayern sind.

Ur-Standarte, Bez. für einen mit Einlegearbeit (Muschelkalk, Kalksteinplättchen, Lapislazuli) geschmückten Holzkasten unbekannter Bestimmung aus dem Königsfriedhof in Ur (etwa 2600–2500 v. Chr., heute London, Brit. Mus.; BILD sumerische Kunst). Die Darstellung der Längsseiten (20,3 × 48,3 cm) des Kastens ist in 3 Registern angeordnet, die von unten nach oben zu lesen waren; auf der einen Seite Schlachtszenen, auf der anderen ein kult. Festmahl. Die Schmalseiten schmücken mytholog. Szenen. Einlegearbeiten von wahrscheinlich ähnl. Gegenständen wurden auch in Kisch, Chafadji, Tell Asmar, Mari und Ebla gefunden.

Ursula, legendäre Märtyrerin, angeblich Tochter eines brit. Königs, die auf der Rückkehr von einer röm. Pilgerfahrt mit ihren 10 Gefährtinnen (vermutlich durch einen Irrtum wurden daraus später 11 000 Jungfrauen) 452 bei Köln von den Hunnen umgebracht worden sein soll. – Die Legende der Hl. U. ist in der bildenden Kunst oft dargestellt worden, bes. in Köln (→Meister der Kölner Ursulalegende). H. MEMLING schilderte sie in den Bildern des U.-Schreins (1489; Brügge, Johannesspital), V. CARPACCIO in einer Folge von 9 großen Gemälden (1490–95; Venedig, urspr. Scuola di S. Orsola, dann Accademia); TINTORETTO malte den feierl. Zug der Jungfrauen (um 1547; Venedig, S. Lazzaro). Als Anführerin der (oft kleiner oder nur andeutend dargestellten) 11 000 Jungfrauen trägt die Hl. U. häufig eine Kreuzfahne; Attribute sind außerdem Palme und Pfeil. – Die Hl. U. begegnet auch als Schutzmantelfigur.

Uruk, hebr. **Erech,** sehr alte, schon in vorgeschichtl. Zeit gegr. Stadt in Südbabylonien (KARTE Alter Orient), heute die Ruinenstätte **Warka.** U., in frühdynast. Zeit (etwa 2800–2300 v. Chr.) Sitz sagenhafter Könige wie Enmerkar, Lugalbanda, Dumuzi, Gilgamesch, in altbabylon. Zeit (etwa 2000–1600 v. Chr.) nochmals selbständig, war bed. Kultstadt der Göttin Inanna/Ischtar und des Himmelsgottes Anu. Erst im 5. Jh. n. Chr. wurde U. wegen Verlagerung des Euphratbettes aufgegeben. – Die Ruinen werden seit 1912 von dt. Archäolo-

Uruk: Wandfragment des Stiftmosaikhofes aus dem Eanna-Heiligtum: 3. Viertel des 4. Jahrtsd. v. Chr. (Bagdad, Irak-Museum)

gen erforscht, die lange Siedlungsgeschichte ist schon recht gut bekannt. Die fast kreisförmige Stadt (Ø etwa 3 km) war von einer etwa 9 km langen, um 2700 v. Chr. erbauten Mauer umschlossen. Im Mittelpunkt lagen der Tempelkomplex der Inanna/Ischtar, das Eanna, und das Heiligtum des Anu (in seleukid. Zeit Resch-Heiligtum), deren älteste Schichten in das 4. Jahrtsd. v. Chr. zurückreichen. Ein dritter großer Tempelbezirk, das Irigal der Ischtar und Nanai, ist ebenfalls seleukidisch. Die Zikkurat der Inanna geht auf eine flache Terrasse zurück, die unter URNAMMU (um 2111–2094 v. Chr.) zum Stufenturm ausgebaut wurde. Aus altbabylon. Zeit (um 1800 v. Chr.) stammt der Palast des SINKASCHID. Hervorzuheben ist der kassit. Karaindasch-Tempel (um 1420 v. Chr.), v. a. seine in Nischen gegliederte Fassade mit Figurenschmuck aus Formziegeln (BILD kassitische Kunst). In neubabylon. Zeit (8./7. Jh. v. Chr.) blühte der Kult der Ischtar auf. Aus dieser Zeit stammt das ›Festhaus‹ (140 × 140 m) etwa 500 m östlich der Stadt, in dem ein Teil des babylon. Neujahrsfestes gefeiert wurde. Aus der dichten Besiedlung in parth. Zeit ist bes. der dem Gott Gareus geweihte Tempel (um 100 n. Chr.) zu nennen. – U. ist mit seiner kontinuierl. Besiedlung und den zahlreichen Funden bes. zur mesopotam. Frühgeschichte (→Uruk-Vase, Jagdstele, Stiftmosaiken, frühe Schrifttafeln) eine für die Geschichte und Kulturgeschichte des Zweistromlandes bes. wichtige Ruinenstätte.

J. JORDAN: U. – Warka (1928, Neudr. 1969).

Uruk-Vase, 105 cm hohes, fast zylindr. Gefäß aus Alabaster, etwa 2900 v. Chr., gefunden in Uruk (jetzt Bagdad, Irak-Mus.), ein bed. Zeugnis frühsumer. Kunst. In sehr flachen Reliefdarstellungen auf 4 umlaufenden, durch verschieden breite Bänder getrennten Friesen wird die Weltsicht der Frühzeit erkennbar: Über dem Wellenband des Wassers wachsen Pflanzen (Getreide), darüber wird in Gestalt von Mutterschafen und Widdern die Fauna verdeutlicht. Im 3., breit abgesetzten Fries folgt der Mensch, nackte Figuren, die Gaben bringen; im obersten Fries erscheint die Gottheit (wohl Inanna), vor ihr der Priesterfürst mit Diener und Gabenträger.

Urushi-e [-ʃi-, japan. ›Lackbilder‹], die mit glänzender Tusche, Goldstaub u. a. Metallpulvern auf Leimgrund handkolorierten Holzdrucke (Umrißdrucke), die in Japan etwa zw. 1720 und 1745, vor Aufkommen des Mehrfarbendrucks (→Farbholzschnitt), entstanden.

Ury, Lesser, Maler, *Birnbaum (ehem. Prov. Posen) 7. 11. 1861, †Berlin 18. 10. 1931, seit 1887 ebd. tätig. Seine fläm. und märk. Landschaften zeichnen sich wie seine späteren Berliner Straßenbilder und Interieurs durch ungewöhnl. Motivwahl und neuartige Kompositionsprinzipien aus. Die Farb- und Lichtbehandlung (auch in den Schatten) erweisen ihn als einen der frühesten Vertreter des dt. Impressionismus.

Usạdba [russ. ›Gut‹, ›Gehöft‹], Architekturanlage, bestehend aus Wohnbauten, Wirtschaftsgebäuden und Gartenanlagen, die sich in der 2. H. des 18. Jh. in der charakterist. Gestalt der Landsitze des russ. Adels herausbildete, u. a. →Ostankino, Kuskowo und →Archangelskoje bei Moskau.

Uschakọw, Ušakov, Simon (Pimen) Fjodorowitsch, russ. Maler, *Moskau 1626, †ebd. 25. 6. 1686, seit 1664 ›Maler des Zaren‹; schuf Wandmalereien und Ikonen, in denen sich bei noch ikonenhafter Gesamtauffassung bereits realist. Züge in der Wiedergabe von Architektur u. ä. finden.

HW: Wandmalereien in der Dreifaltigkeitskirche in Nikitniki (1659); Ikone ›Stammbaum des russ. Reiches‹ (1668; Moskau, Tretjakow-Gal.).

Uschebti
des Padineith, aus Theben,
grüne Fayence,
um 560 v. Chr.;
Höhe 14,5 cm
(Basel, Sammlung des Ägyptolog. Seminars)

Uschẹbti, kleine mumiengestaltige Figuren (14 bis 20 cm groß), die die Ägypter seit dem Mittleren Reich ihren Toten mitgaben, oft in großer Zahl (bis zu 400) und in versch. Materialien (Fayence, Ton, Holz oder Stein). Sie sind als Abbild des Toten gedacht und sollen ihn im Jenseits ersetzen, wenn er dort zu einer Arbeit aufgerufen wird. Häufig sind die U. beschriftet mit einem Spruch des Totenbuchs sowie mit Name und Titel des Verstorbenen.

Ushnịsha [-ʃ-, Skt.], der Deckstein von Steinzäunen indischer Kultbauten, ferner der Turban von Götter- und Herrscherdarstellungen sowie die Erhebung auf dem Kopf von Buddhafiguren, urspr. dessen Asketenhaarschopf, später umgedeutet als Knochenauswuchs.

Ussé [ys'e], Schloß (15.–17. Jh.) am Indre, im frz. Dép. Indre-et-Loire, mit großer Innentreppe (17. Jh.) und guter Innenausstattung (Möbel, Wandteppiche); im Park Renaissance-Kapelle (16. Jh.) mit reicher Innendekoration.

Ústí nad Labem ['u:stji: n'adlabɛm], →Aussig.

Usuki, Stadt in Japan, im SO von Oita auf Kyushu, 40 000 Ew. Die Struktur der ehem. Burgstadt ist noch gut erkennbar; von der Burganlage sind Mauern und Wallanlagen erh. Etwa 8 km westlich liegt der Tempel Mangetsu-ji. Zu ihm gehören mehr als 60 Buddha-Skulpturen, die zw. dem 9. und 12. Jh. nach chines. Vorbild (offensichtlich unter korean. Einfluß) aus dem anstehenden Fels herausgehauen wurden (in Japan seltene Art der Buddha-Darstellung). BILD S. 107.

Utagawa-Schule, japan. Schule von Holzschnittzeichnern für das Ukiyo-e, im späten18. Jh. von U.

Usuki: Buddha-Skulpturen

TOYOHARU I (*1733, †1814) gegr., die zentralperspektiv. Raumdarstellung für den Holzschnitt einführte, bis Ende des 19. Jh. Bestand hatte und 185 Meister umfaßt haben soll, deren bedeutendster →Toyokuni ist.

Utamaro, Familienname **Kitagawa,** japan. Maler und Zeichner für den Farbholzschnitt, *Kawagoe (auf Honshu) 1753, †Edo 1806, veröffentlichte zw. 1788 und 1790 zeichnerisch und drucktechnisch hervorragende Bücher mit Bildern aus dem Naturleben (Insekten-, Muschel- und Vogelbuch), aber auch Landschaften (›Silberwelt‹; Faltbuch mit Schneelandschaften). Nach 1790 entstanden bed. Holzschnitte mit Halbfigur-, Porträtkopf- und Gruppenbildern schöner Frauen (Binjin-ga), Kurtisanen, Mütter und Mädchen aus dem einfachen Volk, in realist. Alltagsszenen, mit

Utamaro: Yamauba mit dem Riesenkind Kintoko auf dem Rücken, ihr Haar kämmend; Farbholzschnitt

Anmut, psycholog. Tiefblick und kultivierter Erotik dargestellt. – U.s Holzschnitte wurden bereits 1889 durch eine Ausstellung in Paris in Europa populär, seine Gemälde wurden hier jedoch nur wenig bekannt.

Utika, Utica, die älteste von den Phönikern an der N-Küste Afrikas gegr. Stadt, nordwestlich von Karthago. Nach der Zerstörung Karthagos 146 v. Chr. wurde U. Hauptstadt der röm. Prov. Africa; Reste aus röm. Zeit (Häuser mit Mosaikschmuck, Amphitheater), punische Gräber.

Utrecht ['y:trɛxt], Hauptstadt der niederländ. Prov. U., 236 100 Ew., eine röm. Gründung **(Traiçctum ad Rhenum),** Sitz eines kath. und eines altkath. Erzbischofs sowie einer 1636 gegr. Univ.

Der Dom im Mittelpunkt der vom alten Wallgraben umgebenen Altstadt, urspr. eine fünfschiffige got. Basilika (1254 beg.), besteht nach Zerstörung des Langhauses durch einen Orkan (1674) aus dem 112 m hohen freistehenden W-Turm sowie dem Chor mit Kapellenkranz und Querschiff; er zeigt als einzige niederländ. Kirche enge Verwandtschaft mit den frz. got. Kathedralen. Der südlich an den Dom anschließende Kreuzgang führt zum ehem. Kapitelsaal (um 1450), der heute die Aula der Univ. beherbergt. Roman. Kirchen sind St. Pieter (1043), eine dreischiffige kreuzförmige Basilika mit Säulenkrypta, Chor und Querschiff gotisch umgebaut (Ende 13. Jh.), die beiden Türme 1674 zerstört, die urspr. sehr ähnl. St. Jan, die 1508–39 einen spätgot. Chor und nach 1674 eine neue W-Fassade erhielt, sowie St. Nicolaas (12. Jh.), die im 15. Jh. gotisch umge-

Maurice Utrillo: ›Le Lapin agile‹; 1910 (Paris, Centre Pompidou)

baut wurde, in der zweitürmigen W-Fassade aber den roman. Charakter bewahrt hat. Spätgotisch sind St. Jacob (14./15. Jh.), Buurkerk (15./Anf. 16. Jh.) und St. Catharina (um 1470–1551). Viele alte Profanbauten sind erh., so Huis Oudaen (um 1300), Huis Zoudenbalch (1467–68), das für Papst HADRIAN VI. 1517 gebaute Paushuize, Fleischhalle (1637) und zahlreiche Wohnhäuser, bes. an den Grachten. Das Rathaus aus 3 ma. Häusern erhielt 1824–47 eine klassizist. Fassade. Ein Beispiel der ›De Stijl‹-Architektur ist das Haus Schröder von G. RIETVELD (1924). – Centraal Mus. mit bed. Gemäldesamml. (bes. 16., 17. und 20. Jh.).

Utrecht-Psalter, Hs. des 9. Jh. aus der →Reimser Schule, seit 1718 in der Univ.-Bibl. Utrecht; enthält eine Fülle von Federzeichnungen, die, frisch und geistreich erzählend skizziert, den Text illustrieren.

SUZY DUFRENNE: Les illustrations du Psautier d'Utrecht. Sources et apport Carolingien (Paris 1978).

Utrillo [utr'iʎo], Maurice, frz. Maler, *Paris 26. 12. 1883, †Dax oder Paris 5. 11. 1955, begann unter Anleitung seiner Mutter S. →Valadon zu malen. Seine Bilder von Straßen, bes. des Montmartre, dörfl. Vorstädten und Kathedralen, die er nach der Natur, aus der Vorstellung, auch nach Postkarten malte, fesseln durch ihre naive Sachlichkeit und den Stimmungsreiz ihrer Farben. Anfangs an die Malweise C. PISSARROS erinnernd, gewinnen die Bilder ab etwa 1907 mit satter, schwerer, oft düsterer Farbigkeit und strengem Bildaufbau ihre Eigenart. Für S. DIAGHILEWS ›Ballets Russes‹ entwarf U. 1926 Kostüme und Bühnenbilder. (BILD S. 108)

M. U. – Suzanne Valadon, Ausst.-Kat., München (1960); A. WERNER: U. (1967); J. FABRIS u. a.: U. Sa vie, son œuvre (Paris 1983).

Utstein ['ʊtsteɪn], ehem. Augustinerkloster auf der Insel Mosterøy bei Stavanger, die besterhaltene Klosteranlage Norwegens (2. H. 13. Jh.), bis 1965 restauriert und z. T. rekonstruiert.

Utzon, Jörn, dän. Architekt, *Kopenhagen 9. 4. 1918, arbeitete 1940 bei A. AALTO in Helsinki. U. gewann 1956 den 1. Preis im Wettbewerb für das Opernhaus in Sydney (1957–66, 1973 durch andere fertiggestellt). In Dänemark wurde U.s Arbeit grundlegend für neue Siedlungsformen (Wohnsiedlungen in Helsingør, 1956, und Fredensborg, 1962).

Uvdal, →Nore og Uvdal.

Uwajima [-dʒi-], Stadt in Japan, im W der Insel Shikoku, 72 000 Ew., ehem. Burgstadt mit gut erh. Burganlage. Das dreigeschossige Turmgebäude (1665) gehört zu den wenigen noch original erh. in Japan. Der Landschaftsgarten Tensha-en wurde im 18. Jh. von dem lokalen Fürsten als Wandelgarten angelegt.

Uxmal [uʃm'al], Zeremonialzentrum der Maya in Yucatán, Mexiko, aus der späten klass. Epoche (600 bis 900). Es umfaßt ein Areal von 600 × 1000 m mit mehreren (z. T. restaurierten) Gebäudekomplexen (palastähnl. Gebäude, Pyramiden), die auf künstl. Plattformen unterschiedl. Höhe stehen und – typisch für U. – um einen Innenhof gruppiert sind. Die Fassaden sind hauptsächlich mit Steinmosaiken, Chac-Masken,

Uxmal: »Pyramide des Wahrsagers« (von NW), 38 m hoch

Schlangen- und geometr. Motiven im →Puuc-Stil dekoriert. Die Hauptgruppe bilden die 4 Bauten des (von den Spaniern so genannten) ›Nonnenvierecks‹; die Fassadendekoration des Südbaus zeigt über den 8 Türöffnungen die Darstellung der hier früher und auch heute noch üblichen Maya-Häuser. Die ›Pyramide des Wahrsagers‹ wurde mehrfach überbaut und ist mit ihrem ovalen Grundriß in der Maya-Architektur einmalig. Eindruckvollstes Gebäude ist der auf einer riesigen Plattform gelegene Gouverneurspalast (98 m lang, 12 m breit, 8 m hoch) mit 3 m hohem dekorativen Mosaikfries. Hieroglypheninschriften finden sich auf den Ringen des Ballspielplatzes und auf den 14 Stelen, die konzentriert auf einer Plattform aufgestellt sind.

Uytewael [ˈœjtəwa:l], Joachim, niederländ. Maler, →Wtewael.

Uyttenbroeck, Wttenbroek [ˈœjtənbru:k], Moyses van, holländ. Maler und Radierer, *Den Haag um 1590, †ebd. 1648, malte, von A. ELSHEIMER ausgehend, ideale Landschaften mit bibl. oder mytholog. Staffage, schuf auch Radierungen und Holzschnitte; gehört zu den Vorläufern REMBRANDTS.

Uzès [yzˈɛs], Gem. im frz. Dép. Gard, nördlich von Nîmes, 7400 Ew.; Schloß der Herzöge von U. (14. bis 16. Jh.) mit Tour Bermonde (11. Jh., ehem. Donjon) und Renaissancefassade; Kathedrale (17. Jh.) mit zylindr. Tour Fénestrelle (12. Jh.).

V

Vä, Gem. im südschwed. Län Kristianstad; die Kirche (12. Jh.), urspr. Prämonstratenser-Klosterkirche, entstand unter Einfluß des Doms in Lund; in Chor und Apsis roman. Fresken (Ende 12. Jh.).

Vác [va:ts], Stadt in Ungarn, →Waitzen.

Vadder [f-], Lodewijk de, fläm. Maler, getauft Brüssel 8. 4. 1605, begraben ebd. 10. 8. 1655, schuf locker gemalte, farbfrische Landschaften, meist mit baumbestandenen Hohlwegen, nach Motiven aus der Gegend von Brabant; außerdem Kartons für Bildteppiche.

Vadodara, Baroda, Stadt in Gujarat, Indien, 733 700 Ew.; mit bed. Museen. Mus. and Picture Gal.: Skulpturen aus Samalaji, jinist. Bronzen aus Akota u. a.; Univ.-Mus.: Grabungsfunde aus Devni Mori. Zu den ältesten erh. Monumenten der Stadt zählt der Stufenbrunnen Naulakhi Vav (um 1405).

Vadstena [v'a: dste: na], maler. Kleinstadt am Vättersee, Schweden, mit dem Mutterkloster des Birgittenordens. Die ehem. Klosterkirche, heute Pfarrkirche (1395–1430), eine dreischiffige Halle, ist in ihrer Nüchternheit ein typ. Beispiel für den Kirchenbau des Ordens; Birgittenaltar (1459) und Triumphkreuz (um 1500) sind Lübecker Arbeiten. Schloß (1545 beg.) im frz. Renaissancestil, mit dekorativen Hauptportalen (1563) und Schmuckgiebeln in niederländ. Renaissance (1605 und 1620).

Vaduz [f-], Hauptstadt des Fstt. Liechtenstein, 4900 Ew. Das ma. Schloß wurde 1905–12 als fürstl. Wohnsitz wiederhergestellt; aus dem 12. Jh. erh. sind Bergfried und Kapelle (mit Flügelaltären und Holzskulpturen des 15. Jh.). Bed. Staatl. und Fürstl. Kunstsamml.

Vaga, Pierin (auch Perin) del, eigtl. Pietro **B(u)onaccorsi,** ital. Maler, *Florenz 28. 6. 1501, †Rom 14. 10. 1547, Schüler von RAFFAEL, dessen Stil er mit dem MICHELANGELOS verband. V. malte dekorative Fresken, deren bewegte Gestalten von manierist. Eleganz sind.

HW: Mitarbeit an Raffaels Loggien im Vatikan; Fresken und Stukkaturen im Palazzo Doria-Pamphili in Genua; dekorative Malereien in der Engelsburg in Rom; Decke der Sala Regia des Vatikans.

Vågå [v'o: go:], Gem. im nördl. Gudbrandsdal, Norwegen. Die Kirche (1270 gew., im 17. Jh. umgebaut) hat Portale und verzierte Wandbalken der urspr. Stabkirche bewahrt; Taufstein Mitte 11. Jh.

Vahana [Skt.], Symbol- oder Reittier ind. Gottheiten, das ihnen nach mythologisch-ikonograph. Kanon unveränderlich zugeordnet ist und somit zur sicheren Identifizierung der Gottheit dient.

Vai, kleine Volksgruppe im Küstengebiet von Sierra Leone. Die V. sind, wie die benachbarten Mende, De, Gola und Temne, durch ihre bündischen Organisationen bestimmten Maskentraditionen verpflichtet. Die weibl. Stülpmasken tragen auf der eigtl. Maske einen kleinen Kopf, der auf einem langen Hals mit zahlreichen Wülsten sitzt und die gleichen Gesichtszüge aufweist wie die Maske; die männl. Masken haben kein Gesicht, dafür aber ebenfalls oben einen Kopf.

Vaikuntha Vishnu [-ʃ-, Skt.], die v. a. in Kaschmir im 9.–12. Jh. übl. Darstellung des hinduist. Gottes Vishnu als vierköpfige Gestalt auf seinem Reittier Garuda. Aus seinen Schultern entspringen ein Löwen- und ein Eberkopf, auf der Rückseite ist ein dämon. Gesicht.

Vaillant [vaj'ã], niederländisch-frz. Maler- und Radiererfamilie des 17. Jh. Ihr bekanntestes Mitgl. ist Wallerant V., getauft Lille 30. 5. 1623, begraben Amsterdam 2. 9. 1677, Porträtmaler, schuf über 200 Schabkunstblätter, auch nach fremden Vorlagen.

Vairochana, Vairocana [Skt.], im buddhist. Pantheon des Tantrayana der zentrale Tathagata (Dhyanibuddha). Auf einem Löwenthron sitzend, die Hände in Dharmachakramudra haltend, wird er im Mandala mit weißer Hautfarbe dargestellt. Er verkörpert das makrokosm. Element Äther.

Vajra

Vaison-la-Romaine [vɛz'ɔ̃ la rom'ɛːn], Gem. im frz. Dép. Vaucluse, 5200 Ew. Von der galloröm. Stadtanlage Vasio auf dem rechten Ufer der Ouvèze blieben u. a. Theater, Säulenhalle, Peristyl- und Atriumhäuser, Brücke über die Ouvèze erh.; im Archäolog. Mus. Ausgrabungsfunde. Ehem. Kathedrale (dreischiffige Basilika des 12. Jh. im Stil der Provenzal. Bauschule, auf merowing. Vorgängerbau errichtet) mit Kreuzgang (11./12. Jh.); Kapelle St. Quentin (12. Jh., im 17. Jh. erneuert); Ruine des Schlosses der Grafen von Toulouse (12. und 15. Jh.).

Vaivahikamurti [Skt.], auch **Kalyanasundara,** die Darstellung der Hochzeit der hinduist. Gottheiten Shiva und Parvati mit Vishnu als Brautführer und Brahma als Priester; bed. Felsreliefs in Elephanta und Elura.

Vajra [v'adʒra, Skt.], der Donnerkeil, Attribut des ind. Gottes Indra, auch des Bodhisattva Vajrapani und des Tathagata Akshobhya. V. hat die Form eines beidseitig spitz zulaufenden Strahlenbündels. In der Tantra-Kunst symbolisiert V. das männl. Prinzip.

Vajrapani [vadʒra-, Skt.], der den Vajra tragende Begleiter des Buddha, in der Gandhara-Kunst als Bärtiger in Fellkleidung dargestellt; im Tantrayana gilt er als Emanation des Tathagata Akshobhya.

Vajrayana [vadʒra-], der Buddhismus der tantr. Schule, →Tantrayana.

Valadier [valadj'e], Giuseppe, ital. Baumeister, *Rom 14. 4. 1762, †ebd. 1. 2. 1839, der bedeutendste Baumeister des Klassizismus in Italien; auch als Stadtplaner tätig.

HW (in Rom): Ausgestaltung der Parkanlage auf dem Pincio mit der ›Casina Valadier‹ (1809–14); Neugestaltung der Piazza del Popolo (1816 beg.).

Valadon [valad'ɔ̃], Suzanne, eigtl. Marie-Clémentine V., frz. Malerin, *Bessines-sur-Gartempe bei Limoges 23. 9. 1865, †Paris 19. 4. 1938, Mutter von M. →Utrillo, kam, von E. Degas, H. Toulouse-Lautrec, A. Renoir u. a. gefördert, zur Malerei. Sie schuf, angeregt von Degas und P. Gauguin, v. a. Gemälde (Akte, Figurenbilder, Landschaften, Stilleben) von strenger

Suzanne Valadon: Weiblicher Akt; 1922 (Paris, Musée d'Art Moderne de la Ville)

Linienführung und kräftigen, kontrastierenden Farben sowie Zeichnungen.

Maurice Utrillo – S. V., Ausst.-Kat., München (1960).

Val Camonica, Tallandschaft in den ital. Alpen westlich der Adamello-Gruppe, zw. Tonalepaß und Iseosee, 81 km lang, vom Oglio durchflossen. Bei Capo di Ponte finden sich mehrere tausend vorgeschichtl. Felszeichnungen der Bronze- und Eisenzeit. Die in den Stein gehämmerten und gravierten Bilder mit Motiven aus dem häusl. Leben, der Jagd, dem Hirtentum, Feldbau und Kult (über 170 000 Einzeldarstellungen) sind in einem archäolog. Park zugänglich und von der UNESCO 1979 zum Weltkulturerbe erklärt worden.

E. Anati: Capo di Ponte, centro dell 'arte rupestre Camuno (Capo di Ponte [5]1974). – Ztschr.: Bollettino del Centro Camuno di Studi Preistorici (seit 1965).

Valckenborch [f-], Lucas van, niederländ. Maler, *Löwen um 1530, begraben Frankfurt a. M. 2. 2. 1597, tätig in Mecheln, Lüttich, Aachen, Linz, seit 1593 in Frankfurt, schuf, von P. Bruegel d. Ä. ausgehend, kleinformatige Phantasielandschaften, die häufig topograph. Motive enthalten. V. malte auch Veduten und Porträts. – Sein Bruder Martin (*Löwen 1535, begraben Frankfurt am Main 27. 1. 1612; tätig in Mecheln und Dtl., bes. in Frankfurt) und dessen Söhne Frederik (*Antwerpen um 1565/66, †Nürnberg 1623; meist in Nürnberg tätig) und Gillis (*Antwerpen um 1570, †Frankfurt am Main 1622; v.a. in Frankfurt tätig) arbeiteten in seiner Art.

Valdediós [balðeði'ɔs], span. Ort rd. 30 km östlich der Stadt Oviedo, Asturien. Innerhalb des von Alfons IX. von Asturien 1218 gestifteten Benediktinerklosters blieb die quadrat. schmucklose Kirche S. Salvador erh. (893 gew.); ihre Kapitelle mit Pflanzenmotiven und die hufeisenförmigen Fenster aus durchbrochenem Mauerwerk (Celosías) zeigen mozarab. Einfluß.

Valdemars Schloß, vom dän. König Christian IV. 1639–44 auf der kleinen Insel Tåsinge errichtetes Schloß, ein dreiflügeliger Backsteinbau der Renaissance, Ende 17. Jh. und Mitte 18. Jh. umgebaut; Rokoko-Einrichtung, Porträt-Samml.

Valdés Leal [balð'ez-], eigtl. Juan **de Nisa,** span. Maler, Radierer, *Sevilla 4. 5. 1622, †ebd. 15. 10. 1690, letzter bed. Meister der barocken Malerei Sevillas; lernte in Córdoba bei A. DEL CASTILLO Y SAAVEDRA, seit 1656 in Sevilla nachweisbar. Nach seinem Vorbild J. DE LAS ROELAS malte er relig. Szenen voller Bewegung und Leidenschaft, die von Todes- und Vanitasgedanken durchdrungen und bisweilen zu einem extremen Naturalismus gesteigert sind (2 Wandbilder für das Hospital de la Caridad in Sevilla: ›Triumph des Todes‹ und ›Allegorie der Vergänglichkeit‹, 1672; letzteres heute in Hartford, Connecticut).

Valdivia, die älteste Kultur im Gebiet von Ecuador (nach dem Ort V. an der SW-Küste), 2500–1500 v. Chr., der auch die älteste in Amerika gefundene Keramik zugeschrieben wird. Zur Entstehung und Herkunft der Keramik gibt es versch. Theorien. Neben Gefäßen wurden auch Figurinen gefunden, nackte weibl. Gestalten mit hoch aufgetürmten Frisuren. Bei den Gefäßen, Tonkrügen oder -schalen, manche mit 4 kleinen Standfüßen, ist die Oberfläche geglättet oder poliert, in versch. Relieftechniken (meist nur am oberen Rand) verziert; sie haben z. T. auch aufgeformte Schmuckelemente, grauschwarz oder mit rotem Farbüberzug.

D. LATHRAP: Ancient Ecuador. Culture, clay and creativity 3000–300 BC (Chicago 1975).

Valençay [valãs'ɛ], Stadt im frz. Dép. Indre, südöstlich von Blois, 3200 Ew.; Renaissance-Schloß mit mächtigem Mittelpavillon (›Tour Vieille‹, auch ›Donjon‹ gen., um 1540) und S-Flügel (17. Jh.), seit 1803 im Besitz des frz. Staatsmanns C. M. DE TALLEYRAND; prächtige Innenausstattung.

Valence [val'ãs], Hauptstadt des frz. Dép. Drôme, am linken Ufer der Rhône, 70300 Ew.; kath. Bischofssitz. Roman. Kathedrale (11./12. Jh., im 17. Jh. erneuert), Grabkapelle von 1548 (›le Pendentif‹) und mehrere Häuser aus dem 16. Jh.; im ehem. Bischofspalast (16. Jh.) Mus. (Gemäldegal. mit Zeichnungen H. ROBERTS).

Valencia [bal'enθia], span. Stadt und Erzbischofssitz, 3 km vom Mittelmeer am Turia, 767000 Ew. V., eine grch. oder phönik. Gründung, das röm. **Valentia,** wurde 1021 zus. mit dem Küstengebiet ein selbständiges maur. Kgr.; 1094 vom Cid erobert, fiel es 1102 wieder an die Mauren, 1238 an Aragón, blieb aber ein eigenes Kgr., das in Personalunion mit Aragón verbunden war; 1702 verlor es seine Sonderrechte. Von der ma. Stadtummauerung blieben die Tore Torres de Serranos und Torres de Cuarte aus dem 14. und 15. Jh. erh. Die

Kathedrale La Seo (1262–1482, an der Stelle eines antiken Tempels, dann einer Moschee erbaut) besitzt ein skulptiertes roman. Bogenportal, got. Fensterrose, 51 m hohen got. Glockenturm ›Miguelete‹, zweigeschossige Renaissance-Gal. an der Außenapsis und eine barocke Hauptfassade (1703); im reichgeschmückten Innern bed. Altargemälde (V. J. MASIP D. Ä., F. DE LLANOS und F. YÁNEZ DE ALMEDINA) und Mus. (Werke von F. GOYA, F. DE ZURBARÁN u. a.). Zahlreiche Kirchen und Klöster der Gotik (oft barockisiert) und v. a. des Barock bestimmen das Stadtbild, z. B. S. Nicolás (17. Jh.; im Innern Altargemälde von V. J. MASIP D. J.). Aus der Renaissance das Real Colegio del Patriarca (oder del Corpus Christi; 1586–1610), mit arkadengeschmücktem Innenhof, der Kirche Corpus Christi (Altargemälde von F. RIBALTA) und Mus. (fläm. Wandteppiche des 16. Jh., Gemäldesamml. mit Werken von EL GRECO, D. BOUTS u. a.). Bed. Profanbauten sind die Lonja de la Seda (Seidenbörse, 1498; prächtige Holzkassetten-Decke), Palacio de la Generalidad (1510–79, das ehem. Abgeordnetenhaus des Kgr. V.), Palacio del Marqués de Dos Aguas (18. Jh.; heute Nat.-Mus. für Keramik mit über 5000 Exponaten aus der Samml. Gónzalez Martí). Im ehem. Kloster S. Pío V. das Provinzialmus. mit Werken v. a. valencian. Meister (u. a. F. RIBALTA).

Valenciennes [valãsj'ɛn], Stadt im frz. Dép. Nord, an der Schelde, 43 200 Ew. V., das eine alte kulturelle Tradition hat und im 18. Jh. den Beinamen ›L' Athènes du Nord‹ trug, wurde im 2. Weltkrieg fast ganz zerstört. Das Mus. des Beaux-Arts besitzt eine reiche Samml. von Gemälden, u. a. der fläm. Schule und von A. WATTEAU, sowie Skulpturen von J.-B. CARPEAUX.

Valentin de Boul(l)ogne [valãt'ɛ̃ dəbul'ɔɲ], frz. Maler, *Coulommiers 1594, begraben Rom 20. 8. 1632, kam 1613 nach Rom, wo er in der Art der Nachfolger CARAVAGGIOS außer relig. Bildern großformatige Genreszenen mit Kartenspielern und Soldaten malte. Seinen in kräftigen Hell-Dunkel-Kontrasten unter starker Verwendung von Schwarz gemalten Bildern ist eine gewisse Traurigkeit eigen, die auch die vom Thema gegebene Bewegung in eine elegische Ruhe verwandelt.

Valeur [val'øːr, frz.], Malerei: Tonwert einer Farbe. **Valeurmalerei,** Malerei mit nuancierten Farbabstufungen, um Licht, Schatten und farbige Reflexe zu veranschaulichen; spielt eine Rolle bei Darstellungen mit Luft- und Farbperspektive (→Perspektive).

Vạlkenauer [f-], Hans, österr. Bildhauer, *Regensburg (?) um 1448, †nach 1518, erhielt 1479 das Bürgerrecht in Salzburg, schuf Grabsteine und Epitaphien, v. a. ein im Auftrag Kaiser MAXIMILIANS I. 1514 beg. Gedächtnismal für die in Speyer bestatteten dt. Kaiser und Könige (unvollendet; Fragmente in Salzburg, Städt. Mus.). – V. war der Hauptmeister der spätgot. Plastik in Salzburg.

Valladolid [baʎaðɔl'iθ], span. Provinzhauptstadt und Erzbischofssitz am Pisuerga, Altkastilien, 313 000 Ew. V. entwickelte sich seit dem späten 11. Jh. zu einer bed. Stadt, wurde im 13. Jh. Residenz kastil., später der span. Könige. Die Bauten stammen v. a. aus dem späten 15. und dem 16. Jh., häufig mit Schmuckformen des Isabellin. und des Platereskenstils, v. a. an den reichdekorierten Fassaden. Das Colegio de S. Cruz (1487–91) besitzt die früheste span. Renaissancefassade; die retabelartige Fassade der Kirche des Colegio de S. Gregorio (1487–96) gehört zu den HW des Isabellinischen Stils (Bild), ebenso der zweistöckige Innenhof mit Arkadengalerien auf gedrehten Säulen und die Fassade der Klosterkirche S. Pablo (von S. de Colonia, 1485 bis 1491). Die Kathedrale wurde um 1585 von J. de Herrera im strengen Desornamentado-Stil beg., 1730 von A. Churriguera fortgesetzt, bis heute nicht voll. (im Innern Altarretabel von J. de Juni, 1562 voll.). Zahlreiche Paläste, bes. Palacio de Ribadivía (16. Jh.) und der ehem. Königspalast (mit zweistöckigem Innenhof, 1535). – Bed. Nat.-Mus. für Skulptur im Colegio de S. Gregorio mit Samml. von Estofado-Skulpturen des 16. und 17. Jh. (J. de Juni, A. Berruguete, G. Hernández u. a.).

Vallée [val'e], Jean de la, französisch-schwed. Baumeister, *1620, †Stockholm 9. 3. 1696, studierte in Paris und Rom, führte den ital. Barock in Schweden ein. V. war v. a. für den schwed. Adel tätig (die Palais Bonde, Oxenstierna und Wrangel in Stockholm, die Landhäuser Mariedal, Fullerö). Er beendete auch den Bau des von seinem Vater Simon beg. Ritterhauses in Stockholm und baute seit 1656 die Katharinenkirche ebd. als erste nord. Zentralkuppelkirche. V. prägte mit N. Tessin d. Ä., mit dem er z. T. zusammenarbeitete (z. B. Skokloster, Bild), die schwed. Baukunst seiner Epoche.

Vallet [val'ɛ], Édouard, schweizer. Maler, Graphiker, *Genf 12. 1. 1876, †Cressy-Onex bei Genf 1. 5. 1929, lebte meist im Wallis, dessen Landschaft und Volk er in ausdrucksvoll vereinfachendem, von F. Hodler beeinflußtem Stil darstellte.

Valletta, amtlich **il-Belt Valetta,** früher **La Valetta,** Hauptstadt der Rep. Malta, an der NO-Küste der Insel Malta, 14000 Ew.; Erzbischofssitz. V. wurde 1566 unter dem Großmeister des Johanniterordens Jean de la Valetta gegr. und nach einheitl. Stadtplan mit rechtwinklig sich kreuzenden Straßen angelegt, von mächtigen Befestigungsanlagen umgeben; Kathedrale (1573 bis 1577, mit in den Fußboden eingelassenen, mit Wappen geschmückten Grabsteinen der Ritter und barokken Grabdenkmälern vieler Großmeister), Palast des Großmeisters (1574), Häuser der einzelnen Landsmannschaften der Ordensritter: Albergo di Provenza (heute Nat.-Mus., mit prähistor. Funden und Pinakothek mit zahlreichen Gemälden von M. Preti), Albergo d'Italia, Albergo di Castiglia u. a.

Vallgren [v'algre:n], Ville, finn. Bildhauer, *Borgå 15. 12. 1855, †Helsinki 13. 10. 1940, lebte 1877–1913 in Paris; beeinflußt u. a. von A. Rodin, schuf er Bronzeplastiken, Denkmäler, Porträtbüsten (A. Strindberg, 1884) und Keramikstatuetten, für Helsinki den Springbrunnen ›Havis Amanda‹ (1908). In Borgå besteht seit 1925 ein V.-Mus.

Vallin de la Mothe [valɛ̃dəlam'ɔt], Jean-Baptiste Michel, Baumeister frz. Herkunft, †Angoulême 1729, †ebd. 7. 5. 1800, war 1759–75 in Rußland, v. a. in St. Petersburg, tätig; baute in klassizist. Formen. Als Prof. (seit 1759) an der St. Petersburger Akad. bildete er eine ganze Generation russ. Baumeister aus.

HW: St. Petersburg: Kath. Katharinenkirche auf dem Newskij-Prospekt (1763–83); Kleine Eremitage am Winterpalais (1764–67); Akad. der Künste (1764–88).

Vallotton [valɔt'ɔ̃], Félix, frz. Maler und Graphiker schweizer. Herkunft, *Lausanne 28. 12. 1865, †Paris 29. 12. 1925, ebd. seit 1882 tätig; trat zuerst mit Illustrationen für Ztschr. (›Revue Blanche‹) und mit Holzschnitten hervor, deren klare, flächenhaft dekorative Formgebung den Jugendstil wie den Expressionismus beeinflußte. Als Maler schloß V. sich zunächst den Nabis an, doch führte sein ausgeprägter Wirklichkeitssinn ihn zu einer eigenwilligen Verbindung von Jugendstil-Ornament und Naturtreue und, bes. in seinen weibl. Akten, starker Plastizität, die Aspekte der Neuen Sachlichkeit vorwegnimmt.

M. Vallotton u. C. Goerg: F. V., Catalogue de l'œuvre gravé et litographé (Genf 1972); V., hg. v. G. Busch u. a. (1982).

Félix Vallotton: La Paresse; Holzschnitt, 1896

Valltorta-Schlucht [baʎ-], steilwandiges Trockental bei Albocacer in der span. Prov. Castellón. Hier, wie in der nahe gelegenen Gasulla-Schlucht, finden sich in Felsnischen zahlreiche nacheiszeitl. Felsbilder mit Darstellungen von Jagd- und Kultszenen (→Levantekunst).

Valona, Stadt in Albanien, →Vlorë.

Valori Plastici [-tʃi, ital. ›plastische Werte‹], ital. Kunst-Ztschr., gegr. 1918 in Rom von dem Maler M. Broglio (*1891, †1948); erschien bis 1922. In ihr äußerten zunächst die Maler der →Pittura Metafisica ihre theoret. Grundsätze, begründeten bald ihre Wendung zum Neoklassizismus, der in das Novecento mündete. Als Ziel wurde die Wiedereinführung ›plastischer Werte‹ und eine Hinwendung zur konstruktiven Klarheit der Frührenaissance angesehen. Zum Kreis um V. P. gehörten u. a. C. CARRÀ, F. CASORATI, G. DE CHIRICO, G. SEVERINI und G. MORANDI.

Valsainte, La V. [-vals'ɛ̃t], Kartäuserkloster bei Greyerz im schweizer. Kt. Freiburg, bestand 1295 bis 1778, neu gegr. 1861; Bauten meist 1729–34. Die gut erh. Anlage, in der jeder Mönch ein kleines Haus mit Garten bewohnt, ist ein typ. Beispiel des Klosterbaus der Kartäuser (→Kloster).

Valsamọnero, Kloster in Mittelkreta am S-Hang des Ida-Gebirges (KARTE kretisch-mykenische Kunst), mit der Kirche Hagios Fanourios (13./15. Jh.), deren reicher Freskenschmuck der Qualität der Wandmalereien von Kritsa gleichkommt.

Vạltice [-tsɛ], Stadt in der ČSSR, →Feldsberg.

Vạmana [Skt.], Verkörperung des hinduist. Gottes Vishnu als Zwerg, der sich anschließend zur Riesengestalt →Trivikrama wandelt; frühe bed. Darstellungen in 2 Felsreliefs in Badami.

Van, Stadt am Vansee, O-Türkei (KARTE Alter Orient), 63 700 Ew., die 1925 in unmittelbarer Nähe der alten, 1916 zerstörten Stadt V. neu gegr. wurde. V. war das alte **Tuschpa,** Hauptstadt des Reiches von Urartu. Ausgegraben wurden auf dem Hügel Toprakkale (ehem. Residenz Rusachinili) ein quadrat. Tempel für den Gott Chaldi, Vorratsräume mit Pithoi sowie Felsgräber urartäischer Zeit (9./8. Jh. v. Chr.).

Vanbrugh [v'ænbrə, vænbr'u:], Sir (1714) John, engl. Lustspieldichter und Baumeister fläm. Herkunft, *London 20.(?) 1. 1664, †ebd. 26. 3. 1726, studierte 1683–85 in Paris, war seit 1699 als Architekt tätig. Die Schlösser, die er für den engl. Adel baute (z. T. unter Mitarbeit von N. HAWKSMOOR), sind an Großartigkeit mit Versailles vergleichbar.

HW: Castle Howard (1699–1712); Blenheim Palace (1705–12); die Landhäuser Kimbolton (1707–09), King Weston (1711–14) u. a.

Vanderlyn [v'ændəlın], John, amerikan. Maler holländ. Herkunft, *Kingston (New York) 15. 10. 1775, †ebd. 23. 9. 1852, ausgebildet bei G. STUART, in Paris und Rom; Freundschaft mit W. ALLSTON. Neben Historienbildern entstanden Porträts, die mit der bis dahin in Amerika geübten engl. Tradition brachen und Elemente des frz. Klassizismus aufweisen.

HW: Die schlafende Ariadne auf Naxos (1808–12; Philadelphia, Academy of Fine Arts).

Van-Dyck-Braun [-dɛjk-], →Kasseler Braun.

Giuliano Vangi: Uomo che salta il muro; Bronze und Aluminium; 1969/70 (Darmstadt, Städt. Kunstsammlungen)

Vangi [v'andʒi], Giuliano, ital. Plastiker, *Barbarino di Mugello (Prov. Florenz) 13. 3. 1931, formt naturalist. Gestalten mit expressiver Bewegungsintensität, deren farbige Fassung und unterschiedl. Materialien die aggressive Unmittelbarkeit ihres Ausdrucks unterstützen. Sie sind Abbild des gefangenen oder verstört zur Aktion getriebenen Menschen.

Vạnitas [lat. ›Eitelkeit‹, ›Nichtigkeit‹] *die,* das auf das A. T. (›Alles ist eitel‹) zurückgehende Klagen über die ird. Vergänglichkeit. Symbole sind seit der Gotik und bes. im niederländ. Barock Totenkopf, Sanduhr, erloschene Kerze, entblätterte Blume, Spiegel, i. w. S.

auch Einsiedler- und Büßerszenen (Hieronymus, Magdalena). Mehrere V.-Attribute wurden bes. im 16. Jh. zu V.-Stilleben arrangiert.

Vanloo, van Loo, niederländisch-frz. Malerfamilie des 17./18. Jh.

1) Charles Amadée Philippe, Sohn von 4), Bruder von 5), *Turin 21. 8. 1719, †Paris 15. 11. 1795, seit 1748 in Berlin und Potsdam für Friedrich d. Gr. tätig.

2) Charles André, gen. Carle, Enkel von 3), Bruder von 4), *Nizza 15. 2. 1705, †Paris 15. 7. 1765, Erster Maler Ludwigs XV.; schuf Historienbilder und Porträts.

3) Jakob, Großvater von 2) und 4), *Sluis bei Brügge um 1614, †Paris 26. 11. 1670, Stammvater der Fam., seit 1642 in Amsterdam, seit 1662 in Paris ansässig, dort 1663 Akademiemitgl.; malte große mytholog. Aktkompositionen und Porträts, auch Gruppenporträts.

4) Jean-Baptiste, Vater von 1) und 5), Enkel von 3), Bruder von 2), *Aix-en-Provence 11. 1. 1684, †ebd. 19. 9. 1745, u. a. in Italien und London Historien- und Porträtmaler.

5) Louis Michel, Sohn von 4), Bruder von 1), *Toulon 2. 3. 1707, †Paris 20. 3. 1771, war 1735–52 in Madrid, dann in Paris Hofporträtist.

Vannes [van], Hauptstadt des frz. Dép. Morbihan, Bretagne, 43 500 Ew.; kath. Bischofssitz. Stadtbild mit zahlreichen Häusern des 16.–18. Jh. und weiten Teilen der Stadtmauer (13.–17. Jh.); Kathedrale (13.–16. Jh., Chor 18. Jh.) mit Grabmal des Hl. VINZENZ FERRER (†1419) in der Renaissance-Kapelle Saint-Sacrement; Château Gaillard, das ehem. Haus des Parlaments der Bretagne (15. Jh., heute Archäolog. Mus.); im Hôtel de Limur (17. Jh.) Städt. Mus. (Kupferstichsamml., frz. Gemälde des 19. und 20. Jh.).

Vantongerloo [f-], Georges, belg. Bildhauer, Maler, Architekt, *Antwerpen 24. 11. 1886, †Paris 5. 10. 1965, wandte die Prinzipien der 1917 von ihm mitbegründeten niederländ. Künstlergruppe De →Stijl auf abstrakte dreidimensionale Formgebilde aus geradlinig-rechtwinkligen Flächen und Körpern an. Seit 1927 in Paris, war V. 1931–37 Vizepräsident der Gruppe Abstraction-Création; seitdem bereicherten Kurven und Kreislinien sein Werk; er verwendete u. a. Acrylglas und Draht.

Vanuatu, Staat in Ozeanien, →Neue Hebriden.

Vanvitelli, 1) Gaspare, niederländ. Maler, Vater von 2), →Wittel.

2) Luigi, ital. Baumeister, *Neapel 12. 5. 1700, †Caserta 1. 3. 1773, als Schüler seines Vaters Gaspare zuerst Maler, seit etwa 1730 Architekt in Rom und im Kirchenstaat, seit 1751 in neapolitan. Dienst, um 1769 in Mailand; war der führende ital. Baumeister des Übergangs vom Spätbarock zum Frühklassizismus. V. ging aus von der durch F. JUVARRA ausgebildeten piemont. Baukunst, die ihm auch frz. Einwirkungen vermittelte. HW ist das 1752 beg. Königsschloß in →Caserta.

Vaphio: Goldener Becher aus dem Kuppelgrab bei Vaphio; 1. Hälfte des 15. Jh. v. Chr. (Athen, Nationalmuseum)

WW: Gesù-Kirche u. a. in Ancona (1743 ff.); Kapelle Johannes' des Täufers für S. Roque in Lissabon (zus. mit N. SALVI; 1748 aufgestellt); Umbau von S. Maria degli Angeli (1749 ff.) u. des Palazzo Chigi-Odescalchi (1750 ff.) in Rom; SS. Annunziata (1761 beg., von seinem Sohn CARLO V. 1782 voll.) u. Platzanlage des Foro Carlino (1757) in Neapel.

Vaphio, Fundort von 2 myken. Kuppelgräbern, südlich von Sparta (Griechenland). Das Inventar eines der Gräber konnte völlig unberührt geborgen werden. Unter den reichen Funden (Gemmen, Ringe, heute im Nat. Mus. Athen) v. a. 2 in Gold getriebene Becher, die den Fang wilder Stiere und weidende, zahme Rinder zeigen. Sie sind als Gegenstücke gearbeitet und aus Kreta importiert. Das Grab und sein Inhalt werden in die 1. H. des 15. Jh. v. Chr. datiert.

Varadamudra [Skt.], die Geste der Wunschgewährung bei indischen Götter- und Buddhafiguren (BILD Mudra).

Varaha [Skt.], ein Avatara des hinduist. Gottes Vishnu in Gestalt eines Ebers oder eberköpfigen Mannes, der die Erdgöttin Bhudevi mit seinen Hauern aus den kosm. Urwassern hebt. Bed. Felsreliefs in Udayagiri (BILD), Badami, Mahabalipuram u. a.

Varaksha, →Warachscha.

Varallo, Städtchen in der ital. Prov. Vercelli, Piemont. Der Sacro Monte (608 m ü. M.) über V. ist eine vielbesuchte Wallfahrtsstätte (seit Ende 15. Jh. angelegt) mit 45 Wegkapellen (1481 beg.), die reich mit Terrakottagruppen, bemalten Holzfiguren und Fresken (v. a. von G. FERRARI) geschmückt sind.

Varanasi, Benares, Stadt in N-Indien, 704 800 Ew.; am Ganges gelegenes, heiligstes Pilgerzentrum der Hindu mit zahlreichen Tempeln meist jüngeren Ursprungs, Totenverbrennungsplätzen und Badeanlagen (Ghat) entlang dem nördl. Flußufer. Im Altertum **Kashi,** galt V. schon z. Z. des Buddha, der im nahegelegenen Hain von Sarnath predigte, als Stätte der Religion und Lehre. Durch muslim. Zerstörung und Überbauungen seit dem 13./14. Jh. sind ältere Spuren nur archäologisch nachgewiesen (Mus. in der Hindu-Univ.). Zur Mogulzeit entstanden die Große Moschee über einem ehem. Shivatempel und die Aurangzeb-Moschee am Panchganga Ghat. Die Hindutempel des 18./19. Jh., Goldener Tempel (1750), Mahadeo-Tempel, Annapurna-Tempel, Bhaironath-Tempel (1825) sind z. T. fürstl. Stiftungen, so auch der Nepali-Tempel mit hölzerner Dachkonstruktion. (BILD S. 121)

Varanasi: Tempel und Paläste am Gangesufer

Vardanẹga, Gregorio, ital. Künstler, *Possagno (Venedig) 21. 3. 1923. Nach Begegnung mit A. PEVSNER, M. BILL, SONIA DELAUNAY-TERK kam er zu chromat. Farbüberlagerungen; ging 1959 nach Paris. V. konstruierte Mobiles aus Acrylglasspiralen und kinetische Lichtkuben mit Farb- und Klangeffekten und räumlicher Wirkung.

Vạrel [f-], Stadt im Kr. Friesland, Ndsachs., 24300 Ew.; got. Schloßkirche (13. Jh.) mit farbenprächtiger, manierist. Ausstattung von L. MÜNSTERMANN (Altar, Kanzel, Taufstein 1613–18).

Varenholz [f-], Ortsteil von Kalletal, Kr. Lemgo, NRW, mit mächtigem vierflügeligem Schloß, einem HW der Weserrenaissance (16. Jh.); bes. eindrucksvoll die Hoffront mit reich verziertem Erker (1599) und originellem Putz in Rautenmuster.

Varẹse, nordital. Stadt am Alpenrand zw. Lago Maggiore und Comer See, 43300 Ew. Im alten Kern der Stadt wurde an der Stelle einer ma. Kirche die Basilika S. Vittore nach Entwurf von P. TIBALDI erbaut (1580–1615; klassizist. Fassade, 1795). Erhalten ist das roman. Baptisterium (um 1230). Ehem. Palazzo Ducale (18. Jh., heute Rathaus); Villa Mirabello (18. Jh., mit Städt. Mus.). Nordwestlich von V. auf dem Sacro Monte (880 m ü. M.) die im 7. Jh. gegr. Wallfahrtskirche S. Maria del Monte (im 16. und 17. Jh. erneuert; z. T. über roman. Krypta; im Inneren Stuck und Fresken im Barockstil); 15 Prozessionskapellen (1604–80) am Wegesrand. – In Schloß Biumo bei V. die Kunstsamml. →Panza di Biumo.

Vạrnhem, Gem. östlich der schwed. Stadt Skara. Von dem ehem. Zisterzienserkloster (um 1150 gegr.) besteht noch die Kirche (1234–60), das besterhaltene Beispiel der Baukunst des Ordens in Schweden, eine dreischiffige Basilika, Chor mit Umgang und Kapellenkranz, die Kapellen z. T. im 17. und 18. Jh. zu Grabkapellen umgewandelt; Grundmauern der Klostergebäude freigelegt.

Victor Vasarély: Relief vert-rouge; 1965

Vasarély [vazarel'i, frz.], Victor de, frz. Maler und Graphiker ungar. Herkunft, *Fünfkirchen 9. 4. 1908, seit 1930 in Paris, führender Vertreter der auf reine Geometrisierung des Bildraums gerichteten Gruppe ›Espace‹ (mit R. MORTENSEN, E. JACOBSEN, A. MAGNELLI), die das Programm der Konkreten Kunst und des Konstruktivismus weiterbildete. V. trug entscheidend zur Entwicklung der Op Art bei; er entwarf auch großformatige Gobelins, die in den Werkstätten in Aubusson gefertigt wurde. – ›Fondation V.‹ seit 1981 in Aix-en-Provence.

W. SPIESS: V. (1971).

Vasari, Giorgio, ital. Maler, Baumeister, Kunstschriftst., *Arezzo 30. 7. 1511, †Florenz 27. 6. 1574, lernte bei B. BANDINELLI in Florenz, bildete sich unter dem Eindruck der Werke MICHELANGELOS fort und erhielt bald zahlreiche Aufträge für Fresken und Altarbilder. Von seinen Bauwerken sind v. a. die →Uffizien zu nennen (1560 ff.). Auf vielen Reisen von Oberitalien bis Neapel erwarb er Kenntnisse über ital. Künstler. Als Maler gehört er zu den Manieristen. Seine Bedeutung beruht auf seinen Lebensbeschreibungen ital. Künstler, die, wenn auch manchmal unzuverlässig, zu den wichtigsten Quellen der Kunstgesch. zählen. (BILD S. 123)

Fresken: Im Saal Pauls III. der Cancelleria in Rom (1546); im Palazzo Vecchio, Florenz (seit 1555); in der Sala Regia des Vatikans (1571–73). – **Bauten:** Badia, Arezzo (um 1550); Uffizien, Florenz (seit 1560); S. Stefano, Pisa (1562). – **Schriften:** Vite de' più eccellenti architetti, pittori ed scultori italiani, 2 Bde. (1550, erw. Ausg., 3 Bde., 1568, beide neu hg. v. R. BETTARINI u. P. BAROCCHI, 5 Bde., 1966–69; hg. v. G. MILANESI, 1878–85, mit Schriften u. Briefen; dt. in versch. Ausg.); Literar. Nachlaß, hg. v. K. u. H. W. FREY, 3 Bde. (1923–40).

G. V., mit Beiträgen v. LAURA CORTI u. a., Ausst.-Kat., Arezzo (1981).

Vase [ital. vaso], um 1700 von Italien aus in Dtl. eingebürgerte Bez. für ein kunstvoll gearbeitetes Gefäß, in der Fachsprache vorwiegend für ein antikes Tongefäß.

Vasen: Augenschale des Exekias, mit Darstellung der Meerfahrt des Dionysos; um 540 v. Chr. (München, Staatl. Antikensammlung)

Giorgio Vasari: Entwurf für die Decke der Sala di Lorenzo Magnifico im Palazzo Vecchio in Florenz; Feder und Kreide z. T. laviert, 1556 (New York, Pierpont Morgan Library)

Voraussetzungen für die Entwicklung der antiken Töpferei zu einer hochstehenden Kunstgattung waren die Erfindung der Töpferscheibe, das Reinigen und Schlämmen des Tons und die Benutzung eines wasser-, säure- und feuerfesten Überzugs. Dieser diente nicht nur dem Abdichten, sondern auch der Verzierung des Gefäßes, indem sich durch unterschiedlich dichten Auftrag eine Zweifarbigkeit (Tonfarbe oder tiefes, glänzendes Schwarz, fälschlich ›Firnis‹ genannt) erreichen ließ. Das Schwarz entsteht aus dem eisenhaltigen Tonschlicker in einem dreistufigen Brennvorgang: Oxidation zu rotem Eisenoxid, Reduktion zu schwarzem Eisenoxyduloxid, Reoxidation der dünn überzogenen Partien.

GEFÄSSFORMEN

Die Gefäßformen wurden im Orient und Mittelmeerraum durch Jahrtausende überliefert; die geometr. Kunst paßte sie den tekton. Formgesetzen Griechenlands an. In der Folgezeit wurden sie ständig umgestaltet und variiert, bis die grch. Töpferkunst im 6. und 5. Jh. v. Chr. den größten Formenreichtum erreichte: Vorratsgefäße versch. Gestalt (Amphora, Pelike, Stamnos), Kannen (Oinochoe), der verwandte Wasserkrug (Hydria), das Gefäß zum Mischen von Wein und Wasser (Krater), Salbgefäße versch. Form (Alabastron, Aryballos, Lekythos), vielgestaltige Trinkgefäße (Kylix, Kantharos, Skyphos). Die Vielfalt der Formen nahm im Hellenismus und in der röm. Kaiserzeit ständig ab. Die versch. Produktionszentren wirkten manchmal nebeneinander und schufen ähnl. Formen (z. B. in der geometr. Epoche); zeitweise versuchten jedoch einzelne Zentren, den Markt allein zu beherrschen (Korinth 7. und 6. Jh., Athen 6. und 5. Jh. v. Chr., Arezzo zu Beginn der röm. Kaiserzeit). Der Handel war sehr

Vasen: weißgrundige Lekythos mit Hermes und dem Verstorbenen, der zu Charon gebracht werden soll; um 450 v. Chr. (Berlin-West, Staatl. Museen)

Vasen: OBEN LINKS korinthische Oinochoe mit Tierfries; letztes Viertel des 7. Jh. v. Chr. (Rom, Vatikan. Museen); OBEN RECHTS schwarzfigurige attische Weinkanne mit Lyraspieler vor einem sitzenden Mann und an den Seiten Zuschauer; um 540 v. Chr. (Rom, Vatikan. Museen); LINKS rotfigurige Amphora mit Deckel aus Vulci, Apoll versucht, dem davoneilenden Herakles den geraubten Dreifuß zu entreißen, dabei Athene und Artemis; bald nach 530 v. Chr. (Berlin-West, Staatl. Museen)

umfangreich; Ausgrabungen beweisen die weite Streuung bekannter Keramikgattungen. Große Mengen der grch. V. wurden z. B. in etrusk. und südruss. Gräbern gefunden.

VASENMALEREI

Bestimmend für die Entwicklung der V.-Kunst war das Verhältnis zw. Töpferei und V.-Malerei; in der Blütezeit der grch. V.-Kunst waren sie das Werk versch. Meister, die das Gefäß getrennt signierten. Einen Höhepunkt erreichten Töpferei und V.-Malerei schon in der kretisch-myken. Epoche des 2. Jahrtsd. v. Chr. Das Pflanzenhaft-Überwuchernde in Form und Bemalung jener Zeit wurde in der geometr. Kunst des 11.–8. Jh. v. Chr. streng stilisiert, zu gestrafften, tekton. Gefäßen und zu deren Aufbau unterstützender, geometr. Malerei, v. a. breit umlaufende Friese. Rundere, schwellendere V.-Formen und aus dem Orient übernommene Pflanzenornamente, Tiere und Fabelwesen kennzeichnen die Entwicklung des 7. Jh. v. Chr. (Orientalisierender Stil). Führend war durch seine Erfindung der schwarzen Silhouettenmalerei Korinth (Protokorinthische und Korinthische V.); daneben traten bes. im 6. Jh. die Produktionsstätten von Rhodos, Samos, Sparta und Athen (Ostgrch., Lakon., Chalkid., Protoattische und Attische Schwarzfigurige V.). Figuren- und Ornamentsilhouetten wurden durch reichere Binnenritzung und Deckfarben, meist Rot und Weiß, belebt.

Im 6. Jh. wurden die attischen Werkstätten marktbeherrschend, v. a. auf Grund der Überwindung des Tierfriesstils und der Einführung großformatiger Tafelbilder, in denen dramatisch zugespitzte Szenen aus Mythos oder Alltag erscheinen, mit Figuren, die wie schwarze Scherenschnitte (mit eingeritzter Binnenzeichnung) vor dem rötl. Tongrund stehen. SOPHILOS, KLITIAS, EXEKIAS und AMASIS stellen den Höhepunkt dieser Attischen **Schwarzfigurigen V.-Malerei** dar. Mit zunehmendem zeichner. Können wurden die begrenzten Möglichkeiten der starren Binnenritzung deutlich. Freie Linienführung mit Firnispinsel und -feder auf Tongrund wurde möglich durch eine Umkehrung des Farbverhältnisses; die V. oder das Bildfeld überzog man nun mit dunklem Tonschlicker, der beim Brennen schwarz wurde (›Firnis‹ gen.), die Figuren hingegen sparte man aus. Die ›Erfindung‹ dieser **Rotfigurigen V.-Malerei** machte ein V.-Maler im Atelier des Töpfers ANDOKIDES um 530 v. Chr. Die Maler seiner und der folgenden Generation, OLTOS, EPIKTET, EUPHRONIOS und EUTHYMIDES entwickelten die vielfältigen Möglichkeiten für die Darstellung lebendigerer Bewegung, plast. Körperwiedergabe und reicheren Faltenspiels. Die Maler der ersten Jahrzehnte des 5. Jh., z. B. der KLEOPHRADESMALER, der BERLINER MALER, der BRYGOSMALER, DURIS und MAKRON, haben mit der neuen Technik Erstlinge europ. Zeichenkunst geschaffen.

Ihnen folgten um die Mitte des Jh. der ACHILLEUSMALER, HERMONAX und POLYGNOT, Zeitgenossen des Monumentalmalers POLYGNOT von Thasos. In diesen Jahren wurden v. a. Grablekythen in einer anderen Technik bemalt: Auf einen Kreideuntergrund setzte man Umrißlinien und Gewandflächen mit bunten Pastellfarben, in der Farbwahl wohl ein Abbild der gleichzeitigen Monumentalmalerei. Die Maler der zweiten Jahrhunderthälfte, u. a. der ERETRIAMALER, ARISTOPHANES und MEIDIAS, waren von der großen Malerei beeinflußt; indem sie deren Landschaftsperspektive übernahmen und so das Gleichgewicht zw. Gefäß und Bild störten, lieferten sie selbst den entscheidenden Grund für das Absinken der attischen V.-Kunst gegen Ende des 5. Jh. v. Chr. In den vorangegangenen eineinhalb Jh. wurde in Attika eine große Anzahl von V. geschaffen, deren Töpfer und Maler oft durch Signaturen bekannt sind; vielen namenlosen Künstlern hat der Vasenforscher J. D. BEAZLEY (*1885, †1970) einen Kunstnamen gegeben. (BILDER griechische Kunst)

Das 4. Jh. v. Chr. brachte eine Fortsetzung der Produktion bemalter V. in Unteritalien und Etrurien (Frühitaliot., Etrusk., Falisk., Apul., Kampan., Lukan. und Pästan. V.); danach bestimmten gänzlich gefirnißte oder – eine folgerichtige Weiterführung – reliefverzierte V. die Epochen des Hellenismus (Attische Reliefkeramik, ›Megar. Becher‹) und der röm. Kaiserzeit (→Terra sigillata). Weitere BILDER S. 126/127

Corpus vasorum antiquorum, hg. v. der Union Académique Internationale (Paris 1922 ff., bisher 50 Bde.); E. BUSCHOR: Die grch. V. (^{2}1975); ERIKA SIMON: Die grch. V. (1976); J. BOARDMAN: Schwarzfigurige V. (a. d. Engl., 1977); ders.: Rotfigurige V. (a. d. Engl., 1981); W. SCHIERING: Die grch. Tongefäße (^{2}1982).

Vasiliki, frühminoische Siedlung auf Kreta, nordöst-

Vasen

Bauchamphora

Halsamphora

Pelike

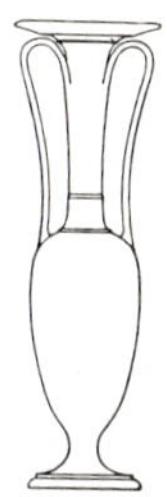

Lutrophoros

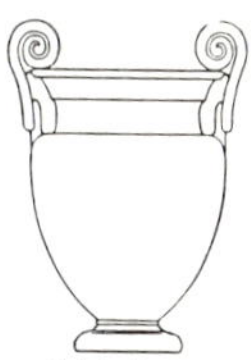

Volutenkrater

Kelchkrater

Vasen

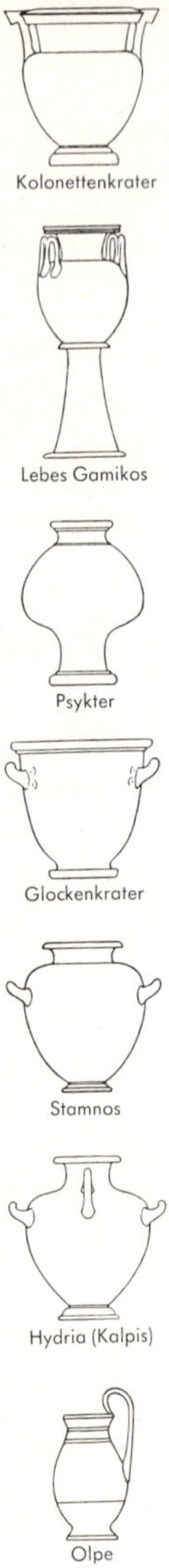

lich von Hierapetra, die für eine Keramikgattung der Vorpalastzeit namengebend wurde. Die Verzierung der exakt, noch nicht auf der Drehscheibe geformten Gefäße zeigt zufällig geflammte Muster (gelb-orange-rot-schwarz); ähnl. Funde auch aus →Myrtos.

Västerås [vɛstər'o:s], Hauptstadt des mittelschwed. Län Västmanland, am Mälarsee, 117600 Ew., wurde um 1100 Bischofssitz. Der urspr. dreischiffige Dom (Anf. 13. Jh.) erhielt im 15. Jh. 2 weitere Seitenschiffe und den Chor; Turmspitze von N. Tessin d. J. (1693/94); in der Ausstattung u. a. Antwerpener Altarschrein (1516 gestiftet), in der Taufkapelle geschnitzter Schrein und Taufbecken (Lübecker Arbeiten, um 1620). Gegenüber dem Dom der Bischofshof (14. Jh.) und das Konsistoriumshaus (16. Jh.). Das Schloß (14. Jh.), eine im 16. Jh. erweiterte Vierflügelanlage, wurde nach Brand 1736 von C. Hårleman erneuert.

Västervik, südschwed. Hafenstadt, 41200 Ew.; maler. Altstadt mit Holzhäusern des 18. Jh. und St. Gertrudskirche (15. Jh.) mit barockem Altar, Wand- und Deckenmalereien (17. und 18. Jh.); auf einer Insel Ruine der Burg Stegeborg (um 1370).

Vasudeva [Skt.], der frühhinduist. Gott V.-Krishna, später mit Vishnu identifiziert. Mit seinem älteren Bruder Balarama-Samkarshana steht er an der Spitze der 5 mytholog. Helden (Panchaviras). Seine Abbildung auf Münzen aus →Ai Chanum ist die älteste bekannte Darstellung hinduist. Götter (Anf. 2. Jh. v. Chr.).

Vasudhara [Skt.], ind. Fruchtbarkeitsgöttin, in der Mathura-Kunst seit der Kushanazeit mit Ährenbündel, Wasserkrügen und Fischen unter einem Ehrenschirm (Chattra) dargestellt, später als Shakti des Kubera.

Vaszary [v'ɔsɔri], János, ungar. Maler, Graphiker, *Kaposvár 30. 11. 1867, †Budapest 19. 4. 1939, war ebd. 1920–32 Prof. an der Kunstakad., malte ausdrucksvolle Bilder aus dem Leben seiner Zeit, relig. Themen, Porträts und Stilleben. Das leuchtende Kolorit zeigt seine (durch Kees van Dongen vermittelte) Kenntnis der frz. Fauves.

Vatikan, lat. **Vaticanus,** ital. **Vaticano, Vatikanpalast,** die Residenz des Papstes bei der Peterskirche in Rom, auf dem **Monte Vaticano.** Die Gebäude waren urspr. bescheiden, da bis ins 14. Jh. die röm. Bischöfe v. a. im →Lateranpalast residierten. Sie wurden Mitte des 9. Jh. gegen die Überfälle der Sarazenen ummauert (Leostadt) und unter Innozenz IV. und Nikolaus III. verändert. Nach der Rückkehr aus dem Exil von Avignon wohnten die Päpste meist im V., der im 15./16. Jh. weitläufig ausgebaut wurde. Nikolaus V. plante eine eigene V.-Stadt mit Neubau der Peterskirche. Der Ausbau wurde von seinen Nachfolgern fortgeführt, die die bedeutendsten Künstler der Zeit heranzogen (G. L. Bernini, Bramante, D. Fontana, Michelangelo, B. Peruzzi, Giulio Romano, A. da Sangallo d. J., Raffael u. a.). Sixtus IV. ließ die →Sixtinische Kapelle erbauen, Julius II. das →Belvedere, unter Leo X. wurden die →Stanzen und die →Loggien ausgemalt. Sixtus V. ließ den heutigen Wohnpalast und die Bibliothek,

Alexander VII. die Prunktreppe zw. Peterskirche und dem Damasushof (Scala Regia) von Bernini erbauen.

Vatikạnische Grotten, →Peterskirche.

Vatikạnische Sammlungen, Vatikạnische Museen, Rom; Samml. von Kunstwerken, seit Papst Julius II. (1503–13) angelegt, der antike Statuen im **Belvedẹre-Hof** aufstellen ließ. Zu den ersten Kunstwerken gehörten der Hermes des Praxiteles aus Olympia und die 1506 wiederentdeckte Laokoon-Gruppe. – Unter Benedikt XIV. entstand seit 1756 das **Mus. Sacro** für Werke der christl. Archäologie, ihm wurden im 18. und 19. Jh. Hss. und Ikonen, im Zuge der Neuordnung christl. Elfenbeinarbeiten und Goldschmiedekunst, u. a. seit 1907 der Schatz der Cappella Sancta Sanctorum, zugeordnet. Seit 1767 wurde unter Clemens XIII., beraten von Kardinalbibliothekar A. Albani und J. J. Winckelmann, das **Mus. Profạno** zur Aufnahme der päpstl. Antikensamml. gegr., unter Pius VI. fortgeführt (Mus. Pio-Clementino), 1806 unter Pius VII. durch das Mus. →Chiaramonti und 1821 durch den **Braccio Nuọvo** [br'attʃo-] ergänzt, unter Gregor XVI. um das etrusk. (1837) und das ägypt. Mus. (1839) erweitert. Für die Bestände der päpstl. Gemälde-Gal. ließ Pius XI. 1932 eine eigene Pinakothek erbauen. 1973 wurden Abteilungen für Missions- und Völkerkunde, ein histor. Mus. und eine Samml. zeitgenöss. relig. Kunst eröffnet.

Die Kunstschätze des Vatikan, hg. v. D. Redig de Campos u. a. (a. d. Ital., [4]1977); W. Helbig: Führer durch die öffentl. Samml. klass. Altertümer in Rom, 1: Die päpstl. Sammlungen in Vatikan und Lateran ([4]1983); Die V. S., hg. v. C. Pietrangeli u. P. de Montebello (a. d. Engl., 1983).

Vatikạnstadt, Staat der Vatikanstadt, ital. **Città del Vaticạno** [tʃ'itta-], **Stato della Città del Vaticạno,** selbständiges, päpstl. Staatsgebiet im NW von Rom, 0,44 km², 730 Ew. Die Grenze, im N, W und S die Leonin. Mauer, im O längs der Via di Porta Angelica und der Kolonnaden von G. L. Bernini verlaufend, schließt die →Peterskirche, den →Vatikan und die päpstl. Gärten mit der Casina di Pio IV., die Sagrestia und den Petersplatz ein (dieser steht, außer bei Feiern in Gegenwart des Papstes, unter ital. Polizei-Hoheit). Freies Eigentum des Hl. Stuhles sind außerhalb der V. auf ital. Staatsgebiet die exterritorialen Kirchen San Giovanni in Laterano, Santa Maria Maggiore, San Paolo fuori le mura, der Lateran, die Palazzi della Dataria, della Cancelleria, di Propaganda Fide, di San Callisto, del Sant'Uffizio, dei Convertendi, del Vicariato und die Villa Gabrielli auf der Nordseite des Gianicolo (lat. Ianiculum) sowie der päpstl. Sommerpalast und die Villa Barberini in →Castel Gandolfo in den Albaner Bergen. Exterritorialität genießen ferner andere Kirchen außerhalb Roms während der Anwesenheit des Papstes in Gottesdiensten. (Karte S. 128)

Vauban [vob'ã], Sébastien **le Prestre de V.** [-pretr də-], frz. Festungsbaumeister, *Saint-Léger-de-Fougeret (jetzt Saint-Léger-Vauban, Dép. Yonne) 1. 5. 1633, †Paris 30. 3. 1707. In den ersten Feldzügen Ludwigs XIV. erwies er sich als Meister des Belagerungskrieges und wurde 1677 zum Generalinspekteur der Festungen

Vasen

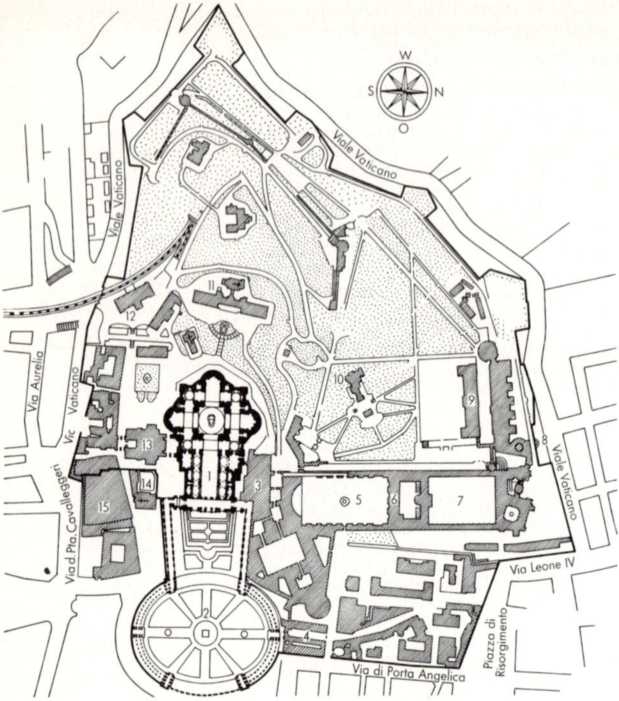

Vatikanstadt: **1** Peterskirche, **2** Petersplatz, **3** Sixtinische Kapelle, **4** Hof der Schweizer Garde, **5** Belvedere-Hof, **6** Bibliothek, **7** Pinienzapfenhof, **8** Eingang zu den Museen, **9** Pinakothek, **10** Casino Pius' IV., **11** Gouverneurspalast, **12** Bahnhof, **13** Sakristei, **14** Camposanto Teutonico, **15** Audienzhalle

ernannt. 1678–97 hat V. Frankreich mit einem Kranz weit vorgeschobener Befestigungen (darunter Pfalzburg ab 1679, Saarlouis 1680–86, Montmédy 1681, Luxemburg 1684–87, Belfort 1687–1703, Landau 1688 bis 1691 und Neu-Breisach 1698–1712) umgeben, die bis ins 19. Jh. als uneinnehmbar galten. 1703 wurde er zum Marschall erhoben; verfaßte militärwissenschaftl. Schriften sowie volkswirtschaftl. Abhandlungen.

Vautier [votj'e], **1)** Ben, ital.-frz. Künstler, *Neapel 18. 7. 1935, schließt an M. DUCHAMP an und erklärt das eigene Leben zur Kunst. In den 1960er Jahren brachte er diese Haltung in Fluxus-Veranstaltungen ein.

2) Benjamin, schweizer. Maler, *Morges (Kt. Waadt) 27. 4. 1829, †Düsseldorf 25. 4. 1898, malte gemütvolle Genrebilder aus dem Bauernleben der Schweiz und des Schwarzwalds; illustrierte Werke der dt. Dichtung.

Lit.: →Düsseldorfer Schule.

Vaux-le-Vicomte, 1656–61 von L. Levau erbaut

Vaux-le-Vicomte [voləvik'ɔ̃t], Schloß im NO der Stadt Melun, frz. Dép. Seine-et-Marne, 1656–61 von L. LEVAU für den frz. Finanzminister N. DE FOUQUET erbaut. Mit seiner Innenraum-Gruppierung, dem Ensemble seiner dem herrschaftl. Wohntrakt zugeordneten Wirtschaftsgebäude und den weiträumigen Parkanlagen ist V.-le-V. ein HW des frz. Classicisme (heute Mus.). Hier arbeitete der Architekt Levau zum ersten Mal mit dem Dekorateur C. LEBRUN und dem Gartenarchitekten A. LE NÔTRE zusammen.

Vecchietta [vekki'etta], eigtl. Lorenzo **di Piętro,** gen. **Il V.,** ital. Maler, Miniaturist, Plastiker, Baumeister, *Castiglione d'Orcia (Siena) um 1412, †Siena 6. 6. 1480. In seinen Fresken und Altarbildern stellte er oft komplizierte Scheinarchitekturen dar, wobei er Eindrücke von P. UCCELLO und DOMENICO VENEZIANO verarbeitete; schuf auch Bronze- und Terrakotta-Bildwerke, wirkte wahrscheinlich auch als Festungsbaumeister.

HW: Fresko mit der Vision einer frommen Frau (1441; Siena, Hospital S. Maria della Scala); Verkündigungstriptychon (1461–62; Pienza, Dom); Bronze-Ciborium auf dem Hochaltar des Domes in Siena (1467–72).

Vecelli(o) [vetʃ'ɛlli(o)], Tiziano, →Tizian.

Vechta [f-], Kreisstadt in Ndsachs., 22500 Ew. Die Georgskirche, eine spätgot. Halle (1452 beg., um 1600 erneuert), besitzt einen spätbarocken Hochaltar (1766); im Kirchenschatz wertvolle Armreliquiare (um 1170). Ehem. Franziskanerkirche (1642).

Vẹdika [Skt.], Steinzaun, in der ind. Sakralarchitektur als Begrenzung des hl. Bezirks, z. B. um Baumheiligtümer, Stupas oder Tempel, bestehend aus monolith. Pfeilern (Stambha), die durch breite Querstreben und gewölbte Decksteine (Ushnisha) verbunden waren. Zugang boten die meist vierseitig angelegten, prachtvoll reliefierten Tore (Torana) wie in Bharhut, Pauni, Sanchi.

Vẹdova, Emilio, ital. Maler, Graphiker, *Venedig 9. 8. 1919, Autodidakt; entwickelte aus kubist. und expressionist. Anfängen eine Malerei kontrastreich verzahnter Bewegungsrhythmen, die im abstrakten Bild etwas von der Dynamik des Futurismus wiederaufleben läßt. V. ist einer der wichtigsten Vertreter des Abstrakten Expressionismus in Italien, mit Rückbezügen zur maler. Tradition seiner Vaterstadt (Tintoretto).

E. V., Ausst.-Kat., Braunschweig (1981).

Vedute [ital.] *die,* Bild einer Stadt oder Landschaft, das die Örtlichkeit topographisch genau wiedergibt. Die originalgetreue Wiedergabe ist dabei das dominierende Gestaltungsprinzip, dem sich Perspektive und Bildaufbau unterordnen. Darüber hinaus können auch versch., in Wirklichkeit nicht zusammengehörige Bauten in einer V. vereinigt werden **(Sammel-V.),** oder es kann eine ideale Ansicht dargestellt werden **(Ideal-V.).** Im 17. Jh. aufgekommen, erreichte die V.-Malerei im 18. Jh. in Italien ihre Blüte. Hauptmeister sind die beiden CANALETTO (BILD) und F. GUARDI (BILD).

H. KELLER: Das alte Europa. Die hohe Kunst der Stadtvedute (1983).

Veen [fe:n], Otto Cornelisz. van, niederländ. Maler, *Leiden 1556, †Brüssel 6. 5. 1629, war 1575–80 in Italien, wirkte in Brüssel und in Antwerpen, wo P. P. RUBENS 1596–1600 bei ihm lernte. V. schuf relig. Darstellungen und Historienbilder, in denen sich manierist. und klassizist. Stilelemente verbinden.

Veere [f'e:rə], maler. Städtchen in der niederländ. Prov. Seeland, erlebte als ehem. Seehafen um 1500 eine Blüte. Zeugen des damaligen Wohlstands sind die mächtige spätgot. Liebfrauenkirche (1512 beg., Ausstattung 17. Jh.) mit unvoll., imposantem W-Turm, das spätgot. Rathaus (1474–77) mit skulpturengeschmückter Fassade, die ›Schottenhäuser‹ (2 Handelshäuser, 1539 und 1561) und mehrere Bürgerhäuser.

vegetabil [lat. ›pflanzlich‹], Ausdrucksform des →Ornaments (neben geometrisierenden Formen), die z. B. in der hoch- und spätgot. Architekturplastik, in der Kunst der ital. und dt. Renaissance, im Rokoko, im frühen 19. Jh. und im Jugendstil große Bedeutung hatte.

Veit [f-], Heiliger, →Vitus.

Veit [f-], Philipp, Maler, *Berlin 13. 2. 1793, †Mainz 18. 12. 1877, lebte 1815–30 in Rom und arbeitete ebd. mit den →Nazarenern an den Freskenzyklen der Casa Bartholdy. 1830–43 war V. Direktor des Städelschen Kunstinstituts in Frankfurt am Main und malte hier Wand- und Deckenfresken, ferner relig. Tafelbilder und Porträts, wurde 1854 Gal.-Direktor in Mainz. Bed. sind seine Porträtzeichnungen. – Auch sein Bruder Johann (*Berlin 2. 3. 1790, †Rom 18. 1. 1854) malte in der Art der Nazarener.

P. V., Ausst.-Kat., Mainz (1977).

Veitshöchheim, Gem. im Kr. Würzburg, Bayern, 8300 Ew., mit barockem Lustschloß der Würzburger Bischöfe, Kernbau 1680–82 wohl nach Plänen A. PETRINIS, 1749–53 von J. B. NEUMANN zum Wohnschloß ausgebaut und erweitert; frz. Rokokopark mit reichem Figurenschmuck von J. W. V. D. AUWERA, F. DIETZ und J. P. A. WAGNER (1763–68); im Großen See eine Parnaß-Pegasusgruppe, ferner 2 Chines. Pavillons (1768) u. a.

Veji, südlichste der etrusk. Bundesstädte, nördlich von Rom, seit der Villanovazeit besiedelt, 396 v. Chr. von den Römern zerstört, unter AUGUSTUS als Municipium neu gegr. Die großen Nekropolen enthalten die ältesten ausgemalten etrusk. Gräber (›Enten‹- und ›Campana‹-Grab, um 650 und 600 v. Chr.). Hauptleistung der Kunst V.s war die Terrakottagroßplastik (spätes 6. und 5. Jh.); mehrere lebensgroße Tonstatuen (Dachschmuck der Tempel) wurden gefunden, v. a. der ›Apoll von V.‹ (BILD etruskische Kunst), Frau mit einem Knaben, Kopf eines Hermes (alle Villa Giulia, Rom). Vielleicht kann →Vulca als Hauptmeister dieser Skulpturen angenommen werden.

Vela, Vincenzo, schweizer. Bildhauer, *Ligornetto (Tessin) 3. 5. 1820, †ebd. 3. 10. 1891. Nach Studien an der Brera-Akad. in Mailand schuf er als Symbol der ital. Freiheit die Statue des Spartacus (1851; Modell in Rom, Marmor-Ausführung in Genf). 1856–66 war V. in Turin Prof. an der Accademia Albertina und lebte dann in seinem Heimatort (dort V.-Mus.). Seine Werke (auch Denkmäler, Porträtbüsten u. a.) sind Ausdruck eines Naturalismus (ital. verismo), den V. durch L. BARTOLINI (*1777, †1850) kennenlernte.

Velázquez [bel'aθkεθ], **Velásquez** [bel'askεθ], Diego Rodríguez de **Silva y V.** [s'ilβa i-], span. Maler, getauft Sevilla 6. 6. 1599, †Madrid 6. 8. 1660, Schüler und Schwiegersohn von F. PACHECO DEL RIO, malte in seiner Frühzeit in Sevilla v. a. Volkstypen und Küchenstücke (Bodegones; z. B. ›Die alte Köchin‹, 1618; Edinburgh, Nat. Gal.) und relig. Bilder (›Anbetung der Könige‹, 1619; Madrid, Prado) in den kräftigen Licht- und Schattengegensätzen CARAVAGGIOS; bisweilen verknüpfte er in seinen Bildern Genreszenen mit relig. Inhalten (›Christus im Hause von Martha und Maria‹, um 1618; London, Nat. Gal.).

1623 wurde er vom Herzog von Olivares nach Madrid berufen, wo er König PHILIPP IV. malte, Hofmaler und später Kammerherr wurde. In der ersten Madrider Periode (bis 1629) fand er den Stil seiner ersten höf. Porträts, die, von gemessen vornehmer Haltung und durch Schwarz-Weiß-Töne bestimmt, an die span. Tradition (J. PANTOJA DE LA CRUZ) und an A. MOR anknüpfen. 1628 malte er sein erstes allegorisch-mytholog. HW ›Bacchus im Kreis seiner Gefährten‹ (›Los Borrachos‹; Prado) in leuchtenderen Farben und lernte P. P. RUBENS kennen, der ihm zu einem Italienaufenthalt (1629–31) verhalf, wo er die stärksten Eindrücke von der venezian. Malerei (TIZIAN, TINTORETTO) empfing.

Nach seiner Rückkehr malte er in seiner 2. Madrider Periode (1631–38) in leuchtenden Farben Porträts der königl. Fam. (Philipp IV., Prinz Baltasar Carlos u. a., bes. zu Pferd oder als Jäger) und das für den ›Salón de los Reinos‹ des Schlosses Buen Retiro best. monumentale Historienbild ›Übergabe von Breda‹ (›Las Lanzas‹, 1634–35; Prado). In seiner 3. Madrider Periode (1639 bis 1649) entfernte er sich vom venezian. Kolorismus und begann, die Farben auf oft kühle Töne zu beschränken. Er malte, neben weiteren Herrscherporträts, die

Diego Velázquez: Spinnerinnen in einer Teppichmanufaktur; um 1659 (Madrid, Prado)

am Hof lebenden Narren und Zwerge. 1649–51 war er mit dem Auftrag, Kunstwerke zu erwerben, zum 2. Mal in Italien. In Rom entstand das in Rottönen gehaltene realist. Papstporträt ›Innozenz X.‹ (1650; Rom, Gal. Doria-Pamphili).

Die HW seiner Madrider Spätzeit (1651–60), die Licht und Farbe der flüchtigen Erscheinung mit impressionist. Mitteln erfassen, sind ›Las Meninas‹ (die Infantin Margarita mit ihrem Gefolge, mit Selbstporträt, 1656; Prado) und ›Las Hilanderas‹ (Spinnerinnen in einer Teppichmanufaktur, um 1659, im Hintergrund eine Szene aus den Metamorphosen Ovids: Arachne, die Athene zu einem Wettbewerb in der Webkunst herausfordert; Prado). In den späten Porträts, bes. der Infantinnen, sind Lichtwirkungen durch aquarellhaft fließenden Farbauftrag und Skizzenhaftigkeit der Form festgehalten.

In V. sieht die Kunstwiss. heute nicht nur einen bed. Porträtisten des höf. Barock und den bedeutendsten Koloristen der span. Kunst, sondern auch einen mit vielschichtiger Thematik für die Würde des Menschen engagierten Humanisten.

WW: 1616–22: Der Wasserträger (1619–20, London, Apsley House); Anbetung der Könige (1619, Prado). – 1623–29: Herzog von Olivares (1625, New York, Hispanic Society of America); Philipp IV. mit einem Schriftstück, Infant Don Carlos (beide Prado). – 1629–31: Der blutige Rock Josephs (1630, Escorial); Apollo in der Schmiede des Vulkan (1630, Prado). – 1631–38: Christus am Kreuz (um 1632, Prado); Reiterbildnisse Philipps IV., Baltasar Carlos', Jägerbildnisse Philipps IV., des Kardinalinfanten Ferdinand, Baltasar Carlos' (alle Prado). – 1639–49: Hofzwergenbildnisse: El Primo, Sebastián de Morra (beide Prado); Philipp IV. im Feldlager zu Fraga (1644, New York, Frick Coll.); Venus (London, Nat. Gal.). – 1651–60: Infantin Maria Teresa (Wien, Kunsthistor. Mus.); Infantin Margarita (ebd. u. Prado).

E. LAFUENTE-FERRARI: V. (a. d. Span., 1960); J. CAMÓN AZNAR: V. (Madrid 1964); J. LÓPEZ-REY: V. (London 1968); M. A. ASTURIAS: L'opera completa di V. (Mailand 1969); ENRIQUETA HARRIS: D. V. 1599–1660 (a. d. Span., 1982).

Velde [f'ɛldə], van de V., holländ. Malerfamilie des 16. und 17. Jh.

1) Adriaen, Sohn von 4), Bruder von 5), getauft Amsterdam 30. 11. 1636, begraben ebd. 21. 1. 1672, Schüler von J. WIJNANTS, auch von P. POTTER und K. DUJARDIN beeinflußt, schuf v. a. sommerl. Landschaften mit Vieh, die sich durch sorgfältige Wiedergabe der Einzelheiten bei übersichtlich-harmon. Komposition und toniger Malerei auszeichnen. Seltener sind bibl. und allegor. Bilder und Porträts. Für Landschaftsmaler (u. a. J. VAN DER HEYDEN) hat er die Figurenstaffage gemalt; schuf auch Radierungen.

2) Esaias, Bruder von 4), Vetter von 3), *Amsterdam um 1591, begraben Den Haag 18. 11. 1630, dort seit 1618 tätig, vorher seit 1610 in Haarlem, wohl Schüler von G. VAN CONINXLOO und D. VINCKEBOONS, anfänglich auch von den holländ. Elsheimernachfolgern beeinflußt; schuf zunächst biblisch staffierte Landschaften i. S. der spätmanierist. Tradition, begann seit etwa 1614 zunehmend realistisch Alltags- und Naturausschnitte wiederzugeben; schuf Radierungen nach eigenen Erfindungen aus den gleichen Themenbereichen.

G. S. KEYES: E. v. d. V. (Doornspijk 1982).

3) Jan, Vetter von 2) und 4), *Rotterdam um 1593, begraben Enkhuizen 4. 11. 1641, hinterließ ein umfangreiches Werk von Reproduktionsstichen, auch Radierungen nach eigener Erfindung, die neben den Blättern von H. SEGHERS, W. BUYTEWECH und seinem Vetter ESAIAS V. D. V. zu den besten der holländ. Landschafts- und Genrekunst des 17. Jh. gehören.

4) Willem d. Ä., Vater von 1) und 5), Bruder von 2), Vetter von 3), *Leiden um 1611, †London 13. 12. 1693, dort seit 1673 tätig, stellte Seeschlachten in Federzeichnung auf weißgrundierter Leinwand dar.

5) Willem d. J., Sohn von 4), Bruder von 1), getauft Leiden 18. 12. 1633, †London 6. 4. 1707, dort seit 1673 im Dienst Karls II.; schuf Seestücke (BILD), zuerst, in der Art seines Lehrers S. DE VLIEGER, in toniger Haltung, die Weite von Wasser und Himmel hervorhebend; später gelangte er, mehr an den Schiffsmotiven interessiert, zu kunstvoller Komposition und erlesener Farbigkeit. In den Londoner Jahren malte er bes. Seeschlachten in dekorativer Auffassung.

Velde [f-], **1)** Bram (eigtl. Abraham Gerardus) van, niederländ. Maler, Graphiker, *Zoeterwoude (S-Holland) 19. 10. 1892, †Grimaud (Var) 28. 12. 1981, ausgebildet in Worpswede; übersiedelte 1925 nach Paris. Seine starkfarbigen Kompositionen mit figürl. Anklängen standen dem Abstrakten Expressionismus nahe und beeinflußten W. DE KOONING u. a.

2) Henry van de, belg. Architekt, *Antwerpen 2. 4. 1863, †Zürich 25. 10. 1957, begann als Maler in Paris und gründete 1892 die ›Ateliers des arts industriels‹ in Brüssel. Die neue, werk- und materialgerecht gestaltete

Form der von ihm entworfenen Möbel, Geräte, Bucheinbände und Innenräume wirkte bestimmend auf die Bewegung des →Jugendstils. 1902 wurde er zur Gründung der Kunstgewerbeschule nach Weimar berufen, deren Leiter er bis 1914 war. 1907 gehörte er zu den Gründern des Werkbundes. Seit 1926 leitete er das von ihm gegr. ›Institut supérieur des arts décoratifs‹ in Brüssel; seit 1947 lebte er in der Schweiz.

HW: Eigenes Haus in Uccle bei Brüssel (1892–95); Innenausstattung des Folkwang-Mus. in Hagen (1901); Werkbundtheater in Köln (1914; 1920 abgebrochen); Mus. Kröller-Müller in Otterloo (1936 bis 1954); Univ.-Bibl. in Gent (1935–40).

Schriften: Les formules d'une esthétique moderne (1925); Le nouveau style (1931); Zum neuen Stil, hg. v. H. CURJEL (1955, Ausw.); Gesch. meines Lebens, hg. v. dems. (1962).

K.-H. HÜTER: H. v. d. V. Sein Werk bis zum Ende seiner Tätigkeit in Dtl. (1967); H. v. d. V. Das Gesamtwerk in 3 Bdn., hg. v. W. D. PECHER (1981 ff., bisher 1 Bd.).

Veldes [f-], dt. Name von →Bled.

Velehrad, Stadt in der ČSSR, →Welehrad.

Velen [f-], Gem. im westl. Münsterland, NRW, mit dreiflügeligem barocken Wasserschloß (17.–19. Jh.); für den N-Flügel (1744/45), die Orangerie (1753/54 mit originell stuckiertem Treppenhaus) und Fasanerie (1755) lieferte J. C. SCHLAUN Entwürfe. Das Innere ist nach Brand 1931 völlig verändert.

Velia, grch. **Elea,** von Griechen um 540 v. Chr. gegr. Stadt südlich von Paestum am Tyrrhen. Meer (Italien). Ausgrabungen jüngster Zeit erschlossen ausgedehnte Bezirke öffentl. Anlagen, Wohn-(Terrassenhang-)häuser, Mauern und Tore aus der Gründungszeit, die auf eine antike Großstadt schließen lassen; aus späthellenist. Zeit wurden weitere Wohnviertel freigelegt.

Velké Losiny [v'ɛlkɛ: l'ɔsini], →Groß-Ullersdorf.

Vellert [f-], Dirck, niederländ. Glasmaler, Kupferstecher, in Antwerpen nachweisbar zw. 1511 und 1544. V. schuf die Entwürfe für die Glasfenster der Kapelle des King's College in Cambridge (1516–31) sowie Grisaille-Scheiben (Amsterdam, Rijksmus.). Sein zw. 1522 und 1540 datiertes, 20 Blätter umfassendes graph. Werk enthält relig. und Genrethemen.

Veltrusy [v'ɛltrusi], dt. **Weltrus,** Ort nördlich von Prag an der Moldau, ČSSR. In einem Park (im 18. Jh. angelegt, 116 ha) spätbarockes Schloß (1754) mit zentralem Kuppelraum; im Park mehrere Empire-Pavillons.

Vence [vãs], Gem. im frz. Dép. Alpes-Maritimes, nordöstlich von Nizza. Die Altstadt mit Stadtmauer und Toren des 13. Jh. ist gut erhalten. Die roman. Kathedrale (11. Jh.) wurde im 17. und 18. Jh. erweitert. Im NW liegt die von H. MATISSE ausgestaltete Klosterkapelle Notre-Dame du Rosaire.

Vendel, Gem. nördlich von Uppsala, Schweden. Die Backsteinkirche (1310 gew.) mit Giebelornamenten hat prächtige Kalkmalereien (1451), das HW des uppländ. Kirchenmalers JOHANNES IVAN (†1465).

Vendôme [vãd'om], Stadt im frz. Dép. Loir-et-Cher, am Loir, 18 500 Ew.; zahlreiche alte Bauten, darunter die got. Abteikirche de la Trinité (12.–16. Jh.) mit freistehendem Glockenturm (12. Jh.), Fassade im Flamboyant-Stil, Glasmalereien des 12.–16. Jh.; Mus. in den Klostergebäuden (Skulpturen, Gemälde v.a. des 17. Jh., archäolog. Funde); Ruinen des Schlosses aus dem 12.–15. Jh.

Venedig, ital. **Venezia,** Hauptstadt der ital. Region Venetien, mit Hafen am Adriat. Meer, 360 000 Ew. (rd. 100 000 Ew. in der Inselstadt); Sitz eines Erzbischofs (Patriarchen). – V. ist eines der bedeutendsten Kulturzentren in Europa mit zahlreichen Museen und Galerien, Kunst- und Kulturinstituten, einer Kunstakad. und der alle 2 Jahre stattfindenden →Biennale.

Stadtbild. V. liegt in der Lagune nördlich des Po-Deltas auf der ehem. Inselgruppe Rivo alto (Rialto), 2 km von der Sandnehrung (Lido) und 4 km vom Festland entfernt (Bahn- und Straßenbrücke). Etwa 150 Inseln; die Baublöcke sind von breiten ›canali‹ oder schmalen seichten ›rii‹ getrennt, manche sind aufgefüllt (rio terra). Die Gebäude stehen auf tiefen Pfahlrosten und Kalkstein-Fundamenten. Die Hauptverkehrsader der Stadt ist der 3,8 km lange, 30–70 m breite Canal Grande, der beim Piazzale Roma, dem Endpunkt der Autostraße, beginnt und in der Nähe des Dogenpalastes in den sehr viel breiteren Canale di San Marco mündet. Südlich davon und jenseits des Canale della Giudecca liegen die Inseln La Giudecca und S. Giorgio Maggiore (ehem. Salineninsel).

Glanzvoller Mittelpunkt V.s ist der Markusplatz, beherrscht von der Markuskirche, der Palastkapelle des Dogen, die seit 1807 Kathedralkirche von V. ist. Sie wurde nach Vorgängerbauten des 9. und 10. Jh. seit 1063 als byzantin. Zentralbau über grch. Kreuz mit 5 Kuppeln und Vorhallen im W und N (mit Gewölbemosaiken des 13. Jh.) errichtet; an den Haupt- und Nebenfassaden reicher Skulpturen- und v.a. in den Portalnischenwölbungen Mosaikschmuck. Das Innere hat einen polychromen Mosaikfußboden (12. und 13. Jh.) und ist in den unteren Zonen mit Marmorplatten verkleidet, die Oberwände und Kuppeln sind vollständig mit goldgrundigen Mosaiken des 12.–14. Jh. ausgeschmückt. Zu den bedeutendsten Stücken der reichen Ausstattung gehören die →Pala d'Oro, die bronzene Sakristeitür von J. SANSOVINO (1545 ff.) und die Ikonostase von J. und P. DALLE MASEGNE (1394). Viele Kunstwerke brachten die Venezianer während der Kreuzzüge aus dem Orient mit, v.a. die 4 Bronzepferde aus hellenist. Zeit (bei der Eroberung Konstantinopels 1204 erbeutet und über dem Mittelportal aufgestellt; wegen starker Beschädigung durch Abgase in jüngster Zeit durch Kopien ersetzt) und zahlreiche Stücke der Schatzkammer (byzantin. Werke der Goldschmiedekunst, Kuppelciborium aus grch. Marmor u.a.). Im Mus. Marciano (über den Vorhallen der Markuskirche) kostbare Wandteppiche des 14. und 15. Jh. An der N-Seite des Markusplatzes befinden sich die Alten Prokuratien (1500–32), an der S-Seite die Neuen Prokuratien (1583 ff., von V. SCAMOZZI); überragt wird der Platz von dem mächtigen Campanile (um 900, zu Beginn des 16. Jh. erneuert, 1902 zusammengestürzt und in unveränderter Form wiederaufgebaut). In seiner Nähe die

Venedig: Blick von San Giorgio Maggiore auf Campanile und Dogenpalast

Loggetta, eine mit Bronzefiguren und Marmorreliefs geschmückte Bogenhalle von Sansovino (1537–40, beim Einsturz des Campanile zerstört und 1912 wiederhergestellt). Anschließend an die S-Seite der Markuskirche, mit ihr verbunden durch die skulpturengeschmückte Porta della Carta (1438–42), erstreckt sich der Dogenpalast (Palazzo Ducale, zw. 1309 und 1442 nach Vorgängerbauten errichtet), im W und S sich öffnend in Bogengängen mit got. Figurenkapitellen und einer darüberhinlaufenden Loggia mit venezianisch-got. durchbrochenen Bögen, über der die glatte Oberwand mit einem Rautenmuster von weißem und rotem Marmor bedeckt ist. Das Innere des einen großen Hof umschließenden Palastes (im Innenhof Prachttreppe ›Scala dei Giganti‹, von A. Rizzo 1485 beg., und zweigeschossiger Triumphbogen ›Arco Foscari‹, 1462–71) birgt eine Fülle von Kunstwerken, v. a. Wand- und Deckengemälde von Tintoretto, Paolo Veronese u. a. Der W-Front des Dogenpalastes gegenüber erheben sich die Markusbibliothek, das HW von Sansovino (1536 ff., von Scamozzi 1583–88 voll.; im Inneren Deckengemälde Tizians) und die ebenfalls von Sansovino 1537–45 erbaute Zecca (Münze), heute Biblioteca Marciana mit wertvoller Hss.-Samml. Zw. beiden Bauten liegt die Piazzetta, die vom Markusplatz zur Lagune führt, wo 2 Granitsäulen mit dem Markuslöwen und dem Hl. Theodor stehen. Die S-Front des Dogenpalastes ist mit dem ehem. Staatsgefängnis (1560–1614) durch die Seufzerbrücke (um 1600) verbunden.

Groß ist die Zahl der Paläste, bes. am Canal Grande, v. a. die Ca' d'Oro, ein Meisterwerk der venezian. Spätgotik (um 1421–40; wegen der urspr. vergoldeten Marmorfassade ›Goldenes Haus‹ gen.), der Fondaco dei Tedeschi (Kauf- und Lagerhaus der Deutschen in V., 1228 erstmals gen., Neubau 1505–08; Reste der weitgehend zerstörten Fassadenfresken von Tizian und Gior-

GIONE in den Gallerie dell'Accademia), der Palazzo Corner (gen. Ca' Grande, von Sansovino 1537 beg., ein HW der venezian. Renaissance) und der Palazzo Grimani (beg. um 1540 von M. SANMICHELI); B. LONGHENA schuf die Paläste Ca'Rezzonico (um 1660 ff., im Inneren Fresken von G. B. TIEPOLO) und Ca'Pesaro (1676 beg.), die das Stadtbild weithin beherrschende Kuppelkirche S. Maria della Salute (1631 beg.; BILD Guardi) und die spätbarocke Kirche Chiesa degli Scalzi (1670 beg.). An der Spitze zw. dem Ende des Canal Grande und dem Canale della Giudecca steht die Dogana del Mare (Zollamt, 17. Jh.). Überquert wird der Canal Grande von 3 Brücken, die bedeutendste ist die Rialto-Brücke (1588–92), getragen von einem einzigen Marmorbogen und beiderseits gesäumt von Kaufläden.

Von den vielen Kirchen V.s sind v. a. zu nennen: die großen got. Backsteinbauten SS. Giovanni e Paolo (um 1246 beg.; mit Grabmälern von Dogen und Feldherren und Deckengemälde von G. B. PIAZZETTA; auf dem Platz vor der Kirche das Reiterdenkmal des →Colleoni von A. DEL VERROCCHIO) und S. Maria Gloriosa dei Frari (um 1340 beg., mit Triptychon von G. BELLINI, der Himmelfahrt Mariä über dem Hochaltar und der Pesaro-Madonna, beide von Tizian, der hier begraben ist). Ganz mit mehrfarbigem Marmor bedeckt ist S. Maria dei Miracoli, der kostbarste Bau der venezian. Frührenaissance (1481–89 von P. LOMBARDO; mit qualitätvollen Skulpturen im Inneren). Die im 9. Jh. gegr. Kirche S. Zaccaria wurde im 15. Jh. völlig umgestaltet (mehrgeschossige Marmorfassade, um 1500 voll.; mit Altarbild von G. Bellini und Gewölbefresken von A. DEL CASTAGNO in der Tarasio-Kapelle). Ein Meisterwerk der Hochrenaissance ist S. Salvatore (1507–34, Barockfassade 1663 beg.; Altarretabel von Tizian und Venier-Grabmal, ein HW von J. Sansovino, 1561). Die Wand- und Deckenmalereien in der Kirche S. Sebastiano (1505–46) gehören zu den HW von Paolo Veronese. In der Spätrenaissance schuf A. PALLADIO die formvollendete Kirche Il Redentore auf der Insel La Giudecca (1577–92) und die Klosterkirche S. Giorgio Maggiore auf der gleichnamigen Insel (1566 beg.; mit Altarbildern von Tintoretto); die Klostergebäude sind heute Sitz der →Fondazione Giorgio Cini.

Typisch für V. waren die Scuole, Laienbrüderschaften karitativer Art, deren Versammlungshäuser mit Zyklen relig. Bilder ausgestattet waren (jetzt größtenteils in Museen; noch vollständig erhalten in der Scuola di S. Giorgio degli Schiavoni mit Gemälden von V. CARPACCIO und der Scuola di S. Rocco mit großen Wand- und Deckengemälden von Tintoretto; die Scuola Grande di S. Marco beeindruckt v. a. durch ihre polychrome Marmorfassade mit großen Reliefs, 1485–95). – Zu V. gehören auch →Murano und →Torcello.

Gefährdung der Bauwerke. Die Landsenkung und der Meeresspiegelanstieg an der gesamten oberen Adriaküste bringt für die Erhaltung V.s schwerwiegende Probleme mit sich. Über 600 historisch wertvolle Bauten sind unmittelbar gefährdet und konnten nur z. T. (v. a. mit Hilfe der UNESCO, die V. zum Weltkulturerbe erklärte) restauriert werden. Hinzu kommen die durch Abgase und durch das feuchte Meeresklima bewirkten Schäden, v. a. an den Marmorbildwerken. Das Sonderges. der ital. Regierung zur Rettung V.s von 1973 hat bislang wenig konkrete Ergebnisse gebracht.

Museen. Bedeutendstes Mus. V.s ist die Gemäldegal. in der →Accademia; in den Neuen Prokuratien (zeitweilig Palazzo Reale) befinden sich das Mus. →Correr und das Archäolog. Mus. (v. a. mit grch. Antikensamml.); in der Ca' d'Oro die Gal. Franchetti (Kunstwerke venezian. Wohnkultur von der Spätgotik bis zum Barock); in der Ca' Rezzonico das Mus. del Settecento Veneziano (venezian. Kunst des 18. Jh.); die Pinakotheken Querini-Stampalia im gleichnamigen Palast (venezian. Malerei des 14. bis 18. Jh.) und Manfrediana im Palast des Erzbischöfl. Seminars (Gemälde und Skulpturen des 14.–18. Jh.); ferner in der Ca' Pesaro die Gal. d'Arte Moderna (Kunst des 19. und 20. Jh.) und im Palazzo Venier dei Leoni die Samml. Peggy →Guggenheim.

F. ROITER: V. – Mus. in der Lagune (1973); Reclam Kunstführer Italien, 2, 1 (1974); V. und seine Kunstschätze, hg. v. M. MURARO u. A. GRABAR (a. d. Ital. u. Frz., 1979); MARIANNE LANGEWIESCHE: V.-Gesch. u. Kunst ([5]1979); D. CRIVELLARI: V., Gesch., Kunst und Kultur (a. d. Ital., 1982).

Venedig, Malerschule von Venedig, die eigenständige Entwicklung der venezian. Malerei seit dem Trecento. Im Vergleich zum übrigen Italien blieb die Malerei in Venedig der byzantin. Tradition (Maniera Greca) am längsten verbunden. Die Auseinandersetzung mit der Gotik begann durch PAOLO VENEZIANO im 14. Jh.; JACOBELLO und der zeitweilig in V. tätige GENTILE DA FABRIANO waren die Hauptmeister des got. Stils. Zu Beginn des 15. Jh. gelangten gleichzeitig Einflüsse der florentin. Frührenaissance durch P. UCCELLO und A. DEL CASTAGNO nach Venedig. J. BELLINI verarbeitete diese Anregungen in seinen für die venezian. Malerei des 15. Jh. repräsentativen Bilddarstellungen, die durch kleinfigurige Szenen in phantast. Landschaften oder in Verbindung mit aufwendigen architekton. Prospekten charakterisiert sind. Sein Sohn GIOVANNI BELLINI, der von ANTONELLO DA MESSINA und MANTEGNA nachhaltig geprägt wurde, leitete Anf. des 16. Jh. die klass. Periode der venezian. Malerei ein. In der feierlich gestimmten Vortragsweise, die durch die Einbeziehung landschaftl. Motive verstärkt und von der warm leuchtenden Farbigkeit malerisch weich modellierter Formen begleitet wird, erreichte die Malerei Venedigs ihre Vollendung in den Gemälden von GIORGIONE, PALMA VECCHIO und dem alle überragenden TIZIAN. Hauptmeister des 16. Jh. waren daneben u. a. SEBASTIANO DEL PIOMBO, der sich später in Rom MICHELANGELO anschloß, BONIFAZIO DE' PITATI und G. A. PORDENONE. Einen weiteren Höhepunkt bilden die mit festlich leuchtenden Farben inszenierten Bilderzählungen von PAOLO VERONESE und die an den Erscheinungsformen des röm. Manierismus orientierte maler. Vorstellungswelt TINTORETTOS. Stärker profanen Themen zugewandt und zum Genrebild tendierend ist das Werk von J. BASSANO.

Im 17. Jh. gingen die entscheidenden Impulse von mehreren von auswärts gekommenen Künstlern aus, wie dem aus Vicenza stammenden F. MAFFEI, dem

Deutschen J. LISS, dem Florentiner S. MAZZONI oder dem Genuesen B. STROZZI, die mit ihrem reichen Farbempfinden den weiteren Höhepunkt der venezian. Malerei im 18. Jh. vorbereiteten. S. RICCI, G. B. PIAZZETTA und G. B. TIEPOLO mit ihren Wand- und Deckenmalereien, deren farbig gestalteter Tiefenillusion und dem theatralisch aufgebauten Bildgeschehen waren die überragenden Meister dieser Epoche. Gleichzeitig erreichte die Vedutenmalerei Venedigs im 18. Jh. mit den beiden CANALETTO und F. GUARDI ihre Vollendung.

Venetianer Terpentin, Maltechnik: →Lärchenterpentin.

Venetianisch|rot, auch **Münchener-, Florentiner-, Kugel-,** oder **Granatlack,** seit dem 19. Jh. gebräuchliche Bez. für rote Farblacke aus Brasilholz.

Venetianisch|weiß, Maltechnik: Verschnitt von Bleiweiß mit Kreide.

venezianische Gläser, in →Murano bei Venedig hergestellte Gläser (Blütezeit 16./17. Jh., →Fadenglas, →Flügelgläser).

venezianisches Email [-em'aj], mit Metalleinlagen verziertes Maleremail aus Venedig (→Emailkunst).

Veneziano, ital. Maler, **1)** →Agostino Veneziano; **2)** →Domenico Veneziano; **3)** →Paolo Veneziano.

Veng, Ort westlich von Århus, mit der ältesten Klosterkirche Dänemarks, einem einfachen, weitgehend unverändert erh. Bau des frühen 12. Jh., der vom angelsächs. Kirchenbau beeinflußt ist.

Venlo [f-], Stadt in der niederländ. Prov. Limburg, 62400 Ew. Hauptkirche ist die got. St. Martinuskerk (um 1400 beg.), eine dreischiffige Halle mit Kreuzgewölben; im Innern u. a. spätgot. geschnitzte Chorbänke, kupfernes Taufbecken (1621), Barockkanzel (18. Jh.). Das Rathaus (1596–1601) mit 2 achteckigen Ecktürmen und Vortreppe (1609) enthält mehrere bed. Gemälde, u. a. von H. GOLTZIUS. Mus. Van Bommel-van Dam (u. a. Kunstgewerbe Ost- und Kleinasiens, japan. Stiche, moderne niederländ. Kunst), Goltzius-Mus. (u. a. Gemälde seit dem 16. Jh., Kunstgewerbe).

Venne [f'ɛnə], Adriaen Pietersz. van de, holländ. Maler, *Delft 1589, †Den Haag 12. 11. 1662, zeitweise in Middelburg tätig, schuf Landschaften, z. T. mit allegor. oder histor. Figürchen, Sprichwortszenen in Grisaille-Malerei, Porträts- und Buchillustrationen.

Venturi, Robert, amerikan. Architekt, Architekturkritiker, *Philadelphia (Pennsylvania) 25. 6. 1925, gründete 1958 ein Büro in Philadelphia (seit 1964 Partnerschaft mit J. RAUCH). In seinen Bauten ist die Formensprache des anonymen kommerziellen Bauens in den USA in intellektuell-manierist. Weise künstlerisch überhöht.

HW: Hauptquartier der North Penn Visiting Nurse Association (1960, mit W. SHORT); Guild House, Philadelphia (1960–63, mit J. RAUCH, P. COPE u. H. M. LIPPINCOTT); Humanities Building und Social Sciences Building der State Univ. of New York in Purchase, New York (1970–77, mit J. RAUCH).

R. V., John Rauch und Scott Brown, mit Beitr. v. ESTHER MCCOY u. a. (New York 1982; mit Werkkat. 1958–78).

Venus, altitalisch-röm. Göttin, urspr. wohl eine Gnadengottheit und der Fortuna nahestehend, die dann zur Göttin der Liebe wurde und wahrscheinlich schon vor dem 5. Jh. v. Chr. mit Aphrodite verschmolz. Darstellungen der V. waren, v. a. nachdem sie als Stammutter der Julier galt, in Rom zahlreich und der →Aphrodite nachgebildet. Seit dem 2. Jh. n. Chr. in den Totenkult einbezogen, wurde sie häufig statuarisch auf Gräbern und v. a. auf Sarkophagreliefs dargestellt.

Venus|statuetten, paläolith. Kleinplastiken aus Stein, Elfenbein und Ton, die meist nackte Frauen mit üppigen Körperformen darstellen. Die ersten V. aus Elfenbein wurden 1894 in einer Höhle bei →Brassempouy entdeckt. Während realist. Formen nach Art der Venus von →Willendorf in der Wachau lange Zeit als Leitform der Kleinkunst des Aurignacien galten, ist die Typenskala durch die Entdeckung der Statuetten von →Lespugue und →Dolní Věstonice durch streng stilisierte, konkretisierte Formen bereichert worden. Zugleich konnte die Gesamtgruppe, die von den Pyrenäen bis zum Baikalsee verbreitet ist, in das Spätaurignacien datiert werden.

H. DELPORTE: L'image de la femme dans l'art préhistorique (Paris 1979).

Veracruz [berakr'u:s], Bundesstaat Mexikos, an der Golfküste, Wohngebiet der →Totonaken; war in vorkolumb. Zeit (Präklassik) Kulturgebiet der Olmeken. Eine Zuordnung der aus klass. Zeit (300–900) stammenden Keramikfunde aus →Remojodas zu den Totonaken ist unsicher.

Vẹra Ikọn [lat.-grch. ›wahres Bild] *die,* das ›wahre‹ (Ab-)Bild Christi: die →Acheiropoieta vom Abdruck im Schweißtuch der →Veronika oder vom Evangelisten Lukas gemalt; im Spät-MA. ein beliebtes Darstellungsmotiv (J. VAN EYCK, ROGIER VAN DER WEYDEN, A. DÜRER).

Verami̱n, Ort rd. 50 km südöstlich von Teheran, erlangte nach der Zerstörung von Raj durch die Mongolen (1220) Bedeutung. Der Grabturm des Alaeddin (1289) hat Verzierungen aus glasierten Ziegeln und erinnert mit seinem sternförmigen (achteckigen) Grundriß an den Nakareh Chaneh in Raj. Von der Scharif-Moschee (1307) sind nur Reste erh. Die unter Abu Said erbaute Freitagsmoschee (1322–26) ist eine Vier-Iwan-Anlage, 1412 von Schah Ruch restauriert, später durch Erdbeben z. T. zerstört; Kuppel über dem Betsaal; vielgestaltige Dekoration aus komplizierten geometr. Mustern sowie Schriftbändern auf vegetabilen Mustern.

Verbruggen [fərbr'yxə], Pieter d. Ä., niederländ. Bildhauer, getauft Antwerpen 5. 5. 1615, †ebd. 31. 10. 1686, Schüler des A. QUELLINUS D. Ä., arbeitete für Antwerpener Kirchen (relig. Standbilder, figürl. Altäre). Von seinen Söhnen schuf Pieter d. J. (*Antwerpen 17. 8. 1640, †ebd. 6. 10. 1691) u.a. den Marmoraltar der Antwerpener Dominikanerkirche, Hendrik (*Antwerpen 30. 4. 1654, †ebd. 12. 12. 1724) figürl. Barockkanzeln u.a. in Brüssel, Löwen, Antwerpen.

Vercelli [vertʃ'ɛlli], Stadt und Bischofssitz in NW-Italien (Piemont), an der Sesia, 54900 Ew. Der wichtigste Kirchenbau ist die 1224 gew. Basilika S. Andrea (außen romanisch, innen nach den Regeln der frz. Zisterzienserbaukunst erbaut) mit Abtei und Kreuzgang (15. Jh.). Der Dom wurde über frühchristl. und roman. Bauteilen um 1572 nach Plänen von P. TIBALDI neu errichtet (1703–63 barock umgestaltet, u. a. mit Vorhalle von B. ALFIERI); Kirchenschatz (frühma. Kunsthandwerk); im Kapitelarchiv kostbare Hss. (›Codex Vercellensis‹, Anf. des 11. Jh.). Renaissance-Kirche S. Cristoforo (1526) mit Freskenzyklus und Hochaltar-Madonnenbild von G. FERRARI, Mus. Borgogna mit Gemäldegal., im Mus. Leone archäolog. und histor. Samml.

Verchen [f-], Gem. im Kr. Demmin, am Kummerower See, Dt. Dem. Rep., mit ehem. Benediktinerinnenkloster; frühgot. Backsteinkirche (beg. um 1270) mit Glasmalereien (2. H. 15. Jh.), bed. Schreinaltar (um 1420).

Verdaccio [verd'attʃo, ital., von verde ›grün‹], Maltechnik: grüne Untermalung der →Inkarnate in der altital. Malerei, entspricht dem Proplasmus der Ikonenmalerei. Das V. bildet dort, wo es durchschimmert oder unüberdeckt bleibt, die Schatten.

Verdegris [vɛrdəgr'i, frz.], Maltechnik: grünes Kupferacetat, das verschiedentlich als Pigment nachgewiesen ist.

Verden (Aller) [f-], Kreisstadt in Ndsachs., 24300 Ew.; wurde 849 Sitz eines Bistums. Der got. Dom (13. bis 15. Jh.) entstand im Anschluß an die Dome in Bremen, Minden und Münster und hat einen der ältesten Hallenumgangschöre in Dtl. (um 1270); am Levitenstuhl reiches Schnitzwerk (1. H. 14. Jh.). Beim Bau des Kreuzgangs (1268) wurden spätroman. Säulen wiederverwendet. In der Norderstadt die got. Johanniskirche (12.–15. Jh.), ein früher Backstein-Gewölbebau; in der Süderstadt die roman. Andreaskirche (12./13. Jh.). Bürgerhäuser und Fachwerkbauten (16.–19. Jh.).

Verditer [aus mfrz. verd de terre ›Erdgrün‹], Maltechnik: künstlich hergestelltes →Malachit.

Verdun [vɛrd'œ̃], Stadt im frz. Dép. Meuse, an der Maas und am Canal de l'Est, 26900 Ew.; kath. Bischofssitz. Die Kathedrale (11.–12. Jh., eingewölbt und gotisiert 13.–14. Jh., 1755 barock erneuert) hat 2 Chöre und 2 Querschiffe, eine Krypta und spätgot. Kreuzgang; Bischofspalais (1725, von R. DE COTTE; z. T. Bibliothek); Princerie (1525; Städt. Mus. mit Altertümern, skulptiertem Elfenbeinkamm des 11. Jh. u. a.); Hôtel de Ville (1623; Kriegsmus.); Porte-Chaussée (14. Jh.) sowie Zitadelle, Tore und Bastionen der Festung von S. VAUBAN. – V., seit dem 4. Jh. Bischofssitz, kam 925 zum Dt. Reich und wurde im 13. Jh. Reichsstadt; seit 1552 unter frz. Herrschaft; nach 1871 zur Festung ausgebaut; im 1. Weltkrieg hart umkämpft.

Verdünnungsmittel, Maltechnik: Malmittel, mit dem die Farbe für einen flüssigeren oder lasierenden Auftrag verdünnt wird.

Verdüre [frz. verdure ›grüne Farbe‹] *die,* gewirkter Wandteppich (→Bildwirkerei) mit Laub- und Pflanzenwerk, später oft auch mit Landschaftsdarstellungen,

Vergina: eine der truhenförmigen Urnen aus Gold; Länge 38 cm (Saloniki, Archäolog. Museum)

häufig mit Tier- oder Figurenstaffage oder Wappen. Grün und Braun herrschen als Farben vor; seit dem späten MA. wurden V. in allen Bildwirkereien hergestellt (→Oudenaarde).

Vergina, Ort im westl. Zentralmakedonien, Griechenland, etwa 1000 Ew., wahrscheinlich das antike **Aigai,** die alte Hauptstadt der makedon. Könige. Durch Ausgrabungen wurde bisher ein Königspalast freigelegt und 1982 das Theater entdeckt, in dem PHILIPP II. 336 v. Chr. ermordet worden sein soll. Unter den aufgedeckten makedon. Fürstengräbern (z. T. mit Fresken) ragen die beiden 1977 entdeckten, nicht ausgeraubten Königsgräber in einem Tumulus durch den außergewöhnl. Reichtum ihrer Beigaben heraus; sie lassen auf die Bestattung eines Mannes und einer Frau von hohem Rang (vermutlich Philipp II. und seine Frau Kleopatra) schließen. Zu den kostbaren Funden (Saloniki, Archäolog. Mus.) gehören v. a. 2 truhenförmige Urnen aus Gold (mit Knochenresten der Bestatteten und einem goldenen Eichenkranz), ein vergoldetes Silberdiadem u. a. Schmuck, verzierte Waffen sowie Elfenbeinschnitzereien, die die Klinen des Grabes schmückten, darunter Porträts Philipps II.(?) und Alexanders d. Gr.(?). Über dem Säulenportal des größeren Kammergrabes befindet sich ein gemalter Jagdfries; ein älteres ausgeraubtes Grab in demselben Tumulus hatte bemalte Innenwände (u. a. Raub der Persephone).

Vergina: Porträt Philipps II.(?); Elfenbein, Höhe 3 cm (Saloniki, Archäolog. Museum)

Vergoldergrund, Weißgrund, Gipsgrund, Maltechnik: Grundierung aus Kreide oder Gips mit Warmleim, der auf die zu vergoldende Fläche in mehreren Lagen aufgetragen und anschließend geschliffen wird. Der V. muß elastisch und polierbar sein.

Vergolderwerkzeug, Maltechnik: Auf einem gepolsterten, lederüberzogenen Brett (Vergolderkissen) zerteilt der Vergolder das Blattmetall. Anschießer versch. Größe (→Anschießen) dienen zum Auftragen, Fehhaarpinsel zum Andrücken des angeschossenen Goldes, Poliersteine zum Glätten. – Der Vergoldergrund wird vor dem Anschießen mit Schleifmaterialien geebnet und mit Repariereisen und Gravierhaken nachgearbeitet und ornamentiert.

Vergoldung, Überziehen eines Gegenstandes mit

dünner Goldschicht. **1) Feuer-V.** für Metalle: Gold wird in Quecksilber gelöst; das entstandene Amalgam wird auf den gereinigten und mit Quickwasser benetzten Gegenstand aufgestrichen, der erhitzt wird, wobei das Quecksilber verdampft. Der verbleibende matte Goldbelag kann mit dem Stahl poliert werden. **2) Galvanische V.** Hierbei wird der metallene Gegenstand in eine Lösung mit Goldcyanidverbindungen (Galvan. Bad) gehängt. Durch angelegten elektr. Strom wird er zur Kathode, an der sich das im Bad gelöste Gold durch einen eingeleiteten Strom (Anode) niederschlägt. Der Goldüberzug ist in der Stärke variabel, je nach Dauer des Bades, er nimmt die polierte oder mattierte Oberfläche des Gegenstandes genau an. Bedeutung gewann die galvan. V. erst am Ende d. 18. Jh. **3) Anreibe-V.** Hierzu wird der blanke metallene Gegenstand in eine Goldlösung getaucht, wobei sich durch Elementbildung soviel Gold auf dem Gegenstand niederschlägt, wie von diesem in Lösung gehen kann. **4) Blatt-V.** mit →Blattgold wird in versch. Techniken angewendet, z. B. als Glanz- oder Polimentvergoldung (→Poliment) auf Gemälden, Holzschnitzereien, als **Öl-V.** auf rauhen Untergründen und im Freien, als →Mordentvergoldung auf Wandbildern und auf Papier. **5) Bronze-V.** wird für feine Goldmalerei eingesetzt, wobei Goldstaub (→Pudergold) in Bindemittel angerieben (→Anreiben) und mit feinem Pinsel vermalt wird.

V. wurden zur Ausgestaltung von Räumen, Kunstwerken u. a. schon seit der Antike eingesetzt.

Verhaecht [fərh'a:xt], Tobias, fläm. Maler, *Antwerpen 1561, †ebd. 1631, war in Florenz und Rom, malte und zeichnete phantast. Gebirgslandschaften in der Art von J. DE MOMPER. P. P. RUBENS war sein Schüler.

Verhelst [fərh'ɛlst], Bildhauer- und Stukkatorenfamilie aus Antwerpen, später in Augsburg ansässig. – Egid d. Ä. (*Antwerpen 13. 12. 1696, †Augsburg 19. 4. 1749) kam nach Ausbildung in Antwerpen und Paris 1718 mit W. DE GROFF an den Münchner Hof, wurde 1724 ebd., 1738 in Augsburg Hofbildhauer. Sein HW war der Hochaltar (1726) der Kirche des Benediktinerklosters Ettal (Figuren der Himmelfahrt Mariä; in Blei gegossen und vergoldet, 1744 nach Brand zerstört). Erh. sind 4 Seitenaltäre der Klosterkirche Dießen (1737–40), Statuen im Thronsaal der Residenz in Kempten (1740–42) und Figuren des Hochaltars in der Wieskirche (1748/49). – Seine Söhne waren Bildhauer und Kupferstecher: Placidus (*Ettal 9. 4. 1727, †St. Petersburg 1778?; Ausstattung des Palais Liebert-Schaezler in Augsburg im Stil des späten Rokoko); Ignaz Wilhelm (*München 23. 7. 1729, †Augsburg 12. 11. 1792) und Egid d. J. (*Ettal 25. 8. 1733, †München 1818).

P. VOLK: Rokokoplastik in Altbayern, Bayer. Schwaben und im Allgäu (1981).

Verhulst [fərh'ylst], Rombout, niederländ. Bildhauer, *Mecheln 15. 1. 1624, begraben Den Haag 27. 11. 1698, Mitarbeiter von A. QUELLINUS D. Ä. beim Skulpturenschmuck des Rathauses (heute königl. Palast) in Amsterdam. Hauptmeister der fläm. Barockbildhauerkunst in Holland, schuf Architekturreliefs (Leiden, Waage 1662), Grabmäler und Porträtbüsten.

Verismus [von lat. verus ›wahr‹], eine extrem naturalistische Darstellungsweise, die häufig Sozialkritik übt. In der bildenden Kunst findet sie sich erstmals in der spätrepublikan. Porträtkunst Roms und tritt seitdem in betont realist. Phasen der Kunstgesch. auf. Im 20. Jh. werden die von der Dadabewegung kommenden Maler O. DIX, G. GROSZ, O. GRIEBEL, R. SCHLICHTER auch ›Veristen‹ genannt; sie sehen kritischer als die Maler der →Neuen Sachlichkeit soziale und polit. Mißstände.

Verjüngung, Baukunst: die Verringerung der Ausmaße, z. B. im Durchmesser des Säulenschaftes (→Säulenordnung), auch das scheinbare Kleinerwerden bei gleicher Größe in perspektiv. Verkürzung.

Verklärung Christi, die in den synopt. Evangelien berichtete Epiphanie Christi, bei der Petrus, Jakobus und Johannes auf einem Berg Jesus in himml. Glanz, begleitet von Moses und Elias, sahen.

In der bildenden Kunst ist die V. C. wohl zum ersten Mal in der Apsismalerei der justinian. Zeit dargestellt worden. (Mosaik in der Apsis der Kirche des Katharinenklosters auf dem Sinai, 565/566). Bereits hier findet sich in großen Zügen das über das MA. hinaus überlieferte kompositionelle Schema: Christus im weißen Gewand steht in der Mandorla, von ihm gehen 7 Strahlen aus. Links und rechts von ihm stehen Moses und Elias, vor ihm, vom Licht überwältigt, die 3 Apostel. Über Christus ist in einem Medaillon ein Kreuz dargestellt. Neben dieser bildhaften Deutung kann die V. C. auch symbolisch verschlüsselt wiedergegeben werden (Mosaik um 549; Ravenna, San Apollinare in Classe); das Gemmenkreuz im Sternen-Medaillon unter der Hand Gottes und das Monogramm Christi verdeutlichen Christus, 2 anbetende Halbfiguren verkörpern Moses und Elias, 3 Schafe die 3 Apostel. Das Kreuz verbindet auf beiden Mosaiken die V. C. mit der Passion. Später kann die Darstellung auch das Motiv der Himmelfahrt Christi aufnehmen. – Im 14. Jh. wurde durch GIOTTO (Fresken der Arenakapelle, Padua) und seine Schule (Tafelbild Anfang des 14. Jh.; Florenz, Galleria dell' Accademia) Christus ohne Mandorla über dem Berg schwebend dargestellt. Diese Auflockerung des urspr., fast liturgisch strengen Bildes führte RAFFAEL (Gemälde 1518 bis 1520; Rom, Vatikan. Museen) zum Höhepunkt.

Verkleidetes Bildnis, die Darstellung einer zeitgenöss. Persönlichkeit in der Gestalt einer Gottheit, einer Figur der Bibel oder des Heiligenlebens oder des Altertums. Diese Sitte kam zuerst im Hellenismus (seit Alexander d. Gr.) auf, verschwand in der Spätantike, trat gegen Ende des MA. wieder hervor, wurde durch die Renaissance belebt und hielt sich bis zum Ende des 18. Jh. Die verehrten Vorbilder, in deren Gestalt man hineinschlüpfte, konnten sakrale sein (der Kardinal Albrecht von Brandenburg als Hl. Hieronymus im Gehäuse von L. CRANACH D. Ä., Wien, Kunsthistor. Mus.), weit häufiger aber sind sie der Mythologie entnommen: Diana von Poitiers als Diana aus der Schule von Fontainebleau (Louvre) und der junge Goethe als Apollo mit Leier (Relief von J. P. MELCHIOR).

Verkolje [f-], Jan, holländ. Maler, *Amsterdam 9. 2. 1650, begraben Delft 8. 5. 1693, malte, von G. METSU, G. TERBORCH und C. NETSCHER ausgehend, Genreszenen und schuf auch Schabkunstblätter. Sein Sohn Nicolas, *Delft 11. 4. 1673, †Amsterdam 21. 1. 1746, schloß sich ihm an.

Verkröpfung, Kröpfung, Baukunst: das Brechen und Herumziehen von Gesimsen und Profilen um Bauteile, die aus der Flucht vor- und zurückspringen. Das Hochziehen wird **Aufkröpfung** genannt.

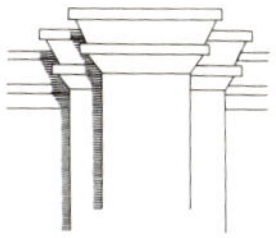

Verkröpfung

Verkündigung, in der bildenden Kunst die Darstellung der Mitteilung der Empfängnis Jesu an die Jungfrau Maria durch den Engel Gabriel. Sie findet sich bereits in der Katakombenmalerei (Rom, SS. Pietro e Marcellino). Bildquellen sind neben den kanon. Evangelien wohl auch die Apokryphen: im Protoevangelium des Jakobus eine V. am Brunnen, etwas später eine V. in einem Raum, in dem Maria an dem später beim Tod Christi zerrissenen Tempelvorhang arbeitete (Mosaik um 434; Rom, S. Maria Maggiore). Die Szene am Brunnen gibt ein Mosaik um 1220 (Venedig, S. Marco) wieder. Bed. für die Buchmalerei wie für die Kathedralplastik ist die Szene des Rabula-Evangeliars (Maria und Gabriel stehen sich im Gespräch gegenüber). In späteren Darstellungen überrascht der Engel Maria beim Lesen oder ein geschlossenes Buch in der Hand haltend (Mosaik von P. CAVALLINI, 1291; Rom, S. Maria in Trastevere). Gottvater erscheint hier über der Szene, von ihm aus senken sich mit der Taube (als Symbol des Hl. Geistes) Strahlen auf Maria herab. An Stelle der Taube schwebt in späterer Zeit das Christkind (oft mit geschultertem Kreuz) zur Gottesmutter herab. – Der Ort der V. ist verschieden: neben einer Architekturkulisse (Rom, S. Maria Maggiore) oder vor der Stadt Nazareth (Egbert-Codex, Ende 10. Jh.; Trier), meist jedoch in einem Innenraum (GIOTTO, J. VAN EYCK, K. WITZ) oder in einem Arkadenhof (BILD Angelico). Häufig ist die Angabe des Ortes symbolisch gemeint: die Architektur als Himml. Jerusalem; ein Portal als Pforte zum Paradies, der Innenraum einer Kirche als Hinweis auf die Begründung der Ecclesia durch Christus, deren Typus Maria ist. – Der Engel kann einen Wanderstab tragen als Zeichen seines Botendienstes (die Botschaft auch in einem versiegelten Brief; S. LOCHNER, um 1440; Köln, Dom); später trägt er ein Zepter als Symbol der himml. Herrschaft, einen Zweig vom Lebensbaum oder ein Reis (Hinweis auf den Stammbaum Marias). In späteren Jh. wird die Lilie als Symbol der Reinheit und Jungfräulichkeit in den Händen des Engels fast zur Regel (O. GENTILESCHI, 1621, Turin; I. GÜNTHER, 1763, Weyarn, Klosterkirche).

Verkündigung von Aix [-ɛks], →Meister der Verkündigung von Aix.

Verkürzung, →Perspektive.

Verlackung, Maltechnik: Aufziehen eines Farbstoffs auf einen farblosen Träger, damit er wie ein Pigment verarbeitet werden kann.

verlorene Form, Bildhauerkunst: →Bildguß.

Verlorener Sohn, Hauptgestalt der gleichnamigen neutestamentl. Parabel. Die frühesten Darstellungen sind byzantin. Miniaturen des 11. Jh.; von ihnen angeregt folgen Verbildlichungen des Westens 2 Jh. später, doch in eigener Auffassung. Im Gefüge der Heilswelt erscheinen sie in der ›Bible moralisée‹ und in der ›Biblia pauperum‹, dann v. a. im 15./16. Jh. (A. DÜRER, H. S. BEHAM, H. HOLBEIN D. J., REMBRANDT u. a.). Beliebt waren seit dem 16. Jh. auch die Darstellungen der Weltfreuden des V. S., die zum besonderen Anlaß für das im Inhalt schon von seinem Motiv abgelöste →Gesellschaftsstück wurden.

Vermeer [f-], **1)** Jan **van der Meer,** genannt **van Haarlem d. Ä.,** holländ. Maler, →Meer 2).

2) Johannes (Jan), auch **van der Meer,** genannt **V. van Delft,** holländ. Maler, getauft Delft 31. 10. 1632, begraben ebd. 15. 12. 1675, einer der größten Maler des 17. Jh., über dessen Ausbildung und Leben wenig bekannt ist. Er schuf v. a. Genrebilder, deren allegor. Inhalte im Spätwerk zunehmend sichtbar werden. In seinen Hauptthemen wählte er sittenbildl. Einzelfiguren oder Gruppen in stillem Beieinander im Innenraum. Seine Motive gehen im farbig schimmernden Schmelz des hellen Lichts auf, das alle Umrisse auflöst und in farbigen Pünktchen auf den kostbaren Stoffen auf-

Vermeer van Delft: Allegorie der Malerei (Wien, Kunsthistor. Museum)

glänzt. Die Lichtwerte ergeben reichgestufte Farbwerte, auch in den schattigen Partien. Die Farbigkeit wird in ausgewogener, flächenbezogener Komposition geordnet, in die sich auch die Raumwirkung harmonisch einfügt. Seine Schaffensart war durch äußerste formberechnende Bedachtsamkeit gekennzeichnet. Daher umfaßt sein Gesamtwerk weniger als 40 Gemälde, die äußerst schwierig zu datieren sind, darunter 2 Allegorien und 2 Stadtansichten, deren Auffassung der formalist. Behandlung seiner Figurenbilder entspricht.

HW: Bei der Kupplerin (1656; Dresden, Gemäldegal.); Brieflesendes Mädchen am Fenster (ebd.); Briefleserin (Amsterdam, Rijksmus.); Spitzenklöpplerin (Louvre); Dame mit Perlenschnur (Berlin-West, Staatl. Museen); Paar beim Wein (ebd.); Dame am Spinett (London, Nat. Gal.); Milchgießerin (Amsterdam, Rijksmus.); Straße in Delft (ebd.); Weintrinkendes Mädchen mit zwei Kavalieren (Braunschweig, Herzog Anton Ulrich-Mus.); Allegorie der Malerei (Wien, Kunsthistor. Mus.); Das Mädchen mit der Perle (Den Haag, Mauritshuis); Ansicht von Delft (ebd.); Allegorie des christl. Glaubens (New York, Metropolitan Mus. of Art).

E. G. GRIMME: J. V. van Delft (1974); A. BLANKERT: J. V. van Delft 1632–75 (Antwerpen 1975).

Vermeil [vɛrm'ɛj, frz.], **1)** Zinnober (frz. vermillon); **2)** feuervergoldete Silber- und Bronzewaren; **3)** hochrote Granatvarietät mit Stich ins Honiggelbe. **4)** Maltechnik: dünne, gelbe (safrangefärbte) Lasur, mit der bei Vergoldungen an Figuren die kaum lückenlos zu deckenden Faltentiefen ausgelegt wurden, um eine makellose Oberfläche zu erzielen.

Vermeyen [fərm'ɛjə], Jan Cornelisz., niederländ. Maler, *Beverwijck bei Haarlem um 1500, †Brüssel 1559, schuf v. a. Porträts in der Art von J. VAN SCOREL sowie Kartons zu Teppichen mit den Kriegstaten Karls V., den er 1535 nach Tunis begleitet hatte (Wien, Kunsthistor. Mus.).

Vernacular Revival [vən'ækjʊlə rɪv'aɪvl, engl.], **Domestic Revival** [dəm'estɪk-], Stilrichtung der engl. Wohnhausarchitektur um 1900, die bewußt landschaftsgebundene Bauweisen aufnimmt und klare Bauformen mit betonten Dachbildungen sucht. Die Hauptvertreter sind C. F. A. VOYSEY und E. LUTYENS; in der dt. Villenarchitektur durch H. MUTHESIUS verbreitet.

Vernet [vɛrn'ɛ], **1)** Carle (eigtl. Antoine Charles), frz. Maler, Graphiker, Sohn von 2), Vater von 3), *Bordeaux 14. 8. 1758, †Paris 27. 11. 1836, malte und zeichnete in trockener Manier Pferdebilder und Schlachtenszenen; widmete sich v. a. der Lithographie.

2) Claude Joseph, frz. Maler, Vater von 1), *Avignon 14. 8. 1714, †Paris 3. 12. 1789, lebte 20 Jahre in Rom, malte neben ruhigen Ansichten von Rom (u. a. Ponte Rotto, 1745; Louvre), die die klass. Richtung CLAUDE LORRAINS fortsetzen, 15 Bilder frz. Hafenansichten (u. a. Hafen von Marseille, 1754; Louvre) sowie Bilder wilder, entfesselter Naturkräfte (Der Hafen von Livorno bei Sturm, um 1748; Den Haag, Mauritshuis) in der Art von S. ROSA.

3) Horace, frz. Maler, Graphiker, Sohn von 1), *Paris 30. 6. 1789, †ebd. 17. 1. 1863; 1829–35 Direktor der frz. Akad. in Rom, bereiste Europa und den Orient. Seine Militär- und Kriegsbilder, Genre- und Orientszenen, Porträts und graph. Arbeiten (Lithographien aus dem Soldatenleben; Holzschnittillustrationen zu L. DE L'ARDÈCHE ›Histoire de Napoléon‹, 1839) waren sehr geschätzt; auch Porträtkarikaturen.

Vernis Martin [vɛrn'i mart'ɛ̃, frz.], Bez. für Lackarbeiten in ostasiat. Geschmack auf Vertäfelungen (in Lack-Kabinetten), Sänften, Möbeln, Uhren und Kleingerät, die nach einem 1730 erteilten Patent in den Werkstätten der Fam. MARTIN in Paris bis Ende des 18. Jh. in Paris hergestellt wurden.

Vernis mou [vɛrnim'u, frz.], **Weichgrundätzung,** der →Radierung verwandtes graph. Verfahren, bei dem anstatt des harten →Ätzgrundes eine weiche, elast. Lackmasse (oder eine Mischung des normalen Ätzgrundes mit Wachs und Talg) auf die Metallplatte aufgetragen wird. Auf diesen weichen Grund wird dünnes, körniges Zeichenpapier gelegt. Darauf zeichnet der Künstler mit einem Blei- oder Kreidestift, wobei der weiche Grund an den Druckstellen des Stiftes auf der Unterseite des Papiers haften bleibt und abgehoben wird. Auf der Platte wird damit das Abbild der Zeichnung freigelegt, die im anschließenden Säurebad geätzt wird. Auf dem Abdruck erscheinen die für die Technik des V. m. charakterist. weichen, körnigen Striche von maler. Wirkung. Der Schweizer DIETRICH MEYER soll um 1620 durch Versuche mit Fett als Zusatz zum Ätzgrund dieses Verfahren entdeckt haben. Größere Bedeutung gewann das V. m. im 19. Jh. durch die Impressionisten (A. RENOIR); in der modernen Graphik zum Durchdrücken oder Abreiben versch. Materialien verwendet, ähnlich der Frottage.

Vernissage [vɛrnis'a:ʒ, frz.], **1)** Überziehen von Ölgemälden mit Firnis (frz. vernis), wodurch oft erst die gewünschte optische Wirkung offenbar wird.

2) Ausstellungseröffnung in einer Kunstgalerie; benannt nach 1), da zu diesem Vorgang, der mitunter erst kurz vor einer Ausstellung vorgenommen wurde, in Paris Malerfreunde und Gönner eingeladen wurden.

Verọna, nordital. Stadt und Bischofssitz beiderseits der Etsch, östlich des Gardasees, 271 200 Ew.

Verona: Detail der Tür von S. Zeno Maggiore; Bronzeplatte auf Holz montiert, 11/12. Jh.

Aus röm. Zeit stammen das unter Diokletian erbaute Amphitheater (rd. 20000 Plätze; seit 1913 jährl. Opernfestspiele in der ›Arena di V.‹), das im Lauf des 19. und 20. Jh. freigelegte Theater aus augusteischer Zeit (in der Nähe im ehem. Kloster S. Girolamo Archäolog. Mus. mit Ausgrabungsfunden), Reste der Stadtmauer und von Toren. An der Stelle des röm. Forums entstand seit dem MA. die Piazza delle Erbe, Zentrum der an Kunstdenkmälern reichen Stadt, mit Marktbrunnen (1387), Markuslöwensäule (1523), Palazzo Maffei (1668) u. a. In der Nähe die von Monumentalbauten und Torbögen umschlossene Piazza dei Signori mit Palazzo del Comune (Ende 12. Jh.), in dessen roman. Hof eine Freitreppe (15. Jh.) emporführt, Palazzo Grande (um1365), Palazzo del Governo (nach 1300) und der gegen Ende des 15. Jh. von FRA GIOCONDO erbauten Loggia del Consiglio, einem HW der Frührenaissance. In der Nähe die roman. Kirche S. Maria Antica mit den →Scaliger-Gräbern.

Der roman. Dom (1187 gew., im 15./16. Jh. umgebaut) hat einen skulpturengeschmückten zweistöckigen Portalvorbau von NICCOLÒ (1139) an der reich gegliederten Fassade; das Baptisterium (1122–35; Taufbekken mit Säulen und Reliefs, um 1200) und der Bischöfl. Palast liegen an einer Flußbiegung der Etsch. Die bed. got. Kirchen sind S. Anastasia (um 1290 beg.) und S. Fermo Maggiore (Neubau über frühchristl. Vorgängerbau zw. 1065 und 1143, im 13. Jh. umgebaut; mit Ober- und Unterkirche). Am westl. Stadtrand die roman. Kirche S. Zeno Maggiore (Neubau 1118–35) mit reich gegliederter Fassade (zweigeschossiger Portalvorbau mit Skulpturen von Niccolò, um 1138; Bronzerelieftüren mit Darstellungen aus der Bibel, 11./12. Jh.) und Triptychon am Hochaltar (ein HW von A. MANTEGNA, 1456–59). An der Etsch gelegen ist die Scaligerburg (Castelvecchio; heute Mus. mit Gemälden Veroneser Maler, 13.–18. Jh.), ein 1354–75 errichteter, mächtiger Backsteinbau; von ihr führt die Scaligerbrücke (Nachbildung der 1945 gesprengten Brücke) über den Fluß, zinnenbewehrt wie die Burg, mit der sie eine Einheit bildet. Das Stadttor Porta Palio (1542–57) wurde von M. SANMICHELI erbaut, der auch die Paläste Pompei (mit Naturwissenschaftl. Mus.), Canossa und Bevilacqua schuf. An der Piazza Bra das Mus. Lapidario Maffeiano (Antikensamml.).

Veronese, ital. Maler, →Paolo Veronese.

Veronika, legendäre Heilige, die im 12. Jh. mit einem (→Vera Ikon genannten) Christusbild in der röm. Peterskirche, das serb. Ursprungs ist, in Verbindung gebracht wurde. Dieses Bild sei so entstanden, daß Jesus sein Gesicht auf dem Weg zur Kreuzigung mit dem Schleier der V. abgetrocknet habe; der Abdruck zeigte das Antlitz des dornengekrönten Jesus (›Schweißtuch der Hl. V.‹). – Von der bildenden Kunst wurde V. v. a. bei der Kreuztragung dargestellt, wie sie Christus ein Tuch entgegenhält. Dieses Schweißtuch mit dem Antlitz Christi wurde zu ihrem Attribut. Im Spät-MA. waren auch selbständige Darstellungen des Schweißtuchs mit dem Bild Christi verbreitet. →Meister der Heiligen Veronika mit dem Schweißtuch.

Andrea del Verrocchio: David; vor 1476 (Florenz, Bargello)

Verre églomisé [vɛreglɔmis'e, frz.], Glasverzierung, →Eglomisé.

Verrocchio [verr'ɔkkjo], Andrea del, eigtl. A. **di (del) Cione** [-tʃ'o:ne], ital. Bildhauer, Bronzegießer, Maler, *Florenz um 1435/36, †Venedig 7. 10. 1488, war seit dem Tod DONATELLOS (1466), mit dem er sich in seinem Werk auseinandersetzte, der bedeutendste ital. Bildhauer des Quattrocento. V. löste die Figur aus der Bindung an eine Hauptansicht zugunsten der Vielansichtigkeit und öffnete damit den Weg zur Skulptur des Manierismus und Barock. Sein Reiterstandbild des B. →Colleoni ist das erste für freie Aufstellung konzipierte Denkmal der Renaissance. In der Ausführung des dekorativen Details und der Feinheit der Marmorbearbeitung wurde V. von keinem Zeitgenossen übertroffen; seine Werkstatt war die wichtigste Ausbildungsstätte des späten 15. Jh. in Florenz, aus der auch LEONARDO DA VINCI hervorging. – V.s maler. Werk ist wegen der Mitarbeit seiner Schüler schwer abzugrenzen. (BILD Putto)

WW: Grabmal für Piero und Giovanni de' Medici (1472 voll.; Florenz, S. Lorenzo); Büste einer Dame mit Blumenstrauß (um 1475/80; Marmor, Florenz, Bargello); Bronzestatue des David (vor 1476; ebd.); Bronzegruppe Christus u. Thomas (1466–83; ebd., Or S. Michele); Marmorkenotaph für Kardinal Forteguerri (1466 beg., unvoll.; Pistoia, Dom); – Einzig gesichertes Gemälde: Taufe Christi (um 1470/80; Florenz, Uffizien; Mitarbeit von LEONARDO DA VINCI).

G. PASSAVANT: V. Skulpturen, Gemälde u. Zeichnungen (1969).

Verroterie cloisonnée [vɛrɔtr'i klwazɔn'e], frz. Bez. für →Zellentechnik.

Versailles [vɛrs'aj], Hauptstadt des frz. Dép. Yvelines, im SW von Paris, 97 100 Ew.; kath. Bischofssitz.

Das Schloß von V. (BILDER Classicisme, Schloß) steht an der Stelle eines Jagdschlosses LUDWIGS XIII., das unter Ludwig XIV. seit 1661 zuerst von L. LEVAU, dann ab 1670 von F. D' ORBAY, seit 1678 von J. HARDOUIN-MANSART zu einem Palast erweitert wurde. Hardouin-Mansart machte V. zum Hauptwerk des frz. →Classicisme. Er schuf die 73 m lange Spiegelgal. (1678–84), deren Dekoration C. LEBRUN entwarf, und am nördl. Flügel die zweigeschossige Schloßkapelle (Wand- und Deckengemälde von A. COYPEL), die 1710 von R. DE COTTE voll. wurde. J.-A. GABRIEL schuf 1762 ff. im N-Trakt die Oper nach ital. Vorbildern, A. LE NÔTRE die großartigen Parkanlagen, von Kanälen und Wasserbekken durchzogen und mit Skulpturen geschmückt (BILD Gartenkunst). König LOUIS PHILIPPE ließ das Schloß nach einer Zeit des Verfalls 1833–37 als Nat.-Mus. wiederherstellen (Gemäldegal., histor. Porträts, Skulpturen, Möbel). Es ist die größte europ. Schloßanlage und hatte als solche typenprägende Wirkung. Viele frz., dt. und österr. Schloßbauten des 18. Jh. ahmen sie in mehr oder weniger bescheidenem Maß nach. An den Park schließen die Schlösser →Trianon an.

Die Stadt V. wurde in klarer Achsenbeziehung auf das Schloß angelegt: 3 Avenuen führen strahlenförmig auf dieses zu und münden in der Place d'Armes mit den prächtigen Marställen von Hardouin-Mansart (1679–82). Mus. Lambinet (Kunst des MA., Skulpturen). BILD S. 151

 Wörter, die man unter V vermißt, suche man unter W

Versailles: Spiegelgalerie von J. Hardouin-Mansart, Dekoration von C. Lebrun

Verschaffelt [niederl. fərsx'afəlt], Peter Anton von, in Rom **Pietro Fiammingo** gen., Bildhauer, Baumeister, *Gent 8. 5. 1710, †Mannheim 5. 4. 1793, seit 1752 Hofbildhauer ebd., seit 1758 Direktor der hier neu gegr. Akad.; entfaltete aus Anregungen des röm. Hoch- und Spätbarock eine pathet. Formsprache, die im Spätwerk von antikisierender Gestaltung abgelöst wird.

HW. Plastik: Modell für das Bronzestandbild des Erzengels Michael (1748–52; Rom, auf der Engelsburg); Bildwerke für die Jesuitenkirche in Mannheim (bis 1760) und den Schloßpark in Schwetzingen (1766–73, v.a. Apollotempel); Grabmal Bischof van der Noot (1787; Gent, St. Bavo). – Bauwerke: in Mannheim das Gebäude der Akad. (1756–58), das Zeughaus (1777–79) und das ehem. Palais Bretzenheim (1782–88); ehem. Schloßkirche Oggersheim (1774–77).

Verschnittene Farben, Maltechnik: stark färbende Pigmente und Pigmentfarbstoffe, die zur Angleichung des Färbevermögens an andere Farbstoffe mit nichtfärbenden Pigmenten (z. B. Tripel, Leichtspat) vermischt werden, hauptsächlich für Anstrichzwecke, Plakatfarben.

Versenktes Reli|ef, →Relief.

Verspronck [f-], Jan Cornelisz., holländ. Porträtmaler, *Haarlem 1597, begraben ebd. 30. 6. 1662, Schüler von F. HALS, auch von REMBRANDT beeinflußt. Seine besten Werke sind Frauen- und Mädchenporträts.

Versteckkirche, Bet- und Andachtsräume verfolgter Religionsgemeinschaften, z. B. der Juden in Wohnhäusern, Scheunen o.ä. Die V. hat keine eigentliche Bauform entwickelt.

Versuchung Jesu, nach den synopt. Evangelien (Mt. 4, Mk. 1, Lk. 4) der vergebl. Versuch des Teufels, Jesus zum Beweis seiner Wunderkraft (Verwandlung von Steinen in Brot, Herabschweben von der Tempelzinne) und zur Annahme weltl. Macht (Szene auf dem Berg) zu bewegen; in der bildenden Kunst anfangs v. a. in Illustrationen der Psalmen und in der Kathedralplastik; auch im Altar der Pfarrkirche St. Wolfgang, St. Wolfgang im Salzkammergut, von M. PACHER (1471 bis 1481), bes. in der niederländ. Malerei des 16./17. Jh. (allerdings oft nur als Staffage in der Landschaft), im 19. Jh. von M. SLEVOGT, im 20. Jh. von O. DIX, E. BARLACH dargestellt.

Vertikalismus, in der Baukunst die Neigung, die Senkrechte sehr viel stärker als die Waagerechte zu betonen; man spricht bes. von V. der Gotik und begreift ihn als Ausdruck ihres Jenseitsstrebens.

Vertreiben, Maltechnik: dünnes Verteilen einer Farbe bis zum unmerkl. Übergang in die Nachbarfarbe. Voraussetzung sind Bindemittel, die lange flüssig bleiben (z. B. Öle) oder solche, die sich beim Übermalen wieder anlösen, ohne Ansätze zu bilden (z. B. Harze). Zum V. benützt man langhaarige, weiche Pinsel **(Vertreiber).**

Veruẹla [b-], ehem. Zisterzienser-Abtei etwa 70 km westlich der span. Stadt Saragossa. Die Anlage, eine der ältesten zisterziens. Gründungen in Spanien (1171), wurde nach dem Vorbild von →Poblet Ende des 12. bis 13. Jh. erbaut. Die Kirche besitzt ein roman. Archivoltenportal; gut erh. sind Refektorium, Kapitelsaal und der Kreuzgang.

Verwertungsgesellschaft, Abk. **VG,** Vereinigung zur kollektiven Verwertung von Urheberrechten. Nach dem Vorbild im Bereich der Tonkunst (GEMA) wurden V. für alle wichtigen Urhebergruppen gegr. Für bildende Künstler, Photographen und Graphikdesigner besteht die VG Bild-Kunst als rechtsfähiger Verein kraft staatl. Verleihung (unter Aufsicht des Dt. Patentamtes). Sie nimmt v. a. das →Folgerecht wahr sowie die urheberrechtl. Nutzungsrechte der Herstellung und Verbreitung von →Reproduktionen. Die Rechtsgrundlage der Tätigkeit der V. ist das Wahrnehmungsgesetz vom 9. 9. 1965.

Vẹsara-Stil, Baustil hinduist. und jinist. Tempel der Hoyshala-Dynastie in Karnataka, S-Indien, bei dem die klass. Elemente des Nagara-Stils und des Dravida-Stils verschmolzen. Neuartig waren sternförmige Grundrisse der Cella und die Gruppierung mehrerer Sanktuarien um ein gemeinsames Mandapa (Belur, Somnathpur).

Vesperbild [f-], ital. **Pi|etạ,** →Andachtsbild 2).

Vessra [f-], Gem. bei Hildburghausen, Dt. Dem. Rep., mit ehem. Prämonstratenserkloster (1131–1573); von der kreuzförmigen roman. Pfeilerbasilika (gew. 1138 und 1182) ist das eindrucksvolle Westwerk erh.

Vesta, altröm. Religion: die italisch-röm. Göttin des staatl. Herdfeuers, die wohl mit der grch. →Hestia verwandt war, sie aber an Bedeutung weit übertraf. Ihren zumindest zeitweise bildlosen Kult im Rundtempel ›Aedes Vestae‹ auf dem Forum in Rom (aus der röm.

Wörter, die man unter V vermißt, suche man unter W

Kaiserzeit, rekonstruiert mit Tempelresten des 3. Jh. n. Chr.) versahen die im Atrium Vestae klösterlich lebenden jungfräul. **Vestalinnen** oder **Vestal. Jungfrauen** vornehmer Herkunft. Die Vestalinnen wurden in röm. Zeit häufig v. a. auf Reliefs dargestellt (Ara Pacis, Cancelleria-Reliefs). Die Kunst der Neuzeit bevorzugte Themen v. a. im Zusammenhang mit der Jungfräulichkeit (A. MANTEGNA, TINTORETTO, P. P. RUBENS).

Vestibulum [lat.] *das*, Eingangsflur des antiken röm. Hauses.

Veszprim [v'ɛsprim], **Veszprém** [v'ɛspre:m], Hauptstadt des Bez. V., Ungarn, 50000 Ew., entstand als Burg im 9. Jh., seit dem 11. Jh. Bischofssitz. Die meisten alten Bauten wurden in der Türkenzeit zerstört. In der Gisela-Kapelle (13. Jh.), einem einschiffigen Bau mit Kreuzrippengewölbe, blieben trotz barocker Umbauten byzantin. Fresken erhalten. Der got. Feuerturm ist Ruine eines Burgwachturmes. Neben dem Dom (11. Jh., später zerstört und im Barockstil neu erbaut) stehen Reste der St.-Georgs-Kapelle (8.–9. Jh.); Bischofspalast (1765–76) an der Stelle der ma. Königinnenresidenz.

Vettersfelde [f-], poln. **Witaszkowo** [-taʃ-], Dorf in der Wwschaft Zielona Góra (Grünberg in Schlesien). Fundort eines antiken Goldschatzes aus dem 6. Jh. v. Chr., der Waffen und Pferdeschmuck enthielt, wie sie typisch für skyth. Fürstengräber in S-Rußland sind. Ein 41 cm langer Fisch aus Gold (Pferdestirnschmuck) ist ein besonderes Prunkstück des Fundes.

Vetulonia, etrusk. Stadt nördlich von Grosseto, Italien, seit der Villanovazeit besiedelt, Blütezeit im 7. und 6. Jh. v. Chr. In den Nekropolen wurden außer Keramikfunden reiche Bronze- und Goldfunde gemacht; lebensgroße Steinstatuen stammen aus dem ›Pietrera-Grab‹ (um 600 v. Chr., heute Florenz, Archäolog. Mus.). Die für V. im 8. Jh. v. Chr. charakterist. Steinkreisgräber (in den Boden eingetiefte Gruben, von Steinsetzungen bis zu 30 m ∅ umgeben) wurden von Tumuli mit Kuppelgräbern abgelöst (Pietrera-, Diavolino-II-Grab).

Veurne [v'ø:rnə], frz. **Furnes** [fyrn], Stadt in der belg. Prov. Westflandern mit gut erh. alten Stadtbild, bes. um den Markt. Hier stehen das Rathaus, ein Renaissancebau (1596–1612) mit 2 Giebeln und Loggia, daneben das Landhuis (Gerichtshof, 1612–28) im gleichen Stil, der ›Span. Pavillon‹ (15. Jh., urspr. Rathaus), die ›Hoge Wacht‹ (um 1636). Von der St. Walburgakerk wurden nur der Chor mit Umgang und Kapellenkranz voll. (um 1300, Querschiff modern); im Innern u. a. barockes Chorgestühl und eine P. POURBUS zugeschriebene ›Kreuzabnahme‹. Die St. Niklaaskerk ist eine dreischiffige got. Hallenkirche (Ende 15. Jh.) mit mächtigem Turm (unvoll.).

Vevey [vəv'ɛ], Stadt im schweizer. Kt. Waadt, am Genfer See, 15700 Ew.; im ma. Stadtkern die Kirche St. Martin (1174, Chor 13. Jh.), Rathaus (1710), Grenette (ehem. Kornhaus, 1808), neugot. Schloß Couvreu (1840–42). Musée Jenisch (u. a. G. Courbet).

Vexiergefäße, Trinkgefäße aus Fayence, Glas, Steinzeug oder Silber, häufig in Form von Tieren, Stiefeln oder Fässern, die beim Trinken besondere Geschicklichkeit erfordern, weil die Flüssigkeit z. B. durch den Henkel emporsteigt. Bes. im 16.–18. Jh. verbreitet. (→Angster)

Vézelay [vezl'ɛ], Gem. im frz. Dép. Yonne, südöstlich von Auxerre in Burgund; Sitz einer ehem. bed. Benediktinerabtei (864 gegr.), die im 11. Jh. ein wichtiger Wallfahrtsort wurde. Die Abteikirche Ste. Madeleine, eine der großartigsten Klosterkirchen Frankreichs im Stil der Burgund. Bauschule, wurde 1096 beg.; Langhaus und Vorhalle waren gegen 1130/40 voll., der Umgangschor wurde über der alten Krypta Ende 12. Jh.

Vézelay: Abteikirche Ste. Madeleine; 1096 begonnen

neu erbaut. Im mit Diensten und Gesimsen reich gegliederten Langhaus befinden sich phantasievolle Figurenkapitelle. Das Vorhallenportal (1125–30) mit Darstellung des Pfingstfestes und Aussendung der Apostel gehört in seiner dynam. Expressivität zu den qualitätvollsten Schöpfungen frz. roman. Plastik. Die Kirche wurde im 19. Jh. von E. E. VIOLLET-LE-DUC restauriert.

Via Appia, Militärstraße von Rom nach Capua, vom Zensor APPIUS CLAUDIUS CAECUS 312 v. Chr. angelegt, später über Beneventum, Tarentum bis Brundisium (Brindisi) fortgesetzt; die wichtigste Verbindung zw. Rom und Griechenland; in der Nähe Roms von Grab-

Wörter, die man unter V vermißt, suche man unter W

denkmälern und Villen (Caecilia Metella, Villa der Quintili) eingefaßt.

Viadukt [lat.] *der*, Brücke, mit engem Pfeilerabstand über tief eingeschnittenem Gelände.

Viana do Castelo [-du kaʃt'elu], Stadt in NW-Portugal, rd. 60 km nördlich von Porto, 13 800 Ew. Im Zentrum an der Praça da República dominieren Häuser v. a. des 16. Jh. mit Granitquaderfassaden und Arkadengalerien, so das Rathaus (wappengeschmückt und zinnenbekrönt) und das Misericórdia-Hospital sowie die im Stil der fläm. Renaissance erbaute Misericórdia-Kirche (1589) und der in der Mitte des Platzes stehende Renaissance-Brunnen (1551); südlich die got. Kirche Igreja Matriz (15. Jh., mit roman. Zinnentürmen). Im Stadtmus. Azulejos-Sammlung.

Vianden [f-], maler. Städtchen in Luxemburg, beiderseits der Our, 1500 Ew. Die mächtige Burg (12. bis 17. Jh.) war bis 1820 bewohnt und verfiel danach; die romant. Ruinen regten V. HUGO zu vielen Zeichnungen an (z. T. im Victor-Hugo-Mus. in V.). Restauriert wurden u. a. der got. ›Byzantin. Saal‹ und die Doppelkapelle. Die zweischiffige got. Pfarrkirche (13. Jh.) war die Kirche der Trinitarierabtei; im got. Kreuzgang Grabmäler.

Vianen [f-], **1)** Adam van, niederländ. Goldschmied, Bruder von 2), *Utrecht um 1569, †ebd. 1627, tätig in Utrecht, schuf Kannen und Schalen in barockem Knorpelstil, zeichnete Ornamententwürfe für Stecher.

2) Paulus van, niederländ. Goldschmied, Zeichner, Bruder von 1), *Utrecht zw. 1565 und 1570, †Prag 1613, nach Studienjahren in Rom, München (1596–1601) und Salzburg seit 1603 als Kammergoldschmied im Dienst Kaiser RUDOLFS II. in Prag. V. schuf Reliefplatten und Gefäße mit bibl. und mytholog. Darstellungen sowie Medaillen in spätmanierist. Stil und zeichnete fein ausgeführte Landschaften.

Viani, Alberto, ital. Bildhauer, *Quistello (bei Mantua) 26. 3. 1906, studierte bei A. MARTINI in Venedig, schuf Plastiken (v. a. männl. und weibl. Torsi) in einem an C. BRÂNCUŞI und H. ARP geschulten Stil organ. Vereinfachung.

Viborg [v'ibɔr], Stadt in Mitteljütland, Dänemark, 38 700 Ew. Der roman. Dom (um 1150 voll.) wurde wegen Baufälligkeit bis auf die roman. Krypta abgerissen und 1864–74 rekonstruiert; Vorbild war dabei der Dom von →Lund, nach dessen Grundriß schon die urspr. Kirche gebaut war; Wandmalereien von J. SKOVGAARD (1901–06). In der Søndersogn-Kirche (13. Jh.) Antwerpener Schnitzaltar (um 1520). Im barocken Alten Rathaus (1728–30) Stifts-Mus.; Skovgaard-Mus.

Vicenza [vitʃ'ɛnza], nordital. Stadt und Bischofssitz in Venetien, nordwestlich von Padua am Bacchiglione gelegen, 118 600 Ew. Aus dem MA. sind im wesentlichen nur Bauten der Gotik erh., so die Dominikanerkirche S. Corona (1261 beg., 1479–1504 umgebaut) und die Franziskanerkirche S. Lorenzo (1280 bis Mitte 15. Jh.; mit Reliefs des 14. Jh. geschmückte Portalanlage). Der einschiffige Dom entstand in der Übergangszeit von der Gotik zur Renaissance. Von dem Aufschwung der Stadt unter der Herrschaft Venedigs (seit 1404) zeugen die in schmuckreicher venezian. Gotik errichteten Wohnbauten des 15. Jh.: Palazzo da Schio, Palazzo Regaù, Casa Pigafetta u. a. Zu ihrer vollen Blüte entfaltete sich die Architektur in V. z. Z. der Spätrenaissance mit den einen neuen Stil begründenden Werken von A. PALLADIO. Seit 1549 schuf er im Zentrum an der Piazza dei Signori den bedeutendsten Bau der Stadt, die ›Basilica Palladiana‹ (Umbau des spätgot. Palazzo Pubblico della Ragione), deren ringsumlaufende Marmorfassade sich in zweigeschossigen, aufs reichste durchgebildeten Arkaden öffnet. Neben der Basilica ein ma. Turm (82 m), ihr gegenüber die ebenfalls von Palladio erbaute Loggia del Capitano (um 1570/71 beg.; mit hohen Rundbogenarkaden). Von ihm stammen ferner der Palazzo Chiericati (1551 beg.; in der 2. H. des 17. Jh. voll.; jetzt Mus. Civico, mit archäolog. Samml. und Pinakothek), die ›Casa del Palladio‹ u. a. Paläste am Corso Palladio sowie sein letztes Werk, das Teatro Olimpico (Nachbildung eines antiken Theaters), 1584 von V. SCAMOZZI voll., der in zahlreichen Bauten (u. a. Palazzo del Comune, 1592) die Tradition seines Lehrers Palladio fortsetzte.

An den Hängen der südlich ansteigenden Hügel gelegen sind die Basilica di Monte Berico (1688–1703), die 1566/67 ff. von Palladio geschaffene ›Rotonda‹, ein quadrat. Villenbau mit rundem, kuppelüberwölbtem Mittelsaal und antiken Tempelfronten an jeder der 4 Seiten (BILD Palladio), sowie die seit 1669 entstandene Villa Valmarana, ausgemalt mit Fresken von G. B. TIEPOLO und dessen Sohn G. D. TIEPOLO (1757).

Vich [bik], span. Stadt und Bischofssitz rd. 60 km nördlich von Barcelona, 28 000 Ew. Von der alten Kathedrale (nach Zerstörungen im Span. Bürgerkrieg neu errichtet) blieben nur die Krypta, der roman. Turm (11. Jh.) sowie der got. Kreuzgang (14. Jh.) erh.; röm. Tempel des 3. Jh. n. Chr. (stark rekonstruiert). Im Bischöfl. Mus. reiche Samml. katalan. Malerei und Skulpturen der Romanik und Gotik (12.–15. Jh.).

Vic-sur-Seille [viksyrs'ɛj], Gem. im frz. Dép. Moselle, rd. 1500 Ew., vom 13.–17. Jh. Residenz der Bischöfe von Metz. In der spätgot. Kirche (15./16. Jh.) reiche Ausstattung mit Steinbildwerken des 15. Jh. (u. a. Madonna, um 1450); unter den spätgot. Häusern der Stadt ragen die turmartige Apotheke und die bischöfl. ›Münze‹ (um 1484 voll.) sowie die Reste des ehem. bischöfl. Schlosses hervor.

Victọria, röm. Siegesgöttin, der grch. →Nike fast entsprechend, aber kultisch und v. a. politisch bedeutender. Tempel (294 v. Chr.) und erste nachweisbare Statue auf dem Palatin in Rom. V. galt als die jungfräul. Hüterin des Reiches. Ihr von AUGUSTUS in der Senatskurie errichteter Altar wurde im ausgehenden Altertum zum erbittert umkämpften Symbol des Heidentums.

Victoria [vɪkt'ɔ: rɪə], Hauptstadt der Seychellen, Ostafrika, an einer Bucht der Insel Mahé, 23 000 Ew.; Beispiele viktorian. Architektur sind der Uhrturm am

Clock Tower Square und das Government House (1911) südwestlich davon auf einer Anhöhe.

Victoria and Albert Museum [vɪkt'ɔ:rɪə ænd 'ɔ:lbət mju:z'ɪəm], Kunstgewerbemus. in London, aus dem nach der Weltausstellung gegr. ›Mus. of Manufacturers‹ hervorgegangen; 1851 in ›Mus. of Ornamental Art‹, 1852 in ›South Kensington Mus.‹ umbenannt; nach Errichtung des Neubaus (1899–1909) von A. WEBB (*1849, †1930) wurde 1899 der Name in V. a. A. M. geändert. Das Museum umfaßt heute neben Kunsthandwerk der versch. Epochen und Länder die nationale Skulpturensamml. mit Werken der ital. Renaissance von DONATELLO und GIAMBOLOGNA sowie die Nat. Library of Art (Kunstbibliothek).

V. a. A. M. yearbook (seit 1969).

Victorian Style [vɪkt'ɔ:rɪən staɪl], historist. Stilrichtung der engl. Kunst, bes. der Architektur, während der Regierungszeit der Königin VICTORIA (1837–1901), die mit dem Bau des Londoner Parlamentsgebäudes (1840–65) im Stil des Gothic Revival (→Neugotik) einsetzte, während Verwaltungsbauten sonst eine klassizist. Formensprache bevorzugten. Innerhalb der Sakralarchitektur dominierte die Neugotik.

Victors [f-], Jan, holländ. Maler, *Amsterdam um 1620, †auf einer Reise nach Indien bald nach 1676, Schüler von REMBRANDT; malte bibl. Bilder und Genreszenen sowie Porträts.

Vicús [bik'us], archäolog. Fundort im Piura-Tal, im nördl. Peru. Die Keramik des frühen V.-Stils (400–200 v. Chr.) – in Tier- oder Menschengestalt – ist einfarbig schwarz, rötlich-orange oder cremefarben. Im späteren V.-Stil (200 v. Chr.–700 n. Chr.) sind die Gefäßformen meist modellierte, oft stilisierte Gesichter oder plast. Menschen- und Tierfiguren (weiß und schwarz auf rotem Grund); ein Zusammenhang von plast. Gestaltung und Farbgebung ist zu erkennen, z. B. sind kaffeebohnenförmige Augen und übertrieben große Nasen immer mit einer Farbkombination von weiß und schwarz verbunden.

Videokunst, die elektron. Bildaufzeichnung mit der Möglichkeit der zeitgleichen Wiederabspiegelung als

Videokunst: ›Video-Buddha‹ von Nam June Paik; 1974

künstler. Medium. N. J. PAIK und W. VOSTELL benutzten 1963 als erste Fernsehgeräte, die u. a. durch Magneten beeinflußt waren oder die Farben veränderten, bei Flu-xus-Aktionen. Paik wurde 1964 zum Begründer der V., er baute auch 1970 mit dem Japaner S. ABE den ersten Video-Synthesizer und ermöglichte somit eine neue Bildsprache (Paik: ›Die Kathode ersetzt die Palette‹). In der Folge wurden Experimentierstudios in vielen amerikan. Fernsehstationen errichtet. Den Dialog des Künstlers mit sich selbst im Spiegel des Videobildes nützten P. CAMPUS, REBECCA HORN, ULRIKE ROSENBACH. Videobänder mit dokumentar. Charakter stammen von der Gruppe ›Telewissen‹ u. a. Es wird auch mit elektronisch manipulierten Farben experimentiert.

Video-Wochen, Ausst.-Kat., Essen (1979); Dt. V., Ausst.-Kat., Köln (1982); V. in Dtl. 1963–1982, hg. v. W. HERZOGENRATH (1982); BETTINA GRUBER und MARIA VEDDER: Kunst und Video (1983).

Videothẹk [lat.-grch.], Aufbewahrungsort und Ausleihstelle für Filme bildender Künstler, Videokunst u. a. Viele Museen für moderne Kunst unterhalten V. (Mus. of Modern Art, New York; Centre Pompidou, Paris).

Vịdisha [-ʃa], **Bhilsa,** altindische Stadt, →Besnagar.

Vieira da Silva [vj'ejra ða s'ilva], Marie-Hélène, frz. Malerin portug. Herkunft, *Lissabon 18. 6. 1908, seit 1928 in Paris; studierte anfangs Bildhauerei, ging 1929 zur Malerei über. Die stark räuml. Komponente ihrer Bilder erreichte sie durch Liniengitterwerk, worin die Bildinhalte sich mosaikartig auflösen können.

Vien [vjɛ̃], Joseph-Marie Graf, frz. Maler, Kupferstecher, *Montpellier 18. 6. 1716, †Paris 27. 3. 1809, Schüler von C. J. NATOIRE, 1744–50 in Rom, wandte sich, vom Klassizismus des A. R. MENGS beeindruckt, der Antike zu (Wandfresken aus Herculaneum), die er aber rokokohaft sentimental verniedlichte; sein bedeutendster Schüler war J. L. DAVID.

Vienne [vj'ɛn], Stadt im frz. Dép. Isère, am linken Ufer der Rhône, 28 800 Ew. Aus röm. Zeit stammen die Tempel des Augustus und der Livia (um 25 v. Chr.), das Theater, eines der größten des Röm. Reiches, und Reste (Obelisk) vom Circus; aus dem MA. sind die ehem. Kathedrale St. Maurice (12.–15. Jh., mit figurenreicher Fassade des 14./15. Jh.; im Inneren Kanzel des 11. Jh. und Skulpturen vom 12.–18. Jh.), die Kirchen St. Pierre (auf das 5. Jh. zurückgehend, im 9./10. Jh. umgebaut; im Inneren Skulpturenmus.) und St. André-le-Bas (9. bis 12. Jh.; im Kreuzgang Mus. für Christl. Kunst) erh.; Mus. des Beaux-Arts (Gemälde, Fayencen).

Vientiane [frz. vjɛntj'an], früher **Vieng Chan,** Hauptstadt von Laos, am Mekong, etwa 160 000 Ew. V. ist seit Mitte des 16. Jh. Hauptstadt. Wichtigstes Bauwerk ist der 1586 gegr. That Luang, ein Stupa aus Ziegelsteinen mit einer 35 m hohen Spitze. Das Wat Pra Keo (16. Jh.) trägt zusätzlich zu dem vierseitigen Dach das für Laos typ. ›Zeltdach‹.

Vierblatt, Baukunst: aus 4 gedrungenen Spitzbogen bestehende Figur des →Maßwerks, die in ein sphärisches Quadrat einbeschrieben ist.

Vierfarbendruck, →Farbstich.

Viergötterstein, →Jupitersäulen.

Vierpaß, Baukunst: →Paß.

Viertelstab, Baukunst: stabförmiges Zierglied mit dem Querschnitt eines Viertelkreises an Gewänden, Rippen u.a.

Vierung, Baukunst: der Raumteil einer Kirche, der durch die Durchdringung von Langhaus und Querhaus entsteht. Sind beide gleich breit, entsteht ein V.-Quadrat, über dem sich der V.-Turm entwickeln kann. Ist die V. durch vorgezogene Mauerzungen oder den Triumphbogen abgeteilt, spricht man von ausgeschiedener oder abgeschnürter V. Die quadrat. V. ist Voraussetzung für die Entwicklung des →Gebundenen Systems.

Vierzehnheiligen, Wallfahrtskirche zu den 14 Nothelfern (→Nothelfer) in der Gem. Grundfeld, Oberfranken, ein HW des abendländ. Barock, 1743–72 von J.B. NEUMANN über kompliziertem Grundriß erbaut, eine geniale Verbindung von Emporenbasilika mit zentralisierendem Wölbungsbau, weithin sichtbare monumentale Doppelturmfront. Stukkaturen, Kanzel und Altäre von J. M. FEUCHTMAYER und J. G. ÜBLHÖR (der in der Mitte stehende Gnadenaltar, 1767/68, einzigartig in der barocken Kunst), Fresken von J. I. APPIANI.

Vietlübbe [f-], Gem. bei Gadebusch, Bez. Schwerin, Dt. Dem. Rep., mit einer der ältesten Backsteinkirchen

Vierzehnheiligen:
Wallfahrtskirche V.; 1743–72 von J. B. Neumann erbaut

Gustav Vigeland: Monolith im Frogner-Park, Oslo

Mecklenburgs (13. Jh.), deren Grundriß ein regelmäßiges Kreuz über 5 Quadraten ist.

Vieux Saxe [viø saks], →Meißener Porzellan.

Viganọ̀, Vittoriano, ital. Architekt, *Mailand 1919, gilt wegen der formal bestimmten Konstruktion seiner Wohn- und Kulturbauten als wichtigster Vertreter eines ital. ›Brutalismus‹.

HW: Istituto Marchiondi Spagliardi (Heim für schwererziehbare Kinder) in Baggio bei Mailand (1957–59).

Vigarny [vigarn'i, frz.], span. **Biguerny** [biɣ'ɛrni], **Bigarny,** Philippe de, gen. Felipe **de Borgoña** [-bɔrɣ'oɲa], span. Bildhauer, Baumeister, *Langres (Frankreich), †Toledo 10. 11. 1543, seit 1498 in Spanien nachweisbar. In Zusammenarbeit mit A. BERRUGUETE und D. DE SILOÉ entwickelte er einen Renaissancestil, in dem got. und manierist. Elemente erkennbar sind.

HW: 3 Alabasterreliefs mit Passionsszenen für das Retabel im Querschiff der Kathedrale in Burgos (1498 ff.), Altarretabel in der Capilla Real der Kathedrale von Granada (1520–22), in der Capilla del Condestable der Kathedrale in Burgos (1523–26; mit D. DE SILOÉ); Teile des Chorgestühls in der Kathedrale von Toledo (1539 ff.; mit A. BERRUGUETE).

Vigée-Lebrun [viʒ'e ləbr'œ̃], Élisabeth-Louise, frz. Malerin, *Paris 16. 4. 1755, †Louveciennes 30. 3. 1842, Schülerin von J. VERNET und J.-B. GREUZE, erlangte europ. Ruhm mit ihren Frauenporträts des frz. Hochadels (Königin Marie Antoinette 1783; Versailles, Nat.-Mus.), deren gefühlsbetonter Charme dem Gesellschaftsgeschmack der Zeit entsprach. Die Revolution zwang sie 1789–1802 zur Emigration (Rom, Wien, Berlin, St. Petersburg).

Vigeland [v'i:gəlan], Gustav, norweg. Bildhauer, *Mandal (S-Norwegen) 11. 4. 1869, †Oslo 12. 3. 1943, beeinflußt bes. von A. RODIN, schuf stark bewegte, naturalist. Bildwerke, auch Porträtbüsten (H. Ibsen, G. Heiberg). Monumentalwirkungen erstrebte er mit seiner Skulpturenanlage im Frogner-Park in Oslo, die etwa 100 symbolist. Figurengruppen und Reliefs umfaßt.

Vigevano [vidʒ'ɛ:vano], Stadt und Bischofssitz in der Prov. Pavia, Lombardei, 67 500 Ew. Zentrum der Altstadt ist die Piazza Ducale (1492–94 wohl nach Plänen BRAMANTES angelegt), ein rechteckiger Frührenaissance-Platz (Häuserfronten mit Arkaden und Sgraffito- und Freskendekoration); Castello (urspr. 1345–50 für die Herrscherfam. Visconti errichtet, unter den Sforza von LUDOVICO IL MORO 1491–94 umgebaut); Dom (im 10. Jh. gegr., im 16./17. Jh. erneuert).

Vignette von Tony Johannot zu ›Don Quijote‹ von Cervantes; Holzstich, 1836

Vignette [viɲ'ɛtə, frz. zu vigne ›Weinrebe‹] *die,* Buchkunst: Verzierung, meist ornamentaler Art, seltener mit bildl. Darstellung, bes. im Rokoko verwendet.

Vignola [viɲ'ɔ:la], eigtl. Giacomo (auch Jacopo) **Barọzzi da V.,** ital. Baumeister, Architekturtheoretiker, *Vignola bei Modena 1. 10. 1507, †Rom 7. 7. 1573, ausgebildet in der röm. Bramanteschule B. PERUZZIS und A. DA SANGALLOS D. J. Seine Vermessung antiker Bauten lieferte die Grundlagen seines Lehrbuches, das den

Giacomo da Vignola:
Jesuitenkirche Il Gesù, Rom;
1568 begonnen

klass. Formenbestand systematisch darstellt. 1541 in Paris und Fontainebleau, dann in Bologna tätig, seit 1546 im Dienst des Hauses Farnese; 1564 MICHELANGELOS Nachfolger als Bauleiter der Peterskirche. Seine klassisch korrekten Formen sind mit dem herben Ernst des röm. Manierismus erfüllt (Villa Giulia, 1551–55, von G. VASARI beg. und von B. AMMANATI voll.; heute Mus.). Für den kath. Kirchenbau wurde der von ihm gestaltete Raum der Kirche Il Gesù in Rom wegweisend, mit dem für die Architektur der Gegenreformation charakterist. Tiefenzug und der lichterfüllten Kuppel (1568 beg., Wölbung und Fassade von G. DELLA PORTA). Zu seinen weiteren HW gehört der Palazzo Farnese in →Caprarola, wo der Rundhof des fünfeckigen Schlosses meisterhaft Wehrbau und Palast verbindet (1559 bis 1573).

WW: In Rom: S. Andrea in Via Flaminia (1554 voll.), Nebenkuppeln der Peterskirche, S. Anna dei Palafrenieri (1572 beg.). – Zwei Entwürfe für S. Petronio (1543–46) und Platzfront des Portico dei Banchi (1560 ff.) in Bologna. – Erweiterung des Palazzo Farnese in Piacenza (1560 ff.; unvoll.); Umbau der Villa Lante in Bagnaia (1566 ff.). – Entwurf für die Kirche des Escorial (1572; verschollen).

Schriften. Regola delli 5 ordini d'architettura (1562; in viele Sprachen übersetzt); Le 2 regole di prospettiva pratica (1583, unvoll.).

Vignon [viɲ'ɔ̃], **1)** Claude, frz. Maler, getauft Tours 19. 5. 1593, †Paris 10. 5. 1670, bildete sich in Rom unter dem Einfluß von CARAVAGGIO und war dann in Paris tätig, wo er relig. und profane Bilder malte sowie Radierungen in der Art J. RIBERAS schuf.

2) Pierre Alexandre, frz. Architekt, *Paris 5. 10. 1763, †ebd. 1. 5. 1828, entwarf für Napoleon I. die Pläne für den Umbau der Kirche La Madeleine in Paris zu einem Ruhmestempel nach grch. Vorbild (Baubeginn

1807; nach V.s Tod von JACQUES MARIE HUVÉ 1842 voll.).

Vihara [Skt.], Mönchsbehausungen und Versammlungsräume buddhist. oder jinist. Klöster in Vorderindien. Die schlichten Zellen waren meist in der Form des altind. Gehöfts allseitig um einen Innenhof gruppiert (Sanchi, Nalanda). In der Höhlenarchitektur diente die große, durch Pfeilerreihen gegliederte Mittelhalle als Versammlungsraum (Bhaja, Bagh). In den V. des Mahayana-Buddhismus befand sich in der hinteren Wand ein Kultraum mit Buddhaskulpturen (Ajanta, Elura). Die Säulenveranden und Innenräume der Höhlen wurden z.T. prächtig mit Reliefs und Wandmalereien ausgestattet.

Vijayanagar [vidʒaja-], Ruinenstadt nahe Hampi im Staat Karnataka, S-Indien, ehem. Residenz der Hindu-Dynastie von V. (gegr. 1336; der Niederlage gegen die muslim. Sultane 1565 folgte die Zerstörung). Ihre Tempelarchitektur und Steinplastik bilden den letzten Höhepunkt der traditionellen ind. Kunst. Zu den Überresten der Palastanlagen gehören Säulenhallen, luftige Torbauten und Thronplattformen mit Reliefschmuck, ferner das ›Königinnenbad‹ und Elefantenstallungen, deren Kielbögen indo-islam. Einfluß bekunden. Unter den aus Marmor und Granit erbauten Tempeln des 16. Jh. sind bed.: der Vitthala-Tempel in einem weiten Hof mit freistehendem Mandapa und Steinratha sowie der Hazara-Rama-Tempel mit zahlreichen Reliefdarstellungen des Ramayana, eine Umwallung mit Kolossalfiguren Ganeshas und Narasimhas, ferner der westlich gelegene Shivatempel mit einem 50 m hohen Gopura.

Viktring [f-], Gem. südlich von Klagenfurt, Kärnten, Österreich, mit ehem. Zisterzienserkloster. Die ehem. Stiftskirche (1202 gew.), eine roman. Pfeilerbasilika mit im dt. Sprachraum einmaliger burgund. Spitztonnenwölbung, birgt im got. Chor Glasgemälde (um 1400) von hohem künstler. Rang; davor barocker Hochaltar (1622), der trotz seines Umfangs (Höhe 16 m) die Fenster zur Wirkung kommen läßt. Ehem. Stiftsgebäude mit 2 von dreigeschossigen Laubengängen umgebenen Höfen und Festsaal (1. H. 18. Jh.).

Vila do Conde [-du k'ondı], portug. Küstenstadt, rd. 25 km nördlich von Porto, 15000 Ew.; ehem. Klarissinnenkloster S. Clara (1318 gegr.) mit Klosterkirche S. Francisco (urspr. gotisch, im 16. Jh. umgebaut), die hervorragende Renaissance-Grabmäler birgt. Pfarrkirche (16. Jh., mit prächtigem emanuelin. Portal von J. DE CASTILHO); Aquädukt (18. Jh.).

Vila Real, Stadt und Bischofssitz in NW-Portugal, etwa 70 km östlich von Porto. In der dreischiffigen got. Kathedrale (12.–15. Jh.) archaisierende Kapitelle (14. Jh.) mit Jagdszenen; zahlreiche Herrenhäuser des 16. Jh. – 3 km westlich Herrenhaus des 18. Jh. (Solar de Mateus) mit Parkanlage, Kapelle und kostbarer Innenausstattung.

Vila Viçosa [-vis'ɔza], portug. Städtchen etwa 40 km nordöstlich von Évora, 4600 Ew., mit Schloß der Her-

Wörter, die man unter V vermißt, suche man unter W

zöge von Bragança (1501–17. Jh.), ein nüchterner Renaissance-Bau (mit Mus.: u. a. Brüsseler Wandteppiche des 17. Jh., Fayencen, Gemäldegal.); hinter den Schloßgärten das Kloster das Chagas (1530–18. Jh.) mit Grablege der Herzoginnen; gegenüber des Schlosses in der Kirche des Augustinerklosters (18. Jh.) Sarkophage der Herzöge von Bragança. Kirche Nossa Senhora da Conceição (16. Jh., mit Azulejos-Wandverkleidungen) innerhalb der Ringmauern des Kastells (13./14. Jh.); emanuelin. Pilgersäule (16. Jh.).

Vilgertshofen [f-], barocke Wallfahrtskirche im Kr. Landsberg, Oberbayern, ein entwicklungsgeschichtlich bedeutsamer Zentralbau von JOHANN SCHMUZER (1686 bis 1692), der auch die üppige Stuckdekoration schuf; origineller Doppelstockaltar (1721 von F. SCHMUZER voll.), Chorfresko von J. B. ZIMMERMANN (1734).

Vili, kleine Volksgruppe an der Loango-Küste der Rep. Kongo; in künstler. Beziehung verwandt mit den östlich und südlich benachbarten →Kongo, was sich bes. bei den Figuren (Spiegelfetische u. a. Zauberfiguren, auch aus Elfenbein) zeigt. Die Masken für die Initiationsfeierlichkeiten der Knaben sind sehr naturalistisch gestaltet, meist polychrom bemalt und oft mit Spiegeln und Federn geschmückt.

Vilich [f-], Stadtteil von Bonn, NRW, mit ehem. Benediktinerinnenkloster (gegr. 10. Jh., 1488–1804 Damenstift); die heutige Kirche St. Peter besteht aus got. Chor (um 1290/1300, vermutlich vom Kölner Dombaumeister ARNOLD) und basilikalem Langhaus (Kern 11. Jh.; 1632 renoviert). Stattl. romanisierender W-Turm (um 1700), Adelheids-Chörchen (1208).

Villa [lat.], in röm. Zeit zunächst eine landwirtschaftl. Anlage **(V. rustica)** im Unterschied zum städt. Wohnhaus (domus, aedes); im Verlauf des Hellenismus sonderte sich das Herrenhaus stärker aus dem landwirtschaftl. Bereich aus und übernahm Elemente des Stadthauses (z. B. Bibliotheken, Badeanlagen); als **V. urbana** (pseudourbana) gewann die V. im späten Hellenismus und in der frühen Kaiserzeit besondere Bedeutung als Sommersitz der Vornehmen; als Bildungsrefugium diente sie zur Erholung vom geschäftl. Alltag. An grch. Wohnformen orientiert, legte man zunehmend Wert auf Komfort, aufwendige Gärten, gute Lage und schöne Aussicht; Terrassenanlagen und Säulenhallen, bei Seevillen **(V. maritima)** auch Vorbauten ins Meer, bestimmten die oft gewaltigen Anlagen; komplexe Villenanlagen bauten die röm. Kaiser, u. a. TIBERIUS in Capri, HADRIAN in Tivoli, MAXIMIAN (?) bei Piazza Armerina; auch in den Provinzen des röm. Imperiums entstanden große Villenkomplexe, aber hier meist stärker mit landwirtschaftl. Funktion.

Das MA. kannte die V. nicht, erst mit der Festlegung der Herrschaft der ital. Stadtstaaten konnte sich auf dem befriedeten Land eine V.-Kultur entwickeln. Erste Anfänge dafür finden sich in Form von z. T. befestigten Landsitzen zu Ende des 15. Jh. Die V. der Renaissance war mit ihren Nutzgebäuden auch ökonom. Bedingungen verpflichtet, sie diente als Gut der Landwirtschaft. Gleichzeitig entstand jedoch eine Theorie des Lebens auf dem Lande, die die ›agricoltura‹ verklärend überhöhte und ideale Gestaltungsrichtlinien für die V.-Architektur formulierte.

Der Begriff V. bezeichnet seit der Renaissance in Italien die Gesamtanlage, also Park und Wohngebäude (Palazzo oder Casino). Der mit Skulpturen, Wasserspielen, Muschelgrotten, künstl. Felsen, später auch mit Springbrunnen geschmückte Garten ist immer eng mit dem Haus verbunden, oft gehen beide unmittelbar ineinander über, indem Loggia und Säulenvorhalle sich sowohl zur Gartenterrasse als auch zu den Räumen des Hauses öffnen. V. der Frührenaissance entstanden u. a. in der Umgebung von Florenz, so die Medici-Villen in Poggio a Caiano, Fiesole, Careggi; bed. Anlagen wurden seit Ende des 15. Jh. v. a. in Rom (V. Farnesina, V. Madama, V. Giulia, V. Medici) und Latium (V. Farnese in Caprarola, V. d'Este in Tivoli, V. Lante in Bagnaia) errichtet. Eine Fülle von V. entstand in Venetien (u. a. entlang der Brenta), v. a. in der Spätrenaissance, stark geprägt von dem von A. PALLADIO (V. Barbaro; La Rotonda, BILD Palladio; La Malcontenta) und V. SCAMOZZI (V. Pisani in Lonigo, V. Duodo-Valier) geschaffenen Bautypus. Im Barock erstreckte sich der Villenbau mit bed. Anlagen über ganz Italien bis nach Sizilien (V. Pisani in Stra und V. Manin bei Passariano, beide in Venetien, V. Borghese und V. Doria Pamphili in Rom, V. Palagonia und V. Valguarnera in Bagheria bei Palermo).

Von Italien aus strahlte die Idee der V., vermittelt v. a. durch den Palladianismus, nach ganz Europa und bes. nach England aus und wurde grundlegend für Herrenhäuser und Güter des 18. und 19. Jh. Im 19. Jh. wurde die V. als Wohnform des Bürgertums sehr geschätzt. Sie kommt in allen Spielarten des Historismus vor, als Landhaus im Grünen, als Vorort-V.; es wurden in den Bebauungsplänen V.-Viertel ausgewiesen. Nutzungsformen wie ›Mehretagenmietvilla‹ lassen erkennen, daß sich die Definition von V. gewandelt hat. Im 20. Jh. bleibt die V. als exklusive Bauaufgabe bestehen; im Funktionalismus wurden unter Einsatz von Glas, Stahl und Beton überraschende und großzügige Lösungen geschaffen.

W. PRINZ u. a.: Studien zu den Anfängen des oberital. Villenbaus (1973); R. BENTMANN und MICHAEL MÜLLER: Die V. als Herrschaftsarchitektur (1979); A. G. MC KAY: Röm. Häuser, V. und Paläste (a. d. Engl., 1980).

Villa Adriana, →Hadriansvilla.

Villach [f-], Stadt an der Drau, Kärnten, Österreich, 52 600 Ew.; trotz schwerer Bombenschäden im 2. Weltkrieg ist eine Fülle von Bürgerhäusern der Gotik und Renaissance erh., z. T. mit Arkadenhöfen (Paracelsushof, Hirscheggerhof u. a.), bes. am langgestreckten Hauptplatz. Die Stadtpfarrkirche St. Jakob ist eine spätgot. dreischiffige Halle (14.–16. Jh.) mit Stern- und Netzrippengewölben; bemerkenswerte Grabmäler. Die Heiligkreuzkirche (1726–38) mit kreuzförmigem Grundriß, zentraler achtseitiger Kuppel und hohen Türmen ist eine der wenigen Kirchen des Spätbarock in Kärnten. Die got. Martinskirche mit roman. Resten wurde nach 1962 (starke Beschädigung nach Einsturz des Turms) z. T. verändert wiederaufgebaut.

Villa de Leiva, Villa de Leyva [b'ija ðe l'eiβa], Ort in der Nähe von Tunja, Kolumbien, mit gut erh. kolonialzeitl. Bauten: Augustinerkloster La Candelaria (gegr. 1604); Dominikanerkloster del Ecce Homo (gegr. 1620) mit Anbauten (2. H. 17. Jh.); Kloster S. Francisco (gegr. 1614). Im Kloster de las Carmelitas bed. Mus. für Sakralkunst.

Villahermosa [bijaɛrm'osa], Hauptstadt des Staates Tabasco, Mexiko, in der Golfküstenebene, 175 800 Ew. Freilicht-Mus. mit Funden der Olmeken-Kultur (La Venta); im Mus. de Tabasco Samml. präkolumb. Kunst.

Villa Hügel, Essen, nach Plänen des Fabrikanten A. KRUPP 1870–72 für die Familie Krupp über dem Baldeneysee errichtet; dient seit 1953 wechselnden Kunstausstellungen.

Villalcázar de Sirga [biʎalk'aθar ðe-], span. Ort rd. 30 km nördlich von Palencia, León, mit ehem. Templerkirche, einem dreischiffigen Bau (Ende 12. Jh.–1288) mit Vorhalle und qualitätvollen Portalplastiken (Ende 13. Jh.); im Innern die prächtigen Grabmäler mit umlaufenden Figurenfriesen und den Liegefiguren des Infanten Don Felipe (†1274) und seiner Gemahlin.

Villa Massimo, Sitz der Dt. Akad. (Accademia Tedesca) in Rom. Der 1910–13 errichtete Bau wurde durch den Berliner Bankier E. ARNHOLD (†1925) erworben und dem preuß. Staat geschenkt. Arnhold stiftete ein Stipendium für die Aufnahme u. a. von bildenden Künstlern (Gewinner des Rom-Preises der Preuß. Akad. der Künste) in der V. M. Zw. den Kriegen war die V. M. ein Mittelpunkt des dt. und internat. Kunstlebens; nach Rückgabe an die Bundesrep. Dtl. (1956) wird sie als Teil der ›Stiftung Preuß. Kulturbesitz‹ vom Bund verwaltet und unterhalten (Wiedereröffnung 1978).

Villandry [vilãdr'i], frz. Renaissanceschloß an der Loire, südwestlich von Tours, um 1532 an der Stelle einer Burg errichtet, deren Donjon des 14. Jh. erhalten blieb; Terrassengärten im Stil der Renaissance mit geometrisch angeordneten Beeten wurden Anf. des 20. Jh. rekonstruiert.

Villanovakultur [n. dem Fundort Villanova bei Bologna], Kulturgruppe der frühen Eisenzeit (9.–7. Jh. v. Chr.) in der östl. Poebene und Etrurien mit Ausläufern in Kampanien, in Etrurien schon Anf. des 7. Jh. von der orientalisierenden etrusk. Kultur abgelöst. Charakteristisch sind doppelkonische Urnen aus Impasto oder Bronze mit geometr. Mustern, Deckeln in Form von einhenkligen Schalen oder Kammhelmen; daneben gab es auch Urnen in Hüttenform, die den Wohnhaustyp der V. wiedergeben.

Villanueva, 1) [bijanu'eβa], Carlos Raul, venezolan. Architekt, Stadtplaner, *London 30. 5. 1900, †Caracas 16. 8. 1975, trug entscheidend zur Erneuerung der Architektur in Venezuela bei. In Caracas schuf er neben umfangreichen Siedlungen (23 de Enero, 1955–57; El Paraiso, 1952–54) die Univ.-Stadt, in deren Zusammenhang er auch zahlreiche Künstler zu monumentalen

Werken anregte (A. CALDER, F. LÉGER, A. PEVSNER, V. VASARÉLY, H. ARP).

2) [biʎanu'eßa], Juan de, span. Baumeister, *Madrid 15. 9. 1739, †ebd. 22. 8. 1811, studierte 1758–65 in Italien, war seit 1768 mehrere Jahre am Bau des Escorial (u. a. Hauptportal, 1767) tätig; wurde 1786 Erster Königl. Architekt, 1792 Direktor der Akad. de S. Fernando. V. ist neben F. SABATINI und V. RODRÍGUEZ TIZÓN Hauptvertreter des span. Baustils am Übergang vom Spätbarock zum Klassizismus. Sein HW ist der Prado (Pläne seit 1785); daneben schuf er Kirchen und zahlreiche öffentl. Bauten in Madrid.

Villard de Honnecourt: Bär und Schwan aus dem Bauhüttenbuch; Feder, um 1235 (Paris, Bibliothèque Nationale)

Villard de Honnecourt [vil'a:rdəɔnk'u:r], frz. Baumeister aus Honnecourt (Picardie), nachweisbar um 1230–35. Von ihm stammt das einzige aus dem MA. erhalten gebliebene Bauhüttenbuch (Paris, Bibl. Nat.; 33 von urspr. 59 oder 63 Blättern erh.), eine im Lauf vieler Jahre auch auf Reisen durch Frankreich, Dtl. und Ungarn zusammengetragene Mustersammlung von Zeichnungen zur Baukunst (u. a. Grund- und Aufrisse von Chören und Türmen, Maßwerk von Fenstern und Fensterrosen, auch Baumaschinen), zur Zimmermannskunst (z. B. versch. Konstruktionsmöglichkeiten von Dachstühlen), zur Bildhauerei (Portalfiguren, Evangelienpult, Chorgestühl u. a.) und weiteren Zeichnungen von Menschen und Tieren und Versuchen, diese in geometr. Systeme einzupassen. Dieses Bauhüttenbuch gewährt einen einzigartigen Einblick in das Schaffen einer ma. Bauhütte und offenbart, daß diese weit mehr als nur ein organisator. Zusammenschluß von Steinmetzen an einem Bau war, sondern daß ihr Entwurf und Ausführung der Gesamtkonzeption einer

Kathedrale sowie ihre Ausstattung als künstler. Ganzes oblag.

T. Bowie: The sketchbook of V. d. H. (New York 1962); H. R. Hahnloser: V. d. H., Krit. Gesamtausg. des Bauhüttenbuches ([2]1972).

Villa Romana, dt. Künstlerhaus in Florenz und ältester dt. Kunstpreis, mit dem die Aufnahme von jeweils 4 Preisträgern zu einem einjährigen Arbeitsaufenthalt verbunden ist; Einrichtung dieser Institution 1905 durch M. Klinger. Wiederbegründung nach vorübergehenden kriegsbedingten Schließungen 1926 durch M. Liebermann u. a., 1954 durch H. Purrmann. In der V. R. arbeiteten u. a. E. Barlach, M. Beckmann, G. Kolbe, Käthe Kollwitz, M. Pechstein, G. Marcks.

Villeglé [viləgl'e], Jacques Mahé de la, frz. Künstler, *Quimper (Finistère) 27. 3. 1926, entwickelte mit R. Hains aus abgerissenen Plakatwänden formal ausgewogene, poetisch gestimmte Collagen (›Affiches Lacérées‹) oder experimentierte mit typograph. Rhythmen. 1960 war V. in Paris Gründungsmitgl. des Nouveau Réalisme.

Villers-la-Ville [vilɛrlav'il], Gem. in der belg. Prov. Brabant mit den Ruinen einer 1147 gegr. Abtei, trotz der Zerstörung (1796) ein gutes Beispiel der Zisterzienserbaukunst; frühgot. Kirche (1240–42), eine kreuzförmige Basilika mit Strebebögen, Kreuzgang (12. Jh., im 14. und 16. Jh. erweitert), Klosterbauten des 13. Jh. (u. a. Kapitelsaal, Refektorium, Dormitorium) und 18. Jh. (u. a. Abtshaus).

Villingen-Schwenningen [f-], Stadt am O-Rand des Schwarzwaldes, Bad.-Württ., 78 300 Ew. Den gut erh. ma. Stadtkern von Villingen umgibt eine doppelte Mauer mit je 3 Toren und Türmen. Das Münster ist eine got. flachgedeckte Pfeilerbasilika (13.–16. Jh., Portale noch vom roman. Vorgängerbau) mit barockem Stuck (1701). Das ehem. Klarissen-, jetzt Ursulinenkloster ist ein Neubau von 1731/37. Ehem. Franziskanerkloster (1268 gegr.) mit spätgot. Kreuzgang; die Kirche (Neubau 1711) ist profaniert. Die Kirche des ehem. Reichsstifts St. Georgen (um 1690 von M. Thumb beg.) ist eine Wandpfeilerkirche mit Emporen; im Alten Rathaus (1534) das Stadt-Mus. (u. a. Münsterschatz).

Villon [vij'ɔ̃], Jacques, eigtl. Gaston **Duchamp** [dyʃ'ɑ̃], frz. Maler, *Damville (Eure) 31. 7. 1875, †Puteaux bei Paris 9. 6. 1963, urspr. humorist. Zeichner. Ausgehend vom Kubismus, schloß er sich mit seinen Brüdern M. Duchamp, R. Duchamp-V. u. a. zur →Section d'Or (1912) zusammen, deren wesentl. Ausdrucksmittel im Unterschied zum Kubismus P. Picassos und G. Braques die Farbe war. Seit etwa 1913 suchte V. durch geometrisierende Flächenzerlegung und proportionales Spiel der Farben auch Bewegung malerisch auszudrücken. Später bezog er die Natur wieder stärker als Bildanregung ein, immer jedoch reduziert auf geometrisch abgeleitete Grundformen.

Vimana [Skt.], Hauptteil des ind. Tempels, besteht aus der Cella mit Umwandung und Turmaufbau; in S-Indien häufig Bez. für den gesamten Tempelbau.

Vimperk, dt. **Winterberg,** Stadt im Südböhm. Kr., ČSSR, am Fuß des Böhmerwaldes, von einer urspr. got. Burg (1251 gegr.; 1622–24 und 1728–34 barock ausgebaut) überragt. In der Stadt got. Pfarrkirche aus dem 14. Jh. (später umgebaut). Synagoge (1726).

Vincennes [vɛ̃s'ɛn], mit Paris zusammengewachsene Stadt im frz. Dép. Val-de-Marne, 44 500 Ew. Im **Bois de V.** [bwa də-] liegt das Schloß, unter König KARL V. als Zitadelle (14. Jh., unter Verwendung eines älteren Baus) mit mächtigem, 42 m hohem Donjon und spätgot. Ste. Chapelle (mit Glasfenster-Zyklus des 16. Jh.) erbaut; unter J. MAZARIN Bau von 2 Pavillons. V. war häufig Residenz frz. Könige. – 1738 wurde in V. eine Porzellanmanufaktur gegr., die 1756 nach Sèvres verlegt wurde.

Vinci [v'intʃi], **Leonardo da,** →Leonardo da Vinci.

Vinckeboons [f-], **Vinckboons,** David, niederländ. Maler, getauft Mecheln 13. 8. 1576, †Amsterdam 1629 oder 1632, seit 1591 ebd., malte in der Art von G. VAN CONINXLOO Waldlandschaften mit bibl. oder mytholog. Staffage, auch Darstellungen aus dem Volksleben; verarbeitete Anregungen von P. BRUEGEL D. Ä. in Genre- und Landschaftsmalerei.

Viollet-le-Duc [vjɔl'ɛləd'yk], Eugène Emmanuel, frz. Baumeister, Kunsttheoretiker, *Paris 27. 1. 1814, †Lausanne 17. 9. 1879, stellte ma. Bauten, bes. Kirchen und Kathedralen, gemäß seinen Vorstellungen von ma. Kunst wieder her (so in Paris Notre-Dame, ab 1845, und die Ste. Chapelle, ab 1840; die ma. Stadtbefestigung von Carcassonne, 1850–70; Schloß Pierrefonds, ab 1858), womit er zu einem Initiator der Denkmalpflege im 19. Jh. wurde und durch seine Veröffentlichungen in Frankreich den Sinn für die Kunst des MA. i. S. des Historismus weckte. Als Theoretiker wurde V.-le-D. von grundlegender Bedeutung für die moderne Architektur (›Dictionnaire raisonné de l'architecture française du XIe au XVIe siècle‹, 10 Bde., 1854 ff.).

V.-le-D., Ausst.-Kat., Paris (1980).

Vipiteno, ital. für →Sterzing.

Virabhadra [Skt.], ind. Mytholog.: Emanation des hinduist. Gottes Shiva, dargestellt als furchterregende Gestalt, der den Opferer Daksha niederkämpft. Späthinduist. bronzene Ritualplaketten aus S-Indien zeigen V. vierarmig mit Schwert und Schild, neben ihm als kleine Verehrergestalt den widderköpfigen Daksha. V. flankiert auch lautespielend die Saptamatrikas (Vinadhara V.).

Virakkal, Heldengedenkstein in S-Indien, zumeist flache Stelen mit reliefierten Kampfszenen in volkstüml. Stil.

Visby [v'i:sby:], Stadt auf der schwed. Insel →Gotland, Bischofssitz; erlebte v. a. durch dt. Kaufleute der Hanse Blütezeiten mit großer Bautätigkeit im 12. und 13. Jh. Von den 16 ma. Kirchen sind einige ganz verschwunden, andere nur als Ruine vorhanden. Als Kirche benutzt wird nur noch der Dom St. Marien, in den ältesten Teilen Ende 12. Jh., im romanisch-got. Übergangsstil (Brautportal an der Südseite) nach dt. Vorbild 1225 voll., um 1250 zur Halle umgebaut, hochgot. Südkapelle (um 1350); Taufbecken (13. Jh.), Lübecker Kanzel (1684). Die eindrucksvollsten Kirchenruinen sind die dreischiffigen Hallenkirchen St. Nikolaus, ehem. Dominikanerklosterkirche (Mitte 13. Jh.) mit hohen got. Chorfenstern, und St. Karin (St. Katerina), ehem. Franziskanerklosterkirche (um 1230, 1376 bis 1413 gotisch umgebaut); die Heiliggeistkirche ist eine achteckige roman. Doppelkirche (Anf. 13. Jh.), deren beide Geschosse sich zu einem gemeinsamen Chor öffnen. Einige ma. Kaufmannshäuser mit hohen Treppengiebeln erh., bes. die Alte Apotheke. Die rd. 3500 m lange Stadtmauer mit ihren wuchtigen Türmen ist fast vollständig erh. Im Mus. (Gotlands fornsal) Funde der Wikinger- und Hansezeit, ma. Holzbildwerke u. a.

Viscardi, Giovanni Antonio, Baumeister, getauft S. Vittore bei Roveredo (Kt. Graubünden) 27. 12. 1645, †München 9. 9. 1713, um 1676 in Bayern eingewandert, seit 1685 kurfürstl. Hofbaumeister in München, bestimmte um 1700 neben E. ZUCCALLI das bayer. Bauwesen. In den Kirchenbau führte er den für die Folgezeit entscheidenden Zentralbau oberital. Prägung ein und belebte auch den heim. Wandpfeiler-Langbau.

HW: Neubau der Prämonstratenserkirche Neustift bei Freising (1700–13); Entwurf für das Zisterzienserkloster Fürstenfeld (1701 bis 1704); Bürgersaalkirche in München (1709/10). – Zentralbauten: Wallfahrtskirche Mariahilf in Freystadt/Oberpfalz (1700–08) und Dreifaltigkeitskirche in München (1711–13, 1728 voll.).

Vischer [f-], Erzgießerfamilie in Nürnberg. Ihr Stammvater Hermann V. d. Ä. – vermutlich niederdt. Herkunft (begraben Nürnberg 13. 1. 1488) – begründete 1453 die Gießhütte (mit Sicherheit von ihm stammend ein Taufbecken in der Stadtkirche zu Wittenberg, 1457), die sein Sohn Peter V. d. Ä. (*Nürnberg um

Peter Vischer d. Ä.: Simson vom Sebaldusgrab; seit 1508 (Nürnberg, St. Sebald)

1460, †ebd. 7. 1. 1529) zu Ansehen in ganz Dtl. brachte. Die Entwürfe zu seinen Gußwerken stammen z. T. auch von anderen Meistern (S. LAINBERGER, V. STOSS). – In seiner Frühzeit schuf Peter V. d. Ä. v. a. Grabplatten. Das Meisterwerk unter ihnen ist das Grabmal des Erzbischofs Ernst von Sachsen (1494/95; Magdeburg, Dom). In Nürnberg führte er – nach einem 1. Entwurf noch in got. Stil (1488; Wien, Akad.) einem 2. Entwurf folgend – seit 1508 das Sebaldusgrab in St. Sebald aus. Sicher von ihm stammen an diesem die 12 Apostel; am Sockel ist der Meister selbst dargestellt (evtl. von seinem Sohn). Nach Unterbrechung (1512–14) wurde die Arbeit 1519 von seinen Söhnen vollendet. Peter V. d. Ä. schuf ferner für das Maximiliansgrab in Innsbruck 1512/13, nach Entwurfzeichnungen von A. DÜRER, die überlebensgroßen Bronzestandbilder des Theoderich und des Artus; nach ihrer Vollendung war er nur noch als techn. Leiter der Hütte tätig. Die Entwürfe überließ er seinen Söhnen, die seit 1514 das (noch in der Spätgotik wurzelnde) künstler. Erbe des Vaters im Sinn der ital. Renaissance weiter entfalteten. – Sein ältester Sohn Hermann V. d. J. (*Nürnberg um 1486, †ebd. 1. 1. 1517) unternahm 1515 eine Reise nach Italien, von der eine Reihe von Architekturzeichnungen zeugen (Louvre). – Sein zweiter Sohn Peter V. d. J. (*Nürnberg 1487, †ebd. 1528) schuf unter dem Einfluß der ital. Renaissance (BILD), die er 1512–14 wohl in Oberitalien kennengelernt hatte, den reichen figürl. Schmuck des Sebaldusgrabes sowie Medaillen, Plaketten, Epitaphien und Kleinbildwerke. Er ist der erste bedeutende dt. Kleinplastiker. – Sein dritter Sohn Hans V. (*Nürnberg um 1489, †Eichstätt 8. 9. 1550) schuf v. a. das Doppelgrab der Kurfürsten Joachim und Johann Cicero (1530; Berlin, Dom). Von ihm stammt ferner das Grabmal des Kardinals Albrecht von Brandenburg (1525; Aschaffenburg, Stiftskirche) und der Wenzelsleuchter (1534; Prag, St. Veitsdom, Wenzelskapelle). – Sein jüngster Sohn Paulus V. (*Nürnberg?, †Mainz 1531) erbte nach dem Tod des Vaters die Gießhütte, überließ sie aber seinem Bruder Hans und zog nach Mainz.

WW der Familie: **Hermann V. d. Ä.** zugeschriebene Bronzegrabplatten: Bischof Georg I. von Schaumburg (1467; Bamberg, Dom); Bischof Thilo von Trotha (um 1470; Merseburg, Dom); Bischof Sigismund von Würzburg (1471; Meißen, Dom); Bischof Dietrich von Schönberg (1476; ebd.). – **Peter V. d. Ä.:** Grabmal des Grafen Otto IV. von Henneberg (1480; Römhild, Stadtkirche); Grabplatte der Bischöfe Hariolf und Erolf (um 1480/90; Ellwangen, Stiftskirche – auch Hermann V. d. Ä. zugeschrieben); Der ›Astbrecher‹ (1490; München, Bayer. Nationalmus. – vielleicht als Tragfigur für das Sebaldusgrab bestimmt); Grabplatten und Epitaphien in den Domen zu Bamberg, Breslau, Meißen und Posen. – **Hermann V. d. J.** zugeschrieben: Bronzegrabplatten im Dom zu Krakau; Grabmal Elisabeth von Brandenburg (um 1508; Römhild, Stadtkirche); Mitarbeit am Sebaldusgrab (seit 1514, architekton. Teile); Gitter für die Grabkapelle der Fugger bei St. Anna in Augsburg (seit 1515, 1549 als Gerichtsschranke im Nürnberger Rathaus aufgestellt, 1806 abgebrochen, 4 Reliefs erhalten: Schloß Montrottier bei Annecy). – **Peter V. d. J.:** Figurenschmuck des Sebaldusgrabes (1514–19, Propheten, Putten, Leuchterweibchen, 3 Reliefs mit Wundern des Hl. Sebaldus an der Tumba, 4 Erzfiguren am Sockel); Grabmal Friedrichs des Weisen (1527; Wittenberg, Schloßkirche). Kleinplastik.

Vischering [f-], Wasserburg, →Lüdinghausen.

Visconti, Louis (eigtl. Ludovico), frz. Architekt ital. Herkunft, *Rom 11. 2. 1791, †Paris 29. 12. 1853, Schüler von C. PERCIER, tätig in der staatl. Bauverwaltung, schuf Pläne zum Grabmal Napoleons I. im Invalidendom und zum neuen Louvre (von H. M. LEFUEL fortgesetzt) sowie Brunnenanlagen in Paris.

Visé [vis'e], Stadt in der belg. Prov. Lüttich, an der Maas. Die Stiftskirche St. Martin birgt den Hadelinusschrein, den ältesten im Maasgebiet erhaltenen Reliquienschrein (Langseiten 1130–50, Stirnseiten von einem Schrein des 11. Jh.), ein HW der →Maaskunst.

Visegrád [v'iʃɛgra:d], Stadt im Bez. Pest, Ungarn, im Donauknie gelegen, rd. 5000 Ew.; ma. Burg mit Wehrmauern und Ruinen einer königl. Sommerresidenz aus der Frührenaissance. Die Burg entstand an der Stelle eines röm. Kastells und wurde nach dem ersten Mongolensturm im 13. Jh. mit wehrhaften Türmen und Mauern versehen; am Fuß des Hügels der Wohnturm (Salomonsturm) mit 3,5 m dicken Mauern, auf dem Hügel die Zitadelle mit Palästen und massiven Türmen (u. a. zur Aufbewahrung von Kronjuwelen) und einer Verbindungsmauer von der unteren Burg. Im 14. Jh. ließ KARL ROBERT VON ANJOU die Burg erneuern (sie wurde im 16./17. Jh. mehrmals von den Türken erobert und 1702 z. T. gesprengt) und am Donauufer einen Sommerpalast errichten (seit der Türkenbelagerung 1526 z. T. zerstört, später abgetragen). Der monumentale Sommerpalast bestand aus auf versch. Ebenen errichteten Sälen mit Spitzbogenteilen, abgedeckten Kreuzgängen, Netzgewölben. Die Ruinen sind z. T. freigelegt, beachtenswert ein Zier- und ein Wandbrunnen.

Viseu, portug. Stadt und Bischofssitz in der histor. Prov. Beira Alta, 19500 Ew. Die Kathedrale zeigt versch. Stilformen: Grundriß und Pfeiler sind romanisch bestimmt (12. Jh.), das Langhaus erhielt um 1515 emanuelin. Gewölberippen (die steinerne Schiffstaue mit Knoten darstellen), der Chor wurde 1673 barockisiert (mit stilisierten Blumen bemaltes Tonnengewölbe), Fassade des 17. Jh.; reicher Kirchenschatz (Skulpturen und sakrale Kunst) im anschließenden Kreuzgang; im ehem. Kloster das Mus. de Grão Vasco (mit Gemäldesamml. des einheim. Künstlers V. FERNANDES gen. GRÃO VASCO; roman. Skulpturen u. a.); Misericórdia-Kirche (1775) mit barocker Granitfassade; zahlreiche Häuser des 16. bis 18. Jh.

Vishnu [Skt.], eine der obersten hinduist. Gottheiten, dargestellt v. a. als vier- oder achtarmiges Kultbild mit den Hauptattributen Chaktra, Shankha, Gada und Padma. Seine Gattin ist Lakshmi, sein Vahana Garuda. In V. sind seit altved. Zeit viele Gottheiten verschmolzen, so der Narayana und der Heldengott Vasudeva-Krishna von dunkelblauer Farbe. Ein Beiname V.s ist →Hari (als Kompositgestalt mit Shiva →Harihara). Seit der Gupta-Zeit entstanden szen. Darstellungen der 10 ird. ›Herabkünfte‹ (Avatara): Matsya, Kurma, Varaha, Narasimha, Vamana-Trivikrama, Parashurama, Ramachandra, Balarama (oder Krishna), Buddha und Kalkin. In Bildwerken V.s als →Chaturvyuha wurde die vishnuit. Evolutionsdoktrin dargestellt, in der Gestalt als →Vishvarupa die kosm. Allgestalt, als →Sheshashayin die uranfängl. Gottheit V. Mit Brahma und Shiva zur Trimurti vereint gilt V. als Welterhalter.

Vishvarupa [Skt. ›Allgestalt‹], der hinduist. Gott Vishnu in vielarmiger, vielköpfiger Gestalt, in der er, das gesamte Universum umfassend, sich seinem Verehrer Arjuna offenbart. Kultbilder seit der Guptazeit (Mathura-Kunst) zeigen V. mit einem großen Nimbus, der zahlreiche hinduist. Gottheiten enthält.

Visierung, →Scheibenriß.

Visscher [f'isər], **1)** Claes Jansz. d. J., holländ. Stecher, Zeichner, *Amsterdam um 1587, †ebd. 19. 6. 1652, war dort der führende Verleger für Landkarten, Landschafts- und Porträtstiche. Er stach u. a. nach P. Bruegel d. Ä., H. Goltzius, D. Vinckeboons; mit seinen Landschaftszeichnungen gehört er zu den Bahnbrechern des holländ. Realismus.

2) Cornelis, holländ. Kupferstecher, Zeichner, *wahrscheinlich Haarlem um 1619 oder 1629, begraben ebd. oder Amsterdam 7. 6. 1662, stach etwa 185 Blätter (Porträts, bibl. und mytholog. Darstellungen, Landschaften) u. a. nach Tizian, P. P. Rubens, A. van Dyck und A. Brouwer; schuf sorgfältig ausgeführte Porträtzeichnungen, meist mit Kreide auf Pergament.

Visser [f-], Carel, niederländ. Bildhauer, Graphiker, *Papendrecht 3. 5. 1928, seine Metallplastiken stehen in der konstruktivist. Tradition des Stijl.

Vitale da Bologna [- bol'oɲa], eigtl. Vitale d'Aimo **de' Cavalli,** auch **Vitale delle Madonne,** genannt, ital. Maler, *um 1308/09, †vor dem 31. 7. 1361, Begründer der Malerschule von Bologna, schloß an die Tradition Giottos an, gelangte jedoch zu einem persönl. Stil, der sich durch intensive Farbigkeit und starke Bewegung auszeichnet. Er war tätig in Bologna, Udine und der Abtei von Pomposa.

HW: Madonna dei Denti (1345; Bologna, Collezioni Comunali d'Arte); 4 Tafeln der Legende des Hl. Antonius (Bologna, Pinacoteca Nazionale); Der Hl. Georg tötet den Drachen (ebd.); Fresko mit der Geburt Christi aus S. Maria in Mazzaratta (ebd.); Legende des Hl. Nikolaus (1349; Udine, Dom, Cappella di S. Niccolò).

Viterbo, ital. Stadt und Bischofssitz nordwestlich von Rom, Latium, 57 700 Ew. Die von Mauern mit Toren umgebene Altstadt ist reich an alten Bauwerken und Brunnen; ma. Aussehen hat v. a. das Viertel S. Pellegrino mit Häusern des 13. Jh. mit Außentreppen, bogenüberzogenen Straßen und Geschlechtertürmen bewahrt, so an der Piazza S. Pellegrino (mit Palazzo degli Alessandri, 13. Jh.). Der zinnenbekrönte Papstpalast, mit großer Freitreppe, got. Loggia und großem Konklavesaal, wurde unter den Päpsten Alexander IV., Urban IV., und Klemens IV. 1257–66 erbaut, neben ihm der von lombard. Baumeistern erbaute roman. Dom mit got. Campanile und Fassade von 1570 (im Inneren hervorragende Säulenkapitelle mit figürl. Motiven). Weitere Kirchen des MA.: S. Sisto (9. und 12. Jh.), S. Maria Nuova (11. Jh.), die got. Kirchen S. Francesco (mit Außenkanzel des 15. Jh. und prunkvollen Grabmälern der Cosmaten im Inneren), S. Maria della Salute

Viterbo: Papstpalast; 1257–66

und S. Maria della Verità (im ehem. Kloster heute Mus. Civico mit archäolog. Funden und Gemäldesamml.). Paläste mit Säulengängen und Loggien (v.a. Palazzo Comunale, 1460 beg.). In der östl. Stadtumgebung die Renaissance-Kirche S. Maria della Quercia (1470 bis 1525). In der Nähe von V. liegen Villa Lante (→Bagnaia), Palazzo Orsini (→Bomarzo) und Palazzo Farnese (→Caprarola).

Vitoria [b-], bask. **Gazteiz,** Hauptstadt der span. Provinz Álava, Baskenland, 170900 Ew., Bischofssitz. In der Altstadt die dreischiffige Alte Kathedrale (14. Jh.) mit reich skulptiertem got. Stufenportal mit Gewändefiguren; im Innern Gemälde von P. P. RUBENS und A. VAN DYCK sowie roman. Skulpturen. In der Kirche S. Miguel (14. Jh.) ein prächtiges Barockretabel von G. HERNÁNDEZ (17. Jh.); zahlreiche Adelssitze (14. bis 16. Jh.). Die Neustadt beginnt an der arkadengesäumten Plaza de España (18. Jh.); an deren W-Rand die 1907 beg. Neue Kathedrale (noch unvoll.) und die Casa de Álava mit Diözesanmus. (ma. Kunst), Provinzialmus. (Gemäldesamml., u.a. Werke von J. DE RIBERA, A. CANO) und Archäolog. Mus.

Vitozzi, auch **Vittozi,** Ascanio, ital. Baumeister, *Orvieto 1539, †Turin 23. 10. 1615, schuf als Hofbaumeister (seit 1584) den regelmäßigen Bebauungsplan von Turin und baute dort Paläste, Häuser und Kirchen. Er gilt als der Begründer der piemontes. Barockarchitektur. Sein HW ist die Wallfahrtskirche der Madonna di Vicoforte (1596 beg.) in →Mondovì.

Vitré, Stadt in der Bretagne, an der Vilaine, 12900 Ew. Die von turmbewehrten Mauern umgebene Stadt hat ihr ma. Aussehen bewahrt, Schloß über dreieckigem Grundriß mit Wehrtürmen (14./15. Jh.; heute Mus. mit Wandteppichen, Fayencen, Skulpturen u.a.), Kirche Notre-Dame (15./16. Jh.) im Flamboyant-Stil.

Vitrine [frz.] *die,* seit dem 18. Jh. Schauschrank mit verglastem Oberteil zur Aufbewahrung und Ausstellung wertvoller Gegenstände.

Vitruv, Vitruvius Pollio, röm. Militärtechniker und Ingenieur, verfaßte wohl vor 31 v. Chr. die 10 Bücher

›De architectura‹, in denen er griechisch-hellenist. Lehrmeinungen mit den Erfahrungen der älteren röm. Praktiker verarbeitete. Als einziges aus dem Altertum erhaltenes architekturtheoret. Werk ist es nicht nur eine wichtige Quelle für die Kenntnis antiker Baukunst, sondern zugleich das Lehrbuch, das die Architekten seit der Renaissance entscheidend beeinflußt hat (L. B. ALBERTI, A. PALLADIO, G. B. DA VIGNOLA).

Vittone, Bernardo Antonio, ital. Baumeister, *Turin um 1705, †ebd. 19. 10. 1770; nach Studien in Rom führender Kirchenbaumeister des piemontes. Spätbarock. In seinen kurvigen lichterfüllten Zentralkuppelbauten verschmelzen G. GUARINIS und F. JUVARRAS Bauweise; Verfasser mehrerer architekturtheoretischer Schriften.

HW: Santuario del Vallinotto bei Carignano (1738); S. Bernardino in Chieri (1740–45); S. Chiara in Bra (1742); S. Maria in Piazza in Turin (1751).

Vittoria, Alessandro, ital. Bildhauer, Medailleur, *Trient 1525, †Venedig 27. 5. 1608, Schüler von J. SANSOVINO, schuf Grabmäler, Marmorbüsten und Kleinbronzen von manieristisch gelängten Proportionen.

Vittskövle [v'itʃø:vlə], Schloß im südschwed. Län Kristianstad, eines der besterhaltenen Renaissanceschlösser in Schonen (1553–60), Vierflügelanlage mit 2 diagonal gestellten Ecktürmen; Gemälde-Samml. In der Kirche der Gemeinde V. bedeutende Kalkmalereien (um 1470).

Vitus, Veit [f-], Märtyrer in Sizilien um 313(?), starb nach der um 600 entstandenen Legende nach zahlreichen Martern; dargestellt mit dem Attribut seines Martyriums (dem Ölkessel u. a.), Palme und Schwert, bes. als einer der Vierzehn →Nothelfer; die älteste Einzeldarstellung in Rom (847–55; S. Clemente); später v. a. in der Buchmalerei und bes. in Prag, einem Mittelpunkt seiner Verehrung (St. Veitsdom – Statue von F. M. BROKOFF, 1709; Prag, Karlsbrücke).

Vivarini, venezian. Malerfamilie des 15. Jh.

1) Alvise, Sohn von 2), *Venedig um 1446, †ebd. 1503/1505, schuf Altar-, Andachtsbilder und Porträts, näherte sich in seinen reifen Werken dem Stil des GIOVANNI BELLINI.

HW: Madonna mit Heiligen (1480, Venedig, Accademia); Madonna u. Auferstehung Christi (1498, ebd., S. Giovanni in Bragora).

2) Antonio, auch **A. da Murano,** Vater von 1), Bruder von 3), *Murano um 1415, †1476/84, arbeitete in Venedig bis 1447 in Werkstattgemeinschaft mit GIOVANNI D'ALEMAGNA, bis 1464 mit BARTOLOMEO V.

HW: 3 Altäre in S. Zaccaria in Venedig (1443/44).

3) Bartolomeo, auch **B. da Murano,** Bruder von 2), *Murano um 1432, tätig bis um 1491 in Venedig, seit 1464 selbständig, beeinflußt von A. MANTEGNA und ANTONELLO DA MESSINA.

HW: Madonna mit Heiligen (London, Nat. Gal.); Altar mit Schutzmantelmadonna (1473, Venedig, S. Maria Formosa); Altar mit dem Hl. Markus (1474, ebd., S. Maria dei Frari).

Viviansbibel, ein HW der Schule von →Tours.

Vivin [viv'ɛ̃], Louis, frz. Maler, *Hadol (Vosges) 27. 7. 1861, †Paris 28. 5. 1936, Postbeamter; von W. UHDE 1925 entdeckter naiver Maler, stellte v. a. Bauten und Städte dar. Der Zauber der Bilder liegt in der Genauigkeit seiner persönl. Vorstellung, dem Verzicht auf jegl. Perspektive sowie in der Hintergründigkeit ihrer Wirkung.

Vix [viks], Dorf im frz. Dép. Côte-d'Or bei Châtillon-sur-Seine, seit der Eisenzeit besiedelt. Nahebei wurde ein kelt. Fürstengrab entdeckt, in dem eine mit einem Diadem geschmückte Frau lag. Neben der Toten fanden sich Teile eines Wagens und grch. Bronze- und Tongefäße aus der Zeit um 500 v. Chr. Die bedeutendste Grabbeigabe bildet ein grch., 1,64 m hoher, 208,6 kg schwerer Bronzekrater (Mus. in Châtillon-sur-Seine).

Vix: Weibl. Statuette vom Deckel des Bronzekraters; um 500 v. Chr., Höhe 19 cm (Châtillon-sur-Seine, Museum)

Vlaminck [vlam'ɛ̃k], Maurice de, frz. Maler, *Paris 4. 4. 1876, †Rueil-la-Gadelière (Dép. Eure-et-Loir) 11. 10. 1958, begann als Autodidakt und kam durch A. DERAIN zu den Fauves. Ausgehend von V. VAN GOGH, später von P. CÉZANNE beeinflußt, schuf V. v. a. Landschaften und Stilleben, die, meist pastos und in starken Farben gemalt, Ausdruck vitaler Daseinsfreude sind. Seit etwa 1915 nahm er Anregungen des Expressionismus auf und wandte sich nach einer mehr zum Gegenständlichen tendierenden Phase seit etwa 1950 wieder seinem fauvist. Stil zu. Er schuf außerdem graph. Arbeiten (v. a. Holzschnitte).

K. v. WALTERSKIRCHEN: M. de V. (1974).

Vlieger [fl'i: xər], Simon de, holländ. Maler, *Rotterdam um 1600, begraben Weesp bei Amsterdam 13. 3. 1653, tätig in Delft, Amsterdam, Rotterdam, Weesp, Schüler von W. VAN DE VELDE D. Ä., schilderte v. a. die

Maurice de Vlaminck: Seineufer; 1902 (Genf, Privatsamml.)

Nordsee und ihre Küste, zuerst in stürmischer Bewegung, dann in silberheller Tonigkeit, schließlich sonnig und farbig. Gelegentlich schuf er auch Wandbilder sowie Radierungen von Flußlandschaften und Tieren.

Vlies, grch. Mythos: das goldene Fell des Widders, der →Phrixos nach Kolchis am Schwarzen Meer getragen hatte und das er dem Ares opferte.

Vliet [fli:t], **1)** Hendrik Cornelisz. van, holländ. Maler, *Delft 1611 oder 1612, begraben ebd. 28. 10. 1675, malte Porträts und v.a. Innenraumbilder von Delfter Kirchen in der Art des E. DE WITTE.

2) Jan Joris van, holländ. Radierer, *Delft um 1610, nach 1635 verschollen, schuf hervorragende Radierungen nach frühen Gemälden REMBRANDTS, die z. T. nur durch seine Reproduktionen überliefert sind.

Vlorë [vl'orə], ital. **Valọna,** Hafenstadt in Albanien, 53 200 Ew. Die Muradije von V., eine der ältesten Moscheen des Landes, ist in Stein und Ziegel, vom Plan des grch. Kreuzes ausgehend, in byzantin. Tradition erbaut.

Vlugt [flyxt], Leendert Cornelis van der, niederländ. Architekt, *Rotterdam 13. 4. 1894, †ebd. 25. 4. 1936, schuf, nach selbständiger Tätigkeit (u. a. Wohngebiet Beukelsdijk bei Rotterdam, 1921) seit 1925 in Partnerschaft mit J. A. BRINKMAN, Wohn-, Kultur- und Industriebauten im Stil des →Funktionalismus (u. a. Tabakfabrik van Nelle, Rotterdam 1926–30, mit J. A. Brinkman, Entwurf M. STAM, und das Feijenoord-Stadion, Rotterdam 1935/36).

Vodňany [v'ɔdnjani], Stadt in der ČSSR, →Wodnan.

Voergård [v'oərgɔ:r], Gut bei Dronninglund, N-Jütland, Dänemark, eine Anlage aus 2 rechtwinklig angeordneten Flügeln; der Hauptflügel (1588–91) mit reicher Sandsteinornamentik ist einer der hervorragendsten Renaissancebauten des Landes.

Vogeler, Heinrich, Maler, Graphiker, Innenarchitekt, Dichter, *Bremen 12. 12. 1872, †Woroschilowsk (Kasach. SSR) 14. 6. 1942, malte in Worpswede (ebd. seit 1894) Moorlandschaften von schwermütiger Stimmung. Zeugnisse des Jugendstils sind seine Entwürfe von Buchschmuck, Illustrationen, für das Kunstgewerbe (Spiegel, Leuchter, Bestecke) und v. a. die Inneneinrichtung der Güldenkammer im alten Bremer Rathaus (1905). Nach einer Zwischenphase eines realist. Expressionismus malte V. in der UdSSR (ebd. seit 1925) in der Art des ›Sozialist. Realismus‹.

D. ERLAY: V. Ein Maler und seine Zeit (1981); W. HUNDT: H. V. (1981); H. V., Ausst.-Kat., Bonn (1982); H. V., Ausst.-Kat., Berlin-West (1983).

Vogelgesang, Klaus, Zeichner, *Radebeul bei Dresden 27. 4. 1945, ausgebildeter Gebrauchsgraphiker, gehört zum →Kritischen Realismus in Berlin.

Voit [f-], August von, Baumeister, *Wassertrüdingen (Kr. Ansbach) 17. 2. 1801, †München 12. 12. 1870, schuf im Stil des Historismus, bes. in Formen der Neurenaissance, Monumentalbauten und Kirchen, die den Baustil seines Lehrers F. v. GÄRTNER weiterführen.

HW (in München): Neue Pinakothek (1846–53, im 2. Weltkrieg zerstört); Glaspalast (1854; 1931 verbrannt); in Kaiserslautern: Fruchthalle (1843–46).

Volders [f-], Gem. bei Innsbruck, Tirol, Österreich; barocke Karl-Borromäuskirche (1620–54), ein origineller Zentralbau, dessen Architektur auf die Dreizahl (Sinnbild der göttl. Dreifaltigkeit) bezogen ist; im Inneren im Rokokostil umgestaltet (1765/66). Über V. Schloß Friedberg, in den ältesten Teilen (Bergfried) 13. Jh., Ende 15. Jh. umfassender Umbau, Schloßkapelle mit Freskenresten (um 1440).

Volkach [f-], Stadt am Main, Kr. Kitzingen, Unterfranken, 7950 Ew., mit altertüml. Ortsbild: am maler. Marktplatz das erkergeschmückte Renaissance-Rathaus (1544) mit doppelläufiger Freitreppe, Marienbrunnen von 1488 (Figur 1720) und spätgot. Pfarrkirche (netzgewölbter Polygonchor 1413–42, Langhaus 1472 beg., Turm 16. Jh., Umbau und reiche Altarausstattung Mitte 18. Jh.). Mus. Schelfenhaus (erbaut 1720). In der spätgot. Wallfahrtskirche Maria im Weingarten (2. H. 15. Jh.) die frei schwebende holzgeschnitzte ›Madonna im Rosenkranz‹, ein Spätwerk von T. RIEMENSCHNEIDER (1521–24).

Völkermarkt, Stadt im östl. Kärnten, Österreich, 10900 Ew.; die Stadtpfarrkirche St. Magdalena, eine spätgot. Halle mit Netzrippengewölben und Fresken (um 1460) sowie roman. doppeltürmiger W-Fassade (1240–47) enthält eine qualitätvolle Ausstattung des Spätbarock und Rokoko; roman. Pfarrkirche St. Ruprecht mit reich gegliedertem Chorturm (11. oder frühes 12. Jh.). Spätgot. Altes Rathaus (1499) am langgestreckten Hauptplatz; außerhalb von V. Renaissanceschloß Kohlhof (16. Jh., im 19. Jh. umgebaut).

Völkerschlachtdenkmal, Erinnerungsmal an die Völkerschlacht (1813) bei Leipzig im S der Stadt, entworfen von B. SCHMITZ; figürl. Schmuck von F. METZNER (Standbilder) und C. BEHRENS (*1852, †1905), eingeweiht 1913.

Völkerwanderungskunst, die Kunst german. u. a. Stämme der Völkerwanderungszeit Europas im 4. bis 6. Jh. am Übergang von der Spätantike zum frühen MA. Schmuck, Waffen und Gerät, die meist aus Grab- oder Schatzfunden stammen, zeigen versch. Dekorationsstile. Guß- und Treibarbeiten aus Gold, Silber und Bronze wurden durch versch. Techniken (Niello, Tauschierung, Ziselierung, Filigran, Stein- oder Grubenschmelz) flächendeckend verziert. Auffälligste Merkmale waren Kerbschnitt und Almandineinlagen in Zellenwerk.

Eine Wurzel der V. lag in der Kunst der spätröm. Mittelmeerwelt. Geometr. und kurvolineare Kerbschnittmuster sowie naturalist. Tierfriese des 4.–5. Jh. waren bei den Germanen inner- und außerhalb des Röm. Reiches verbreitet. Das Aufgreifen dieser Techniken und die Umwandlung nach german. Geschmack führten an der N-Front des zerfallenen Röm. Reiches und im Innern Germaniens zu unterschiedl. Ansätzen der Stilentwicklung, unter denen der Beginn des abstrakten german. Tierstils bei Franken und Nordgermanen richtungweisend wurde.

Eine andere Wurzel hatte die V. in den eurasischen Steppen, wo reiternomad. und iran. Anregungen (Almandineinlagen, Goldblecharbeiten) mit dem spätröm. Kunsthandwerk verbunden wurden. Diese polychromen Metallarbeiten gelangten durch den Vorstoß der Hunnen nach Europa und durch wandernde ostgerman. Stammesteile im 5. Jh. nach W. Die V. erlebte bes. in den Donauländern eine hohe Qualität.

Nach 450 verbreitete sich dieser Kunststil auch bei den Westgermanen (bes. den Franken; Childerich-Grab) und schuf die Voraussetzungen für die →merowingische Kunst.

G. László: Steppenvölker und Germanen. Kunst der Völkerwanderungszeit (a. d. Ungar., 1970); H. Roth: Kunst der Völkerwanderungszeit, in: Propyläen Kunstgesch., Suppl.-Bd. 4 (1979).

Volkmarsen [f-], Stadt im Kr. Waldeck-Frankenberg, Hessen, mit typ. Grundriß stauf. Gründungen (rechtwinkliges und paralleles Straßensystem beiderseits einer geraden Durchgangsstraße, ovaler Mauerring). Die Pfarrkirche (um 1265–1317) ist eine westfälisch beeinflußte frühgot. Halle mit Figurenportalen. Rathaus (14. Jh.), Fachwerkhäuser (17./18. Jh.).

Vollard [vɔl'a:r], Ambroise, frz. Kunsthändler, Verleger, Schriftst., *Saint-Denis auf Réunion 1865, †Paris 1939, förderte in seiner Pariser Gal. P. Cézanne, die Impressionisten, die Nabis und die Fauves. Die von ihm vorgelegten Bücher und lithograph. Mappen bilden Höhepunkte der modernen Buchkunst.

Volpato, Giovanni, ital. Kupferstecher, *Bassano 1733, †Rom 21. 8. 1803, schuf Porträts und Stiche nach den Stanzen Raffaels; Lehrer von R. Morghen.

Volsini|i, eine der bedeutendsten etrusk. Städte, die zw. Bolsena und Orvieto (Italien) lokalisiert wird. Im Gebiet von V. lag das Hauptheiligtum des etrusk. Bundes (Fanum Voltumnae). Blütezeit vom 6.–4. Jh. v. Chr.; 265 v. Chr. von den Römern völlig zerstört. Erh. sind Reste mehrerer Tempel, zu denen zahlreiche Tonfiguren gehören. V. muß im späten 5. und frühen 4. Jh. v. Chr. ein Herstellungszentrum von Ton- und Bronzeplastik gewesen sein. Die Stadt war von Nekropolen, darunter hausartige Gräber, umgeben; etwas entfernter lagen einzelne ausgemalte Gräber.

Volterra, ital. Stadt und Bischofssitz in der Prov. Pisa, Italien, im toskan. Hügelland, 15 100 Ew. Aus etrusk. Zeit (V. gehörte dem etrusk. Zwölfstädte-Bund an) sind Gräber, Reste der Mauer, Teile eines Tores (Porta all'Arco oder Arco Etrusco; in den oberen Teilen von den Römern und im MA. erneuert) und Reste eines Tempels erh.; aus röm. Zeit Reste eines Theaters. Mittelpunkt der Stadt ist die Piazza dei Priori mit den Palästen Pretorio (mit Gemäldesamml. toskan. Maler des 14.–17. Jh.) und dei Priori (mit zinnenbekrönter ›Torre del Podestà‹) aus dem 13. Jh. In der Nähe der roman. Dom (12./13. Jh., im 16. Jh. innen verändert; Marmorciborium von Mino da Fiesole, 1471), achteckiges Baptisterium (13. Jh.; Taufbecken von A. Sansovino, 1502) und Campanile (1493). In der Cappella della Croce (1315) an der got. Kirche S. Francesco ein Freskenzy-

Wörter, die man unter V vermißt, suche man unter W

klus aus der Kreuzlegende (1410). Im 1761 gegr. Mus. Etrusco Guarnacci umfangreiche etrusk. Samml., v. a. Funde aus den Gräbern (Alabasterurnen mit figürl. Reliefs); Diözesan-Mus. (Werke kirchl. Kunst).

Volterra, ital. Maler und Bildhauer, →Daniele da Volterra.

Volterrano, il V., der ital. Maler B. →Franceschini.

Volto Santo [ital. ›hl. Antlitz‹] *der,* langgewandetes Kruzifix in frühbyzantin. Typus im Dom zu Lucca, wohl aus dem Umkreis von B. ANTELAMI (Anf. 13. Jh.) nach einem Vorbild des 11. Jh. Vom V. S. sind viele andere Darstellungen des Gekreuzigten beeinflußt (v. a. das →Imerward-Kreuz im Dom zu Braunschweig (um 1160), seit Ende des 11. Jh. bes. in Katalonien, ferner die Darstellung der →Kümmernis.

Volubilis, Ruinenstätte in N-Marokko, nordwestlich von Moulay Idris. V., einst wichtige Handelsstadt der röm. Prov. Mauretania, hatte seine Blütezeit im 2. und 3. Jh. Frz. Ausgrabungen legten u. a. Wohn- und Ladenviertel, Thermen, Forum, Macellum, Basilika, Kapitol, Triumphbogen des Caracalla und die Nekropole frei; umfangreiche Reste von Mosaikschmuck; Funde aus V. (v. a. Plastiken) sind im Mus. von Rabat.

Volute [ital.] *die,* spiralförmig eingerolltes Ornament oder Bauglied an Kapitell und Giebel; in der grch. Baukunst v. a. am ionischen Kapitell (BILD), in Renaissance und Barock am Giebel.

Volvinius, karoling. Goldschmied, →Wolvinius.

Von der Heydt-Museum in Wuppertal. Die Anfänge des Mus. reichen bis ins späte 19. Jh. zurück. Die Samml. umfaßte v. a. niederländ. Malerei des 17. Jh. und dt. Malerei des 19. Jh. sowie der Moderne. Durch die Verfemung moderner Kunst als →Entartete Kunst verlor das Mus. fast seine gesamten modernen Bestände. Durch Zuwendungen bes. der Familie von der Heydt, nach der seit 1961 das Mus. benannt ist, konnten die Verluste z. T. wieder ausgeglichen werden. E. VON DER HEYDT übergab dem Mus. seine Samml. mit Werken v. a. des frühen 20. Jh.

Vorarlberger Bauschule, Vorarlberger Baumeister, Gruppe von Baumeistern (v. a. die Familien →Thumb und →Beer sowie K. MOOSBRUGGER), die seit etwa 1650 in Schwaben (Weingarten) und der Schweiz (Sankt Gallen) Klöster von einheitl. Typus bauten. Sie waren in Zünften zusammengefaßt (die bedeutendste: Auer Zunft). Ihre Kirchen sind tonnengewölbte Wandpfeilerbauten mit durchlaufenden Emporen und verkürztem Querhaus; das Äußere ist streng gegliedert.

Vorau [f-], Marktgem. im NO der Steiermark, Österreich, 1400 Ew., mit 1163 gegr. Augustiner-Chorherrenstift. Die Stiftskirche ist bis auf den roman. S-Turm ein Neubau des Barock (1660–62); Ausstattung um 1700 auf dem Höhepunkt des österreich. Barock, Hochaltar von M. STEINL (1704), von ihm wohl auch die Kanzel (1706). Die Stiftsgebäude schließen im N und S an die Kirche an und bilden mit ihr 2 quadrat. Innenhöfe mit

Arkaden; der durch 2 Geschosse reichende Bibliothekssaal (1725–33) mit Stuck- und Freskenschmuck zählt zu den schönsten in Österreich. Im Ort unter dem Stiftshügel roman. Marktkirche (1202 gew.) mit got. Chor (14. Jh.), um 1700 barock erweitert.

Vordemberge-Gildewart, Friedrich, Maler, Graphiker, *Osnabrück 17. 11. 1899, †Ulm 19. 12. 1962, lehrte seit 1955 an der Ulmer Hochschule für Gestaltung; beeinflußt von El Lissitzky und K. Schwitters, entwickelte er in Hannover (seit 1919) geometr. Konstruktionen (›Skulpto-Bild‹); wurde 1924 Mitgl. der Gruppe De Stijl, deren künstler. Auffassung er in lyrisch gestimmten Bildern bis zu seinem Tod beibehielt. V.-G. schuf auch Plakate, Gebrauchsgraphik und Innenraumdekorationen.

H. L. C. Jaffé: V.-G. Mensch und Werk (1971).

Vordergrund, bildende Kunst: die vorderste Raumzone in Bildern und Reliefs. Dem V. schließen sich Mittel- und Hintergrund an.

Vordingborg [vɔrdeŋb'ɔr], Stadt im S der dän. Insel Seeland; von der Burg (12. Jh., mehrfach erweitert) ist der ›Gänseturm‹, einer von urspr. 4 Türmen, vollständig erh., sonst nur Grundmauern (Ruinenpark); got. Frauenkirche (14./15. Jh.) mit Kalkmalereien (um 1470) und barockem Schnitzaltar (um 1640).

Vorgängerbau, Archäologie, Kunstwissenschaft: Bau, auf dessen Terrain ein neuerer Bau errichtet wurde. V. können durch schriftl. Überlieferung bekannt sein oder durch Ausgrabungen nachgewiesen werden.

vorgeschichtliche Kunst, prähistorische Kunst. Die bildende Kunst der Vorgeschichte wird in einer Zeitspanne von 20 Jahrtausenden (etwa 28 000 bis 8000 v. Chr.) durch die Kunst des Paläolithikums repräsentiert (→Eiszeitkunst, →Felsbilder). Die überraschende Naturtreue ihrer Tierbilder rückt sie in die Nähe von Naturalismus und Realismus, wobei auch das Phänomen der reproduktiven Eidetik als Gestaltungsfaktor zu berücksichtigen ist. Mehrfach übereinander gestaltete Höhlenbilder (Palimpseste) an Höhlenwänden und auf Steinplatten deuten darauf hin, daß der Gestaltungsprozeß oft eine größere Bedeutung hatte als die vollendete Darstellung. Die Wiedergabe von Bewegungen zeugt für ein scharfes Beobachtungsvermögen des paläolith. Künstlers. Die Darstellung best. Verhaltensweisen von Tieren (Fortbewegung, Flucht, Liebesspiel) fordert die gedankliche szen. Ergänzung und ersetzt die formale Orientierung (Standlinie und Rahmung).

Die nacheiszeitl. Jägerkunst, die in manchen Gebieten bereits unter dem Einfluß von Agrarkulturen steht, bildet nur einen schwachen Nachklang der paläolith. Kunst. Die urspr. dem →Mesolithikum zugeordneten Felsbilder haben sich in vielen Vorkommen als jünger erwiesen (→Levantekunst).

Im →Neolithikum und den darauf folgenden Metallzeiten (→Bronzezeit, →Eisenzeit) gelangte die v. K. Europas in den Einflußbereich der frühgeschichtl. Mittelmeerkulturen, die dem dekorativen (ornamentalen) Aspekt auf breiter Front zum Durchbruch verhalfen. Die figurale Kunst hat sich in den bäuerl. Kulturen nördlich der Alpen und des Balkans nur noch in kultischem Zusammenhang behaupten können, wobei die natürl. Vorbilder des Kunstschaffens meist einer strengen Schematisierung und Stilisierung unterworfen waren (→Germanen, →keltische Kunst, →skythische Kunst, →thrakische Kunst, →Steppenkunst, →Völkerwanderungskunst).

Vorhauer, Georg, Bildhauer, Maler, Zeichner, *Paris 4. 11. 1903, lebt in Neustadt a. d. Weinstraße. Die zunächst in spätimpressionist. Tradition stehende Malerei hatte sich in den 50er Jahren, angeregt durch die niederländ. Gruppe Stijl, die Kubisten und die École de Paris der großflächigen Form zugewandt. In der abstrakten Malerei bevorzugt V. seit den 70er Jahren leuchtende Farbgebung. Schwerpunkt seines Schaffens wurde die abstrakte Plastik, meist architekturbezogene Skulpturen, darunter große Wandgestaltungen und sich großzügig im Raum entfaltende Gitterplastik (Freiplastik Yggdrasil, 1974, Aluminiumstele, Kaiserslautern).

G. V., Ausst.-Kat. Kaiserslautern 1976; G. V., Ausst.-Kat. Ludwigshafen. 1985.

Vorkolumbische Kulturen, die Kulturen der Indianer Amerikas vor der Entdeckung der Neuen Welt durch C. KOLUMBUS 1492; unterschieden werden die der Naturvölker (→Indianer) und die Hochkulturen, die bes. gekennzeichnet sind durch entwickeltere handwerkl. und künstler. Techniken, Städte- und Tempelbauten, Polytheismus, Kalenderwesen, Priesterhierarchie, sakrales Herrschertum (→Mesoamerikanische Hochkulturen, →Zentralamerikanische Kulturen, →Andine Hochkulturen).

Vorlage, 1) Samml. von Musterbüchern, in denen Typen best. Gegenstände dargestellt sind, z. B. Ornament-V., Möbelbücher.

2) Baukunst: Wandschicht, zur Gliederung oder Verstärkung einer Mauer vorgelegt. Die Wand-V. kann als Pfeiler, Säule, Pilaster, Halbsäule, Dienst oder Lisene gebildet sein.

Vornbach, Teil der Gem. Neuhaus am Inn, Kr. Passau, Niederbayern, mit ehem. Benediktinerkloster. Die urspr. roman. Kirche wurde 1630–37 barock umgebaut, die repräsentative Doppelturmfassade erst 1766–70; Stukkaturen, Altäre und Kanzel im Stil des frühen Rokoko 1728–33 von F. J. I. HOLZINGER.

Voroneţ [voron'ets], Kloster im Kr. Suceava, N-Rumänien. Die Kirche wurde 1488 als Stiftung STEFANS DES GR. an der Stelle eines hölzernen Vorgängerbaus errichtet (Narthex von 1547). Die Dreikonchenanlage mit ihrer schwingenden Dachlinie gehört zu den reizvollsten Kirchen der →Moldauklöster; gut erh. starkfarbige (›Voroneţer Blau‹) Wandmalereien innen und außen aus der Mitte des 16. Jh.

Vorpalastzeit, Periode der →kretisch-mykenischen Kunst, etwa 2900 bis etwa 2000 v. Chr.

Georg Vorhauer:
Yggdrasil; Aluminium, 1974
(Kaiserslautern,
Forum Gesamtschule)

Vorsterman [f-], Lucas, niederländ. Kupferstecher, *Zaltbommel (Geldern) 1595, †Antwerpen 1675, arbeitete Kupferstiche bes. nach Bildern von P. P. RUBENS.

Vortizismus, engl. **Vorticism** [v'ɔ:tısızm, zu engl. vortical ›wirbelnd‹], von W. LEWIS, unterstützt von dem amerikan. Lyriker E. POUND (*1885, †1972), ins Leben gerufene, nur kurzlebige engl. futurist. Kunstbewegung, die sich gegen die neuromant. wie die klass. Kunstauffassung richtete; verstand Kunst als Strudel, in dem Energie zu Form verwandelt, das dynam. mit dem stat. Prinzip vereinigt wird. Zur Kerngruppe des V. gehörte neben Lewis und Pound der Bildhauer H. GAUDIER-BRZESKA (*1891, †1915); nahestehend waren J. EPSTEIN, D. BOMBERG (*1890, †1957) u.a.

Vorzeichnung, Malerei: der endgültige, auch in Details weitgehend fertige Ausführungsentwurf eines Bildes, nachdem er zuvor skizziert (→Skizze) wurde. Zur Übertragung auf den Bildträger (→Unterzeichnung) wird die V. entweder mit einer Quadratur versehen, die, proportional auf die Bildfläche übertragen, die genaue Einmessung einzelner Punkte ermöglicht, oder man fertigt auf die gleiche Weise einen →Karton, der als Pause übertragen wird.

Vos [f-], **1)** Cornelis de, fläm. Maler, *Hulst (Zeeland) 1584, †Antwerpen 9. 5. 1651, war nach P. P. RUBENS und A. VAN DYCK der beste Porträtmaler Antwerpens, führte gelegentlich auch Kompositionen nach Skizzen von Rubens aus. Sein Bruder Paul (*1596, †1678) malte dramat. Tierkämpfe und Jagdszenen in der Art seines Schwagers F. SNYDERS.

HW: Der Gildendiener Abraham Grapheus (1620; Antwerpen, Koninklijk Mus. voor Schoone Kunsten); Der Künstler mit seiner Familie (1621; Brüssel, Musées Royaux des Beaux-Arts); Zwei Töchter des Künstlers (Berlin-West, Staatl. Museen); Die Familie Hutten (München, Alte Pinakothek); Der Waisenhausvorsteher Salomon Cock (Kassel, Gemäldegal.).

2) Maerten de, fläm. Maler, *Antwerpen 1532, †ebd. 4. 12. 1603, Schüler von F. FLORIS, tätig in Rom und bei TINTORETTO in Venedig, seit 1558 wieder in Antwerpen; malte relig. Bilder in manierist. Stil sowie sachlich gehaltene Porträts.

HW: Der Hl. Paulus in Ephesus (1568; Brüssel, Musées Royaux des Beaux-Arts); Kreuzigungsaltar (1569; Celle, Schloßkapelle).

Voss [vɔs], Gem. östlich von Bergen, Norwegen; Kirche im got. Stil (um 1270), bemerkenswerte Ausstattung des 17. Jh.; östlich davon das steinerne St. Olafskreuz (wohl 11. Jh.). ›Finneloftet‹ (um 1250) ist das älteste profane Holzbauwerk des Landes (Mus.).

Vostell [f-], Wolf, Happening-Künstler, Graphiker, *Leverkusen 14. 10. 1932, lebt in Berlin und Spanien, war Wegbereiter des →Happening in Europa (seit 1960); Mitgründer der Videokunst. Als Graphiker begann V. mit Abreißbildern von Plakatwänden, später folgten verwischte und übermalte Photomontagen. Seit 1974 gestaltet er bei Malpartida (Spanien) ein ›Mus. für den Kunstbegriff der 2. H. des 20. Jh.‹. Sein Werk ist typisch für die Aufhebung der Mediengrenzen in der zeitgenöss. Kunst. (BILD S. 183)

Wolf Vostell: Miss America, 1968; Leinwandphoto, Verwischung und Lasurfarbe, Siebdruck-Leinwand (Köln, Museum Ludwig)

Voth, Hannsjörg, Künstler, *Bad Harzburg 6. 2. 1940, lebt in München. V. kam von Bildern mit Stoffbandagen zu aufwendigen Großprojekten mit archaisierenden Symbolen (umwickelte Pfähle als ›Feldzeichen‹, 1975; ein Floß, das mit einer Riesenmumie an Bord rheinabwärts treibt, 1982), die durch Rückgriffe auf den Mythos gegen zeitgenöss. Zwänge stehen. Zahlreiche Zeichnungen aus dem gleichen Motivkreis.

Votịv [lat.] *das,* von Gläubigen an relig. Kultstätten niedergelegtes dingl. Zeichen zur Kundgabe von Gelübde und Gnadenerweis der angerufenen göttl. Macht. Die V.-Bilder sind oft bed. Zeugnisse volkstüml. Kunst. Sie geben den Anlaß der Gefährdung, den Bittenden in anbetender Haltung und über ihm in einer Wolke den angerufenen Helfer wieder. V. i. e. S. (V.-Gaben) sind plast. Zeichen aus Holz, Wachs, Metall oder Ton, die den Votationsgrund bildlich darstellen (menschl. Organe, Gliedmaßen, realist. Tiernachbildungen; symbolisch etwa das Attribut des angerufenen Heiligen). – Über V. im Altertum →Weihgeschenk.

Vouet [vu'ɛ], Simon, frz. Maler, getauft Paris 9. 1. 1590, †ebd. 30. 6. 1649, ging 1604 nach England, 1611 nach Konstantinopel und lebte seit 1612 in Italien, wo er für kirchl. und private Auftraggeber malte. LUDWIG XIII. berief ihn 1627 nach Frankreich zurück, wo er, von Aufträgen des Hofes, des Adels und der Kirche überhäuft, Gemälde, Wanddekorationen und Entwürfe für Gobelins schuf. Seine ital. Arbeiten entstanden erst unter dem Einfluß von CARAVAGGIO, später unter dem von G. RENI und G. LANFRANCO. Später wandelte sich seine Kunst zu einem eleganten dekorativen Stil, in dem sich der frz. Classicisme ankündigte.

Vouni [v'uni], **Vuni,** Palastruine auf einem Hochplateau an der N-Küste von Zypern (Morphu-Bucht), im frühen 5. Jh. v. Chr. vom kypr. König der Stadt Marion gegr. Die urspr. oriental. Bauten verwandte Gestaltung des Palastes (Repräsentationsräume im Iwan-Typ) bekam unter der nachfolgenden Dynastie einen griechisch-myken. Charakter. Die gewaltige Anlage umfaßte auf 3 Terrassen ein Athene-Heiligtum, den eigtl. Palast mit Vorratsräumen, Küchen und Bädern sowie Wohnungen für Diener und Arbeiter; V. wurde gegen 380 v. Chr. durch Feuer zerstört. Bei den Ausgrabungen wurden reiche Funde von Schmuck, Gefäßen, Münzen u. a. gemacht.

Voute [vu:t, frz.], **Deckenkehle,** Baukunst: im Viertelkreis verlaufende Kehle als Verbindung zw. Wand und Decke.

Voysey [v'ɔɪzɪ], Charles Francis Annesley, engl. Architekt, Möbelentwerfer, *Hessle (Yorkshire) 28. 5. 1857, †ebd. 12. 2. 1941. V. baute schlichte Landhäuser, deren klare, farbharmon. Innenraumgestaltung den europ. Jugendstil entscheidend beeinflußte.

Vrancx [fraŋks], Sebastiaen, fläm. Maler, getauft Antwerpen 22. 1. 1573, †ebd. 19. 5. 1647, malte Gesellschaftsstücke und Volksszenen, auch bibl. Szenen, v. a. aber Soldaten- und Schlachtenbilder mit vielen kleinen Figuren.

Vranov nad Dyjí [vr'anɔf n'addiji:], →Frain.

Vredeman de Vries [f-, f-], Hans (Jan), niederländ. Baumeister, Maler, *Leeuwarden 1527, †1606, Schüler von C. Floris, tätig in Antwerpen, Amsterdam, Wolfenbüttel, Hamburg, Danzig, Prag; zeichnete Architekturbilder, Möbel und Ornamente für Stiche (Stichfolge ›Architectura‹, gestochen von H. Cock, Antwerpen 1565), die zur Verbreitung des niederländ. Dekorationsstils der Spätrenaissance beitrugen; malte auch Tafelbilder mit phantast. Bauwerken.

Vreden [f-], Stadt nahe der niederländ. Grenze, Kr. Borken, NRW, 18 200 Ew. In der Georgskirche (nach Kriegszerstörung Neubau 1952–57) großer Antwerpener Schnitzaltar (um 1520); darunter Ausgrabungen von 4 karolingisch-ottonisch-roman. Vorgängerbauten des 839 gegr. Kanonissenstiftes. Die ehem. Stiftskirche St. Felicitas ist ein roman. Saalbau (12. Jh.) mit Chor von 1427; Krypta mit reich dekorierten Säulen und Kapitellen (11. Jh.); an der N-Seite hervorragendes spätroman. Stufenportal (1. H. 13. Jh.).

Vretakloster [vr'e:ta-], Gem. in Östergötland, Schweden, mit ehem. Zisterzienserinnenkloster. Die urspr. dreischiffige Basilika (Anf. 12. Jh.) wurde in ihrem westl. Teil (Laienkirche) zur Halle umgebaut (spätes 12. Jh.), der Chor neu gewölbt (1289 gew.); Ruinen der Klostergebäude freigelegt.

Vries [f-], **1)** Abraham de, holländ. Maler, *Rotterdam 1590, †Den Haag (?) nach 1650, malte, von T. de Keyser und Rembrandt beeinflußt, lebensvolle Porträts.

Wörter, die man unter V vermißt, suche man unter W

2) Adrian de, holländ. Bronzebildhauer, *Den Haag um 1544/45, †Prag 15. 12. 1626, Schüler des GIAMBOLOGNA in Florenz, ging 1588 nach Turin und war seit 1593 von Rom aus für Kaiser RUDOLF II. tätig. 1596 erhielt er den Auftrag für die Augsburger Brunnen, nach deren Vollendung er seit 1601 als kaiserl. Kammerbildhauer in Prag lebte. Nach dem Tod Rudolfs (1612) war V. für König CHRISTIAN IV. von Dänemark, für den Fürsten ERNST VON SCHAUMBURG-LIPPE und in Prag für WALLENSTEIN tätig. V. gehört wie H. GERHARD zu den großen europ. Bildhauern des Spätmanierismus; in den späten Werken kündigt sich der Frühbarock an.

HW: Merkurbrunnen (voll. 1599) und Herkulesbrunnen (voll. 1602) in Augsburg; Bronzebüsten Rudolfs II. (1603, 1607; Wien, Kunsthistor. Museum); Neptunbrunnen für Schloß Frederiksborg (1616–23; Drottningholm, Park); Bronzefiguren für Wallensteins Palais in Prag (1622–27; Drottningholm, Park).

3) Hans (Jan) **Vredeman de V.,** niederländ. Baumeister und Maler, →Vredeman de Vries.

4) Roelof van, holländ. Maler, *Haarlem um 1631, †Amsterdam nach 1681, malte Waldlandschaften in der Art J. VAN RUISDAELS.

Vrindavan, Ort in Indien, →Brindaban.

Vroom [f-], **1)** Cornelis Hendriksz., holländ. Maler, Sohn von 2), *Haarlem um 1591, begraben ebd. 16. 9. 1661, schuf, von A. ELSHEIMER ausgehend, den Typus der stimmungsvoll einsamen Waldlandschaft, weiterentwickelt von seinem Schüler J. VAN RUISDAEL.

2) Hendrik Cornelisz., holländ. Maler, Vater von 1), *Haarlem 1566, begraben ebd. 4. 2. 1640, malte genau durchgeführte Schiffsbilder und Darstellungen von Seeschlachten, auch als Kartons für Wandteppiche; gilt als Begründer der holländ. Marinemalerei.

Vršac [v'rʃats], dt. **Werschetz,** Stadt in der Wojwodina, Jugoslawien, 34300 Ew.; auf einer Anhöhe der 20 m hohe Bergfried aus dem 15. Jh. (Rest einer alten Burg); in der Stadt barocke orth. Nikolauskirche (1783–85), neugot. Dom (1783–85), barocker Bischofspalast (1759; später umgebaut) und das klassizist. Rathaus.

Vuillard [vɥij'a:r], Édouard, frz. Maler, Graphiker, *Cuiseaux (Saône-et-Loire) 11. 11. 1868, †La Baule (Loiret) 21. 6. 1940, gehörte zum Kreis der Nabis, doch fehlen in seinem Werk die symbolist. Tendenzen. Er malte in pastellhaft wirkenden Farben v. a. Interieurs und dekorative Wandbilder; schuf auch Lithographien. (BILD S. 186)

Vulca, einziger etrusk. Künstler (spätes 6. Jh. v. Chr.), dessen Name in der antiken Lit. überliefert ist. Laut PLINIUS D. Ä. wurde er aus Veji nach Rom geholt, um die Statue des Jupiter auf dem Kapitol zu modellieren; V. wird mit der etwa gleichzeitigen Tonstatue des ›Apoll von Veji‹ (Villa Giulia, Rom) in Verbindung gebracht. (BILD etruskische Kunst)

Vulcanus, Volcanus, altitalischer Feuergott, dem grch. →Hephaistos gleichgesetzt. In früher Zeit wurden ihm auf dem Comitium am Forum in Rom Fische ge-

Édouard Vuillard: Im Theater; 1899/1900 (Zürich, Sammlung Bührle)

opfert. Seine Kultstätten lagen außerhalb der Städte (z. B. in Rom auf dem Marsfeld).

Vulci, etrusk. Stadt westlich vom Bolsena-See, Italien; ausgegraben wurden v. a. die Nekropolen, in denen große Mengen grch. schwarz- und rotfiguriger Vasen des 6. und 5. Jh. v. Chr. gefunden wurden; sie lassen darauf schließen, daß V. ein wichtiger Umschlagplatz gewesen sein muß. Typisch für die Gräber in V. aus dem 6. Jh. v. Chr. waren als Grabwächter aufgestellte Steinstatuen (Tiere, Fabelwesen). Nur aus einem der Gräber, der Tomba François, sind Wandmalereien (4. Jh. v. Chr.) erh., die Szenen aus der grch. und etrusk. Sage darstellen (der größte Teil heute in Rom, Villa Albani-Torlonia). V. besaß in seiner Blütezeit (6./5. Jh. v. Chr.) eine bed. Bronzeindustrie (Geräte und Gefäße mit Statuetten verziert, gravierte Spiegel) sowie keram. Werkstätten (→Pontische Vasen). Im Mus. von V. Funde seit der Villanovazeit. (BILD etruskische Kunst)

Vyšší Brod [v'iʃi: brɔt], →Hohenfurt(h).

Vyu̥ha [Skt. ›Erscheinung‹], Emanation hinduist. Gottheiten, bildlich dargestellt als Hauptfigur mit seitl. heraustretenden Halbfiguren, v. a. Vishnu als Chaturvyuha.

W

Wach, Wilhelm, Maler, *Berlin 11. 9. 1787, †ebd. 24. 11. 1845, wurde nach Studien in Paris (1815–17, J. L. DAVID, A.-J. GROS) und Rom (1817–19, stand hier den Nazarenern nahe) 1824 in Berlin Prof. der Akad., 1827 Hofmaler. W. malte Altarbilder, mytholog. und allegor. Darstellungen sowie Porträts in klassizist. Stil.

Wąchock [v'ɔ̃xɔtsk], Dorf in der Wwschaft Kielce, Polen, am Fluß Kamienna (1454–1869 Stadt); Zisterzienserabtei (1179 gegr.). Die Kirche ist eine dreischiffige, roman. Basilika mit Querschiff (13. Jh.), Barock- und Rokoko-Innenausstattung. Im Klostergebäude (13. Jh.; im 16.–17. Jh. ausgebaut) sind bes. das roman. Kapitelhaus mit Kreuzrippengewölbe und reich dekorierten Kapitellen sowie das frühgot. Refektorium bemerkenswert.

Wachs, Bienenwachs, Ausscheidung der Honigbiene, die sie zum Wabenbau verwendet. Geschmolzen, gereinigt und, sofern erforderlich, gebleicht ist W. ein vielseitig verwendbares Material. Durch seine thermoplast. Eigenschaften, seine Resistenz gegen Verfall, sowie die einfachen Verfahren es zu lösen, zu emulgieren, zu färben oder zu mischen hat es in zahlreichen Kunsttechniken Eingang gefunden. In der Malerei verwendet man W. als Zusatz in Ölfarben, um eine scharfe Pinselstruktur zu erhalten oder mit Leimen zu W.-Tempera emulgiert oder verseift (Punisches Wachs) und auch als Bindemittel für Farben (→Enkaustik). Verdünnt in äther. Ölen dient es auch als Schutzüberzug auf Gemälden, Skulpturen (→Ganosis) und Möbeln. Der Graphiker verwendet W. mit Asphalt und Harz verschmolzen als Ätzgrund für Radierungen; in der Goldschmiedetechnik wird es u.a. als Modelliermasse für Güsse in verlorener Form (→Bildguß) oder als elast. Füllmasse beim Ziselieren von Treibarbeiten gebraucht. Bildhauer haben W. seit jeher für kleinformatige Bozzetti und für Gußmodelle bei Metallplastik verwendet; in der Wachsbildnerei entstand daraus eine eigene Kunstgattung.

Wachs|ausschmelzverfahren, Bildhauerkunst: Guß in verlorener Form, →Bildguß.

Wachsbildnerei, Keroplastik [grch. keros ›Wachs‹], die Herstellung von Modellen und selbständigen Bildwerken aus Wachs, das durch Zusatz von Öl und Terpentin modellierfähig gemacht worden ist.

Bei den Römern wurden Wachsmasken der Verstorbenen (Totenmaske) im Trauerzug mitgetragen (→Imago). Der Brauch, fürstl. Tote bei der Leichenfeier in Wachsnachbildungen (→Effigie) darzustellen, wurde im englisch-frz. Hofzeremoniell (14. Jh. ff.) entwickelt.

Seit dem MA. waren v.a. Weihegaben (→Votiv) oft in Wachs gearbeitet, nicht nur in dem kleinen Format der heute noch übl. Hohlgußfiguren, sondern als lebensgroße vollplast. Statuen. Seit der Renaissance wurden auch Porträtbüsten und -reliefs von bed. Meistern in Wachs modelliert. Die Weichheit des Materials und die Möglichkeit seiner Bemalung unterstützten die naturalist. Wiedergabe. Erst die Ästhetik des Klassizismus hat die heute vorherrschende Beurteilung geprägt und die W. auf den Jahrmarkt abgedrängt. – In Wachs gearbeitet wurden z. T. auch plast. Entwürfe für Skulpturen (→Bozzetto), Figuren von Krippen u.a. kleinplast. Bildwerke. Zur W. zählen auch die für den Bronzeguß (→Bildguß) gefertigten Modelle aus Wachs.

Wachsmalstifte, Wachskreiden, Maltechnik: mit Wachs gebundene →Farbstifte.

Wachsmann, Konrad, amerikan. Architekturtheoretiker dt. Herkunft, *Frankfurt (Oder) 16. 5. 1901, †Los Angeles 27. 11. 1980. W. studierte u. a. bei H. TESSENOW und H. POELZIG in Berlin, emigrierte 1941 in die USA und baute dort mit W. GROPIUS die erste Fabrik zur industriellen Herstellung von Wohnhäusern.

Schrift: Wendepunkt im Bauen (1959).

Wachs|tempera, Maltechnik: mit Ammoniumkarbonat verseiftes und dann mit Leim, Ei oder Gummi emulgiertes Wachs; ergibt seidige, der Eitempera ähnl. Wirkung. W. war nach literar. Zeugnissen schon in der Antike und als →Cera colla in byzantin. Zeit bekannt.

Wächter, Eberhard Georg Friedrich von, Maler, *Balingen 29. 2. 1762, †Stuttgart 14. 8. 1852, lebte nach Studien in Paris (1785–93) im Kreis um J. L. DAVID, 1794–98 in Rom (Bekanntschaft mit A. J. CARSTENS), 1798–1808 in Wien, dann als Inspektor der Kupferstichsammlung in Stuttgart. W. malte nach antiken und bibl. Motiven in klassizist. Stil.

HW: Hiob und seine Freunde (1797–1824; Stuttgart, Staatsgal.).

Waddesdon Manor [w'ɔdəsdn m'ænə], viktorian. Landhaus in der Cty. Buckinghamshire, nordwestlich von London, erbaut 1874–89 von dem frz. Architekten G.H. DESTAILLEUR (*1822, †1893) nach dem Vorbild von Chambord und anderer Loireschlösser; Samml. frz. Kunst.

Wädenswil, Stadt im schweizer. Kt. Zürich, am linken Ufer des Zürichsees, 18 300 Ew. Die Kirche (1764 bis 1767), eine quergerichtete Emporenkirche mit elegantem Deckenstuck, wurde Vorbild für zahlreiche reformierte Predigtkirchen. Klassizist. Schloß (1812–18).

Wadhwạn, Ort in Gujarat, W-Indien, mit umwallter Altstadt; im Zentrum der Shikhara des verfallenen Ranik-Devi-Tempels (um 1100); nahe dem Stadttor Lakhupol der langgestreckte Stufenbrunnen Madhav Vav (Ende 13. Jh.).

Wagenbauer, Max Josef, Maler, Graphiker, getauft Öxing bei Grafing 28. 7. 1774, †München 12. 5. 1829. W. malte Landschaften in Aquarell, seit 1810 auch in Öl. Seine Landschafts- und Tierlithographien gehören zu den frühesten Zeugnissen des Steindrucks.

Wagner, 1) Carl, Maler, *Roßdorf (Kr. Schmalkalden) 19. 10. 1796, †Meiningen 10. 2. 1867, ebd. seit 1825 Hofmaler. W. malte romant. Gebirgs- und Waldlandschaften sowie Aquarelle.

2) Johann Peter Alexander, Bildhauer, getauft Obertheres (Unterfranken) 26. 2. 1730, †Würzburg 7. 1. 1809, ließ sich nach Studien in Wien, Salzburg, München und Mannheim vor 1756 in Würzburg nieder und trat ebd. in die Werkstatt des Hofbildhauers J. W. VAN DER AUWERA ein. Von hier aus versorgte seine später gegr. eigene Werkstatt ganz Unterfranken mit kirchl. Bildwerken, die anfangs noch im Stil des Rokoko, später in der antikisierenden Art des Frühklassizismus gehalten waren.

HW: Vierröhrenbrunnen (1763–65, gemeinsam mit L. VAN DER AUWERA; Würzburg); Kreuzwegstationen zum Käppele (ebd.; beg. 1767, 1775 weitergeführt); Figuren im Treppenhaus und Putten im Hofgarten der Würzburger Residenz und in Veitshöchheim; Grabmal des Fürstbischofs Adam Friedrich von Seinsheim (1780; Würzburg, Dom); frühklassizist. Ausstattung der Klosterkirche Ebrach (1785–91).

H. P. TRENSCHEL: Der Würzburger Hofbildhauer J. P. W., Ausst.-Kat., Würzburg (1980).

3) Johann Martin von, Maler, Bildhauer, Kunstsammler, *Würzburg 24. 6. 1777, †Rom 8. 8. 1858, lebte seit 1804 v. a. in Rom, schuf u. a. den Germanenfries der Walhalla bei Regensburg (1830–41) und die Plastiken des Münchener Siegestores (1843–52). Für die Glyptothek in München erwarb er die Ägineten (1812), den Barberin. Faun u. a. Seine Samml. antiker Kunst, Handzeichnungen und Stiche vermachte er der Univ. Würzburg **(Martin-von-Wagner-Mus.).**

4) Martin, Architekt, *Königsberg 5. 11. 1885, †Cambridge (Massachusetts) 28. 5. 1957; 1926–33 Stadtbaurat von Berlin, wo er mit B. TAUT, O. HÄRING, L. MIES VAN DER ROHE, W. GROPIUS, H. SCHAROUN Wohnsiedlungen und mit H. POELZIG die Messeanlagen baute; 1936–50 Prof. für Städtebau an der Harvard Univ. in Cambridge (Massachusetts).

5) Otto, Architekt, *Penzing bei Wien 13. 7. 1841, †Wien 11. 4. 1918, baute anfangs historisierend und trat seit 1893 für einen durch Zweck, Material und Konstruktion bestimmten ›Nutzstil‹ ein; 1899–1905 Mitgl. der Wiener Sezession. W. kündigte eine vom Jugendstil abgewandte Ästhetik an. Sein Postsparkassenamt (Wien, 1904–06) gehört zu den Pionierleistungen der modernen Architektur. W. war auch ein einflußreicher Lehrer (J. M. OLBRICH, A. LOOS, J. HOFFMANN).

WW: Synagoge in Budapest (1871); in Wien: Generalregulierungsplan (1893), Landesheilanstalt am Steinhof mit Kirche (1904 bis 1907).

H. GERETSEGGER u. M. PEINTNER: O. W. (1964); O. W., hg. v. H. STERK (1983).

Wahlberg [v'a:lbærj], Alfred, schwed. Maler, *Stockholm 13. 2. 1834, †Tranås 4. 10. 1906, studierte 1857–62 an der Düsseldorfer Akad., lebte seit 1866 meist in Paris, wo er seinen lyrisch gestimmten Landschaftsstil unter dem Einfluß der Freilichtmalerei und des Impressionismus entwickelte.

Wahlstatt, poln. **Legnickie Pole** [lɛgn'itskjɛ p'ɔlɛ], Gem. in der poln. Wwschaft Legnica (Liegnitz), 5500 Ew. – Nach 1241 wurde eine Benediktinerabtei gegr. (im 16. Jh. aufgehoben, Neugründung im 18. Jh). Die schöne Barockkirche (auf ellipsoidalem Grundriß) wurde von K. I. DIENTZENHOFER 1723–31 errichtet; Fresken von C. D. ASAM (1733).

Waid *der,* **Isatis,** Kreuzblüter-Gatt. Aus der Staude **Färberwaid (Isatis tinctoria)** wurde im MA. ein blauer, dem Indigo ähnlicher Farbstoff gewonnen. Seit Indigo über den Seeweg in größeren Mengen importiert wurde, verschwand der Anbau des W. langsam.

Waidhofen an der Ybbs, Stadt in den niederösterr. Voralpen, 11 700 Ew., mit maler., geschlossenem Stadtbild; Bürgerhäuser, v.a. 16. und 17. Jh. Spätgot. Pfarrkirche (um 1470), eine dreischiffige Halle mit Flügelaltar (1474) aus der Spitalskirche; barocke Marienkapelle, reich stuckiert und ausgemalt (1715). Der mächtige Schloßkomplex (um 1407 ausgebaut) mit hohem got. Bergfried wurde 1885–87 regotisierend verändert.

Waitzen, ungar. **Vác** [va:ts], Stadt im Bez. Pest, Ungarn, 34 300 Ew., am Donauufer gelegen. – W. war schon im 11. Jh. Bischofssitz und zeitweise bed. Handelsstadt, in der Türkenzeit stark zerstört. Erh. blieben Burgmauer und got. Tor aus dem 15. Jh. Später entstanden barocke Bauten: zw. 1763–77 der Dom mit Fresken von F. A. MAULBERTSCH, 1764 der Triumphbogen zu Ehren von Maria Theresia VON J. CANEVALE, die Brücke mit Statuen (1753–58), Bischofspalais (1762).

Waja, kleine Volksgruppe in Westafrika, zw. Benue und Gongola in O-Nigeria. Die W. fertigen neben →Seelengefäßen aus gebranntem Ton v.a. große abstrakt gestaltete Schultermasken (→Masken), wie sie auch von den →Mumuye bekannt sind. Daneben verwenden sie pfahlförmige Kultfiguren, die auf einem Eisenstab sitzen, sowie abstrakte Ahnenfiguren. Die Figuren haben häufig hervorstehende Metallknöpfe als Augen und Nasenringe aus Messing oder Bronze.

Wakamatsu, →Aizu-Wakamatsu.

Wakayama, Wakajama, Stadt auf Honshu, Japan, 60 km südwestlich von Osaka, 401 500 Ew. Die ehem. Burgstadt wurde auf Anordnung des Feldherrn TOYOTOMI HIDEYOSHI 1585 gebaut. Die Burganlage wurde bis auf die Mauern und die Wallanlage zerstört, der dreigeschossige Turmbau 1958 rekonstruiert. Der Kannon-Tempel Kimiidera an der Küste der Inlandsee wurde wahrscheinlich 770 von einem chines. Priester gegr.; er beherbergt einen elfköpfigen Kannon.

Wałbrzych [v'ałbʒix], poln. für →Waldenburg 2).

Walburg, frz. **Walbourg** [valb'u:r], Gem. im Unterelsaß mit ehem. Benediktinerabtei (1074 gegr.). Die Kirche (Neubau 1456–62, einfaches saalartiges Langhaus) hat eine vollständig erhaltene farbige Verglasung der 5 Chorfenster (1461) sowie Fresken (um 1465) im Chor.

Wald, Gem. im Kr. Sigmaringen, Bad.-Württ., mit ehem. Zisterzienserinnenkloster (1212–1806); barocke Kirche von F. BEER (1696–98) mit vorzügl. Stuckdekoration und Fresken.

Waldenburg, 1) Stadt westlich von Karl-Marx-Stadt, Dt. Dem. Rep., an der Zwickauer Mulde, 5100 Ew.; in der spätgot. Stadtkirche (15. Jh.) Sandstein-Epitaph (1567) mit reich ornamentiertem Säulenaufbau.

2) Waldenburg (Schles.), poln. **Wałbrzych** [v'ałbʒix],

Hauptstadt der poln. Wwschaft Wałbrzych, 132000 Ew., im Waldenburger Bergland in Schlesien; am Marktplatz barocke Bürgerhäuser; klassizist. evang. Kirche (1785–88) von C. G. LANGHANS; Marienkirche (14. Jh.; 1714 und 1900 verändert); klassizist. Schloß (1803); auf dem Burghügel im S Ruinen der ma. Burg.

Walderbach, Gem. im Kr. Cham, Oberpfalz. Die Kirche des ehem. Zisterzienserklosters (1143 gegr.) ist eine roman. Pfeilerhalle (2. H. 12. Jh.); die schweren Gewölbebandrippen des Mittelschiffs mit gleichzeitiger farbiger dekorativer Bemalung; im 1748 neuerbauten Chor zarte Rokoko-Stukkaturen; W-Turm 1779.

Waldglas, einfaches, unentfärbtes, meist grünl. Glas des 15.–17. Jh., dessen Masse eisenhaltigen, grünfärbenden Sand und Pottasche aus geschlämmter Buchenholzasche enthielt. Die Glashütten waren v. a. im Böhmerwald und im Fichtelgebirge angesiedelt.

Waldmüller, Ferdinand Georg, österr. Maler, *Wien 15. 1. 1793, †Hinterbrühl bei Wien 23. 8. 1865, wurde nach Studien in Wien und Reisen nach Italien 1829 Prof. der Wiener Akad. Zeichnerisch genau und zugleich die farbige Erscheinung erfassend, malte W. Porträts bes. von Wiener Bürgern, Landschaften aus dem Wienerwald, dem Prater und dem Salzkammergut, nach 1840 auch bewegte bäuerl. Gruppen, zunächst in dörfl. Hofraum, später in sonnenheller Landschaft.

HW: Beethoven (1923; Wien, Städt. Sammlungen); Franz I. (1827; ebd.); Selbstporträts (1828 u. 1848; ebd., Österr. Gal.); Porträt der Mutter (1830; ebd.); Praterlandschaft (1830; Berlin-West, Staatl. Museen); Alte Ulmen im Prater (1831; Hamburg, Kunsthalle); Familie Eltz (1835; Wien, Österr. Gal.); Mutter und Tochter (1835; Berlin-West, Staatl. Museen); Blick auf Ischl (1838; ebd.); Mühle am Ausfluß des Königssees (1840; München, Neue Pinakothek); Grillparzer (1844; Wien, Städt. Sammlungen); Große Praterlandschaft (1849; ebd., Österr. Gal.); Die 2. Frau des Künstlers (1850; ebd.); Vorfrühling im Wienerwald (1864; Berlin-West, Staatl. Museen).

MARIA BUCHSBAUM: F. G. W. (1976).

Waldsassen, Stadt in der Oberpfalz, nahe der tschechoslowak. Grenze, 8500 Ew., hat Zisterzienserinnenkloster (seit 1863; 1133 als Zisterzienserkloster gegr.) mit prunkvoller doppeltürmiger Barockkirche (1681 bis 1704 von den Brüdern DIENTZENHOFER u. a. erbaut, üppiger Stuck von G. B. CARLONE); Hochaltar aus schwarzem und rotem Marmor; sein Antependium wie die Kanzel mit versilbertem Rankenornament; überaus reich verziertes Chorgestühl. Von gleich hohem Rang ist der Bibl.-Saal (1724–26) mit Bandwerkstukkaturen und meisterhaften Schnitzereien.

Waldsee, Bad. W., Stadt im Kr. Ravensburg, Bad.-Württ., 14500 Ew. Die ehem. Augustinerchorherren-Stiftskirche (15. Jh.), 1712–18 durch D. ZIMMERMANN barockisiert, mit übereck gestellten Fassadentürmen (1765–68), birgt das spätgot. Bronzegrabmal für Truchseß Georg I. von Waldburg (†1467). Das Schloß ist eine Wasserburg mit 4 runden Ecktürmen (16./18. Jh.). Spätgot. Rathaus mit Maßwerkgalerie (1426/1657); im Kornhaus (15. Jh.) Städt. Mus. (Kunst des 14.–19. Jh.); in der Frauenbergkapelle (1471, 1762 umgestaltet) Altäre der Zürn-Werkstatt (17. Jh.).

Walewice [-tsε], Dorf in der Wwschaft Skierniewice, Polen, ehem. Sitz der Fam. Walewski. Klassizist. Schloß (1783) mit Galerien und Pavillons; Landschaftspark.

Walkenried, Gem. im Kr. Osterode, Ndsachs., am Harz, 2500 Ew. Die um 1127 gegr. Zisterzienser-Reichsabtei wurde 1525 z.T. zerstört; von der got. Kirche (13. Jh.) mit fünfschiffigem Chor und zweischiffigem Querhaus blieben nur geringe Reste erh., das Kloster dagegen ist fast vollständig erh. (Kreuzgang mit Brunnenkapelle um 1350; der 1294 gew. N-Flügel zweischiffig; Kapitelsaal; Brüdersaal u.a.).

Wallace-Collection [w'ɔlɪs kəl'ekʃn], Kunstsamml. in London. Sir RICHARD WALLACE (*1818, †1890) baute diese in England einzigartige Samml. frz., holländ., fläm. und engl. Malerei des 17.–19. Jh. mit Werken von P. P. RUBENS, A. VAN DYCK, REMBRANDT, E. MEISSONIER und R. P. BONINGTON auf. Seine Samml. in den mit erlesenem Mobiliar und Kleinkunst ausgestatteten Räumen in Hertford House in London wurde von seiner Witwe der Brit. Nation geschenkt und 1900 der Öffentlichkeit zugänglich gemacht.

Wallbaum, Matthias, Goldschmied, *Kiel 1554, †Augsburg 11. 1. 1632, dort seit 1579 nachweisbar, seit 1590 Meister, schuf Statuetten u.a. Silberarbeiten für den →Pommerschen Kunstschrank, Silbergruppen, Hausaltärchen, Monstranzen, Paxtafeln u.a.

Walldürn, Wallfahrtsort im Neckar-Odenwald-Kr., Bad.-Württ., 10700 Ew. Die barocke doppeltürmige Hl.-Blut-Kirche (1698–1714) aus unverputztem Bruchstein hat einen festl. Innenraum mit Bandwerkstukkaturen und illusionist. Deckenmalereien; Hl.-Blut-Altar 1622–26 von Z. JUNCKER D. Ä. Im Patrizierhaus ›Zum Güldenen Engel‹ (1588) das Heimat- und Wallfahrts-Mus.; Elfenbein-Mus. (12.–20. Jh.).

Wallendorf, Ort in Thüringen. 1764 wurde eine Porzellanmanufaktur gegr., es wird noch heute Gebrauchsgeschirr z.T. mit Streublumendekor in Unterglasurblau-Malerei und figürl. Kleinplastik hergestellt.

Wallfahrt, →Pilgerstraßen, →Pilgerzeichen.

Wallis [w'ɔlɪs], Georg August, Maler schott. Herkunft, *Merton (heute zu London) 15. 2. 1770, †Florenz 15. 3. 1847, seit 1786 meist in Italien; bekannt durch farblich reizvolle Landschaften, die Stimmungen aus der Dichtung des Ossian wiedergeben. Ihre Auffassung nimmt den Stil von J. A. KOCH auf, ihre Figurenstaffage die Art von A. J. CARSTENS. – 1812 malte W. Ansichten des Heidelberger Schlosses.

Wallot, Paul, Baumeister, *Oppenheim 26. 6. 1841, †Langenschwalbach 10. 8. 1912, war 1894–1911 Prof. an der Akad. in Dresden. Sein HW ist das Gebäude des Reichstags in Berlin (1884–94, im 2. Weltkrieg stark zerstört, ohne Kuppel wiederaufgebaut) in Formen der dt. und ital. Renaissance.

WW: Ständehaus in Dresden (1901–07); Palais des Reichstagspräsidenten in Berlin (1903).

Wörter, die man unter W vermißt, suche man unter Ou oder V

Wallraf-Richartz-Museum, städt. Kunstmus. in Köln, gegr. 1824 mit der Samml. des Kanonikus und Prof. für Naturwissenschaften F. F. WALLRAF. Durch eine Geldstiftung des Kölner Kaufmanns J. H. RICHARTZ wurde 1854 ein Museumsbau ermöglicht (nach Zerstörung im 2. Weltkrieg von R. SCHWARZ und J. BERNARD neu errichtet). Schwerpunkte der Samml. bilden Bereiche bürgerl. Kunst: der Kölner Malerschule des 14.–16. Jh., der niederländ. Malerei, der Kunst des 19. Jh. Die ehem. Bestände des 20. Jh. werden seit 1976 vom Mus. Ludwig verwaltet (P. →Ludwig). Für das W.-R.-M. und das Mus. Ludwig wurde 1981–86 ein Neubau der Architekten P. Busmann und G. Haberer direkt am Rheinufer neben dem Kölner Dom erstellt.

Walm, Baukunst: abgeschrägter Teil eines Giebels, zur Fläche des Daches gehörend.

Walnuß|öl, Maltechnik: →Nußöl.

Walser, Karl, schweizer. Maler, Graphiker, *Biel 8. 4. 1877, †Bern 28. 9. 1943, bildete sich v. a. auf Reisen (u. a. nach Japan), war seit 1902 in Berlin Bühnenbildner und Illustrator (Werke von G. BÜCHNER, E. T. A. HOFFMANN, J. W. v. GOETHE, M. CERVANTES und von seinem Bruder ROBERT W.). In Winterthur, Bern und Zürich schuf er großzügig gestaltete Wandmalereien.

Waltensburg, rätoroman. **Vuorz,** Gem. im schweizer. Kt. Graubünden. In der Kirche (um 1000) wurden 1932 bed. frühgot. Fresken des WALTENSBURGER MEISTERS entdeckt (1970 von Übermalungen befreit).

Waltershausen, Stadt im nordwestl. Thüringer Wald, Dt. Dem. Rep., 13 600 Ew.; barocke Stadtkirche (1719–23, Turm 1458), bedeutendster prot. Zentralbau vor der Dresdener Frauenkirche; über W. das Renaissanceschloß Tenneberg (v. a. 16. Jh.).

Walther, Franz Erhard, Künstler, *Fulda 22. 7. 1939, lehrt seit 1970 an der Akad. in Hamburg. W. begründete ein neues Konzept der Plastik als Handlungsform, die nicht mehr als Objekt, sondern als Instrument für körperl. Aktionen verstanden wird. Nach ›Buchwerken‹ in Lebensgröße entwickelte W. den meist aus textilen Materialien bestehenden 1. Werksatz, dann den plastisch kompakteren 2. Werksatz aus begehbaren Metallformen, der ruhige Körper- und Raumerfahrungen vermittelt.

Walzenkrug, Gefäß mit zylinderförmiger Wandung, die sich nach oben verjüngen kann. Häufig mit Fußring aus Metall und Deckelmontierung.

Wampum [von Algonkin wampompeag ›weiße Schnüre‹] *das,* zylindrisch geschliffene weiße und violette Muschelperlen, auf Schnüre aufgereiht und als Ketten oder Gürtel gearbeitet. Sie dienten den Indianern des nordöstl. Nordamerika urspr. als Urkunde bei Verträgen, später auch als Wertmesser (›Geld‹). (BILD Indianer)

Wamser, Christoph, Baumeister, *Miltenberg(?) um 1580, †Köln(?) vor 1649, setzte den vom Jesuitenorden nach dem Vorbild der niederrhein. Emporenbasilika im Rahmen der Gegenreformation entwickelten Kirchentyp (Petrikirche in Münster/Westf., 1590–97) fort.

HW: Jesuitenkirchen in Molsheim/Elsaß (1614–18) und Mariä Himmelfahrt in Köln (1618–29).

Wandmalerei, i. Ggs. zur →Tafelmalerei jede Art von Malerei auf Wänden, an Decken (→Deckenmalerei) und Gewölben. Die Farbe wird meist auf den noch feuchten Putz (→Fresko) oder auf die trockene Wand (→Seccomalerei) aufgetragen.

GESCHICHTE

Die frühesten Zeugnisse sind paläolith. Höhlenmalereien (→Felsbilder, →Eiszeitkunst).

Im Alten Orient sind W., die Tempel und Paläste schmückten, wegen ungünstiger Klimaverhältnisse nur selten erh. Früheste Zeugnisse wurden im Tempel von →Tell Uker (etwa 3000 v. Chr.) aufgedeckt; aus →Mari stammen W. aus dem Thronsaal im Palast des Zimrilim (Investitur des Königs) um 1750 v. Chr., und aus neuassyr. Zeit (8. Jhr. v. Chr.) sind Malereien aus →Tell Ahmar erhalten.

Ägypten. Seit dem Alten Reich überzog man in Ägypten die Wände von Gräbern und Tempeln mit bemalten Reliefs; eine eigenständige W. entfaltete sich erst in den Gräbern und Palästen des Neuen Reiches. Auf die mit Nilschlamm und einer Kalkschicht vorbereitete Wand wurde zur Festlegung der Proportionen ein Quadratnetz aufgetragen; dann wurde die Darstellung mit Rötel vorgezeichnet, die Linien mit schwarzer Farbe nachgezogen, danach ausgemalt. Die Mineralfarben wurden auf getrockneten Kalk aufgetragen (BILD ägyptische Kunst).

Ägäische Kultur. Auf Kreta gehören die frühesten Reste von W. in Freskotechnik in die Ältere Palastzeit. Zunächst waren die Motive ornamental. Die Anfänge figürl. Darstellungen reichen auch noch in diese Periode. Während der Jüngeren Palastzeit gab es viele Beispiele in Knossos (Palast und umgebende Villen), wenige in den Palästen von Mallia und Phaistos, sehr schöne W. dagegen in Hagia Triada und Amnisos. In der wohlhabenden Stadt Akrotiri auf Thera (BILD) waren im 16. Jh. v. Chr. fast alle Häuser mit z. T. sehr qualitätvollen W. geschmückt. Im Palast von Knossos kam es nach 1450 v. Chr. zu einer reichen Nachblüte mit z. T. monumentalen W. wie dem →Greifenfresko und dem Prozessionsfries. Diese Darstellungen zeigen jedoch gegenüber den lebendigen, oft phantast. W. der vorangegangenen Zeit eine Erstarrung in Komposition und Einzelform. An diesen Stil knüpften die recht zahlreichen W. in den Palästen des myken. Festlandes an (Pylos, Mykene, Tiryns, Theben; BILD kretisch-mykenische Kunst).

Etrurien. Seit der Mitte des 7. Jh. v. Chr. (Veji: Tomba delle Anatre) entstanden in den südetrusk. Kammergräbern Freskomalereien. Eine führende Stellung nahm vom mittleren 6. Jh. bis ins 2. Jh. v. Chr. Tarquinia mit über 150 bemalten Gräbern ein. Zunächst dominierten Themen der reinen Lebensfreude wie Gelage, Jagdszenen, Tänze oder unmittelbar mit den Bestattungsfeiern verbundene Wettkämpfe. Erst in der Spätzeit kamen ernste, Tod und Jenseits behandelnde Motive zur Darstellung (Unterweltdämonen, grausame mythische und historische Themen; BILD etruskische Kunst).

Griechisch-römische Antike. Werke der grch. W. sind so gut wie nicht erh., nur in der Literatur überliefert. Röm. W., denen verlorene grch. Werke zugrunde liegen, sind bis 79 n. Chr. aus den Vesuvstädten bekannt; in ihnen sind illusionist. Raumgestaltung mit dekorativer Ausstattung und bildhafter Darstellung von Mythen und Genreszenen vereint. Die römische W. schmückten Paläste, Villen und Wohnhäuser. Zentrum war Rom mit wenigen, aber bedeutenden Überresten (Aldobrandin. Hochzeit, W. aus der Villa unter der Farnesina, Livia-Haus, Neros ›Goldenes Haus‹; BILDER griechische Kunst, römische Kunst, Odysseelandschaften, Oplontis).

Mittelalter, Neuzeit. Aus frühchristl. Zeit sind die W. der Kirchen nur fragmentarisch erh.; besser hingegen die Malereien der Katakomben (BILD frühchristliche Kunst). In Byzanz und auch in Italien wurde die W. vielfach durch das →Mosaik ersetzt. In roman. Zeit erlebte die W. großen Aufschwung (BILDER Romanik). In der Gotik trat die W. im Norden hinter der Glasmalerei zurück. Doch lebte das Vermächtnis der Romanik in Italien fort, wo CIMABUE, P. CAVALLINI und v. a. GIOTTO die führenden Meister waren. In Italien behielt die W. auch in der Renaissance ihren hohen Rang (BILD Renaissance), während nördlich der Alpen die Tafelmalerei vorherrschte. Einen abermaligen Aufschwung nahm im Barock v. a. die Deckenmalerei (BILD) nun bes. auch in Dtl. (BILD Barock). Im 19. Jh. stand die W. meist im Dienst der Historienmalerei. Neue Möglichkeiten suchten E. DELACROIX, H. v. MARÉES, P. PUVIS DE CHAVANNES, F. HODLER, E. MUNCH, O. SCHLEMMER, H. MATISSE, M. CHAGALL u. a. In den sozialist. Ländern trägt die W. häufig polit. Themen.

In Indien sind W. ab dem 1. Jh. v. Chr. in den Chaityas 9 und 10 von →Ajanta belegt. Dargestellt wurden v. a. Jatakas. Die Tradition der W. von Ajanta bestand ebenda bis zum 7. Jh., ist auch in buddhist. Höhlenklöstern wie Bagh oder Aurangabad erkennbar und wirkte bis Bamiyan, Afghanistan im Westen, Nara, Japan im Osten, Zentralasien im Norden und Sigiriya, Sri Lanka im Süden. Die ältesten hinduist. W. aus Höhle 3 von Badami sind in das Jahr 578 datiert, die ältesten jinist. W. in Sittanavasal, Tamil Nadu, in das 9. Jh. Nach dem Erlöschen des Buddhismus lebte die W. in hinduist. Monolith- und Freibautempeln wie in →Elura, Kanchipuram, Chidambaram, Madurai (jeweils in Tamil Nadu) und Lepakshi (Andhra Pradesh) fort. In den Zentren der →Mogul-Malerei, →Rajput-Malerei und Deccan-Malerei entwickelte sich seit dem 16. Jh. eine hochstehende W., die sich im Stil und in der Thematik den Miniaturen weitgehend anschloß. (BILD indische Kunst)

Mittel- und Zentralasien. In Westturkestan sind in Dalversin-Tepe, Kara-Tepe, Khalchayan und Toprakkala W. aus der Kushana-Zeit erhalten. Große Gemäldezyklen mit höf. und mytholog. Szenen wurden in den Palästen sogdischer Herrscher aus dem 6.–8. Jh. freigelegt (Afrasiab, Warachscha, Pendschikent). In Ostturkestan stammen die ältesten W. aus Miran (3./4. Jh.), aus Kucha (6./7. Jh.) im indoiran. Stil sowie aus der Turfan-Oase (7./9. Jh.) im buddhistisch-chines. Stil (BILD zentralasiatische Kunst).

In China werden etwa seit dem 1. Jh. v. Chr. Gräber mit W. geschmückt (bemalte Tonziegel im Boston Mus. of Fine Arts; →chinesische Kunst). Literarischen Quellen der Han-Zeit zufolge pflegte man die Porträts loyaler, tugendhafter Minister und Beamter zu didakt. Zwecken an die Wände von Palästen zu malen. Mit der Ausbreitung des Buddhismus erreichte die durch ind. und zentralasiat. Vorbilder beeinflußte buddhist. W. eine hohe Qualität (→Tunhuang; BILD chinesische Kunst). Nach schriftl. Quellen der T'ang-Zeit war es üblich, Wände und Ummauerungen von Tempeln, Klöstern aller relig. Schulen, aber auch Paläste mit W. auszustatten. Einen Einblick in die W. der T'ang-Zeit geben die profanen Darstellungen in den Prinzengräbern bei →Ch'ienhsien. Beispielhaft für die späte W., die spätestens seit der Sung-Zeit zum Metier künstlerisch gering geschätzter handwerkl. Betriebe herabsank, sind die taoist. W. in →Yung-lo-kung (14. Jh.).

In Korea sind bed. W. in den Tumuli-Gräbern der beiden Hauptstädte des Kgr. Koguryo, T'ung-kou am Mittellauf des Yalu-Flusses und Pyŏngyang erhalten. Die in Freskotechnik ausgemalten Gräber sind ins 4.–7. Jh. zu datieren. Das Doppelpfeilergrab in Yŏnggang bei Pyŏngyang (5. Jh.) zeigt bemerkenswerte Figurendarstellungen. In der N-Wand der Hauptkammer ist ein unter einem Baldachin sitzendes Ehepaar mit 3 Dienerinnen dargestellt. In der Ostwand der Hauptkammer sind mehrere Adorantenfiguren und eine Prozession zu sehen. Die Wandmalereien im Korridor, bes. die Darstellung eines von einem Ochsen gezogenen Wagens mit Baldachin, verraten starken Einfluß der chines. Han-Zeit. Die Art und Weise der Figurendarstellung der Gräber aus dem 6. Jh. ist nicht mehr streng frontal, und die Figuren sind in Bewegung dargestellt. Im Grab der Tänzer in T'ung-kou sieht man versch. Szenen wie Gast und Gastgeber, Küche, Jagd (BILD koreanische Kunst), Kampf, Tanz u. a. Buddhist. Dekor wie Lotus und stilisierter flammenartiger Dekor im Dreieck sind auch zu sehen. Bei den Grabmalereien des 7. Jh. (z. B. Grab der 4 Symboltiere der 4 Himmelsrichtungen in T'ung-kou, Gräber in Uhyonri in Kangsŏ, Provinz Pyŏngan, und Grab Nr. 1 in Chinpari in Chunghwa, Provinz Pyŏngnam) erschienen die Symboltiere der 4 Himmelsrichtungen (roter Phönix, schwarze Schildkröte, blauer Drache und weißer Tiger) als Hauptmotiv.

Amerika. Aus Mesoamerika sind W. (in Palästen, Tempeln und Grabkammern) aus Teotihuacán und Cacaxtla sowie aus dem Maya-Gebiet (Bonampak, BILD; Chichén Itzá, Tulum) bekannt. Die W. haben immer religiös-symbol. und rituelle, bei den Maya auch histor. Themen. Aus Südamerika sind W. nur noch (fragmentarisch) von Moche und aus den Grabkammern von Tierradentro erh. Farbenprächtige W. sind auch aus den Kivas der prähistor. Pueblo-Indianer (N-Amerika) erh. – Im modernen Lateinamerika gelangte die W. im mexikan. →Muralismo zu monumentalen Ausmaßen.

K. WEHLTE: Werkstoffe und Techniken der W. ([4]1962); P. PHILIPPOT: Die W. (1972).

Wandpfeilerkirche, saalartige Kirche mit nach innen gezogenen (Strebe-)Pfeilern, zw. denen Kapellen liegen. Die Pfeiler können auch zu einem schmalen Umgang durchbrochen und mit Emporen verbunden sein. Die W. trat zuerst in der Spätgotik auf; im Barock bevorzugter Raumtyp der Vorarlberger Bauschule.

Wandschirme, →Stellschirme.

Wang, Stabkirche in →Brückenberg, Schlesien.

Wange, bei Treppen die Seitenwände, in die die Stufen eingelassen sind; auch die Seitenwände des →Chorgestühls oder der Kirchenbänke, oft reich geschnitzt.

Wangelsteine, Baukunst: rechteckige Reliefplatten, die zur Begrenzung des →Beischlages dienten.

Wangen, 1) W. an der Aare, Städtchen im schweizer. Kt. Bern; gut erhaltene ma. quadrat. Anlage mit Mauer und 4 Ecktürmen. Beim Neubau der Pfarrkirche (1825) blieb der got. Chor erhalten (Fresken 14. und 15. Jh.); ma. Schloß, im 17. Jh. umgebaut.

2) W. im Allgäu, Stadt im Kr. Ravensburg, Bad.-Württ., 23 500 Ew., ehem. Reichsstadt mit maler. Ortsbild: Die Martinskirche ist eine spätgot. flachgedeckte Rundpfeilerbasilika mit netzgewölbtem Chor (14./15. Jh.); Rathaus (15./16. Jh.) mit prachtvoller Barockfassade (1719–21). Am Markt ein Renaissancepalast mit Arkadenhof (1542); 2 spätgot. Stadttore, neben dem Ravensburger Tor (1607/08 aufgestockt) das früh-

Wang Hui: Fischerhütten und aufklarender Himmel im Herbst; Tusche und Farben auf Papier, 1680 (Honolulu, Academy of Arts)

klassizist. Haus des Ritterschaftskantons Hegau (1784 bis 1789). Dreiflügeliger Spitalbau (15.–18. Jh.), Spitalkirche (1719–21) mit Barockaltären. Rochuskapelle mit bemalter Holzdecke (66 Felder, 1598).

Wang Hsi-chih [-dʒi], chines. Kalligraph, *um 321, †379, lebte während der Zeit der Kleinstaaten (4./5. Jh.) in S-China, wohin weite Teile der Elite der in die Hände von Fremdvölkern gefallenen N-Staaten geflüchtet waren. W. H.-c. wirkte in diesen literar. Zirkeln und verfaßte 355 anläßlich eines Trink- und Gedichtwettstreits das ›Lan-t'ing-hsü‹ (Vorrede zum Reinigungsfest am Orchideen-Pavillon), das, nur in Kopien erh., zum berühmtesten Schriftkunstwerk und klass. Ideal der chines. →Kalligraphie wurde.

Wang Hui, chines. Landschaftsmaler, *1632, †1717, gehört zu der Gruppe der **Vier Wang** (WANG SHIH-MIN *1592, †1680; WANG CHIEN *1598, †1697; WANG YÜAN-CH'I *1642, †1715) und zu den ›Sechs Großen Meistern der Ch'ing-Zeit‹, die den konservativen, auf der Gelehrten- und Literatentradition des TUNG CH'I-CH'ANG und seiner Schule beruhenden Stil weiterführten. Als Schüler des Wang Shih-min hatte er Gelegenheit, alte Meister zu studieren, und verfügte über ein umfangreiches Repertoire älterer Stile (v. a. HUANG KUNG-WANG, SHEN CHOU), die er frei variierte. (BILD S. 197)

Wang Meng, chines. Landschaftsmaler, *Wuhsing (Prov. Chekiang) um 1308, †1385, hatte versch. hohe Beamtenpositionen inne, starb wegen angebl. Beteiligung an einer Verschwörung gegen den 1. Ming-Kaiser HUNG-WU im Gefängnis. W. M. war ein enger Freund des NI TSAN und zählt zu den ›Vier Großen Meistern der Yüan-Zeit‹. Er schuf mit nervöser, eigenwilliger Pinselhandschrift komplexe, verdichtete Kompositionen, in denen kaum freier Raum ausgespart bleibt. (BILD S. 199)

Wang Wei, chines. Maler, Dichter, Kalligraph, *T'aiyüan (Prov. Shansi) 699, †759. TUNG CH'I-CHANG erklärte W. W. zum Begründer und Patriarch der Südschule (→Literatenmalerei). Seine Werke sind nur in Kopien erh.: ›Der Landsitz Wang-ch'üan‹ (mehrere Versionen), das Porträt des ›Fu Sheng‹, Kopie der frühen Sung-Zeit (Osaka, Municipal Mus.).

Wappers, Gustav, belg. Maler, *Antwerpen 23. 8. 1803, †Paris 6. 12. 1874, Vertreter der belg. Historienmalerei, schuf Bilder zur Unabhängigkeitsbewegung Belgiens (Aufopferung des Bürgermeisters von Leyden, 1830; Utrecht, Mus.; Episode aus dem belg. Aufstand von 1830, 1835; Brüssel, Mus.).

Warachschạ, Varaksha, ehem. Hauptstadt der Oase →Buchara, entwickelte sich im 7./8. Jh. zum Zentrum der →sogdischen Kunst mit Palast der Herrscher von Buchara. Die Wandmalereien des ›Ostsaales‹ (auch roter Saal gen. wegen seines Malgrundes) deuten in Thematik und Detail auf enge Verwandtschaft mit denen in Pendschikent hin.

Warangạl, Stadt in Andhra Pradesh, SO-Indien, 207 100 Ew., nahe einem Felsmassiv mit Überresten der

Wang Meng: Verborgene Wohnstatt im Wald am Berg; Hängerolle, Tusche, Farben auf Papier; 1361 (Chicago, Art Institute)

Residenzstadt **Orrakal** der Kakatiya-Dynastie (13. bis Anf. 14. Jh.), einem unvollendeten Shiva-Tempel und freistehenden Portalen aus reich profilierten Säulen. Im benachbarten Hanamkonda befindet sich der ›1000-Säulen-Tempel‹, 1162 erbaut, bei dem 3 Sanktuarien um eine gemeinsame Säulenhalle gruppiert sind.

Warburg, Stadt im Kr. Höxter, NRW, an der Diemel, 21 900 Ew. Die Kirche des ehem. Dominikanerklosters, St. Maria in Vinea (13.–17. Jh.), war die erste Pfarrkirche der Stadt. Die Altstädter Marienkirche (1299 gew.) ist eine gedrungene got. Halle, die Neustädter Johanneskirche (13.–15. Jh.) eine kurze niedrige Halle mit hohem spätgot. Chor; Rathaus (1568) mit Erdgeschoßlauben und Fachwerkobergeschoß; zahlreiche Fachwerkhäuser seit dem späten MA.

Warburg Institute [wˈɔːbəːg ɪnstɪtjuːt], aus der Bibliothek des Kunst- und Kulturhistorikers A. WARBURG (*1866, †1929) hervorgegangenes kunstwissenschaftl. Forschungsinstitut in London für das Studium über das Nachleben der Antike. Die Privatbibl. wurde seit den 1920er Jahren als Forschungsinstitut **Kulturwissenschaftl. Bibl. Warburg** in Hamburg öffentlich zugänglich gemacht. 1934 gelang es den ehem. Mitarbeitern Warburgs, die Bibl. nach London zu bringen, wo sie der Univ. of London angegliedert wurde.

Veröffentlichungen: Journal of the Warburg and Courtauld Institutes, bisher 33 Bde. (seit 1937); Studies of the Warburg Institute, bisher 34 Bde. (seit 1938); Corpus Platonicum Medii Aevi (seit 1939); Mediaeval and Renaissance Studies (seit 1941); Warburg Institute Surveys (seit 1963); Oxford-Warburg Studies (seit 1963).

Ward [wɔːd], James, engl. Maler, Kupferstecher, *London 23. 10. 1769, †ebd. 23. 11. 1859, schuf zunächst Kupferstiche in Schabkunstmanier u. a. nach Gemälden von J. REYNOLDS, J. HOPPNER; beeinflußt durch seinen Schwager G. MORLAND, begann er mit Tierbildern und Landschaften.

Wardsia, Klosterkomplex im S der Georg. SSR, an der Kura; 1156–1205 von dem georg. König GEORG III. und seiner Tochter TAMAR auf 5 Terrassen (über 550 Höhlen) angelegt; im Zentrum die teils aus dem Felsen gehauene Kirche (nach 1180) mit bed. Wandmalereien (um 1184) von Meister GEORG.

Waren, Stadt im Bez. Neubrandenburg, Dt. Dem. Rep., nördlich des Müritzsees, 23300 Ew.; frühgot. Marienkirche (14. Jh., 1792 umgebaut), frühgot. Georgenkirche (um 1300), beide in Backstein; Altes Rathaus (17. Jh.), neugot. Neues Rathaus (Mitte 19. Jh.).

Warendorf, Stadt an der Ems, NRW, 32900 Ew., ehem. Hansestadt. In der Laurentiuskirche, einer got. Rundpfeilerhalle des 15. Jh. mit roman. W-Turm, kostbarer gemalter Flügelaltar (um 1430). Am Markt Patrizierhäuser (17.–19. Jh.) und das ›Haus Harmonie‹ mit vornehmem klassizist. Festsaal (1811). Heimat-Mus. (kirchl. Kunst, Plastik 15.–18. Jh.).

Warhol [wˈɔːhɔːl], Andy, eigtl. Andrew **Warhola,** amerikan. Künstler und Filmregisseur, *Pittsburgh (Pennsylvania) 6. 8. 1928, †New York 22. 2. 1987, urspr. Werbegraphiker; wurde in den 60er Jahren mit Bildern und Siebdrucken, in denen er Photographien aus versch. Massenmedien vergrößerte, mit Variationen reproduzierte und nebeneinanderreihte, ein Hauptvertreter der Pop Art. Seine Motive sind meist alltägl. Konsumartikel (Konservendosen) oder Idole der modernen Mediengesellschaft (Elvis Presley, Marilyn Monroe), deren Bild durch ihr eigenes Medienklischee (›Image‹) ersetzt wird. W.s Skulpturen aus Gebrauchsgütern radikalisieren die gleiche Identität von Werbebild und Gegenstand. Seit 1963 produzierte W. Filme, die, wie viele seiner künstler. Ideen, in Kollektivarbeit (W.-Factory) ausgeführt wurden. (BILD S. 201)

R. CRONE: Die revolutionäre Ästhetik A. W.s (a. d. Engl., 1972); A. W., hg. v. ERIKA BILLETER (1978); A. W., Ausst.-Kat., Hannover u. a. (1981); A. W. Das graph. Werk 1962–80, bearb. v. H. WÜNSCHE u. a. (1981).

Andy Warhol: Marilyn Monroe, Siebdrucke, 1967 (Hamburg, Kunsthalle)

Warin, Varin [frz. var'ɛ̃], niederländisch-frz. Medailleur- und Münzschneiderfamilie. Ihr hervorragendstes Mitgl. war Jean II. W. (*Lüttich 1604, †Paris 26. 8. 1672), der das gesamte frz. Münzwesen reorganisierte und außer meisterhaften Medaillen auch Porträtbüsten und Standbilder schuf.

Warka, Ruinenstätte von →Uruk.

Warmbrunn, Bad W., poln. **Cieplice Śląskie Zdrój** [tsjɛpl'itsɛ sjl'ɔ̃skjɛ zdruj], ehem. Stadt, seit 1976 Stadtteil von Jelenia Góra (Hirschberg i. Rsgb.), Kurort in Niederschlesien. – Spätbarocke Pfarrkirche (1712 bis 1714); barock-klassizist. Schloß der Schaffgotsch (1784–89); Landschaftspark (heute Kurgarten) mit klassizist. Schloß (um 1800); Theatergebäude (1836).

Warmleim, Maltechnik: aus tierischen Abfällen gewonnener Leim, dessen Klebekraft auf den herausgekochten Leimbildnern der Bindegewebe beruht. Je nach Ausgangsmaterial spricht man von Haut-, Pergament-, Knochen-, Hasen-, Leder-, Fischleim u. a., was gleichzeitig auch Qualitätsbez. ist, oder man benennt ihn nach Herstellungsort, z. B. Kölner Leim. Bez. wie Tafel-, Graupel- oder Perlleim beziehen sich nur auf die Handelsform. Bes. hochwertige Sorten sind Gelatine (ma. Mundleim), Hausenblase und frz. Hasenleim. Die Bez. W. besagt, daß der Leim zur Verarbeitung erwärmt werden muß. W. gehört zu den ältesten Bindemitteln der Malerei und ist v. a. für die Grundierung bei Polimentvergoldungen unentbehrlich.

Wạrschau, poln. **Warszawa** [varʃ'ava], Hauptstadt Polens, beiderseits der Weichsel, 1,552 Mio. Ew. Am rechten Weichselufer bestand im 10./11. Jh. eine kleine Burg. Am linken Ufer nördlich einer herzogl. Burg und einer Kaufmannssiedlung entstand im 13. Jh. aus dem Fischerdorf Warszowa eine städt. Siedlung (heute Altstadt), die 1339 Stadtrechte erhielt. Außerhalb der Stadt entwickelte sich im N die Neustadt (seit Anf. 15. Jh.).

W. war 1529 erstmals, seit 1570 ständiger Versammlungsort des Sejm (poln. Parlament). 1598 verlegten die poln. Könige ihre Residenz von Krakau nach W. Im 18. Jh. erlebte W. unter den Sachsenkönigen AUGUST II. und AUGUST III. sowie unter STANISŁAW II. AUGUST eine kulturelle Blüte.

Die im 2. Weltkrieg weitgehend zerstörte Stadt wurde nach 1945 wiederaufgebaut, in der Innenstadt, v. a. der Altstadt, wurden Bauten der Vergangenheit historisch getreu rekonstruiert (BILD Denkmalpflege). Zentren der histor. Stadt sind: Schloßplatz mit der Barocksäule (1643–44) SIGISMUNDS III. und dem Königsschloß, die Altstadt und die Neustadt.

Das Königsschloß, ehem. got. Burg (13./14. Jh.) der Fürsten von Masowien, wurde (als Residenz der poln. Könige) mehrmals umgebaut (zuerst 1569 durch F. PARR und J. B. QUADRO; 1740–47 durch G. CHIAVERI, J. C. KNÖFFEL und C. F. PÖPPELMANN, zuletzt für Stanisław II. August durch J. FONTANA, D. MERLINI und J. C. KAMSETZER; 1819–21 klassizistisch restauriert). Nach Zerstörung 1939/44 wurde das Schloß seit 1971 wiederhergestellt.

Die Altstadt ist mit z. T. erh. und rekonstruierten Stadtmauern aus dem 14./15. Jh. (Barbakane 16. Jh.) umgeben. Am schönen rechteckigen Marktplatz Patrizierhäuser (15./16. Jh., später umgebaut und nach 1945 rekonstruiert) mit z. T. erh. got. und barocken Fragmenten. Eine Häuserreihe ist im Innern miteinander verbunden und birgt das Histor. Mus. der Stadt, gegenüber die Johanneskirche (seit 1798 Dom), eine got. Halle (14./15. Jh.; 1836–40 neugotisch umgebaut; nach 1945 wiederaufgebaut), ferner die Jesuitenkirche (1609–26) und die barocke Martinskirche (18. Jh.) mit moderner Innenausstattung. – In der Neustadt sind bemerkenswert die Barockkirche der Benediktinerinnen (1688 bis 1692) von TYLMAN V. GAMEREN und Klostergebäude (1683–88) am Marktplatz, ferner die spätgot. Marienkirche (15./16. Jh.), got. Franziskanerkloster mit barokker Kirche (1680–96; Doppelturmfassade 1744 von J. FONTANA), Dominikanerkloster (1639–50), Paulinerkloster (1707–13) und Hl.-Geist-Kirche, urspr. gotisch, 1707 bis 1717 von J. S. BELLOTTI errichtet.

Neben der Stadt entstanden Adelspaläste und Vorstadtsiedlungen mit Kirchen, u. a. Barockkloster der Piaristen (1678–84) mit Kirche (1. H. 18. Jh.), Kapuzinerkirche (1683–92), St.-Anna-Kirche (urspr. spätgotisch, 1518–33 ausgebaut; Glockenturm 1575; 1821 klassizistisch umgebaut), Hl.-Kreuz-Kirche (1686–92 von J. BELLOTTI; Doppelturmfassade 1730–54), klassizist. evang.-luther. Kirche (1777–79). Zu den zahlreichen Palästen zählen u. a. die der Krasinski (heute Nat.-Bibl.) mit Garten (1677–99; TYLMAN V. GAMEREN, A. SCHLÜTER; Innenausstattung J. FONTANA, D. MERLINI), der Radziwiłł (heute Sitz des Ministerrats), im 17. Jh. gebaut, 1738–40 und 1818–19 umgebaut, der Pac-Palast (urspr. barock, 1824–26 umgebaut), der Primas-Palast (18. Jh.), einige Bauten der heutigen Univ. und v. a. Schloß Łazienki (urspr. Badehaus), als königl. Sommerresidenz 1775–95 ausgebaut, mit Parkanlagen und Gebäuden (Theater auf der Insel 1784–88; Weißes

Häuschen 1774–76; Orangerie, Belvedere). Am südl. Stadtrand in Wilanów befindet sich die Sommerresidenz König JOHANNS III. SOBIESKI. Das Schloß (heute Abteilung des Nat.-Mus. u.a. mit Gal. poln. Porträts des 19. Jh.), 1677–96 gebaut, 1701–1855 ausgebaut, später mehrmals umgebaut, ist von einem großen Barockgarten umgeben; unweit die klassizist. Schloßanlage Natolin (1780–82; 1808 umgebaut) mit Landschaftspark.

Nach Zusammenschluß der versch. Vorstadtsiedlungen im 18. Jh. begann eine einheitl. Entwicklung der Stadt; neue Straßenzüge wurden angelegt (z. B. O-W-Achse), an denen weitere Bauten und Parkanlagen entstanden (klassizist. Häuser an der Straße Nowy Świat, ›Großes Theater‹ u.a. Gebäude von A. CORAZZI). Von den vielen Museen in W. ist das Nat.-Mus. das bedeutendste (u. a. altägypt., grch., röm., frühbyzantin. und kopt. Kunstwerke, poln., ital., frz., niederländ., fläm. Gemälde).

Wartburg, Burg südwestlich von Eisenach, Dt. Dem. Rep., ehem. Sitz der Landgrafen von Thüringen, gegr. 1067, 1838–90 Wiederaufbau der verfallenen Burg im romant. Sinn. Ältester Teil ist der Palas (um 1190–1220), einer der besterhaltenen stauf. Palasbauten, mit hervorragender spätroman. Bauplastik, im 2. Geschoß Fresken von M. v. SCHWIND (1854–56); nördlich davon die im 19. Jh. in alter Form errichtete Mittelburg (u. a. Kemenate, Rüstkammer) und die Vorburg mit Torturm, Ritterhaus und Vogtei (16. Jh.).

Wartenburg i. Ostpr., poln. **Barczewo** [bartʃ'ɛvɔ], Stadt in der poln. Wwschaft Olsztyn (Allenstein), 5900 Ew., von ermländ. Bischöfen 1325 gegr. Die Pfarrkirche (14. Jh.) ist eine got. Halle (nach 1544 verändert), mit barocker Innenausstattung. Die Franziskaner-Klosterkirche (Ende 14. Jh.; 1589/99 umgebaut) hat eine Renaissance-Kapelle mit dem Grabmal der Erzbischöfe Andreas und Balthasar Báthory (1598).

Warwick [w'ɔrɪk], Stadt in der Cty. Warwickshire, Mittelengland, am Avon, 18300 Ew. W. war schon im 10. Jh. ein befestigter Platz. W.-Castle wurde im 14./15. Jh. zu einer gewaltigen Schloßanlage ausgebaut, das Innere im frühen 17. Jh. neugestaltet. An der nach einem Brand 1694 in nachgot. Formen erneuerten Pfarrkirche St. Mary wurde 1443–65 die dreijochige Chantry Chapel errichtet, deren reich gestalteter spätgot. Innenraum von schleifenförmigen Sterngewölben überdeckt ist.

Washington, D. C. [w'ɔʃɪŋtən di: s'i:], Bundeshauptstadt der USA, zugleich Bundesdistrikt (District of Columbia) an der Mündung des Anacostia River in den Potomac, 637700 Ew.

Die Hauptstadt der USA entstand auf einem von den Staaten Virginia und Maryland zur Verfügung gestellten Gelände. Der von Präs. G. WASHINGTON beauftragte, aus Frankreich stammende Architekt P. C. L'ENFANT entwarf 1791 den Plan für die Stadt. – Die größtenteils im Schachbrettmuster angelegten Straßen werden durch breite Diagonalsysteme (den Avenues) durchbrochen, die auf Mittelpunkte wie →Kapitol (Kongreßgebäude) und →Weißes Haus (Amts- und Wohnsitz des Präsidenten) zustreben. Später einbezogene Akzente sind das Washington Monument (1848–85) von ROBERT MILLS, das nach dem Vorbild des Athener Parthenon erbaute Lincoln Memorial (1915–22) sowie das Jefferson Memorial von 1939, ein kuppelgekrönter Rundbau. Die meisten Bauten W.s wurden in historisierendem Stil errichtet. Im Zentrum, zw. Kapitol und Washington Monument, erstrecken sich die Parkanlagen ›The Mall‹, gesäumt von vielen Museen und Verwaltungsgebäuden, u. a. unweit des Kapitols die Kongreß- und Nat.-Bibl. ›Library of Congress‹, ein 1888–97 erbauter mächtiger Granitbau, und der ›Supreme Court‹, 1929–35 von C. GILBERT erbaut, ähnlich einem korinth. Tempel. Wichtige Bauten der staatl. Repräsentation sind ferner das am rechten Ufer des Potomac gelegene, 1934 von GEORGE EDWIN BERGSTROM u. a. entworfene Pentagon sowie das 1971 eröffnete, von E. D. STONE entworfene ›John F. Kennedy Center for the Performing Arts‹ (Oper, Konzerthalle, Theater u. a.). Im NW, außerhalb der Stadt liegt der 1962 vollendete Dulles International Airport, ein Meisterwerk des Architekten EERO SAARINEN. Das ›Smithonian Building‹ wurde 1847–56 im spätroman. Stil erbaut. In dem Gebäude befindet sich die →Smithonian Institution, zu der auch das Nat.-Mus. of Natural History und das Nat.-Air and Space Mus. gehören. Museen mit bed. Kunstsamml. sind die Nat. Gal. of Art (→Nationalgalerie) mit dem 1978 eröffneten ›East Building‹ von I. M. PEI für Werke zeitgenöss. Künstler, die Freer Gal. mit Werken oriental. Kunst, die der amerikan. Kunst gewidmete Corcoran Gal. of Art, die Phillips Collection mit Werken der Kunst des 19. und 20. Jh. Das Mus. of African Art im Haus von Frederick Douglass enthält Werke der afrikan. Kunst, die →Dumbarton Oaks Research Library and Collection Meisterwerke der byzantin. Kunst, daneben Werke der vorkolumb. Kunst aus Südamerika.

Das 1974 eröffnete →Hirshhorn Museum vom Architekturbüro Skidmore, Owings and Merrill enthält hervorragende Samml. zeitgenöss. Kunst.

Wasmann, Friedrich, Maler, *Hamburg 8. 8. 1805, †Meran 10. 5. 1886, ging 1829 nach München (P. v. CORNELIUS), schloß sich in Rom (1832–35) den Nazarenern an; seit 1839 in Meran tätig. – In seiner Frühzeit malte W. bes. Porträts im Stil des Biedermeier. Seine z. T. fast impressionist. Meraner Landschaften sind bed. Zeugnisse des frühen dt. Realismus.

Wasnezọw, Vasnecov, 1) Apollinarij Michajlowitsch, russ. Landschafts- und Historienmaler, Graphiker, Archäologe, Bruder von 2), *Rjabowo (Gebiet Kirow) 6. 8. 1856, †Moskau 23. 1. 1933, gehörte zum Künstlerkreis von Abramzewo; malte zahlreiche histor. Ansichten des mittelalterl. Moskau; seit den 80er Jahren Entwürfe für Theaterdekorationen.

2) Wiktor Michajlowitsch, russ. Maler, Bruder von 1), *Lopjal (Gebiet Kirow) 15. 5. 1848, †Moskau 23. 7. 1926, gehörte zum Künstlerkreis in Abramzewo, gestaltete Themen aus Geschichte und Volksepos in einer monumental-dekorativen und stilisierten Bildgestaltung. W. entwarf die Kirche in Abramzewo und die Fassade der Tretjakow-Gal. in Moskau. Er leitete die neuromant. Richtung in der russ. Kunst ein.

HW: Fresken und Mosaiken der Wladimir-Kirche in Kiew (1885 bis 1896).

Wassenhove, Joos van, niederländ. Maler, →Joos (Justus) van Gent.

Wasserblatt, Baukunst: flache, nicht geäderte Blattform an Kapitellen des 12. Jh.

Wasserburg am Inn, Stadt im Kr. Rosenheim, Oberbayern, 13600 Ew., hat maler. Altstadt mit typ. Gepräge der Inn-Salzach-Städte (spätma. Häuser mit Lauben, Erkern, Grabendächern, Lichthöfen; z. B. das Irlbeckhaus, 1497). Die Jakobskirche, 1410 von H. Stethaimer beg. spätgot. Pfeilerhalle (Chor ab 1445), birgt die wertvolle, von den Brüdern Zürn geschnitzte Kanzel (1639 voll.); am Markt die got. Frauenkirche (14. Jh.) mit Barockausstattung von 1753, das Rathaus mit hohen Stufengiebeln (1457–59) und das Haus Kern mit einer der schönsten Rokokofassaden in S-Dtl. (1738 von J. B. Zimmermann stuckiert). Eine eindrucksvolle Baugruppe bilden das spätgot. Brucktor (1470) und das Heiliggeistspital mit Kirche (14.–16. Jh.); neben der spätgot. Burg (1531) die Ägidienkapelle und der Getreidekasten (1526) mit Treppengiebeln; im Heimat-Mus. reiche Samml. bayer. Bauernmöbel u. a.

Wasserfarben, Maltechnik: Farbmittel, die mit Wasser vermalt werden: Aquarell-, Gouache-, Leim-, Tempera-, Deckfarben, Kleister- und Tuschfarben. – Nicht als W. bezeichnet man solche, die ausschließlich auf der Wand benutzt werden, z. B. kalk- oder silikatgebundene Farben mit wäßrigem Bindemittel.

Wasserglasmalerei, Maltechnik: Wandmalerei mit wäßrigen Wasserglaslösungen (z. B. Kaliwasserglas, gewonnen durch Schmelzen von Quarzsand mit Ätzkali), →Silikatfarben.

Wasserkünste, i. a. baul. Anlagen zur Erzeugung künstl. Fontänen, Kaskaden, Wasserlaubengänge, Wassertheater in Gartenanlagen der Renaissance und des Barock. I. e. S. auch techn. Einrichtung zur Nutzwasserversorgung in Spät-MA. und Renaissance. W. oder Wasserspiele dienten dem Vergnügen und der Unterhaltung und der Steigerung des Gesamtkunstwerks Garten. Die frühesten und schon voll ausgebildeten Beispiele finden sich in den Gärten der ital. Villen des 16. Jh. (z. B. Villa d'Este in Tivoli, 1549 ff.). Auf ital. Anregungen gehen z. T. die spieler. W. in Schloß Hellbrunn bei Salzburg, in der Alten Eremitage bei Bayreuth und in Petrodworez (Peterhof) bei Leningrad zurück. Die W. im Park von Versailles fanden bei allen größeren Schloßbauunternehmen der Barockzeit Nachahmung (Nymphenburg, Schleißheim, Brühl, Caserta u. a.). Zu Beginn des 18. Jh. schuf G. F. Guerniero die großen Kaskaden am Herkules bei Kassel.

Wasserschlag, Baukunst: Gesims (Kaffgesims) zur Führung des Regenwassers.

Wasserschloß, Baukunst: von Wasser umgebenes

Wasserspeier am Freiburger Münster

Schloß am Ufer eines Sees oder Flusses, auch auf einer Insel. W. haben meist burgähnl. Charakter. Sie finden sich v. a. in N-Europa (Gripsholm), bes. häufig in Westfalen (Nordkirchen, Raesfeld). Zu W. zählen die Brükkenschlösser (Chenonceaux; BILD Loire-Schlösser).

Wasserspeier, Baukunst: Abflußvorrichtung für das Regenwasser. Am grch. Tempel wurden W. in Löwenkopfform verwendet, im MA. bes. an got. Kirchenbauten, oft in der Gestalt phantastisch gebildeter Menschen, Tiere und Fabelwesen. Mit Einführung des Regenfallrohres im Barock verschwand der W.

Wassiljew, Vasil'ev, Fjodor Aleksandrowitsch, russ. Landschaftsmaler, *Gattschina (Gebiet Leningrad) 22. 2. 1850, †Jalta 6. 10. 1873, entwickelte seinen Stil unter dem Einfluß der Schule von Barbizon und der Düsseldorfer Malerschule. Sein HW ›Tauwetter‹ (1871; Moskau, Tretjakow-Gal.) gilt neben A. SAWRASSOWS ›Saatkrähen‹ als erste lyr. Stimmungslandschaft in der russ. Kunst. W. widmete sich der Freilichtmalerei, v. a. den durch Spiegelungen hervorgerufenen Farbwirkungen.

Wasungen, Stadt im Kr. Meiningen, an der Werra, Dt. Dem. Rep., 4500 Ew.; von zahlreichen Fachwerkbauten geprägtes Stadtbild: Rathaus (1533) mit z. T. originaler Ausstattung, Amtshaus (1606/07), ehem. Adelshöfe (Maienhof 1576, Damenstift 1596, Weyhenhof 1632), Bürgerhäuser (17. Jh.); Stadtkirche in Renaissanceformen (1584–96). Burgruine Maienluft.

Wat, buddhist. Kloster in Thailand; enthält Tempelanlage mit Stupa (Chedi, Prang) und Wohnanlage.

Waterford [w'ɔːtəfəd], irisch **Port Láirge** [-l'aːrgi], südirische Stadtgfsch., 32 000 Ew. Von dem Ausbau zur dän. Festung 1003 ist der Reginald's Tower erhalten (heute Mus.). Von dem 1226 gegr. Dominikaner- und dem Franziskanerkloster von 1240 stehen nur noch Teile der Kirchen. Im 18. Jh. entstanden die kath. Kathedrale Holy Trinity (1786 gew.) und Christ Church (1773–79; bei Erhebung zur irischen Kathedrale 1891 verändert) sowie City Hall (1788) und Chamber of Commerce (1795); historist. Court House (1849 voll.).

Waterloo, Anthonie, niederländ. Maler, *Lille (?) um 1610, †Utrecht 23. 10. 1690, bereiste Dtl., Flandern, Italien, stellte in etwa 150 Radierungen, vielen Zeichnungen, auch Gemälden, bes. Waldlandschaften sowie Weitblicke und Stadtansichten dar.

Watson [wɔtsn], James, engl. Kupferstecher, *Dublin um 1740, †London 20. 5. 1790, schuf technisch feine Schabkunstblätter von großer Genauigkeit, bes. nach Gemälden von J. REYNOLDS.

Watteau [vat'o], Jean Antoine, frz. Maler, *Valenciennes 10. 10. 1684, †Nogent-sur-Marne 18. 7. 1721, kam 1702 nach Paris, wo er 1705 in die Werkstatt C. GILLOTS eintrat; wurde 1717 Mitgl. der Akad. Im Haus des Kunstsammlers P. CROZAT, für den er seit 1715 tätig war, lernte er Meisterwerke europ. Kunst und das Leben der eleganten Gesellschaft kennen. 1719/20 war er

Wörter, die man unter W vermißt, suche man unter Ou oder V

A. Watteau:
L'Indifférent
(Paris, Louvre)

in England. Die letzten Jahre waren von Krankheit überschattet. W. ist der bedeutendste frz. Maler des 18. Jh., dessen Stil er entscheidend mitbestimmt hat. Seine frühen Bilder lassen fläm. und ital. Einflüsse erkennen (P. P. RUBENS, TIZIAN, PAOLO VERONESE), doch ist in der eleganten Leichtigkeit der Figuren und der bei aller Leuchtkraft zart bleibenden Farbigkeit seine Eigenart bereits ausgeprägt. In seiner Reifezeit verschmelzen die immer blühender werdenden Farben zu einem schimmernden Gesamtton, in dessen duftiger Atmosphäre die Figuren schwerelos wirken. Immer wieder hat W. Szenen der ital. Komödie und der höfisch-galanten Gesellschaft (fêtes galantes), meist in Parklandschaften, gemalt, aber auch Motive aus dem Soldatenleben und einige hervorragende Porträts. Der größere Teil seiner Gemälde ist – häufig wohl auf Grund seiner flüchtigen Technik – nicht erh.; doch geben zahlreiche Rötel- und Kreidezeichnungen sowie rd. 300 erh. Kupferstiche nach seinen Gemälden und Zeichnungen (hg. von W.s Freund J. DE JULIENNE in 4 Bänden., 1728 ff.; Neuausgabe Bd. 3 und 4, 1921–29) eine Vorstellung vom Werk dieses Hauptvertreters der Régence-Malerei, der das frz. Rokoko (Louis-quinze) maßgeblich vorbereitete. (BILD Rokoko)

HW (Zeitfolge umstritten): Aufbruch von Kythera (1. Fassung, Zuschreibung z. T. umstritten, um 1709, Frankfurt a. M., Städelsches Kunstinstitut; andere Fassungen: 1717, Louvre; 1718, Berlin-West, Schloß Charlottenburg); Gilles (Louvre); Firmenschild des Kunsthändlers Gersaint (1720, Berlin-West, Schloß Charlottenburg); Die Hirten (ebd.); Gesellschaft im Park (ebd.); Frühstück im Freien (ebd.); Gesellschaft im Park (Louvre); L'Indifférent (ebd.); La Finette (ebd.); Diana im Bad (ebd.); Das Liebesfest (Dresden, Gemäldegal.); Gesellschaft im Freien (ebd.); Die Jagdgesellschaft (London, Wallace Collection).

J. A. W., hg. v. J. FERRÉ (Paris 1972); P. ROSENBERG: W. (ebd. 1974); R. HUYGHE: W. und seine Welt (a. d. Frz., 1981); J. A. W., Ausst.-Kat., Frankfurt a. M. (1982).

Watts [wɔts], **1)** George Frederic, engl. Maler, Bildhauer, *London 23. 2. 1817, †Compton (Surrey) 1. 6. 1904; malte unter dem Einfluß von W. BLAKE und MICHELANGELO meist ernste mytholog. oder allegor. Themen, in einem schweren, abstrahierenden Stil (›Hoffnung‹, 1885/86; London, Tate Gal.); auch Porträts (›T. Carlyle‹, 1877; ebd. Nat. Portrait Gal.) und klassizist. Skulpturen.

2) Robert, amerikan. Bildhauer, Happening-Künstler, *Burlington (Iowa) 14. 6. 1923. Seine Aktionen (Environments, Mixed-Media-, Happening- und Fluxusveranstaltungen) beruhen auf der suggestiven Konfrontation von Alltagsobjekten mit elektr. und akust. Medien.

Wauters [w'ɔutərs], Émile, belg. Maler, *Brüssel 19. 11. 1846, †Paris 11. 12. 1933, lebte seit 1890 in Paris; schuf Porträts und monumentale Historienbilder.

Wạyang, javan. und balines. Drama und Theater mit den Hauptformen **W.-Kulit** (Schattenspiel mit Lederfiguren), **W.-Kelitik** (Spiel mit flachen Holzfiguren), **W.-Golek** (mit dreidimensionalen Stabpuppen), **W.-Topeng** (Maskenspiel) und **W.-Beber** (narrative Rollbilder). – Im ältesten Medium, dem W.-Kulit, mindestens 1000 Jahre alt, werden v. a. javan. Fassungen der ind. Epen Ramayana und Mahabharata (javan. Brata Yuda) in der traditionellen Form (W.-Purwa) aufgeführt, jedoch auch javanisch-eigenständige Sagen und Mythen wie Manik Maya (Götter-Genealogie) oder die javan. Ritter-Romane des Panji und Damar Wulan im W.-Gedog sowie die muslimisch geprägten Amir-Hamza- oder Menak-Zyklen. Bes. die javan. Schattenspielfiguren aus Leder zeigen groteske Züge und überlange Nasen und Arme, seit sie, dem muslim. Abbildverbot seit dem 16. Jh. gehorchend, die früheren Typen abstrahieren mußten. Auf dem nie islamisierten Bali

Wayang (Wayang-Kulit): Figur des Sonnengottes Sury (Batara Surya); 45 cm hoch, um 1900 (Stuttgart, Linden-Museum)

sind bis heute die ehem. auch auf Java (wie in Reliefs der Ostjavan. Periode bezeugt) übl. Typen in weniger verzerrten Proportionen gebräuchlich. Hauptzentren der qualitätvollsten Schattenspielfiguren, die vielfach vom Vorführer (Dalang) und seiner Familie selbst hergestellt werden, sind auf Java Ceribon, Surakarta und Yogyakarta.

Schwerpunkt des Stabpuppenspiels ist W-Java. Dargestellt werden v. a. Götter und Helden, Geister, Dämonen und Tiere sowie bes. die schillernden Panakawan, Diener mit beratender Funktion, die groteske und mißratene Gestalten haben und über besondere geistige Fähigkeiten verfügen. Auf Bali kommen zu den genannten Themenbereichen solche buddhist. Inhalts (z. B. Jatakas) hinzu sowie bes. Themen um die Hexe Raganda mit ihrem Gegenspieler Barong (Sammelbegriff für Maskenspiele mag. Charakters), die Repräsentanten des bösen und guten Prinzips sind und immerfort ohne Sieg der einen oder anderen Seite miteinander im Wettstreit liegen.

Java und Bali, Ausst.-Kat., Stuttgart (1980); F. SELTMANN u. W. GAMPER: Stabpuppenspiel auf Java – W.-Golek (1980); CHRISTINE FRANKE-BENN: Schattenspielfiguren aus Mitteljava (1981).

Wchutemas, Abk. für russ. **W**ysschije Gossudarstwennyje **Chu**doschestwenno-**te**chnitscheskije **Ma**sterskije, ›Höhere Kunsttechn. Werkstätten‹, 1920 in Moskau gegr. Lehranstalt mit dem Ziel (ähnlich dem Bauhaus), Künstler, Kunsthandwerker und Industriedesigner in enger Verbindung auszubilden. 1926 wurde der W. in **Wchutein** (Abk. für Höheres Kunsttechn. Institut) umbenannt und der Lehrbetrieb mehr auf die Ausbildung von Künstlern im traditionellen Sinn ausgerichtet; 1930 aufgelöst.

Webb [web], Philip Speakman, engl. Architekt, Innenarchitekt, Kunsthandwerker, *Oxford 12. 1. 1831, †Worth (Sussex) 17. 4. 1915, entwarf 1859/60 für W. MORRIS das Red House in Bexley Heath (heute zu London), das auf Reform und Neuorientierung des modernen Wohnens gerichteten Tendenzen programmat. Ausdruck gab.

WW: No. 1 Green Palace, London (1868); No. 19 Lincoln's Inn Fields, London (1870); Rounton Grange, Yorkshire (1875); House Clouds, Wiltshire (1881–86).

Weber, 1) Andreas Paul, Zeichner, *Arnstadt 1. 11. 1893, †Ratzeburg 10. 11. 1980. Seine virtuosen und phantasievollen Bildreihen (›Leviathan‹, ›Hoppla Kultur‹, beide 1954) werden von Themen der Zeitkritik und polit. Satire beherrscht (›Krit. Kalender‹, jährlich 1959–72). In Ratzeburg besteht seit 1973 ein **A.-P.-W.-Haus.**

2) Max, amerikan. Maler, *Białystok 18. 4. 1881, †New York 4. 10. 1961, lebte seit 1891 in den USA, wurde während seines Paris-Aufenthaltes (1905/07) von P. CÉZANNE und H. MATISSE beeinflußt. Zurückgekehrt nach New York, erregte W. mit seinen zur Abstraktion tendierenden Bildern, die sich nacheinander am Fauvismus, Kubismus, Futurismus orientierten, großes Aufsehen. W. schuf außerdem eine der ersten abstrak-

Josiah Wedgwood: Vase nach Entwurf von John Flaxman; Höhe etwa 32 cm (London, Victoria and Albert Museum)

ten Skulpturen in den USA (›Spiral Rhythm‹, 1915; Greenwich, Connecticut, Hirshhorn Coll.).

WW: Chines. Restaurant (1914; New York, Whitney Mus.).

3) Vincent, Maler, Graphiker, *Monschau 16. 11. 1902, ausgebildet am Bauhaus, Mitgl. der Novembergruppe in Berlin, Assistent von A. HOELZEL in Stuttgart, lehrte in Stettin, Rom und Wiesbaden. Seine rhythm. Kompositionen sind meist in leuchtenden Farben gehalten.

Wechselburg, Gem. im Kr. Rochlitz, Dt. Dem. Rep., 1300 Ew.; ehem. Stiftskirche eines Augustiner-Chorherrenstifts, eine roman. Pfeilerbasilika (1160–80, Einwölbung 15. Jh.), darin spätroman. Lettner (1230 bis 1235), dessen Skulpturen, u. a. mächtige Triumphkreuzgruppe, zu den bedeutendsten ihrer Zeit gehören, und Grabmal des Stifterpaares DEDO und MECHTHILD VON GROITZSCH (um 1235); einfaches Barockschloß (1753–56); barocke Pfarrkirche (1730–37).

Wechtlin, Hans, Maler und Zeichner für den Holzschnitt, *Straßburg um 1480/85, war in der Werkstatt A. DÜRERS in Nürnberg tätig, ehe er sich 1506 in Straßburg niederließ (1514 Bürger, bis 1526 nachweisbar). Hier schuf W. v. a. Buch- und Farbholzschnitte.

Wedgwood [w'edʒwʊd], Josiah, engl. Keramiker, *Burslem (Staffordshire) 12. 7. 1730, †Etruria (von W. errichtetes Dorf bei Newcastle-under-Lyme) 3. 1. 1795, wo er in den von ihm 1769 gegr., bis heute bestehenden Werkstätten in der Masse gefärbtes Steinzeug herstellte. W. verbesserte die Produktion von Steingut-Gebrauchsgeschirren (›Queensware‹) und erzeugte auch schwarzes Steinzeug, die →Basaltware, v. a. die →Jasperware. Die in klassizist. Stil gehaltenen Arbeiten W.s wurden weit über England hinaus zum Vorbild für alle keram. Erzeugnisse, bes. auch für das europ. Porzellan dieser Zeit.

Weenix, 1) Jan, holländ. Maler, Sohn und Schüler von 2), *Amsterdam um 1640/42, begraben ebd. 19. 9. 1719, schuf zunächst italianisierende Landschaften in der Art seines Vaters. Später nahm er auch Einflüsse von W. VAN AELST auf und malte dekorative Jagdstilleben mit Landschaftshintergrund, unter denen die großformatigen Gemälde aus dem Bensberger Schloß in der Alten Pinakothek in München (1702–12 im Auftrag des kurpfälz. Hofes) hervorragen. (BILD Jagdstück)

2) Jan Baptiste, holländ. Maler, Vater von 1), *Amsterdam 1621, †Huis ter Mey bei Utrecht um 1660/62, lernte bei A. BLOEMAERT und C. MOEYAERT, war 1642 bis 1646 in Italien, malte effektvoll und in lebhaften Farben südl. Landschaften mit Figuren und Tieren, auch Porträts, Innenraumbilder und Jagdstilleben.

Weesenstein, Schloß über dem Müglitztal, Kr. Pirna, Dt. Dem. Rep., mit ma. Kern (Rundturm um 1300), Erweiterungen bis 18. Jh.; Schloßkapelle (1504, Neubau 1738–41 mit reicher Ausstattung), Innenräume des Schlosses z. T. mit originalen Möbeln und Tapeten des 18. und 19. Jh.; frz. Park (1781).

Wegeleben, Stadt im nördl. Harzvorland, Bez.

Wörter, die man unter W vermißt, suche man unter Ou oder V

Magdeburg, Dt. Dem. Rep., 4100 Ew.; dreischiffige frühgot. Stadtkirche (um 1300) mit spätgot. Schnitzaltar (2. H. 15. Jh.), Brustbild Christi (1565) der Cranach-Schule; Renaissance-Rathaus (1592).

Wehrkirche, zu Verteidigungszwecken wehrhaft, z. T. burgartig ausgebaute Kirche des MA. mit starker Umwallung oder Kirchhofsmauer, festem Torturm, bergfriedartigem Kirchturm mit Schießscharten und wehrgangartigem Obergeschoß. Die oft erhöht gelegenen W. dienten in Kriegszeiten der Bevölkerung als Zuflucht. Bed. ist die in Form einer W. erbaute Kathedrale von Albi sowie die Kirchenburg von Mont-Saint-Michel. Zahlreiche Beispiele für W. finden sich in Siebenbürgen (z. B. Tartlau, 13.–16. Jh.). Weitere Beispiele haben sich u. a. im Erzgebirge, in Bad.-Württ., im Werragebiet, in Schlesien und Friesland erhalten.

Weicher Stil, →Schöner Stil.

Weichgrund|ätzung, →Vernis mou.

Weichmacher, Maltechnik: flüssige oder feste organ. Stoffe, die u. a. Kunststoffen und Lacken zugesetzt werden, um erhöhte Formbarkeit, erhöhte elast. Eigenschaften, auch Haftfestigkeit, Glanz und Spezialeffekte zu erreichen.

Weichporzellan, frz. **Pâte tendre** [pa:t t'ãdr], engl. **Soft paste porcelain** [sɔft peɪst p'ɔ:slɪn], →Porzellan.

Weida, Stadt im Kr. Gera, Dt. Dem. Rep., 11400 Ew.; Stadtkirche, im Kern gotisch (um 1350), an der Südwand spätroman. Fresken, die aus der Ruine der spätromanisch-got. Widenkirche (12.–14. Jh., 1633 zerstört) übertragen wurden; Renaissancerathaus (1587 bis 1589, nach Brand 1687 erneuert); über W. Schloß Osterburg (2. H. 12. Jh. gegr., Ausbau bis 17. Jh.).

Weiden, Stadtteil von Köln, NRW, besitzt die besterhaltene röm. Grabkammer nördlich der Alpen (um 150 n. Chr.); darin ein spätantiker Sarkophag (um 300) aus weißem Marmor mit Personifikationen der Jahreszeiten.

Weiditz, Wydyz, 1) Christoph, Medailleur, Bildschnitzer, Goldschmied, vermutlich Sohn von 2), *Freiburg i. Br.(?) um 1500, †Augsburg 1560. 1532 erwarb W. in Augsburg das Meisterrecht als Bildhauer. Seine Medaillen (117 bekannt; 1523–36, vereinzelt bis 1541) geben in eindringl. Darstellung Porträts von Patriziern, Adligen, von KARL V., H. CORTEZ u. a. W. schuf ferner Kleinplastiken und arbeitete als Gold- und Silberschmied. Sein Stil verarbeitete Einflüsse der Renaissance zu einem gewandten Manierismus.

2) Hans d. Ä., vermutlich Vater von 1) und 3), Bildschnitzer in Straßburg, 1497–1514 in Freiburg i. Br. nachweisbar.

HW: Dreikönigsaltar (1505; Freiburg i. Br., Münster); Mittelstück des Schnewlinaltares mit der Ruhe auf der Flucht (um 1515; ebd.; die farbige Fassung und Bemalung des Hintergrundes wohl von H. BALDUNG); Adam und Eva (Buchsbaum, um 1510; Basel, Histor. Mus.).

3) Hans d. J., Zeichner für den Holzschnitt, vermutlich Sohn von 2), *Freiburg i. Br.(?) um 1495, †Straßburg(?) um 1536, Geselle H. BURGKMAIRS in Augsburg, seit 1514 in Straßburg nachweisbar, schuf wie der →Petrarcameister (mit ihm wohl nicht identisch) Holzschnittfolgen für Buchillustrationen (zu CICEROS ›De Officiis‹, um 1520, erschienen 1531, APULEIUS' ›Goldenem Esel‹, erschienen 1538, u. a.).

Weihgeschenk, Anathem [grch.], in den Kulturen des Alten Orients und im Mittelmeerraum verbreiteter relig. Brauch, der Gottheit ein Geschenk als Dank für erteilte oder als Bitte um künftige Hilfe darzubringen; auch die Versöhnung eines zornigen Gottes konnte Anlaß für ein W. sein. Die v. a. in Heiligtümern gestifteten und dort aufgestellten W. konnten Gebäude, Statuen, Reliefs, Terrakotten, Kultgeräte von einfachster Gestaltung bis zu höchster künstler. Vollendung, Beutestücke aus Kriegen oder Gegenstände des tägl. Lebens sein. In der grch. Antike gab es auch staatl. W., z. B. anläßlich eines Sieges (Athena-Promachos-Statue auf der Athener Akropolis nach dem Sieg bei Marathon). – Über die W. der Volkskunst seit dem MA. →Votiv.

Weihplatte, verbreitete Denkmälergattung im südl. Mesopotamien während der frühdynast. Periode (etwa 2800–2300 v. Chr.): quadrat. oder rechteckige Steinplatten mit flachem Hochrelief; zur Befestigung an der Wand hatten sie ein Loch in der Mitte. Themen der Darstellung sind v. a. Trinkszenen, Gabenbringer, Ringkämpfer, Steinträger beim Tempelbau (z. B. der königl. Bauherr Urnansche auf einer W. aus Girsu, jetzt Louvre). Die W. gehörte wahrscheinlich als ›Stiftungsurkunde‹ zum kult. Akt der Weihung eines neuerrichteten oder renovierten Tempels.

Weihreli|ef, Votivreli|ef, Art des Weihgeschenks in der Antike. Neben den aufwendigen Weihungen von Gebäuden oder Standbildern war das W. eine Möglichkeit für den einfachen Mann, seiner Weihung dauerhaften Ausdruck zu geben. In der grch. Klassik des 5. und 4. Jh. v. Chr. haben W. meist die Gestalt gerahmter, nach oben sich verjüngender (manchmal zweiseitiger) Reliefplatten, die auf Pfeiler montiert wurden. Themen waren überwiegend Götter- und Heroenmythen, jeweils auf den Empfänger der Weihung ausgerichtet, der oft im Zentrum volkstüml. und lokaler Kulte stand. Seit dem ausgehenden 5. Jh. v. Chr. wurde der Stifter zunehmend in die Reliefdarstellung einbezogen; Sonderformen des W. stellen die Totenmahl- und Heroenreliefs (Hauptfigur ein Heros) dar. (BILDER Brauron, griechische Kunst)

Weihwasserbecken, Becken oder Schale zur Aufnahme des geweihten Wassers, am Eingang der Kirche auf einen Schaft gestellt oder in die Wand eingefügt, aus Stein oder Metall oder frei tragbar für die Austeilung des Weihwassers mit dem Aspergill (Weihwasser-Wedel); bed. das tragbare W. im Aachener Domschatz, urspr. ein Pultschaft des Ambos Heinrichs II. (um 1000). In frühchristl. Basiliken findet sich nach dem Vorbild des alttestamentl. Ehernen Meeres in der Vorhalle als W. ein Beckenbrunnen aus Marmor, Erz oder Porphyr, in ma. Kirchen danach auch ein ›Weih-

Wörter, die man unter W vermißt, suche man unter Ou oder V

Brunnen‹, aus dem das zu weihende Wasser geschöpft wurde (um 1500, Regensburg, Dom; mit Baldachin und der plast. Szene ›Jesus mit Samariterin am Jakobsbrunnen‹, 1511, Freiburg i. Br., Chorumgang).

Weikersheim, Stadt im Main-Tauber-Kr., Bad.-Württ., 6700 Ew. Renaissanceschloß (1595–1605) der Fürsten Hohenlohe-Langenburg mit zweigeschossigem Rittersaal, der mit seiner bemalten Kassettendecke (1598/1602) zu den prächtigsten in Dtl. gehört; im Schloß das Hohenlohe-Mus. (Möbel, Gobelins, Porzellan, Glas); barocker Schloßpark (1709–20) mit säulenverzierter Orangerie (1719–23). Das Schloß bildet mit dem langgestreckten Marktplatz (ab 1719 angelegt) eine maler. Einheit; Rathaus (1568), spätgot. Stadtkirche (1419 beg., Netzgewölbe 1617).

Weilburg, Stadt an der Lahn, Hessen, 12000 Ew., war 1355–1816 Residenzstadt (Nassau-W.); ab 1707 planmäßiger Ausbau der Stadt durch den Hofarchitekten J. L. Rothweil zu einer typ. barocken Kleinresidenz. Weitläufiges Schloß mit maler. Innenhof, im wesentlichen Renaissance und Barock (1535–85 und 1702–46, nach Brand 1972 wiederhergestellt), einige Säle in ihrer originalen Einrichtung erh. (Mus.). Obere Orangerie (1703–05) mit prächtigem stuckiertem Festsaal; Lustgarten (1706–10) mit Unterer Orangerie. Die Schloßkirche (1707–13, von Rothweil) bezieht an der Marktseite das Rathaus mit ein und gilt als bedeutendste prot. Kirchenanlage des Barock in Hessen.

Weil der Stadt, Stadt im Kr. Böblingen, Bad.-Württ., 15500 Ew., hat sehr gut erh., altertüml. Ortsbild: Die Stadtpfarrkirche ist eine spätgot., sehr steile, kurze Rundpfeilerhalle (1492 beg., Chor 1519 voll.) mit figurierten Gewölben; Sakramentshäuschen (1611), Barockaltar (1680), Rokokokanzel (1742). Stattl. Rathaus (16.–18. Jh.) und Marktbrunnen (1537).

Weilheim, 1) W. an der Teck, Stadt im Kr. Esslingen, Bad.-Württ., 8100 Ew.; spätgot. Pfarrkirche (1489 beg., 1522 Ausmalung der Netzgewölbe voll.) mit ungewöhnlich reichen Wandmalereien (Höllenfresko) um 1495/1510; farbig gefaßte Steinkanzel (um 1500) mit mächtigem Schalldeckel (1616).

2) W. in Oberbayern, Stadt südlich des Ammersees, 16900 Ew. Die frühbarocke Stadtpfarrkirche (1624 bis 1631) entstand nach dem Vorbild der Münchener Michaelskirche; die Salvatorkirche ist ein spätgot. achteckiger Zentralbau mit Netzgewölbe auf Mittelstütze (1449, 1591 ausgemalt). Im Alten Rathaus Heimat-Mus. (Plastik, Gemälde, graph. Samml. u. a.).

Weimar, Stadt im Bez. Erfurt, im Thüringer Becken, Dt. Dem. Rep., 62800 Ew.; wurde 1572 Hauptstadt des Hzgt. (1815 Ghzgt.) Sachsen-W., seit der 2. H. 18. Jh. ein Mittelpunkt des dt. Geisteslebens. In der Mitte der Altstadt liegt die Stadtpfarrkirche, auch Herderkirche (1498–1500, 1735–45 barockisiert), mit Altarbild von L. Cranach d. Ä., Grabdenkmälern der ernestin. Fürsten, Sarkophag J. G. Herders. Bauten der Renaissance sind das Rote (1574–76) und das Grüne Schloß (1562 bis 1569, mehrfach verändert). Die Renaissancehäuser um den Markt wurden 1945 bis auf das Cranachhaus (1549) zerstört. Im Barockstil entstanden u.a. die einschiffige Jakobskirche (1712), das Gelbe Schloß (beg. 1702), Goethehaus am Frauenplan (1709, Goethe-Nationalmus.), Wittumspalais (1767, z.T. Einrichtung der Goethezeit). Unter KARL AUGUST (*1757, †1828) erhielt die Stadt ihr klassizist. Gepräge. Er ließ nach Brand (1774) das Schloß wiederherstellen (1789–1805, W-Flügel nach 1828, S-Flügel 1913/14; heute Staatl. Kunstsamml.); von Vorgängerbauten erh. ma. Schloßturm und ›Bastille‹. Hinter dem Schloß Park im engl. Stil (1778 beg.) mit Goethes Gartenhaus. Klassizistisch sind auch das Bertuchhaus (1802–06) und die Fürstengruft (1824/25). Vor dem Dt. Nationaltheater (Neubau 1907) Goethe-Schiller-Denkmal von E. RIETSCHEL (1857). Das Hauptgebäude der Hochschule für Architektur und Bauwesen wurde 1904/05 und 1911 von H. VAN DE VELDE gebaut. Bei W. die Schlösser Tiefurt (urspr. barock, zw. 1781 und 1806 umgestaltet; Mus.) und Belvedere (1724–32; Rokoko-Mus.).

Weimarer Malerschule, 1860 vom Großherzog KARL ALEXANDER von Sachsen-Weimar in Weimar in Nachfolge einer hier 1774–1860 bestehenden Zeichenschule begr. Stiftung. Die W. M. betonte unter Leitung von S. V. KALCKREUTH (1860–77) und Lehrern wie A. BÖCKLIN und F. V. LENBACH die Bedeutung der Landschaftsmalerei. Neben den übl. und offiziell geförderten Lehrfächern (Historienmalerei, Lehrer F. PAUWELS, W. LINNING u.a.) führte sie als neues Lehrfach die Druckgraphik ein. Bed. Schüler der W. M. waren M. LIEBERMANN, P. BAUM und C. ROHLFS. I. w. S. umfaßt der Begriff W. M. heute die gesamte Landschaftsmalerei in und um Weimar zw. 1860 und 1914.

W. SCHEIDIG: Die Gesch. Der W. M. 1860–90 (1972).

Weinbrenner, Johann Jakob Friedrich, Baumeister, *Karlsruhe 29. 11. 1766, †ebd. 1. 3. 1826, gestaltete nach Aufenthalt in Rom (mit A. J. CARSTENS) die Stadt Karlsruhe einheitlich in klassizist. Stil (Markgräfl. Palais, 1803–13; Evang. Stadtkirche, 1807–16; Kath. Stadtkirche, 1808–14; Rathaus, 1821–25; Münze, 1826/27). Der von vielen Schülern fortgeführte **W.-Stil** ist einfach und schwer; er wird von Eindrücken der Antike und der frz. Revolutionsarchitektur bestimmt.

Weiner [w'eınə], Lawrence, amerikan. Künstler, *New York 10. 2. 1940. Nach seriellen Bildern verringerte er den Objektcharakter seiner Kunst bis zur reinen Sprachform (z.B. statt Rot zu malen, wird Rot benannt); das Kunstwerk besteht bei W. nur noch in der Idee. Vertreter der Concept Art.

Weingarten, Stadt im Kr. Ravensburg, Bad.-Württ., 21700 Ew. Die Benediktinerabtei (1056–1802, 1922 wieder belegt) war Hauskloster der Welfen und die reichste aller schwäb. Abteien; ihre Kirche ist die größte Barockkirche nördlich der Alpen mit großartiger Doppelturmfassade und Vierungskuppel (1715–24 nach Plänen von K. MOOSBRUGGER, F. BEER, J. J. HERKOMER, D. G. FRISONI u.a.); die Ausstattung zählt zu den HW des süddt. Barock: Fresken von C. D. ASAM (1718–20), Stukkaturen von F. SCHMUZER (1718/19), perspektiv. Chorgitter (um 1730), 84sitziges Chorgestühl von J. A. FEUCHTMAYER (1720–24), Rokokokanzel von F. SPORER (1762–65), Orgel (1737–50) mit dem wohl schönsten Prospekt der Barockzeit. In den weitläufigen Klostergebäuden nach Entwurf JOSEPH SCHMUZERS (1727 beg., 1792 unvoll. eingestellt) Audienzsaal-Fresko von G. B. GÖTZ (1742) und Stukkaturen von F. und F. X. SCHMUZER u. a.

G. SPAHR: Die Basilika W. (1974).

Weinheim, Stadt im Rhein-Neckar-Kr., an der Bergstraße, Bad.-Württ., 41 300 Ew., hat maler. Altstadt mit winkligen Gassen, Fachwerkbauten und großenteils erhaltener Stadtbefestigung (13./14. Jh.). Spitalkirche (1470/1721 erneuert), spätgot. Altes Rathaus (1557), Neues Rathaus (ehem. Schloß, 16.–19. Jh.). In der ehem. Deutschordenskommende (1710) das Heimat-Mus. (u. a. ma. Fresken aus dem Vorgängerbau der 1910 errichteten Peterskirche). Die Wachenburg ist eine neuroman. Anlage (1907–13).

Weinitz, Ort in der ČSSR, →Bojnice.

Weinrebe, Weinstock, in der bildenden Kunst Symbol des Glücks, in der christl. Kunst Hinweis auf Christus, seit dem 12. Jh. auf sein Kreuz (Apsismosaik, Rom, S. Clemente), weiterhin auf die Eucharistie (Weinreben und Kornähren als Dekor barocker Altäre, Kelche und Monstranzen). Symbol des Jenseits, später auch der Kreuzigung, ist die von Josua und Kaleb aus dem Gelobten Land getragene große Traube (4. Mos. 13, 18 ff.). →Kelter.

Weisgerber, Albert, Maler, *St. Ingbert 21. 4. 1878, †(gefallen) bei Ypern (Belgien) 10. 5. 1915, studierte u. a. bei F. v. STUCK in München, wo er Mitarbeiter der Ztschr. ›Jugend‹ und 1913 Mitbegründer der ›Neuen Sezession‹ war. Ausgehend vom Impressionismus, näherte sich W. in seinen temperamentvoll und in starken Farben gemalten Bildern dem Expressionismus. Er stellte meist relig. und mytholog. Themen dar.

A. W., Ausst.-Kat., Heidelberg (1962).

Weiß, Emil Rudolf, Buchkünstler, Maler, Graphiker, *Lahr (Baden) 12. 10. 1875, †Meersburg (Bodensee) 9. 11. 1942, war 1907–33 Prof. in Berlin, schuf Buchausstattungen, entwarf Buchtitel, Bucheinbände und Druckschriften (›Weiß-Antiqua‹, 1928; ›Weiß-Gotisch‹, 1936) im Jugendstil.

Weissenau, Stadtteil von Ravensburg, Bad.-Württ., mit ehem. Prämonstratenser-Reichsabtei (1145 gegr.); dem Bau des barocken Kirchenchores (1628–31) folgte 1717–24 die Doppelturmanlage von F. BEER. Im Innern vorzügl. Régence-Stuckdekoration von F. SCHMUZER (1719), Deckenmalereien (1719/1743), Chorgestühl (1635). In den vierflügeligen Klostergebäuden (seit 1708 von Beer erbaut) Räume mit reichem Stuckdekor.

Weißenburg, 1) W. in Bayern, Stadt in Mittelfranken, 17 600 Ew., hat altertüml. Stadtbild mit nahezu vollständig erh. Stadtbefestigung (32 Türme; Ellinger Tor, 14.–16. Jh.; Spitaltor, 14. Jh.). Das spätgot. Rathaus (1470–76) steht an der Gelenkstelle der 2 rechtwinklig zueinander liegenden Marktplätze. Die got.

Andreaskirche (14.–16. Jh.) besitzt einen eindrucksvollen Rundpfeilerhallenchor und an ungewöhnl. Stelle, am Chorhaupt, einen markanten Turm (1459–65). Die ma. Karmelitenkirche (14. Jh.) wurde 1729 barockisiert. Heimatmus. (umfangreiche Samml. röm. Funde). Bei W. die →Wülzburg.

2) frz. **Wissembourg** [visãb'u:r], Stadt im Unterelsaß, 6900 Ew., mit gut erhaltenem Stadtbild des 16. und 17. Jh.; ehem. Benediktinerabtei (im 7. Jh. gegr.) mit got. Kirche (13.–14. Jh.; Turmreste des 11. Jh.; Glasfenster des 13.–15. Jh.); Johanneskirche (15. und 16. Jh.; Vierung und Turm aus stauf. Zeit); Reste der ma. Stadtbefestigung (u. a. Pulverturm) erh.

Weißenfels, Stadt an der Saale, Bez. Halle, Dt. Dem. Rep., 41 000 Ew.; 1656–1746 Residenz von Sachsen-W.; frühbarockes dreiflügeliges Schloß Neu-Augustusburg (1660–93), in der Schloßkapelle auffallend reiche Stukkaturen; Stadtkirche St. Marien, urspr. frühgot. Hallenkirche, nach 1475 spätgotisch umgebaut, daneben stattl. Barockrathaus (1670).

Weißensee, Stadt im Kr. Sömmerda, Bez. Erfurt, Dt. Dem. Rep., 4000 Ew.; Landgrafenburg ›Runneburg‹ (nach 1150), Reste des spätroman. Palas erh., daneben ›Fürstenhaus‹ (1738); in der got. Stadtkirche (14.–17. Jh.) 2 Flügelaltäre (um 1500); spätgot. Rathaus (15.–16. Jh.); ehem. Kirche St. Nikolai (10. Jh.).

Weißes Haus, engl. **White House** [hwaɪt haʊs], der Amts- und Wohnsitz der Präs. der USA in Washington (D. C.), nach den Vorstellungen Präsident G. WASHINGTONS und P. C. L'ENFANTS nach Plänen von J. HOBAN (1792) im klassizist. Stil errichtet, nach Brandbeschädigung durch brit. Truppen (1814) weiß verputzt (daher der seit 1902 offizielle Name), bis 1824 durch B. H. LATROBE ausgestaltet, 1902 und 1948–52 restauriert.

Weißes Kloster, →Deir al-Abyad.

Weißfassung, Maltechnik: →Porzellanfassung.

Weißkalk, Maltechnik: für Anstrichzwecke geeigneter weißer gebrannter Kalk (Calciumoxid) aus möglichst reinem Kalkstein, im Ggs. zu dem aus Dolomit gebrannten Graukalk.

Weißkịrchen, Stadt in der ČSSR, →Holíč.

Weißschnitt: Urs Graf, ›Satyrfamilie‹; 1520

Weißschnitt, Weißlini|enschnitt, Weißlini|enstich, graph. Verfahren des Hochdrucks, bei dem die Technik des →Holzschnitts in Umkehrung des Verhältnisses von Schwarz zu Weiß angewendet wird. Die Linien der Zeichnung bleiben auf dem Druckstock nicht als umschnittene Stege stehen, sondern werden vertieft eingeschnitten. So entsteht im Abdruck eine weiße Zeichnung auf schwarzem Grund. Das Verfahren kam bereits im 15. Jh. in der ital. Buchillustration auf, Anfang des 16. Jh. arbeiteten A. DÜRER und U. GRAF mit dieser Technik. Die häufigste Verwendung fand der W. in Mustervorlagen und Ornamentstichen des 16. Jh.; im 19. Jh. gelangte er durch die Erfindung des →Holzstichs zu weiter Verbreitung.

Weisweiler, Adam, frz. Kunsttischler dt. Herkunft,

Wörter, die man unter W vermißt, suche man unter Ou oder V

*Neuwied um 1750, †nach 1809, Schüler von D. ROENTGEN in Paris, seit 1778 Maître-ébéniste. W. schuf signierte Arbeiten mit reicher Lackmalerei, Bronzeappliken und Einlagen aus Sèvres-Porzellanplatten.

Weitsch, 1) Friedrich Georg, Maler, Sohn von 2), *Braunschweig 8. 8. 1758, †Berlin 30. 5. 1828, Schüler von J. H. W. TISCHBEIN D. Ä. in Kassel, dann in Italien und Braunschweig tätig, seit 1798 Direktor der Akad. in Berlin. W. malte Historienbilder, relig. Darstellungen, Landschaften und lebendige Porträts (Einflüsse seines Lehrers und A. GRAFFS).

2) Johann Friedrich, gen. **Pascha,** Maler, Vater von 1), *Hessendamm (heute zu Wolfenbüttel) 16. 10. 1723, †Salzdahlum (heute zu Schöppenstedt) 6. 8. 1802, Autodidakt, arbeitete seit 1758 für die Porzellanmanufaktur in Fürstenberg und malte – von den Niederländern ausgehend – farblich feine Landschaften in realistisch-romant. Auffassung (Bodetal mit Roßtrappe, 1769; Braunschweig, Herzog Anton Ulrich-Mus.).

Weiz, Stadt in der Oststeiermark, Österreich, 9600 Ew. Die roman. Thomaskirche (1188 bezeugt) mit got. Chor (1.H. 15.Jh.), nach 1689 mit Befestigungsring (Tabor) versehen, birgt bed. got. Fresken (13. und 14.Jh.). Auf dem Weizberg bei W. barocke Wallfahrtskirche (1757/58), in der harmon. Verbindung von Architektur, Ausmalung und Einrichtung ein Meisterwerk des steir. Spätbarock.

Welden, Markt im Kr. Augsburg, Bayern; stattl. Pfarrkirche, 1731/32 von JOSEPH SCHMUZER erbaut und stuckiert, mit riesigem Deckenfresko von M. GÜNTHER. Die Votivkirche St. Thekla, seit 1930 mit einem Karmelitinnenkloster verbunden, ist ein Rokokosaal mit doppelter Emporenanlage (1756/57) und erlesener Ausstattung (Stuck und Kanzeln von F. X. FEUCHTMAYER).

Welehrad, tschech. **Velehrad** [v'ɛlɛhrat], Gem. im Südmähr. Kr., ČSSR, östlich von Brünn, Wallfahrtsort zu Ehren der ›Slawenapostel‹ Kyrillos und Methodios. Ihnen wurde auch das 1205 von den Přemysliden gegr. Zisterzienserkloster gewidmet. Die zweitürmige Klosterkirche, ursprünglich eine roman. Basilika (86 m lang), wurde im 17./18.Jh. im Barockstil umgebaut und hat eine reiche Innenausstattung.

Welfenschatz, der Reliquienschatz des welf. Fürstenhauses Braunschweig-Lüneburg, bestehend v.a. aus Goldschmiedewerken des 11.–15.Jh., der fast ausschließlich auf Stiftungen der Welfen und ihrer Rechtsvorgänger zurückgeht. Der Reliquienschatz kam 1218 in den Braunschweiger Dom. 1671 fiel er an die hannoversche Linie des Welfenhauses. Seit 1867 gingen viele Stücke in Museen und in Privatbesitz über. Nach 1935 erwarb der preuß. Staat den Restbestand von 42 Reliquiaren, darunter das Welfenkreuz (11.Jh., oberital.), den Tragaltar des Eilbertus (1150–60, Köln), ein Kuppelreliquiar (um 1175–80, Köln), das Plenar Ottos des Milden (um 1330, niedersächs.). Der W. befindet sich heute in den Staatl. Museen, Berlin-West. (BILD S. 218)

Welikij Ustjug, Stadt im Gebiet Wologda, Russ. SFSR, an der Suchona, 38000 Ew. Für 1207 erstmals

Welfenschatz: Großes Kuppelreliquiar, vergoldetes Kupfer mit farbigen Emails, Figuren und Reliefs aus Walroßzahn; Köln, um 1175–80 (Berlin-West, Staatl. Museen)

erwähnt, war W. U. im 16./17. Jh. eines der reichsten Handelszentren im Moskauer Staat. Aus dieser Zeit stammen zahlreiche Baudenkmäler, v.a. Christi-Himmelfahrts-Kirche (1648; pfeilerloser Backsteinbau mit quadrat. Grundriß), Erzengel-Michael-Kloster (1212 gegr.) mit Abteikirche (1653), Gledenskij-Kloster (im 12. Jh. gegr.) mit Himmelfahrtskathedrale (1659).

Weliko Tarnowo, bis 1965 **Tarnowo, Tirnowo,** Stadt in Bulgarien, am N-Hang des Balkan auf Felsterrassen in den Mäandern der Jantra, 60900 Ew. Seit 1185 Hauptstadt des 2. Bulgar. Reiches, 1393 von den Osmanen zerstört, seit der Zeit der Nationalen Wiedergeburt im 19. Jh. wieder von Bedeutung. Die ma. Stadt entwikkelte sich im 12. Jh. als Festung um die Hügel Zarewez und Trapesiza, auf denen die weltl. und geistl. Herrscher ihren Sitz hatten. Erh. sind Reste (Grundmauern und Bodenfunde) der Befestigungsanlagen, des eigens bewehrten Zarenpalastes (1218–41) mit der Hofkirche Sweta Petka, des Patriarchenpalastes mit der Kathedrale Christi Himmelfahrt (Anf. 13. Jh., umgebaut im 14. Jh.); ferner Reste von mehr als 20 kleineren Kirchen, Kapellen und Profanbauten (meist 12.–14. Jh.). Die Demetriuskirche (1185–87) war Krönungskirche der Zaren. Die Kirche der Heiligen Petrus und Paulus (14. Jh., umgebaut im 17. Jh.) besitzt künstlerisch bed. Wandmalereien umstrittener Datierung (nach Erdbeben 1913 z.T. abgenommen). Die Klosterkirche der Großen Lawra (1230) war zur türk. Zeit Moschee und wurde nach 1878 wiederhergestellt. Die Georgios-Kirche des 14. Jh. besitzt Wandmalereien von 1612. In der Stadt zahlreiche charakterist. Bauten aus der Zeit der Nationalen Wiedergeburt, u. a. der monumentale Gasthof Mintschew (1858) mit zweigeschossigen Arkadengalerien. – Nat.-Mus. der Kultur und Kunst des 2. Bulgar. Reiches; Bezirks-Mus. – In der Umgebung zahlreiche Klöster.

Wellenband, Dekorationsmotiv von fließender Bewegung, das zuerst im Bereich der jungsteinzeitl. Bandkeramik auftrat; in der Bronzezeit weitverbreitet, bes. als Ornament auf Schwertgriffen und Gürtelglocken.

Wellington [w'elıŋtən], Hauptstadt von Neuseeland, am Südende der Nordinsel, 137 000 Ew. Die ehem. Kirche Old St. Paul's (1866) ist ein gutes Beispiel für die neugot. Holzarchitektur des 19. Jh. in Neuseeland. Im Nat.-Mus. u. a. bed. Samml. aus der Zeit vor der Besiedlung durch Europäer (bes. schöne Arbeiten der Maori).

Wells [welz], Stadt in der Cty. Somerset, südlich von Bristol, W-England, 8600 Ew. Der Bau der heutigen Kathedrale wurde im späten 12. Jh. als Querhausbasilika beg. und 1239 gew. Ihm gehört das kreuzrippengewölbte got. Langhaus mit durchlaufendem Blendtriforium und die durch Strebepfeiler akzentuierte, von Blendarkaden mit Skulpturen überzogene W-Front an. Im späten 13. Jh. wurde dem Querhaus ein oktogonales Chapter House mit Mittelstütze und Flechtrippengewölbe angefügt, anschließend entstand im O über unregelmäßig achtseitigem Grundriß die nachträglich mit dem Chorumgang verbundene Lady Chapel in den Formen des Decorated Style, der auch die 1329 beg. Umgestaltung des Hochchors bestimmt. Südlich der Kathedrale sind die Ruinen des ma. Bischofspalastes erh., während sich nördlich der 1348 gegr. Vicar's Close, ein collegeartiger Wohnkomplex für Geistliche, anschließt. Die im Kern aus dem 13. Jh. stammende, spätgotisch umgestaltete Pfarrkirche St. Cuthbert erhielt um 1420 einen Turm in Formen des Perpendicular Style.

Wels, Stadt an der Traun, OÖ, 52 000 Ew. Der Stadtplatz, ein langgestreckter Straßenplatz, gilt als einer der schönsten Stadtplätze in Österreich: im Kern meist got. Häuser mit abwechslungsreich barockisierten Fassaden. Die romanisch-got. Pfarrkirche (13./14. Jh.) mit

Wells: Mittelschiff der Kathedrale; 12.–13. Jh.

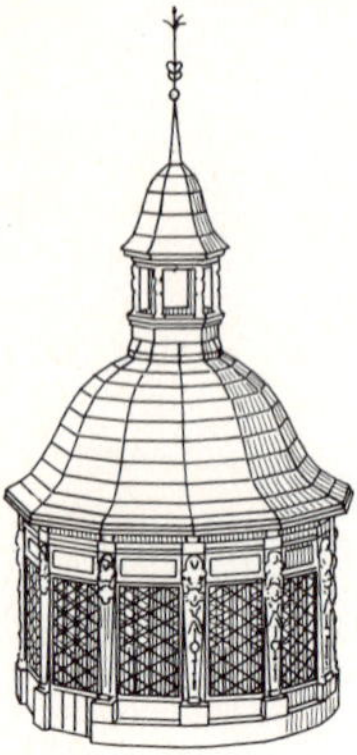
Welsche Haube

roman. W-Portal (12. Jh.) birgt hervorragende got. Glasmalereien im Chorschluß (2. H. 14. Jh.) und prächtige Grabdenkmäler der Familie von Polheim (seit dem 16. Jh., urspr. in der profanierten got. Minoritenkirche). Ehem. kaiserl. Burg, urspr. gotisch, mehrfach umgebaut (Mus.).

Welsch, Maximilian von, Baumeister, Ingenieur, getauft Kronach 23. 2. 1671, †Mainz 15. 10. 1745, seit 1695 kaiserl. Militäringenieur, seit 1704 im Dienst des Kurfürsten Lothar Franz von Schönborn, Fürstbischof von Bamberg und Kurfürst von Mainz. Der rheinisch-fränk. Barock seiner Bauten verbindet österreichisch-ital. mit frz. Formen.

HW: Lustschloß Favorite bei Mainz, gebaut nach dem Vorbild des frz. Schlosses Marly (um 1704 ff., zerstört); Parkanlagen von Gaibach und Pommersfelden (zerstört); Rotunde des Schlosses Biebrich (1711 ff.); Marstall in Pommersfelden (1717/18); Orangerie Fulda (1722–24); Abteikirche Amorbach (1742–47). – Entwürfe: Schlösser Pommersfelden (1711 ff.), Würzburg (1. Periode, 1720–23) und Bruchsal (1720 ff.); Schönbornkapelle Würzburg (1721–24). – Festungsbauten: Erfurt (1707) und Mainz (1713 ff.).

Welsche Haube, mehrstufiges Turmdach: Über einer unteren breiteren Haube mit Laterne folgt eine 2., kleinere Haube (Kirch-, Rathaus-, Tortürme, bes. in der niederländ. und dt. Baukunst des 16. und 17. Jh.).

Welt, in der bildenden Kunst nur in symbol. Darstellung. Als ›Fürst der W.‹ erscheint der Teufel. Im ›Liber Floridus‹ (12. Jh.) wird er mit Krone und Zepter, auf dem Leviathan reitend, dargestellt, ähnlich in seinem Aussehen in Straßburg (1280; Münster, SW-Portal) mit den Törichten Jungfrauen in Verbindung mit dem Weltgericht; seine Rückseite ist mit Schlangen, Kröten u. a. Ungeziefer besetzt. In der Vorhalle des Freiburger Münsters (Freiburg i. Br.) ist ihm die ›Voluptas‹ (lat. ›Begierde‹) beigegeben. Diese Verbindung mag zu der weibl. Parallele ›Frau Welt‹ geführt haben, die – wie der ›Fürst der W.‹ gestaltet – etwa am S-Portal des Wormser Doms (14. Jh.) zu finden ist.

Weltenburg, Ortsteil von Kelheim, Niederbayern, am Donaudurchbruch, mit Benediktinerkloster (um 760 gegr.). Die Abteikirche, 1716–36 von den Brüdern Asam erbaut und ausgestattet, gehört zu den besten Leistungen des europ. Spätbarock; von einzigartiger Lichtwirkung die ovale Tambourkuppel und der genial komponierte Bühnenaltar.

Welti, Albert, schweizer. Maler, Radierer, *Zürich 18. 2. 1862, †Bern 7. 6. 1912. Von A. Böcklin beeinflußt, malte W. mit altmeisterl. Sorgfalt Bilder symbolist. Gehalts. Er schuf auch monumentale Glasfenster (›Die Textilindustrie‹, 1901; Bern, Bundeshaus).

Weltkultur|erbe, Weltkulturgüter, von der UNESCO im Rahmen ihrer kulturellen Zielsetzungen als schutzwürdig erklärte Kunstwerke und Baudenkmäler, bei deren Schutz und/oder Restaurierung Unterstützung geleistet wird. Das Programm wurde mit einem Aufruf der UNESCO vom 8. 3. 1960 zur Rettung nubischer Denkmäler (Abu Simbel, Kalabscha, Philae) im Zusammenhang mit dem Bau des neuen Assuan-

Staudamms eingeleitet. Zum W. wurden außerdem u. a. erklärt: Aksum, Karthago, Palmyra, Borobudur, Copán, Machu Picchu, San'a, Göreme, Istanbul, Venedig, Val Camonica, das Aachener Münster, der Speyerer Dom, die Kathedrale von Chartres. Unter dem Begriff **Welterbe** wird neben den Kulturgütern auch eine Reihe von schutzwürdigen Landschaftsregionen zusammengefaßt (z. B. Mont Saint-Michel und seine Bucht). Die Gesamtzahl der erfaßten Kulturgüter betrug (1983) 135. Rechtsgrundlage ist die Konvention des kulturellen und natürl. Erbes der Welt der UNESCO (Stockholm 1972, seit 1975 in Kraft, bis Ende 1981 von 61 Staaten, u. a. der Bundesrep. Dtl., unterzeichnet).

Weltrus, Ort in der ČSSR, →Veltrusy.

Weltwunder, →Sieben Weltwunder.

Wemding, Stadt östlich von Nördlingen, Bayern. In der 1669/1713 barockisierten Pfarrkirche St. Emmeram Seitenaltäre mit Scagliola-Arbeiten von D. ZIMMERMANN. Die barocke Wallfahrtskirche Maria Brünnlein (1748–52 im Vorarlberger Wandpfeilersystem mit Emporen) besitzt einen festl. Innenraum mit Fresken und Rokokostuck von J. B. ZIMMERMANN in Zusammenarbeit mit seinem Sohn FRANZ MICHAEL (1752–54).

Wen Cheng-ming [-dʒeŋ-], chines. Maler, Dichter, Kalligraph, *Suchou (Prov. Kiangsu) 1470, †1559, gehört mit T'ANG YIN, CH'IU YING (1. H. 16. Jh.) und SHEN CHOU zu den ›Vier Großen Meistern der Ming-Periode‹, die in der Wu-Schule die Tradition der Literatenmalerei fortsetzten (→chinesische Kunst). Er widmete sich der Malerei von Landschaften, Wacholderbäumen und Blumen, hatte zahlreiche Schüler und wurde als Klassiker der Ming-Epoche immer wieder kopiert und gefälscht. Zu seinen HW zählt die Querrolle ›Sieben Wacholderbäume‹ (1532; Honolulu, Academy of Arts).

Wendelin, nach der Legende Abt des Klosters Tholey, in Wirklichkeit vielleicht ein fränk. Einsiedler des 6. Jh.; sein Grab in St. Wendel. Älteste Darstellung, mit

Wen Cheng-ming: Die sieben Wacholderbäume; Ausschnitt aus einer Querrolle, Tusche auf Papier, 1532 (Honolulu, Academy of Arts)

Buch und Wanderstab, ist eine Steinskulptur der 1. H. des 14. Jh. am W-Portal von St. Wendel. Als Pilger wird er in Rothenburg ob der Tauber (um 1500), als Hirt in Oberwesel, St. Martin (um 1450), dargestellt, mit Hirtentasche und Rosenkranz von H. BALDUNG (1525; rechter Flügel des Altars des Hl. Johannes des Täufers, Frankfurt am Main, Städelsches Kunstinstitut). Im Barock und im Rokoko finden sich in Süd- und West-Dtl. Darstellungen in nahezu jeder Landkirche.

Wendelstein, Baukunst: gewendelte Treppe in einem Treppenturm, auch der Treppenturm selbst.

Wendeltreppe, →Treppe.

Wenezianow, Aleksej Gawrilowitsch, russ. Maler, *Moskau 18. 2. 1780, †Poddubje (Gouv. Twer) 16. 12. 1847, malte zunächst Porträts (Einfluß von W. BOROWIKOWSKIJ), später wirklichkeitsnahe, wenn auch etwas idyllisch verklärte Szenen aus dem russ. Volksleben. Seit 1819 lebte er auf seinem Gut Safonkowo (Gouv. Twer), wo er eine Mal- und Zeichenschule leitete.

Wen-jen hua, chines. →Literatenmalerei.

Wenzel I., der Heilige, Herzog von Böhmen (921 bis 929), *um 910, †Jungbunzlau 28. 9. 929, dargestellt als Herzog mit Zepter, seit Ende des 11. Jh. mit der Lanze der dt. Herzöge, seit Ende des 12. Jh. auch mit dem Adlerschild als Zeichen des dt. Herzogs, im MA. allg. als Ritter mit Rüstung und Lanze, Schild und Schwert (P. PARLER, 1373, Prag, St. Veitsdom, Wenzelskapelle; Skulptur Ende des 15. Jh., Wien, St. Stephansdom).

Wenzelwerkstatt, höf. Maleratelier böhmisch-dt. Buchmalerei in Prag unter König WENZEL IV. (1378 bis 1419). Aus der W. gingen innerhalb von nur etwa 20 Jahren eine Reihe prächtig ausgestatteter Hss. hervor (Bibeln, astronom. und geograph. Hss.), in denen ital. und frz. Anregungen aus der Zeit KARLS IV. verarbeitet wurden. HW ist die **Wenzelsbibel** (Wien, Österr. Nat.-Bibl.) mit über 600 Miniaturen (um 1385 datiert). Vorrang vor den großfigurigen Bildern hat jedoch das den Text rahmende sehr reiche Rankenwerk. Umspielt von floralem Schmuck erscheinen in den Randminiaturen auch profane Szenen mit Minnesymbolen und Badedarstellungen, in die selbst König Wenzel einbezogen wird – Zeugnis der schon vollzogenen ›Säkularisierung‹ der Buchmalerei.

J. KRASS: Die Hss. König Wenzels IV. (1971).

Johann Christian Wenzinger: Selbstporträt an seinem Haus in Freiburg im Breisgau; vergoldete Bronze, 1761

Wenzinger, Johann Christian, Bildhauer, Maler, Baumeister, *Ehrenstetten (Hochschwarzwald) 10. 12. 1710, †Freiburg i. Br. 1. 7. 1797, war 1731 in Rom, studierte 1735–37 in Paris, seit 1745 in Freiburg i. Br. (W.-Wohnhaus ›Zum schönen Eck‹, 1761 ff., mit Fresko im Treppenhaus, Außenplastik und Selbstporträt in vergoldeter Bronze am Balkon; heute Musikhochschule). Sein HW ist die Ausstattung (Fresken, Stukkaturen, Bildhauerarbeiten) der Stiftskirche in St. Gallen (1757 bis 1760). Unter den Rokoko-Bildhauern am Oberrhein war W. der vielseitigste und bedeutendste.

WW: Grabdenkmal General v. Rodt (1743–45; Freiburg i. Br., Münster); Ölberg (1745; Staufen, Kirche – heute Frankfurt am Main,

Liebieghaus; gebrannter Ton); Taufstein (1768; Freiburg i. Br., Münster).

J. C. W., Ausst.-Kat., Freiburg i. Br. (1960).

Werben/Elbe, Städtchen in der Altmark, Bez. Magdeburg, Dt. Dem. Rep.; Pfarrkirche St. Johannis, eine dreischiffige spätgot. Backstein-Hallenkirche (15. Jh.) mit spätroman. Westturm und reichem ›Brautportal‹; in der überaus reichen Ausstattung 3 spätgot. Flügelaltäre, fünfarmiger, fast 3 m hoher Messingleuchter (1487), Taufkessel (1489). Von der Stadtbefestigung ist das prächtige Elbtor (um 1460/70) erhalten.

Werefkin, Marianne von, russ. Malerin, *Tula 11. 9. 1860, †Ascona 6. 2. 1938, studierte mit A. v. JAWLENSKY an der Akad. in St. Petersburg und kam 1896 nach München, wo sie zum Kreis um W. KANDINSKY gehörte. 1909 war sie Gründungsmitgl. der Neuen Künstlervereinigung München und 1911 des Blauen Reiters. Von der Malerei der Nabis und Fauves ausgehend, wurden ihre Bilder zu Ausprägungen eines visionären, v. a. von Kandinsky beeinflußten Expressionismus. Dunkle und kräftige Farben bestimmen ihr Werk. Nach Übersiedlung in die Schweiz (1914) näherte sie sich der abstrakten Malerei.

M. v. W., Ausst.-Kat., Wiesbaden (1980).

Werenfels, Samuel, Baumeister, *Basel(?) 1720, †ebd.(?) 5. 9. 1800, baute ebd. Patrizierhäuser (Haus zum Delphin, 1758; Wendelstörferhof und Reichensteinerhof, 1763–70; Alte Post, 1771–75). Sein Baustil steht an der Wende vom Rokoko zum Klassizismus.

Werenskiold [-ʃɔld], Erik, norweg. Maler, *Eidskog (Hedmark) 11. 2. 1855, †Oslo 23. 11. 1938, wurde nach Studienjahren 1873–89 in Oslo, München und Paris mit Landschaften und Bauernszenen aus Telemark Hauptmeister der nationalen Malerschule um 1900. Später malte W. unter dem Eindruck der frz. Moderne heller und summarischer. Sein Werk umfaßt auch Graphik und Porträts (B. Bjørnson, H. Ibsen, E. Grieg).

Wereschtschagin, Vereščagin, Wassilij Wassiljewitsch, russ. Maler, *Tscherepowez (Gouv. Nowgorod) 26. 10. 1842, †(gefallen) bei Port Arthur 13. 4. 1904, nahm als Offizier und Kriegsberichterstatter an russ. Kämpfen und Expeditionen in Mittelasien teil und schilderte in realist. Darstellungen von starker Überzeugungskraft den Kriegsalltag (›Apotheose des Krieges‹, 1871/72, Moskau, Tretjakow-Gal.).

Werff, Adriaen van der, holländ. Maler, *Kralingen bei Rotterdam 21. 1. 1659, †Rotterdam 12. 11. 1722, Schüler von E. VAN DER NEER, seit 1696 kurpfälzischer Hofmaler, malte kleinformatige relig., mytholog. und allegor. Bilder sowie Porträts von eleganter Zeichnung, sorgfältiger Modellierung und porzellanartigem Schmelz der Farbe. Seine Werke in höf. Geschmack wurden bes. von fürstl. Sammlern gesucht. Er entwarf auch Bauten, z. B. die Rotterdamer Börse (zerstört) und das Rathaus in Schiedam.

Werkbund, Deutscher W., Vereinigung von Künstlern, Industriellen und Handwerkern, gegr. 1907 in München, um die Qualität der gewerbl. Arbeit zu fördern. Zu den Gründern gehörten u. a. H. MUTHESIUS, H. VAN DE VELDE, T. FISCHER, F. SCHUMACHER, R. RIEMERSCHMID, F. NAUMANN, K. E. OSTHAUS, J. M. OLBRICH. – Durch Ausstellungen (u.a. Köln 1914; Berlin 1924; Stuttgart 1927; Breslau 1929), Veröffentlichungen und erzieher. Arbeit war der Dt. W. von bed. Einfluß auf die Formentwicklung von Geräten, Möbeln und beim Hausbau. 1933 wurde er aufgelöst, 1947 neu gegr. (Generalsekretariat in Darmstadt). 1912 wurde der Österr. W., 1913 der Schweizer. W. gegründet.

K. JUNGHANNS: Der Dt. W. (1982); H. SCHWIPPERT: Denken, Lehren, Bauen. Buch zur Ausst. ›Der Dt. W.‹, München (1982); Dt. W., Gespräche… (1982). – Jb. des Dt. W. (1912–20). – Zeitschriften: Das Werk (seit 1914); Die Form (1926–33); Werk und Zeit (seit 1952).

Werl, Stadt und Wallfahrtsort im Kr. Soest, NRW, 25700 Ew., ehem. Hansestadt; in der Propsteikirche St. Walburga, einer got. Halle (2. H. 14. Jh.) mit roman. Turm, gute Altäre des 15.–17. Jh. (u.a. Seitenaltar mit bed. Ciborium des 15. Jh.). Die ehem. Kapuzinerkirche ist ein barocker Saal (1786–89); in der neuroman. Franziskanerkirche (1904–06) das Muttergottes-Gnadenbild aus dem 13. Jh.; im Missions-Mus. der Franziskaner außereurop. Kunst aus 3 Jahrtausenden.

Werneck, Gem. im Kr. Schweinfurt, Unterfranken, 10000 Ew., mit ehem. Sommerresidenz der Würzburger Fürstbischöfe (1733–45 von J. B. NEUMANN), einer prachtvollen Ehrenhofanlage mit 2 Türmen und weitläufigen Wirtschaftsgebäuden. Im urspr. Zustand ist nur die Kapelle mit reichem Rokokostuck (1744) erh.

Werner, 1) Anton von, Maler, *Frankfurt (Oder) 9. 5. 1843, †Berlin 4. 1. 1915, wurde 1873 Prof., 1875 Direktor der Akad. in Berlin. Er begann mit Illustrationen, bes. zu Werken von J. V. v. SCHEFFEL, und wurde der bevorzugte Maler des Kaiserreichs, aus dessen jüngster Geschichte er Schlachten, Staatsereignisse (›Kaiserproklamation in Versailles‹, 1. Fassung 1873 bis 1877, Schloß Friedrichsruh; 3. Fassung 1883, Potsdam, Bildergal., u.a.) und Hoffestlichkeiten in effektvoll-realist. Gemälden darstellte.

2) Carl, Maler, *Weimar 4. 10. 1808, †Leipzig 10. 1. 1894, Prof. der Akad. ebd. (seit 1882), 1832–56 in Italien, dann in Leipzig, malte bes. Aquarellbilder bed. Kunststätten.

3) Joseph d. J., Maler, getauft Bern 22. 7. 1637, †ebd.(?) 1710, bildete sich in Frankfurt am Main (M. MERIAN) und Rom (A. SACCHI, C. MARATTA, P. DA CORTONA) und war 1696–1707 Direktor der Akad. in Berlin. Nach mytholog. und allegor. Motiven malte W. Miniaturen in barock-klassizist. Stil, die nach sorgfältiger Zeichnung reizvoll malerisch durchgeführt sind; ferner phantastisch-groteske Pinselzeichnungen.

4) Theodor, Maler, *Jettenburg (Württ.) 14. 2. 1886, †München 15. 1. 1969, lebte 1909–14 und 1930–35 (v.a. Einfluß von J. MIRÓ) in Paris. W. ist ein Wegbereiter der abstrakten Malerei in Dtl., dessen Bilder klare, oft graphisch linearisierte Bewegungsrhythmen zeigen (Wandbilder in der Musikhochschule Berlin-West, 1954). Seine Frau Woty (*1903, †1971) schuf Wandbehänge mit abstrakten Kompositionen.

Wernigerode, Stadt am nördl. Harzrand, Bez. Magdeburg, Dt. Dem. Rep., 33800 Ew. Unter den zahlreichen Fachwerkhäusern ragt das Rathaus heraus, urspr. gräfl. ›Spielhaus‹ (15. Jh., 1539–44 umgebaut); in der Altstadt frühgot. Oberpfarrkirche (13. Jh.) mit guter Ausstattung und die barocke Frauenkirche (1762) an der Stelle der ehem. roman. Hauptpfarrkirche; in der Neustadt romanisch-spätgot. Johanniskirche (13. bis 15. Jh.); im Schloß (im wesentlichen 1861–83) ›Feudalmus.‹ (u.a. Kunsthandwerk, sakrale Kunst).

Wertheim, Stadt am Zusammenfluß von Tauber und Main, Bad.-Württ., 20000 Ew., hat maler. Ortsbild mit Stadtbefestigung (12.–16. Jh.) und Fachwerkhäusern (v.a. Haus der 4 Gekrönten, 16. Jh.) und wird überragt von einer der größten und schönsten Burgruinen in Dtl. (Stammsitz der Grafen von W., 13.–16. Jh.). Ein Meisterwerk der Spätgotik ist die zweigeschossige Kilianskapelle (1472 beg., darin das Heimat-Mus.). In der got. Stadtpfarrkirche (1383–1419) mit der reizvollen Portalvorhalle im N (um 1510) steht das pompöse Barockgrabmal des Grafen Ludwig II. von Löwenstein-W. von M. KERN (1614–18); in einem Fachwerkhaus von 1577 Glas-Mus.

Werthmann, Friederich, Plastiker, *Barmen (heute zu Wuppertal) 16. 10. 1927, Autodidakt; schuf seit 1957 fast ausschließlich Stahlplastiken, die zunächst dem Informel nahestanden und die er seit 1975 v.a. durch gezielte Dynamit-Sprengungen formt und gestaltet.

F. W., Ausst.-Kat., Wiesbaden (1976).

Wertinger, Hans, Maler und Zeichner für den Holzschnitt, *Landshut um 1465, †ebd. 17. 11. 1533, schuf Altäre und Glasgemälde für bayer. Kirchen sowie Porträts, v.a. für den Hof LUDWIGS X. in Landshut, und Monatsbilder. Sein Stil nahm die spätgot. Tradition der Augsburger Malerei auf und wandte sich später unter dem Einfluß von H. BURGKMAIR und J. BREU der Renaissance zu.

Wesel, Stadt an der Mündung der Lippe in den Rhein, NRW, 56800 Ew., ehem. Hansestadt. Nach der fast völligen Zerstörung der Stadt 1945 wurde die Willibrordikirche wegen ihrer Bedeutung als letzter monumentaler Sakralbau der Gotik am Niederrhein wiederaufgebaut (fünfschiffige Pfeilerbasilika, 1434–1537, 1883–97 neugotisch voll.). Von den barocken Festungswerken (1680–1730) blieb das repräsentative Berliner Tor (1718–22) erh. Städt. Mus. (Malerei des 15.–17. und 19./20. Jh.).

Weser|renaissance [-rənɛsãs, frz.], Stilbegriff bes. für die profane Architektur Nordwest-Dtl.s im 16. und frühen 17. Jh. Die mehrflügeligen Schloßanlagen zeigen regelmäßigen Grundriß und haben oft einen Wendeltreppenturm (Schlösser in Hannoversch Münden, Bevern, Celle, Detmold, Varenholz, Hämelschenburg). Ihre Fassaden, wie die der stattl. Bürgerhäuser in Hameln, Lemgo u.a., zeigen anfänglich v.a. got. Dekorationen (Gemmingsche Kurie im Hildesheimer Domhof) neben aus Mittel-Dtl. eingeführten Renaissanceformen. Erst im letzten Drittel des 16. Jh. verdrängten

Weserrenaissance: Hexenbürgermeisterhaus in Lemgo

Spätrenaissanceformen, v. a. aus den Niederlanden, die spätgot. Ornamentik.

H. KREFT u. J. SOENKE: Die W. ([5]1980).

Weser-Schule, Werke der Buchmalerei v.a. des 9. bis 10. und des 12. Jh. im Wesergebiet. Die Hauptzentren sind Corvey im 9./10. und Helmarshausen im 12. Jh. Die Hss. aus Corvey sind v.a. Evangeliare. Mit ihnen beginnt auf der Grundlage der →anglofränkischen Buchmalerei mit Anregungen der Hofschule Karls des Kahlen die otton. Buchmalerei: z. B. Evangeliar (um 950; Baltimore, The Walters Art Gall.) und ein Sakramentar aus dem letzten Viertel des 11. Jh. (Leipzig, Stadtbibl.). Die frühesten der 17 nach Helmarshausen zu lokalisierenden Schmuck-Hss. stehen in spätotton. Tradition (z. B. ein Evangeliar um 1120–30, Privatbesitz). Um 1120–60 macht sich der stilbildende Einfluß des Helmarshausener Goldschmieds ROGERUS bemerkbar. Im letzten Drittel des 12. Jh. markiert die Kunst des Buchmalers (und Schreibers) HERIMANN den Beginn der roman. Buchmalerei in Helmarshausen (Evangeliar Heinrichs des Löwen, um 1175; Gmunden, OÖ, Königl. Ernst-August-Fideikommiß-Bibl.).

Kunst und Kultur im Weserraum, 800–1600, Ausst.-Kat., Corvey (1966).

Wesselburen, Stadt im Kr. Dithmarschen, Schlesw.-Holst., 3400 Ew.; weiträumige barocke Emporenkirche, 1737/38 in den Mauern des 1736 ausgebrannten got. Vorgängerbaus errichtet, mit eigenwilligem W-Turm; qualitätvolle Ausstattung (1738).

Wesselmann [w'eslmən], Tom, amerikan. Künstler, *Cincinnati (Ohio) 23. 2. 1931, lebt in New York. W.s Bilder und Environments sind von der Werbung beeinflußt und werden durch plakative Farben bestimmt. Die Thematik kreist um den weibl. Akt (Serie ›Great American Nude‹, seit 1960). Auf dem gemalten Bildgrund montiert er Gegenstände aus dem tägl. Leben (z. B. Türen, Handtücher, Wasserhähne). Seine Stillleben und ›Landschaften‹ übernehmen Elemente der Reklametechnik; Vertreter der Pop Art.

Wessobrunn, Gem. im Kr. Weilheim-Schongau, Oberbayern, 1700 Ew., mit ehem. Benediktinerkloster (um 753–1803), das seine kunsthistor. Bedeutung v. a. durch die →Wessobrunner Schule erhielt. Der Abriß 1810 nach der Klosteraufhebung ließ nur Teile der Anlage bestehen, so den roman. Glockenturm und den dreiflügeligen Fürsten- und Gästetrakt mit richtungweisendem Barockstuck der Familie SCHMUZER (im wesentlichen 1680–1700). Die Pfarrkirche St. Johannes entstand 1757–59 und wurde im Rokokostil dekoriert.

Wessobrunner Schule, Stukkateure und Baumeister aus Wessobrunn, die von 1600 bis etwa 1800 bes. in Altbayern und Schwaben tätig waren. 1675–1725 arbeiteten Wessobrunner Stukkateure häufig an Bauten Vorarlberger Baumeister; in dieser Zeit werden die Formen ihrer Kunst v. a. von reichem Laubwerk (z. T. mit figürl. Darstellungen) bestimmt. Unter starker Einwirkung der Hofkunst Münchens (bes. F. CUVILLIÉS D. Ä.) vollzog sich dann der Wandel zum zarten Rokoko. Zur W. S. gehören v. a. die Familien FEUCHTMAYER, SCHMUZER, ÜBLHÖR und ZIMMERMANN.

West, Benjamin, amerikan. Maler, *Springfield (Pennsylvania) 10. 10. 1738, †London 11. 3. 1820, ging 1760 nach Italien und 1763 nach London, wo er Hofmaler wurde, 1792–1815 Präs. der Royal Academy war und viele seiner Landsleute ausbildete. W. schuf, meist in großem Format, relig. Gemälde und Porträts. Er gilt als Begründer des realist. Historienbildes.

HW: Der Tod des Generals Wolfe (1. Fassung 1770; Ottawa, Nat. Gal. of Canada); Das goldene Zeitalter (1776; London, Tate Gal.).

Westensee, Gem. im Kr. Rendsburg-Eckernförde, Schlesw.-Holst.; got. Kirche mit zahlreichen Gruftanbauten. Zu W. gehören die Güter Deutsch-Nienhof (Außenbau 1792 klassizistisch neugestaltet, Inneres im Jugendstil 1907–09), →Emkendorf und →Schierensee.

Westerkappeln, Gem. im Kr. Steinfurt, NRW, 8800 Ew.; an der Pfarrkirche bed. Figurenportal (13. Jh.), darüber frühgot. Rosenfenster; in der Nähe 3 Wasserburgen (Cappeln, Langenbrück, Velpe).

Westermann [w'estəmæn], Horace Clifford, amerikan. Künstler, *Los Angeles 11. 12. 1922. Nach kleinformatigen Objekten zum Thema Krieg (›Totenschiffe‹, 1952) kam er zu Hausmodellen oder verglasten Kästen, in denen u. a. skurrile Miniaturschiffe, Haifische, Indianer in Szene gesetzt sind, als durch Ironie relativierte Symbole für Gewalt, Sex, Gier, Tod; schuf auch abstrakte Holzplastiken. Er steht dem Postsurrealismus nahe.

Westerwälder Steinzeug, hellgraue, hartgebrannte, mit blauer Kobaltmalerei verzierte und mit Salzglasur versehene Keramik aus dem Kannenbäckerland. Ende des 16. Jh. brachten aus Siegburg und Raeren (bei Aachen) zugewanderte Meister das im Westerwald ansässige Handwerk zu künstler. Blüte. Im 17. Jh. traten barocke Formen und farbiges, plast. Dekor auf, das im

Westmexikanische Kulturen: Sitzende männliche Figur, Nayarit-Stil, Ton, 29,5 cm hoch (Berlin-West, Museum für Völkerkunde)

18. Jh. durch eingestempelte Muster abgelöst wurde. Manganviolett kam als neue Dekorfarbe hinzu. Heute werden u. a. ›Bembel‹ für Apfelwein hergestellt.

Westfalen, Arnold von, Baumeister, *Leipzig(?) um 1425–30, †Meißen 1482, wurde 1471 oberster Werkmeister der kurfürstl. Schloßbauten in Dresden, Torgau und Leipzig. Sein HW, die Albrechtsburg in Meißen (1471–85), gebaut nach dem Vorbild frz. Schlösser des 15. Jh., zeigt in ihrer Bauform den Übergang von der Burg zum wohnl. Renaissanceschloß.

WW: 3. Geschoß der Domtürme in Meißen (1479); Gewandhaus in Leipzig (1479–81).

Westfälisches Landesmuseum für Kunst und Kulturgeschichte, Münster i. Westf. Die Anfänge des Mus. gehen auf die Initiativen des Vereins für Geschichte und Altertumskunde Westfalen und des 1831 gegr. Westfäl. Kunstvereins zurück. 1872 trat in Münster der Provinzialverein für Wissenschaft und Kunst zur Gründung eines Provinzial-Mus. zusammen, das 1901–08 erbaut wurde (im 2. Weltkrieg schwer beschädigt). Der Landschaftsverband Westfalen-Lippe, Rechtsnachfolger des Provinzialverbandes, leitete 1958 Maßnahmen zum Wiederaufbau ein, 1963–74 wurde ein Mus.-Neubau errichtet. Schwerpunkte der Samml. sind ma. Plastik, Malerei des späten MA., v. a. westfäl. Meister, niederländ. und dt. Gemälde des 16., 17. und 19. Jh., Kunsthandwerk. In den 1950er Jahren wurde mit dem Aufbau einer modernen Gal. begonnen, die heute Gemälde, Skulpturen und Objektkunst vom Beginn des 20. Jh. bis heute umfaßt.

Westmacott [w'estmækət], Sir (1827) Richard d. Ä., engl. Bildhauer, *London 15. 7. 1775, †ebd. 1. 9. 1856, war 1793–97 Schüler von A. CANOVA in Rom, seit 1827 Akademieprof. in London, wo er in klassizist. Stil, wie auch sein Sohn Richard (*1799, †1872), v. a. Grabdenkmäler für St. Paul's Cathedral und Westminster Abbey schuf.

Westmexikanische Kulturen. Das Gebiet der W. K. entspricht etwa dem der heutigen Bundesstaaten Colima, Jalisco und Nayarit mit Teilen von Guerrero und Michoacán. Diese Namen werden z. T. auch als Bez. für die zu unterscheidenden Stile dieser Gebiete benutzt. Gemeinsames Merkmal und einzige architekton. Hinterlassenschaft dieser Kulturen (200 v. Chr.–300 n. Chr.) sind Einzel- oder Doppelkammergräber, etwa 5 m tief, mit gewölbter Decke und einem 4–6 m langen vertikalen Schacht. Derartige Gräber kommen zu so früher Zeit nur an der Pazifikküste Mesoamerikas vor. Es werden Verbindungen zu Ecuador und Peru angenommen, wo es diese Art der Grabbauten ebenfalls gibt. Die in den Gräbern gefundenen Tonfiguren (sowohl hohle oder massive als auch figürl. Gefäße) lassen wiederum Ähnlichkeiten zu frühen Kulturen Zentralmexikos (z. B. Tlatilco) erkennen. Dargestellt sind realist. Szenen aus dem Alltag, es können aber auch relig. und Begräbnismotive wiedergegeben sein. Unterschieden werden 5 Stile: **Chinesco-Stil:** nahezu dreieckige Köpfe der Figuren und eine dem Namen entsprechende Augenform. **Nayarit-Stil:** gekennzeichnet durch

Westmexikanische Kulturen: Tonfigur eines Hundes, Colima-Stil, 31,8 cm hoch (Berlin-West, Museum für Völkerkunde)

Hausmodelle aus Ton; männl. und weibl. Hohlfiguren, die stehen oder sitzen und deren Bekleidung im Detail aufgemalt ist. **Zacatecas-Stil** [s-] (vornehmlich aus dem nördl. Jalisco): männl. und weibl. Figuren mit einer Öffnung im Kopf, die männl. haben pilzförmige Hörner. **Jalisco-Stil** [xa-]: Figuren mit scharf geschnittenen Nasen und weit offenen, scharf umrissenen Augen, in den verschiedensten Posen. **Colima-Stil:** ungeheurer Reichtum in den Figurengefäßen, die Menschen, Tiere, Pflanzen oder ganze Szenen darstellen; der Ton ist meist rot geschlämmt und poliert.

Westwerk, bei frühma. Klosterkirchen ein stattl. Westbau mit einem Altarraum, der über einer zur Kirche führenden Durchgangshalle liegt, von Emporen umgeben ist und sich auf das anschließende Mittelschiff öffnet. Über dem Hauptraum erhebt sich ein Turmaufbau, begleitet von 2 Treppentürmen. Das früheste Beispiel bot die Kirche des Klosters →Centula (bei Amiens, um 800), das besterhaltene in Dtl. bietet die Klosterkirche in Corvey (873–885).

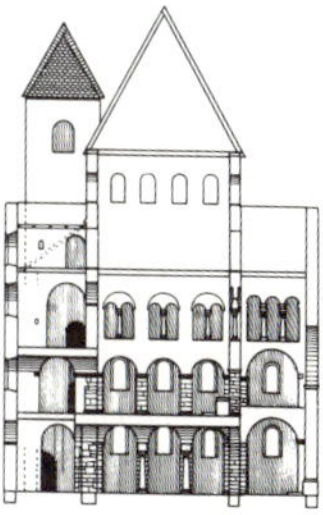

Westwerk der Klosterkirche in Corvey (873–885)

Westwood Manor [w'estwud m'ænə], Jagdschloß in der engl. Cty. Wiltshire, an der Stelle eines ma. Klosters nördlich von Worchester nach 1598 errichteter Spätrenaissancebau mit über 3 Geschosse reichenden polygonalen Erkern mit Giebelaufsätzen; um 1660 durch 4 diagonalgestellte Flügelbauten in stilist. Angleichung an den Kernbau erweitert; reiche Stuckdecken.

Wettenhausen, Ortsteil von Kammeltal, im Kr. Günzburg, Bayern, mit ehem. Augustiner-Chorherrenstift (982 gegr., seit 1865 Dominikanerinnen). Die Kirche mit spätgot. Chor (1522/23) erhielt 1670–83 von M. THUMB ihr barockes Langhaus; festl. Ausstattung; geschnitzter Palmesel von H. MULTSCHER (1456). In den Abteigebäuden (1. H. 17. Jh.) bes. eindrucksvoll der riesige Kaisersaal mit seiner plast. weißen Akanthusdekoration auf tiefblauem Grund (1694/95).

Wetter (Hessen), Stadt im Kr. Marburg-Biedenkopf, 8700 Ew.; ehem. Kanonissen-Stiftskirche (um 1250–80, Turm 1506), eine got. kreuzrippengewölbte Bündelpfeilerhalle in der Nachfolge von Marburg und

Haina, mit originaler Ausmalung (um 1300) und reicher ma. bis barocker Ausstattung (v. a. das spätroman. gemalte Altarretabel, um 1250).

Wettin, Stadt an der Saale, Dt. Dem. Rep., 3500 Ew. Von der ma. Burg (961 erwähnt) ist fast nichts erh., die heutige weitläufige Anlage entstand v.a. im 19. Jh.; spätgot. Stadtkirche (15. Jh.), Turm mit Renaissancegiebeln; Renaissance-Rathaus (1660–62).

Wettingen, Gem. im schweizer. Kt. Aargau, an der Limmat, 18200 Ew., mit dem in der Gesamtanlage am besten erh. Zisterzienserkloster der Schweiz; in der Kirche (1256 gew.) prächtige Renaissance- und Rokoko-Ausstattung, v.a. das reich geschnitzte Chorgestühl (1601–04); im Kreuzgang Zyklus von Glasmalereien (in einem Flügel spätromanisch, sonst 16. und 17. Jh.).

Wetzlar, Stadt an der Lahn, Hessen, 52600 Ew., ehem. Reichsstadt mit gut erh. Altstadtbild, v.a. an Fisch-, Korn- und Eisenmarkt sowie Domplatz. Der ›Dom‹ ist eine ehem. Stiftskirche, in seiner heutigen Erscheinung das Ergebnis einer langen Bautätigkeit mit von Abschnitt zu Abschnitt wechselnden Formen und Bauvorstellungen. Der got. Umbau (1235/40 beg.) verarbeitet Limburger und Marburger Einflüsse; der aufwendige, um den roman. W-Bau herumgeführte got. W-Bau (1336 beg.) wurde 1374 unvoll. eingestellt (Haube des S-Turms 1561), so daß der roman. Bau weitgehend erh. ist; bemerkenswert die roman. und hochgot. Portale. Die Hospitalkirche ist ein farbenprächtiger Barockraum mit vierseitigen Emporen (1755–64). Im barokken Palais Papius (1740 erbaute Vierflügelanlage) ist das Mus. europ. Wohnkultur vom 16.–18. Jh.; im ehem. Deutschordenshof (13.–18. Jh.), bestehend aus Herrenhaus, Lottehaus und Zehntscheune, das Städt. Mus.; bei W. die Ruine der stauf. Reichsburg **Kalsmunt** (2. H. 12. Jh.) und die ehem. Prämonstratenserinnen-Reichsabtei **Altenberg** mit frühgot. Kirche (2. H. 13. Jh.).

Wewelsburg, Ortsteil von Büren, NRW, mit dem Residenzschloß der Paderborner Fürstbischöfe, das 1604–07 seine charakterist. dreiseitige Spätrenaissanceform erhielt; runde Ecktürme mit Barockhauben.

Wewerka, Stefan, Objektkünstler, *Magdeburg 27. 10. 1928, stellt als Bildhauer und Designer den rechten Winkel ironisch in Frage. Tische, Stühle, ganze Wohnungsenvironments werden angesägt, halbiert, in schiefe Winkel gerückt und so ihrer Benutzbarkeit entzogen.

Weyarn, Gem. im Kr. Miesbach, Oberbayern, mit ehem. Augustiner-Chorherrenstift (1133 gegr.); im barocken Kirchenneubau (1687–93) zartfarbige, heitere Spätbarockdekoration (Stuck und Fresken) von J. B. ZIMMERMANN (1729), Schnitzwerke von I. GÜNTHER (1763/64).

Weyden [w'ɛjdə], Rogier van der, niederländ. Maler, *Tournai 1399 oder 1400, †Brüssel 18. 6. 1464, kam 1427 bei R. CAMPIN in die Lehre, wurde 1432 Meister und spätestens 1436 Stadtmaler in Brügge, war 1450 in Italien.

Ausgehend von den Altartafeln des →Meisters von

Rogier van der Weyden: Kreuzabnahme (Madrid, Prado)

Flémalle (die eine Zeitlang für das Frühwerk W.s gehalten wurden und die heute R. CAMPIN zugeschrieben werden) wie auch in Auseinandersetzung mit dem Werk JAN VAN EYCKS, entwickelte er einen streng das Typische herausprägenden Stil. Seine schlanken, eleganten und plastisch erfaßten Figuren von großer Ausdruckskraft stehen in flächengebundenem Kompositionszusammenhang. Außer Altarbildern hat er auch bed. Porträts, meist in Diptychen mit Madonnendarstellungen, geschaffen. Seine Kunst, deren vollendete Form sich zu formelhafter Nachahmung anbot, war von weitreichendem Einfluß und hat sich auf die oberdt. und nordfrz. Malerei ausgewirkt.

HW (Datierungen umstritten): Verkündigung (Louvre); Heimsuchung (Leipzig, Mus. der Bildenden Künste); Kreuzabnahme (Madrid, Prado); Marien-Altar (Granada, Capilla Real, u. New York, Metropolitan Mus. of Art); Madonna mit Heiligen (Frankfurt a. M., Städelsches Kunstinstitut); Grablegung Christi (Florenz, Uffizien); Johannes-Altar (Berlin-West, Staatl. Museen); Bracque-Triptychon (Louvre); Jüngstes Gericht, Altar mit den Stifterbildnissen des Kanzlers Rolin und seiner Frau (Beaune, Hôtel Dieu); Bladelin-Altar (Berlin-West, Staatl. Museen); Columba-Altar (München, Alte Pinakothek).

M. DAVIES: R. van der W. (London 1972).

Whistler [hw'ɪstlə], James Abbott McNeill, amerikan. Maler, Graphiker, *Lowell (Massachusetts) 10. 7. 1834, †Chelsea (London) 17. 7. 1903, ging 1855 nach Paris, wo er bei C. GLEYRE studierte, und lebte seit 1859 meist in London und Paris. Seine Bilder, in denen sich zunehmende Auflösung der Form mit dekorativen, vom japan. Holzschnitt angeregten Kompositionswirkungen verbindet, suchen Stimmungen durch Farbharmonien wiederzugeben, nach denen er oft seine Gemälde benannte (›Nocturne in Blue and Gold: Old Battersea Bridge‹, um 1872/75; London, Tate Gal.), auch das

James Whistler: Nocturne in Blue and Gold: Old Battersea Bridge; um 1872/75 (London, Tate Gallery)

Porträt seiner Mutter (›Arrangement in Grau und Schwarz‹, 1872, Louvre). Seine impressionistisch gehaltenen Radierungen stellen v. a. Motive aus London und Venedig dar. Durch die Dekoration des ›Peacock Room‹ (um 1874; Washington, Freer Gal. of Art) gehört W. zu den Wegbereitern des Jugendstils.

D. SUTTON: J. McN. W., (London 1967); T. PRIDEAUX: The world of W. (New York 1970).

Whitney Museum of American Art [hw'ıtnı mju:-z'ıəm ɔv əm'erıkən ɑ:t], New York, Samml. moderner amerikan. Kunst, begründet von der New Yorker Künstlerin und Sammlerin GERTRUDE VANDERBILT WHITNEY; umfaßt u. a. Arbeiten von E. HOPPER, W. DE KOONING, E. KELLY, C. DEMUTH, R. MOTHERWELL, A. CALDER, I. NOGUCHI und DAVID SMITH sowie eine Abteilung für Film und Videokunst. Nach Entwürfen von M. BREUER und HAMILTON SMITH entstand 1966 das Gebäude des W. M. of A. A.

Wịborg, russ. Stadt, →Wyborg.

Wichita [w'ıtʃıtɔ:], Stadt in Kansas, USA, 279 300 Ew. – Das Wichita Mus. (1935 gegr.) ist v. a. der amerikan. Kunst des späten 19. und des 20. Jh. gewidmet und enthält u. a. Werke von MARY CASSATT, W. HOMER, A. DOVE, E. HOPPER und C. SHEELER.

Wichmann, Ludwig Wilhelm, Bildhauer, *Potsdam 10. 10. 1788, †Berlin 29. 6. 1859, nach Ausbildung in Berlin (G. SCHADOW) und Paris (J. L. DAVID, F. J. BOSIO) seit 1818 in Berlin Lehrer an der Kunstgewerbeschule, nach Rom-Reise mit seinem Bruder Karl (*1775, †1836) seit 1821 gemeinsames Atelier in Berlin; seit 1829 Prof. der Akad. ebd. Für das Kreuzberg-Denkmal schuf W. (z. T. nach Modellen von C. D. RAUCH und F. TIECK) 6 Statuen, für die Schloßbrücke in Berlin die Gruppe ›Nike mit dem verwundeten Krieger‹. Seine Werke setzen die klassizist. Rauch-Tradition fort.

Wickenburg, Alfred Graf, österr. Maler, *Bad Gleichenberg (Steiermark) 26. 7. 1885, †Graz 25. 12. 1978. Er entwickelte eine vom Kubismus und Expressionismus geprägte, zur großen Form tendierende, dekorative Malerei. Seine späten Bilder sind in kräftigen Farben gemalt.

Widener Collection [w'aɪdənə kəl'ekʃn], Washington, D. C., USA, Samml. ital. Malerei der Hochrenaissance (TIZIAN, BRONZINO, PONTORMO, RAFFAEL), niederländ. Gemälde des 17. Jh. (REMBRANDT, F. HALS, J. VERMEER, P. DE HOOCH) und engl. Malerei des 18. Jh. (T. GAINSBOROUGH, G. ROMNEY, J. CONSTABLE, W. TURNER), angelegt von PETER A. B. WIDENER (*1834, †1915), die sein Sohn Joseph (*1872, †1942) 1942 der Nat. Gal. in Washington übergab.

Widin, Vidin, Stadt in NW-Bulgarien, am rechten Ufer der Donau gegenüber dem rumän. Calafat, 56 000 Ew.; eine der ältesten Städte des Landes; als **Bononia** zu röm. Zeit Festung. Die gut erh. Befestigungsanlagen ›Baba Wida‹, im Kern aus dem 13. Jh., wurden im 17. Jh. verändert und im 18. Jh. von den Türken ausgebaut. Mehrere ehem. Moscheen aus osman. Zeit.

Wiedewelt, Johannes, dän. Bildhauer, *Kopenhagen 1. 7. 1731, †ebd. 7. 12. 1802, ging 1754 nach Rom. Seit 1758 wieder in Kopenhagen, wurde er Hofbildhauer und Direktor der Akad. W. arbeitete in klassizist. Stil, ohne sich jedoch ganz vom Spätbarock zu lösen.

HW: Grabmäler Christians VI. und Friedrichs V. (1760–89; Roskilde, Dom); Skulpturen im Park zu Fredensborg (1760–69); 54 Denkmäler im Park von Jægerspris in N-Seeland (1776–89).

Wiege|eisen, Wiegestahl, Werkzeug zur Bearbeitung der Kupferplatte bei der →Schabkunst. Das spachtelartige Messer ist an der gerundeten Schneide mit kammartigen Zähnchen besetzt, die durch den Druck auf die Kupferplatte diese aufrauhen und damit die Dunkelwerte des Abdrucks erzeugen.

Wiegendrucke, →Inkunabeln.

Wiemken, Walter Kurt, schweizer. Maler, *Basel 14. 9. 1907, †Breggia (Tessin) 30. 12. 1940, malte Landschaften, später von P. PICASSO beeinflußte surrealist. und konstruktivist. Bilder.

Wien, Hauptstadt Österreichs und zugleich Bundesland, 1,6 Mio. Ew.; 1137 erstmals als Stadt erwähnt; 1156 Residenz der Herzöge von Österreich, wurde 1276 Residenz der Habsburger.

Wien: Stephansdom

Im Mittelpunkt der Inneren Stadt erhebt sich das Wahrzeichen W.s, der Stephansdom. Vom spätroman. Bau (1. H. 13. Jh.) sind Teile des Westwerks (mit dem Riesentor, einem reich skulptierten Stufenportal) erh., der got. dreischiffige Hallenchor wurde 1304, das Langhaus als dreischiffige Staffelhalle 1359 beg., spätgot. Netzgewölbe (1450); der 136 m hohe Turm ist einer der schönsten got. Kirchtürme. Das Innere birgt eine Fülle von plast. Werken, darunter die Pfeilerstatuen im Chor (um 1320), der Orgelfuß (1513) und die Kanzel (1515) von A. PILGRAM (BILD), beide mit dessen Selbstporträt, und das Grabmal Kaiser Friedrichs III. von N. GERHAERT VON LEYDEN (1467–1513); ›Wiener Neustädter-Altar‹ (1447) mit Gemälden und Schnitzereien.

Als älteste Kirche W.s gilt St. Ruprecht (11.–13. Jh.) mit roman. W-Turm. Die spätromanisch-got. Michaelerkirche (13. Jh.) erhielt 1792 eine vorgeblendete klassizist. Fassade; 1982 wurde ein roman. Figurenportal aus der Gründungszeit entdeckt (um 1220). Got. Kirchen sind die Augustinerkirche (1330–39), eine hochstrebende Halle mit dem Grabmal der Erzherzogin Marie-Christine von A. CANOVA (1798–1805), die ehem. Minoritenkirche (vor 1339 beg.) mit reich gegliedertem Mittelportal und schönen Maßwerkfenstern, Maria am Gestade (14.–15. Jh.) mit reizvoller W-Fassade und wertvollen Glasgemälden in den Chorfenstern (14. Jh.). Gotisches wirkt noch in den Renaissancebau der Franziskanerkirche (1603–11) hinein. Die erste Barockfassade W.s (1607–10 von C. CARLONE) zeigt die Kirche am Hof, den ersten barocken Ovalraum die Servitenkirche (1651–77). Die frühbarocke Jesuitenkirche (1627–31) wurde seit 1703 von A. POZZO in hochbarocken Formen umgebaut. Die Kapuzinerkirche (1622–32) erhebt sich über der Kaisergruft mit den Sarkophagen der Habsburger; der Doppelsarkophag für Maria Theresia und Franz I. von B. Moll (1754) ist das HW der österr. Rokokoplastik. Zu den bedeutendsten Barockkirchen gehört St. Peter (1702 beg.), im wesentlichen von J. L. von Hildebrandt, mit schräggestellten Türmen und beherrschender Kuppel (Kuppelfresko von J. M. Rottmayr, 1714). Ein Werk Hildebrandts ist auch die Piaristenkirche (1716 beg.) mit Deckenfresko von F. A. Maulbertsch. Das sakrale HW J. B. Fischers von Erlach-(Bild) ist die Karlskirche (1716 beg.), deren Fassade mit den zugleich als Tore gestalteten seitl. Glockentürmen und 2 Triumphsäulen mit Spiralreliefs von einzigartiger Wirkung ist (Kuppelfresko von Rottmayr, Altargemälde von D. Gran, M. Altomonte u. a.).

Der bedeutendste Profanbau ist die große Baugruppe der Hofburg. Der älteste Teil ist der Schweizerhof (um 1275), in der Renaissance verändert, mit der spätgot. Burgkapelle (1447–49, barocke Umgestaltung im Innern 17./18. Jh.) und dem Schweizertor (1552/53). Vierflügelanlagen der Renaissance sind die Stallburg (1559–65) mit Arkadenhof und die Amalienburg (1575–83). Diese für sich stehenden Bauten wurden durch den Leopoldin. Trakt (1660–68), die Reichskanzlei (1723 von Hildebrandt beg., von Fischer von Erlach 1726–30 weitergebaut), die Winterreitschule (1729 bis 1735), den Michaelertrakt (um 1725 beg.), beide von Fischer von Erlach, miteinander verbunden. Die Nat.-Bibl. (1723–26, Seitenflügel 1767–73) mit dem festl. Großen Saal (Deckenmalerei von Gran, 1730 voll., von Maulbertsch 1769 restauriert) leitet zur in den Burgkomplex einbezogenen Augustinerkirche und zur Albertina (1781) über. Zur Ringstraße hin wurde nach Entwürfen von G. Semper und K. Hasenauer die Neue Hofburg in Neurenaissanceformen gebaut (1881 bis 1913); ein vorgesehener gleichartiger Flügel, der den Heldenplatz auf der gegenüberliegenden Seite abschließen und mit Kunsthistor. und Naturhistor. Mus. eine geschlossene Platzanlage bilden sollte, wurde nicht mehr ausgeführt.

Viele Adelspalais prägen das Stadtbild. Noch ins 17. Jh. gehören die Palais Starhemberg (1661), Lobkowitz (1685–87), Gartenpalais (1688–1711, darin Mus. für moderne Kunst) und Stadtpalais Liechtenstein (1692–1705, mit prächtigem Treppenhaus). Das Stadtpalais des Prinzen Eugen von Savoyen ist das erste große Werk Fischers von Erlach (1697 beg., seit 1702 unter Leitung von Hildebrandt), bemerkenswert v. a. das Treppenhaus. Vom selben Baumeister stammen die Palais Batthyány-Schönborn (1699–1706), Trautson (1710–12) und die ehem. Böhm. Hofkanzlei (1708–14). Von Hildebrandt stammen u. a. die Palais Schönborn (1706–11) und Daun-Kinsky (1713–16). Von ihm 1697 beg., von Fischer von Erlach weitergeführt und von dessen Sohn 1728 voll. wurde das weitläufige Schwarzenbergpalais. Das HW Hildebrandts ist das ehem. Gartenpalais des Prinzen Eugen, das Belvedere, eine der schönsten europ. Palastanlagen, mit dem Unteren Belvedere (1714–16) als Wohnbau, dem noch prächtiger ausgestatteten Oberen Belvedere (1721–23) als Lustschloß (BILD J. L. von Hildebrandt) und dem das ansteigende Gelände meisterhaft nutzenden Garten. Das ehem. kaiserl. Schloß Schönbrunn, urspr. weit vor der Stadt gelegen, wurde 1696 von Fischer von Erlach beg. und unter Maria Theresia 1744–49 frühklassizistisch voll. Das Innere ist eine Meisterleistung des Rokoko (1765 bis 1780). Von den über 1400 Räumen sind viele bes. prunkvoll ausgestattet, z. B. Große und Kleine Spiegel-Gal., Millionenzimmer, Chines. und Blaues Kabinett, Zeremoniensaal, Rösselzimmer; in der Schloßkapelle Deckenfresken von Gran. Der 1705–06 angelegte frz. Park steigt zum Säulenbau der Gloriette (1775) an, einem frühen Beispiel des Klassizismus. Nahe Schönbrunn liegt Schloß Hetzendorf, 1694 als Jagdschloß errichtet, 1712 von Hildebrandt umgestaltet, nach 1742 erneut umgebaut und im Rokokostil ähnlich Schönbrunn ausgestattet (Festsaal prächtig dekoriert von Gran, Japan. Salon u. a.).

Die letzte große, das Stadtbild entscheidend prägende Bauperiode war die Anlage der in ihrer großzügigen Konzeption einmaligen Ringstraße mit Monumentalbauten in historisierenden Formen, v. a. mit Elementen der ital. Hochrenaissance (›Ringstraßen-Stil‹): Staatsoper (1861–69) von A. SIC(C)ARD VON SIC(C)ARDSBURG und E. VAN DER NÜLL (Fresken von M. v. SCHWIND, 1866–68), Musikvereinsgebäude (1867–69), Akad. der bildenden Künste (1872–76), Parlament (1873–83) und Börse (1874–77) von T. HANSEN; Kunsthistor. und Naturhistor. Mus. (1872–81) sowie Burgtheater (1874–88) von Semper und Hasenauer (in den Treppenhäusern Fresken von G. KLIMT, 1888); neugot. Votivkirche (1856–79), Mus. für angewandte Kunst (1868–71) und Univ. (1873–84) von H. VON FERSTEL, das gotisierende Rathaus (1872–83) von dem Dombaumeister F. VON SCHMIDT.

Wegweisend für das Bauen im 20. Jh. wurden einerseits der Jugendstil (Sezessionsgebäude von J. M. OLBRICH, 1897/98, Bauten von J. HOFFMANN und O. WAGNER), andererseits die sachl. Bauweise von A. LOOS (Haus am Michaelerplatz, 1910). Nach dem 1. Weltkrieg stand der Wohnhausbau im Vordergrund: am repräsentativsten der expressionistisch-kubistische Karl-Marx-Hof mit 1300 Wohnungen von K. EHN (1927 bis 1930), Domes-Hof von P. BEHRENS (1928), Werkbund-Siedlung (1931/32). In jüngster Zeit wurde die Silhouette W.s v. a. durch den 120 m hohen Komplex der ›UNO-City‹ (1973–79) ergänzt.

W. hat viele bed. Museen: →Albertina; →Kunsthistorisches Museum; Österr. Gal. mit Barock-Mus. im Belvedere; Akademie der bildenden Künste (bes. holländ. Malerei des 17. Jh.); Mus. für moderne Kunst (im Gartenpalais Liechtenstein und im Mus. des 20. Jh.); Schatzkammer (Hofburg); Museum der Stadt Wien u. a.

Die W.er Ringstraße – Bild einer Epoche, hg. v. RENATE WAGNER-RIEGER, 11 Bde. (1969 ff.); M. HÜRLIMANN: W. ([3]1976); ELISABETH LICHTENBERGER: Die W.er Altstadt (1977); C. FICHTINGER: W. (1979); F. CZEIKE u. W. BRAUNEIS: W. und Umgebung. DuMont Kunst-Reiseführer ([3]1980).

Wiener Aktionismus, eine spezifisch österr. Ausprägung der Aktionskunst mit Rückverbindungen zur

Tiefenpsychologie S. FREUDS und C. G. JUNGS. Die exzessiven Rituale des W. A. durchbrechen gezielt religiöse und sexuelle Tabus, sie zielen auf den Abbau von Aggressionen und die Freisetzung einer urspr. anarch. Kreativität. In den 1970er Jahren entstand daraus u. a. die sozialutop. ›Aktions-Analyt. Organisation für bewußte Lebenspraxis‹. Hauptvertreter: H. NITSCH und O. MUEHL.

Wiener Genesis, die am reichsten illustrierte Hs. der erhaltenen frühchristl. Buchmalerei, entstanden wahrscheinlich im 6. Jh. in Syrien oder Palästina. Die W. G. enthält einen Text der ältesten grch. Bibel-Übersetzung (Septuaginta) in abgekürzter Fassung, geschrieben in silbernen Unzialen auf Purpurgrund in der oberen Hälfte einer jeden Seite; darunter stehen jeweils Miniaturen, von mehreren Künstlern ausgeführt. Ihnen gemeinsam ist ein reich erzählender Stil mit ausdrucksvollen Figuren und naturalist. Details. – Die etwa zu einem Viertel erhaltene Hs. (24 Blätter mit 48 Miniaturen) ist in der Österr. Nationalbibl. in Wien aufbewahrt (BILD Buchmalerei).

Wiener Krönungs-Evangeliar, HW der →Palastschule Karls d. Gr., nach dem die anderen Hss. auch als Gruppe des W. K.-E. zusammengefaßt werden.

Wiener Neustadt, Stadt südlich von Wien, NÖ, 40900 Ew., im 2. Weltkrieg stark zerstört. Im Mittelpunkt der Altstadt Hauptplatz mit got. Laubenhäusern (14./15. Jh.) und Rathaus (1488, Neubau 1587–90, Fassade 1834 klassizistisch verändert). Stadtpfarrkirche (13. Jh.), eine dreischiffige Basilika mit mächtigen W-Türmen und prächtigem spätroman. ›Brauttor‹; im Innern viele Grabdenkmäler (v. a. für die Kinder von Herzog Ernst dem Eisernen, 1432), 12 holzgeschnitzte Apostelstatuen (um 1500). Neukloster, ehem. Dominikanerkloster, ist ein barocker Neubau (17./18. Jh.) um 2 Höfe; die Neuklosterkirche (14. Jh.), mit prächtigen Maßwerkfenstern im Hochchor, birgt das Grabmal (1467) der Kaiserin Eleonore (Gemahlin Friedrichs III.). An der SO-Ecke der Altstadt die ehem. Burg (13. bis 18. Jh.), eine dreigeschossige Vierflügelanlage; am W-Trakt die spätgot. St. Georgskapelle (1449–60) mit der Wappenwand Friedrichs III. an der O-Fassade und dem Grab Kaiser Maximilians I.

Wiener Porzellan-Manufaktur, 1717 in Wien gegr. Manufaktur. Die erste Periode dieser nach Meißen ältesten europ. Manufaktur umfaßt die Jahre zw. 1717 und 1744. In dieser Zeit spielten v. a. Chinoiserie-Dekore und der Einfluß Meißens eine bed. Rolle. 1744 übernahm der Staat die Manufaktur, die ihre Produktion dem Geschmack des Rokoko anpaßte und neben den Geschirren v. a. figürl. Plastik herstellte. Seit 1784 entstanden kostbare Gefäße im klassizist. Stil. 1778–1807 war A. GRASSI Modellmeister und künstler. Leiter der W. P.-M. Nach 1827 begann der Niedergang, 1864 wurde die Manufaktur geschlossen, 1922 im Schloß Augarten erneuert (Wiener Porzellanfabrik Augarten AG.).

W. MRAZEK u. WALTRAUD NEUWIRTH: Wiener Porzellan, Aust.-Kat., Wien (1971).

Wiener Schule des Phantastischen Realismus: Ernst Fuchs ›Die Hochzeit des Einhorns‹; 1952–60 (Privatsammlung)

Wiener Schule des Phantastischen Realismus, lose Gruppe österr. Künstler, entstanden nach 1945 in Wien, zunächst mit den 5 Malern A. BRAUER, E. FUCHS, R. HAUSNER, W. HUTTER und A. LEHMDEN, die (alle Schüler von A. P. GÜTERSLOH) sich v. a. an alten Meistern schulten. Sie übten bereits früh eine sich von den Haupttendenzen zeitgenöss. Kunst abgrenzende Feinmalerei in einem psychologisierend-dekorativen Stil, der auch surrealist. Elemente aufnahm. Ihrer Malweise, die inhaltlich von der Visualisierung des Unterbewußtseins (Hausner) bis zu alttestementar. Motiven (Fuchs) reicht, schlossen sich viele Wiener Künstler an (H. KIES, A. LITSCHKE, LISBETH RAIDL, K. REGSCHEK, L. SCHWARZER u. a.).

W. SCHMIED: Malerei des Phantast. Realismus (1972).

Wiener Sezession, Wiener Secession, → Sezession.

Wiener Werkstätte, 1903 von J. HOFFMANN und K. MOSER sowie dem Bankier F. WAERNDORFER gegr. ›Produktivgemeinschaft von Kunsthandwerkern‹. Sie wollte mit künstlerisch hochwertigen Produkten im geometrisierenden Stil der Wiener →Sezession alle Lebensbereiche gestalten (Inneneinrichtung, Mode, Schmuck, Buchkunst). Seit 1908, v.a. seit 1915, mit dem Eintritt D. PECHES, setzten sich phantasievoll-phantast., nicht mehr zweckbestimmte Formen durch. Die international anerkannte W. W. wurde 1932 aufgelöst.

W. J. SCHWEIGER u. G. TRUMLER: Die W. W. Kunst und Handwerk 1903–1932 (Neuaufl. 1983).

Wienhausen, Gem. im Kr. Celle, Ndsachs., 2900 Ew., mit bed. Zisterzienserinnenkloster (um 1229 gegr., seit 1562 evang. Damenstift). Die got. Backsteinanlage (Kirche mit Nonnenchor und Abtei um 1310/30) bildet mit erstrangigen Wandmalereien, Holzplastiken (Hl. Grab um 1280/1448, Marienaltar 1519) und fast unversehrt erhaltener Ausstattung (liturg. Gerät, ma. Möbel, Hss., Glasmalereien, die kostbaren Wienhäuser Bildteppiche, 1300–1480) eine in Dtl. einzigartige Einheit. Kloster-Mus.

Wiericx [w'i:rıks], fläm. Stecherfamilie aus Antwerpen. Die 3 Brüder Antonie (*um 1552, †1624(?), Hieronymus (*1553, †1. 11. 1619) und Johann (*um 1541, †nach 1615) bildeten ihren Stil an A. DÜRER und den Kleinmeistern. Johann kopierte seit dem Alter von 12 Jahren täuschend ähnlich Kupferstiche von Dürer. Die Werke der Brüder sind in Stil und handwerkl. Ausführung kaum voneinander zu trennen. Hauptthemen waren Heiligen- und Andachtsbilder nach niederländ. und ital. Vorbildern.

Wiertz [wi:rts], Antoine, belg. Maler, *Dinant 22. 2. 1806, †Brüssel 18. 6. 1865, malte großformatige Bilder, manche von panoptikumartiger Wirkung. W.-Mus. in Brüssel.

Wies, Wallfahrtskirche in der Gem. Steingaden, Oberbayern, 1745–54 für Kloster Steingaden von den Brüdern D. und J. B. ZIMMERMANN erbaut und ausgestattet, HW des europ. Rokoko (BILD) von einzigartiger Farbenpracht und Lichtfülle; Plastik von A. STURM und E. VERHELST D. Ä. Das Wallfahrtspriesterhaus diente den Steingadener Äbten als Sommersitz und hat einen von D. Zimmermann stuckierten Prälatensaal.

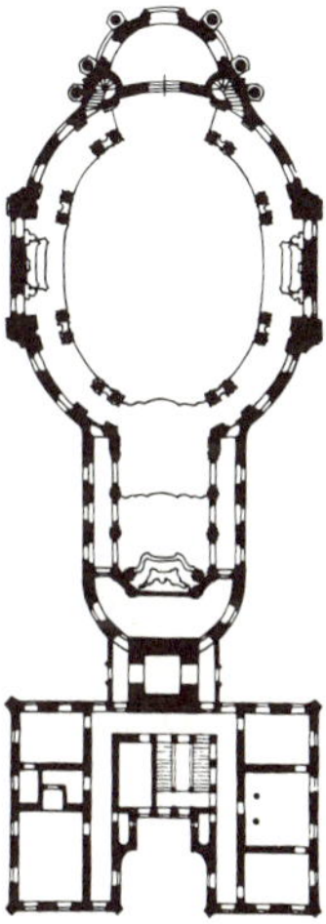

Wies: Grundriß mit Priesterhaus

Wiesbaden, Hauptstadt des Landes Hessen, Kur- und Badestadt zw. Taunus und Rhein, 273 300 Ew.; das röm. **Aquae Mattiacae** wurde 1744 Hauptstadt des Fstt. Nassau-Usingen, 1806–66 des Hzgt. Nassau. Das Stadtbild wird fast ganz vom 19. und frühen 20. Jh. (Klassizismus, Historismus, Jugendstil) geprägt. Am Markt das Alte Rathaus (1609–10), die neugot. Marktkirche mit 92 m hohem W-Turm (1853–62), das Neue Rathaus (1884–90 von G. J. HAUBERRISSER im Neurenaissancestil) und das Schloß (1837–41 von G. MOLLER, seit 1946 Landtag), dessen Inneneinrichtung ein HW des Klassizismus ist. In der 1. H. des 19. Jh. entstanden auch die doppeltürmige Bonifatiuskirche in romanisch-got. Mischstil (1843–49) von P. HOFFMANN, von dems. die russisch-orthodoxe Kirche auf dem Neroberg mit 5 vergoldeten Kuppeln (1846–55), ferner das heutige Justizministerium im ital. Palazzostil (1838 bis 1842), das Erbprinzenpalais (1813–17), die Kolonnaden der Kuranlagen (1826/39); Kurhaus mit mächtiger Säulenfront (1904–07) durch F. v. THIERSCH; Theater (1892–94 von F. FELLNER und H. HELMER im prächtigen Neubarockstil) mit glanzvollem Foyer (1901/02); Ringkirche (von J. OTZEN, 1892–94) in reichen romanisierenden Formen; Hauptbahnhof (1904–06) und Landeshaus (1905–07) in klassizist. Neubarock. Wohnbauten in den historisierenden Formen der Gründerzeit finden sich in einmaliger Geschlossenheit v. a. südwestlich der Innenstadt. Mus. (1912–15 von T. FISCHER) mit Gemälde-Gal. (16.–20. Jh., bes. A. v. JAWLENSKY). Am Bau des barocken Schlosses in **Biebrich** (1700–44) waren J. L. ROTHWEIL, M. v. WELSCH und F. J. STENGEL beteiligt; in **Bierstadt** roman. Kirche (10./11. Jh.).

Wiesenburg, Gem. im Kr. Belzig, im Hohen Fläming, Dt. Dem. Rep., mit Renaissanceschloß (nach 1550), unregelmäßige Vierflügelanlage mit schönen Portalen; Bergfried der ma. Burg erh.; Landschaftspark (um 1864); spätroman. Pfarrkirche (13. Jh.).

Wiesensteig, Stadt im Kr. Göppingen, Bad.-Württ., 2500 Ew.; Geburtsort des Bildhauers J. B. STRAUB, der einige Plastiken in der ehem. Stiftskirche St. Cyriakus schuf; der doppeltürmige spätgot. Bau (1466 beg.) wurde 1719 (Chor) und 1775–85 (Langhaus im frühklassizist. Stil) verändert.

Wiesentheid, Markt im Kr. Kitzingen, Unterfranken, 3600 Ew. Die Mauritiuskirche (1726 Entwurf von J. B. NEUMANN, Ausführung 1727–32 von J. SEITZ) erhält ihren hohen kunsthistor. Wert durch die einmalige scheinarchitekton. Ausmalung vom Schönbornschen Hofmaler G. F. MARCHINI (1728). Vierflügeliges Schloß der Grafen Schönborn (16./18. Jh.).

Wijnants, Wynants [v'ɛjnants], Jan, holländ. Maler, *Haarlem um 1630, begraben Amsterdam 23. 1. 1684, dort seit 1659 tätig, malte in gelblichbraunem Ton gehaltene Landschaften von feiner atmosphär. Wirkung, meist mit Dünen und Weidenstämmen im Vordergrund, manchmal in sehr großem Format. Die Staffage stammt oft von anderen Künstlern wie P. WOUWERMAN, J. LINGELBACH oder A. VAN DE VELDE.

Wilde Männer, Wilde Frauen, Wildleute, Schrate, Waldschrate, tierhaft behaarte Waldmenschen der Sagen-, Volksglauben- und Brauchüberlieferung; bes. im späten MA. auf Bildteppichen, in der Buchmalerei, auf Wappen und Wirtshausschildern dargestellt. (BILD Gotik)

Wildenburg, eine der Hauptburgen der stauf. Epoche, südlich von Amorbach, Unterfranken, zw. 1200 und 1220 erbaut, 1525 zerstört; Buckelquader-Palas mit Kamin und Kleeblattbogenfenstern erhalten.

Wildens, Jan, fläm. Maler, *Antwerpen 1586, †ebd. 16. 10. 1653, malte, von P. P. RUBENS beeinflußt, fläm. Landschaften, oft auch in Figurenbildern anderer Meister wie P. P. RUBENS, J. JORDAENS, F. SNYDERS.

Wildenstein, Georges, frz. Kunsthändler und -sammler, *Paris 1892, †ebd. 1963. Schon sein Vater

Wörter, die man unter W vermißt, suche man unter Ou oder V

Nathan, ein gebürtiger Elsässer, eröffnete eine Kunsthandlung in Paris und 1902 eine Niederlassung in New York. G. W., nach J. →Duveen of Millbank der bedeutendste internat. Kunsthändler, belieferte die großen Museen und Sammler; er wurde als erster Kunsthändler zum Mitgl. der Académie des Beaux-Arts in Paris gewählt. Die Kunsthandlung wird von seinem Sohn Daniel fortgeführt.

Wildeshausen, Stadt im Kr. Oldenburg, Ndsachs., 13 100 Ew. Die ehem. Stiftskirche St. Alexander (1224 beg.) ist eine kreuzrippengewölbte Pfeilerbasilika aus Backstein im romanisch-got. Übergangsstil mit mächtigem W-Turm (14. Jh.) und ma. Wandmalereien. Got. Rathaus mit Treppengiebel (15. Jh.).

Wilding, Ludwig, Maler, Objektkünstler, *Grünstadt 15. 7. 1927, studierte bei W. BAUMEISTER an der Akad. Stuttgart, seit 1969 Prof. an der Hamburger Akad.; konsequentester Vertreter der Op Art in Dtl.

Wildungen, Bad W., Stadt im Kr. Waldeck-Frankenberg, Hessen, 15 400 Ew.; maler. Ortsbild mit zahlreichen Fachwerkhäusern (16.–18. Jh.). In der got. Stadtkirche (14./15. Jh.) ein Flügelaltar des CONRAD VON SOEST (1403), ein HW der altdt. Tafelmalerei. Schloß Friedrichstein ist eine barocke Hufeisenanlage (1663 beg.) an der Stelle einer ma. Burg.

Wilhelm, Heinrich, Bildhauer, *um 1585, †Stockholm 3. 4. 1652, nachweisbar u. a. in Stralsund und Hamburg. 1646 wurde W. vom Kanzler AXEL OXENSTIERNA nach Schweden berufen. Für dessen Familie u. a. Adelsgeschlechter führte er hier Epitaphien aus Marmor und Alabaster im Ohrmuschelstil aus, u. a. in den Kirchen von Uppsala, Tyresö, Jäder und Stockholm (Riddarholmskirche, Storkyrka).

Wilhelminismus, kulturhistor. Bez. für die Regierungszeit Kaiser WILHELMS II. (1888–1918). Dem pathet. Menschenbild dieser Epoche entsprach, wie schon z. T. in der ihr vorausgegangenen →Gründerzeit, der →Neubarock. Die Kunstpolitik Kaiser Wilhelms II. richtete sich gegen die ›Moderne‹. Die Staatsidee und Leitmotive der Geschichte sollten sich mittels der Kunst bildnerisch verkörpern. Die Kaiser-Wilhelm-Gedächtniskirche und die 1901 eingeweihte Siegesallee in Berlin als Ahnengalerie waren Beispiele seiner Kunstvorstellung. Wilhelmin. Kunst wurde auch ins Ausland übertragen.

J. POSENER: Berlin auf dem Wege zu einer neuen Architektur – Das Zeitalter Wilhelms II. (1981).

Wilhelm-Lehmbruck-Museum, Duisburg, 1919 nach dem Tod von W. LEHMBRUCK gegr. Mus. Werke von E. BARLACH, W. LEHMBRUCK, E. MATARÉ u. a. wurden vom Nationalsozialismus als ›Entartete Kunst‹ verfemt und gingen dem Mus. verloren. Für die nach dem Krieg wiederaufgebaute Samml. von Werken Lehmbrucks, Gemälden und Aquarellen expressionist. Maler (E. HECKEL, E. L. KIRCHNER, C. ROHLFS, K. SCHMIDT-ROTTLUFF) konnte 1964 der von MANFRED LEHMBRUCK entworfene Neubau eingeweiht werden; heute ein Zentrum für moderne Plastik und Objektkunst.

Wilhelmson, Carl, schwed. Maler, *Fiskebäckskil (bei Göteborg) 12. 11. 1866, †Göteborg 24. 9. 1928, Schüler von C. LARSSON, lernte 1890–96 in Paris den Neoimpressionismus kennen. W. stellte bes. Landschaft und Menschen seiner Heimat dar, war aber auch Porträtist und Monumentalmaler.

Wilhelmstein, Festung auf einer künstl. Insel im Steinhuder Meer, Ndsachs., 1761–67 durch Graf WILHELM I. VON SCHAUMBURG-LIPPE als kleine Musterfestung angelegt; sternförmige Zitadelle, Kasematten, Sternwarte, 13 Außenwerke mit Fachwerkaufbauten.

Wilhelmsthal, 1) ehem. Jagdschloß in großem Landschaftspark südlich von Eisenach, Dt. Dem. Rep.; Anlage aus mehreren Gebäuden (barock und frühklassizistisch, Hauptbauzeit 1710–15).

2) W., auch **Wilhelmstal,** ehem. landgräfl. Sommerschloß bei Calden, nordwestlich von Kassel, Hessen, 1747–61 nach Plänen von F. CUVILLIÉS D. Ä. erbaut, ein HW des Rokoko von europ. Rang; Raumdekorationen von J. A. NAHL, J. H. TISCHBEIN D. Ä. u. a.

Wilhelm von Köln, Meister Wilhelm von Köln, in der Limburger Chronik unter dem Jahr 1380 als der beste Maler in dt. Landen bezeichnet, wohl identisch mit dem 1358–78 urkundlich nachweisbaren Maler WILHELM VON HERLE. Seit der Romantik wurden ihm irrtümlich viele Bilder der Kölner Malerschule zugeschrieben, die jedoch erst Anf. des 15. Jh. entstanden.

Wilhelm von Modena, →Wiligelmus von Modena.

Wilhering, Gem. an der Donau, oberhalb von Linz, OÖ, mit Zisterzienserabtei (vor 1146 gegr., Baubeginn 1195). Beim Neubau der Stiftskirche (1733) blieb das roman. Stufenportal erh. Das Innere ist eine der hervorragendsten Schöpfungen des Rokoko; Stuck von F. J. I. HOLZINGER, J. G. ÜBLHÖR und J. M. FEUCHTMAYER, Deckenfresken von B. ALTOMONTE, Altäre mit Gemälden von M. ALTOMONTE und Skulpturen von Üblhör.

Wiligelmus von Modena, auch **Wiligelmo, Wilhelm von Modena,** ital. Bildhauer, schuf im frühen 12. Jh. mit den Darstellungen der Genesis an der Fassade des Domes zu Modena die ersten großfigurigen erzählenden Reliefs in Oberitalien (1099 inschriftlich genannt). In seiner Kunst, die eine bed. Nachfolge fand (→Niccolò), verbinden sich Einflüsse antiker und südwestfrz. Skulptur (Toulouse), aber auch Kenntnis apulischer Werke und otton. Elfenbeinarbeiten wird angenommen. W. v. M.s Werkstatt war am Dom in Cremona tätig.

Wilke, Rudolf, Zeichner, Maler, *Volzum bei Wolfenbüttel 27. 10. 1873, †Braunschweig 4. 11. 1908, einer der künstlerisch stärksten Zeichner des ›Simplicissimus‹ und der Ztschr. ›Jugend‹ mit gelegentlich leicht melancholisch entschärfter Satire (Landstreicherzeichnungen); ein Klassiker der modernen Karikatur.

Wilkie [w'ılkı], Sir (1836) David, schott. Maler, *Cults (Grampian Region) 18. 11. 1785, †auf See vor Gibraltar 1. 6. 1841. Sein Frühwerk steht v. a. unter dem Einfluß von D. TENIERS (›Der blinde Geiger‹, 1806; London, Tate Gal.); auf einer Europareise (1825) lernte er die Werke von CORREGGIO, D. VELÁZQUEZ und B. E. MURILLO kennen, die eine 2. Stilphase einleiteten (›Kaiserin Josephine und die Wahrsagerin‹, 1804; Edinburgh, Nat. Gal. of Scotland).

Wille, Johann Georg, Kupferstecher, *Obermühle im Biebertal bei Gießen 5. 11. 1715, †Paris 5. 4. 1808, ebd. seit 1736 ansässig und hier Hofkupferstecher sowie Mitgl. der Akad. In sorgfältiger Technik stach W. Wiedergaben von Porträts (u.a. nach A. PESNE) und Genrebildern (nach niederländ. Malern des 17. Jh.).

Willebad|essen, Stadt im Kr. Höxter, NRW, mit ehem. Benediktinerinnenkloster (1149 gegr.); die roman. Kirche des 12. Jh. wurde 1720–27 durchgreifend barockisiert. Wertvoller Kirchenschatz (u.a. Vitusschrein, Anf. 13. Jh.). Seit 1978 ist ein Skulpturenpark mit zeitgenöss. Plastik im Aufbau.

Willemstad, 1) Hauptstadt von Curaçao, Niederländ. Antillen, 43 500 Ew., geschlossene Straßenzüge in altniederländ. Stil; ehem. Fort Amsterdam mit Prot. Kirche (1769); Mikve-Israel-Synagoge (1732) mit jüd. Mus., die älteste Synagoge der Neuen Welt und schönes Beispiel der niederländ. Kolonialbaukunst. Curaçao-Mus. (Möbel, Gemälde, Kunsthandwerk).

2) regelmäßig angelegtes Städtchen in der niederländ. Prov. Nordbrabant. Die durch WILHELM VON ORANIEN 1583–85 erbauten Befestigungsanlagen sind mit denen von Naarden die besterhaltenen in den Niederlanden. Die ref. Kirche (1597 beg.) ist ein oktogonaler Zentralbau (Turm unvoll.). Das ehem. Jagdschloß Mauritshuis (1623) ist heute Rathaus.

Venus von Willendorf (Wien, Naturhistor. Museum)

Willendorf in der Wachau, Teil der Gem. Aggsbach, NÖ, Fundort ausgedehnter eiszeitl. Lößsiedlungen mit mehreren Kulturschichten des Aurignacien und Gravettien. Zu den bedeutendsten Funden gehört die **Venus von Willendorf,** eine weibl. Statuette aus Kalkstein (→Venusstatuetten).

William and Mary Style [w 'ıljəm ænd m'eərı staıl], Stilrichtung der engl. Barockarchitektur während der gemeinsamen Regierungszeit von MARY II. (1689–94) und WILHELM III. von Oranien (1689–1702), bestimmt durch einen niederländisch geprägten Klassizismus.

Williamsburg [w'ıljəmzbə: g], Stadt in Virginia, USA (9900 Ew.), 1699–1776 Hauptstadt der brit. Kolonie, bis 1780 des Staates Virginia, danach Verfall vieler kolonialer Bauten. Seit 1926 wurde ein Teil der Stadt (Colonial-W. genannt) restauriert und z. T. auf alten Fundamenten wiederaufgebaut, u. a. Capitol (1705), Courthouse (1770), Governor's Palace (1720), Bruton Parish Church (1711–15), College of William & Mary (1693).

Williamstown [w'ıljəmztaʊn], Stadt in Massachusetts, USA, 8700 Ew.; das 1955 eröffnete Stirling and

Francine Clark Art Institute enthält Werke von PIERO DELLA FRANCESCA, F. DE GOYA, G. COURBET, C. COROT und A. RENOIR sowie eine bed. Samml. von Handzeichnungen, u. a. von A. DÜRER, P. P. RUBENS, REMBRANDT, J. A. WATTEAU und G. B. TIEPOLO.

Willingshausen, Gem. im Schwalm-Eder-Kreis, Hessen, südlich von Schwalmstadt; im 19. Jh. Malerkolonie und Studienort für Landschaft und bäuerl. Leben; bekannt durch Zeichnungen und Aquarelle von G. v. REUTERN (*1794, †1865). Freies Naturstudium und die Trachten der Landbevölkerung zogen seit etwa 1840 zahlreiche Maler dorthin (J. F. DIELMANN, J. BEKKER, L. KNAUS). Die Blütezeit der Malerkolonie W. war zw. 1880 und 1914 (u. a. C. BANTZER, O. UBBELOHDE, HANS R. v. VOLKMANN, P. BAUM, H. MÜHLIG, A. LINS).

Die Künstlerkolonie W., Ausst.-Kat., Kassel (1980).

Willkomm *der,* hoher Deckelpokal oder Becher, seltener ein Glashumpen, seit der Mitte des 16. bis zum 18. Jh. zum Kredenzen eines Willkommenstrunkes bei festl. Gelegenheiten benutzt; an fürstl. Höfen bes. aus Silber oder Glas, bei den Zünften v. a. aus Zinn.

Willmann, Michael, Maler, getauft Königsberg (Preußen) 27. 9. 1630, †Leubus (Schlesien) 26. 8. 1706, war nach Bildung in Holland (REMBRANDT, A. VAN DYCK, P. P. RUBENS) und Aufenthalt in Prag und Breslau 1657–58 Hofmaler des Großen Kurfürsten in Berlin und arbeitete nach seinem Übertritt zur Kath. Kirche seit 1660/61 im Kloster Leubus. W. malte anfangs in holländisch dunkeltoniger Art, später in helleren, leuchtenden Farben leidenschaftlich bewegte Altarbilder, Landschaften – meist mit bibl. Staffage, seit Anfang der 1690er Jahre auch Fresken. W. war auch Zeichner und Radierer. – Sein Schüler war J. C. LIŠKA.

HW: Tafelbilder: 12 Apostelmartyrien (1661–1700; Leubus, Stiftskirche); Allegor. Verherrlichung des Großen Kurfürsten (1682; Berlin-West, Staatl. Museen); Jakobstraum (um 1691; ebd.); Tod der Hl. Ursula (1694; Breslau, Kirche der Ursulinerinnen); Hl. Nikolaus unter den Schiffbrüchigen (1695; Ottmachau, Pfarrkirche). – **Fresken:** Triumph der Tugendhelden über die Laster der Welt (um 1690; Leubus, Refektorium); Anbetung der Könige und Genealogie und Szenen aus dem Leben des Hl. Josef (1692–95; Grüssau, Abteikirche St. Josef – mit seinen beiden Söhnen).

Willumsen [v'ilomsən], Jens Ferdinand, dän. Maler, Bildhauer, Architekt, *Kopenhagen 7. 9. 1863, †Cannes 4. 4. 1958, fand, den frz. Symbolisten nahestehend, zu einem dekorativen, farbstarken Stil, später, von EL GRECO beeinflußt, zu einer kühneren Formgebung mit verfremdenden Farben. Seine Werke und seine Kunstsamml. befinden sich seit 1957 in einem eigens gebauten Mus. in Frederikssund.

Wilm, Goldschmiede aus Dorfen (Oberbayern). Schüler von Joseph W. (†1922) waren Josef W. jun. (*1880, †1924) und sein Bruder Johann Michael (*1885, †1963), der die Technik der etrusk. Granulation und des byzantin. Goldzellenschmelzes wieder entdeckte und die Domschätze von Limburg a. d. Lahn (→ Staurothek), Regensburg u. a. restaurierte.

Wilna, litauisch **Vilnius,** Hauptstadt der Litauischen SSR, im Tal der Wilija, 492 000 Ew. Um die Burg, die der litauische Großfürst GEDIMIN 1322/23 auf dem Schloßberg errichten ließ (Reste erhalten), entstand die Stadt, die 1503–22 von einer Mauer umgeben wurde; mehrere spätgot. Kirchen (Nikolaus-Kirche, Bernhardinerkloster und -kirche, Anna-Kirche); nach einem Brand im 17. Jh. Neuaufbau der Stadt mit zahlreichen Kirchen (Kasimir-Kirche, Peter-und-Paul-Kirche, St. Teresa) sowie barockes Adelspalais. Die mit Arkaden geschmückten Bauten der Univ. (1579 als Jesuitenkolleg gegr., seit 1803 Univ.) sind um mehrere Innenhöfe angeordnet; Ende 18. Jh./Anf. 19. Jh. entstanden die klassizist. Bauten der Kathedrale (an der Stelle von Vorgängerbauten, Kasimir-Kapelle von 1636), des Rathauses und des Palais am Kutusow-Platz.

Wilsnack, Bad W., Stadt in der Prignitz, Dt. Dem. Rep., 2500 Ew.; ehem. Wallfahrtskirche St. Nikolai (beg. 1384), eine dreischiffige spätgot. Backstein-Hallenkirche mit Renaissancegiebel (2. H. 16. Jh.), reiche Ausstattung (v. a. 15. Jh.): Glasgemälde, 2 spätgot. Flügelaltäre, bemalte Sandsteinstatue des Bischofs J. v. Wöpelitz (†1401); Barockschloß (18. Jh.).

Wilson [wɪlsn], Richard, engl. Maler, *Penegoes (Wales) 1. 8. 1714, †Llanberis (Wales) 15. 5. 1782, Schüler von T. WRIGHT, begann als Porträtist, war 1750–58 in Italien, wo er sich der Landschaftsmalerei zuwandte; schuf, bes. von CLAUDE LORRAIN ausgehend, aber auch von A. CUYP beeindruckt, stimmungsvolle Ansichten seiner walis. Heimat (›Hounslow Heath‹, 1770; London, Tate Gal.).

Wilster, Stadt im Kr. Steinburg, Schlesw.-Holst., 4400 Ew. Die barocke Backsteinkirche, 1775–80 von E. G. SONNIN über schiffsförmigem Grundriß erbaut, ist ein HW des prot. Kirchenbaus nördlich der Elbe. Mit der wertvollen, z. T. aus dem (1787 abgerissenen) Schloß Friedrichsruh in Drage (nördlich von Itzehoe) stammenden Ausstattung stellt das Bürgermeisterhaus (1785) das schönste Beispiel großbürgerl. Wohnkultur des 18. Jh. in Schlesw.-Holst. dar. Altes Rathaus (1585), ein Backsteinbau mit Fachwerkobergeschoß.

Wilton [wɪltn], Ort westlich von Salisbury in der Cty. Wiltshire, S-England, dessen ehem. Abtei seit dem 16. Jh. Sitz der Grafen von PEMBROKE ist. Das heutige Schloß wurde um 1635 nach Plänen von I. DE CAUS und I. JONES als gestreckter Bau mit höhergezogenen Eckpavillons errichtet, das Innere nach einem Brand seit 1647 im Stil des frz. Barock neu gestaltet (im Double Cube Room Gemälde von A. VAN DYCK). Im 18. Jh. entstand die zugehörige Parkanlage mit Loggien, Pavillons, Brunnenstatuen, darunter die 1736 von R. MORRIS (†1749) entworfene ›Palladian Bridge‹. Die Pfarrkirche St. Mary wurde 1840–46 als neoroman. Basilika nach nordital. Vorbildern erbaut.

Wimmer, Hans, Bildhauer, Zeichner, *Pfarrkirchen (Niederbayern) 19. 3. 1907, schuf streng stilisierte Tier- und Menschenfiguren sowie v. a. Porträtbüsten (T. Heuss, 1959; Bonn, Städt. Kunstsamml.).

G. BUSCH: H. W. Zeichnungen (1982).

Wimperg [ahd. wintberga ›Windschutz‹], got. Zier-

Wimperg

giebel über Portalen und Fenstern, meist mit Blendmaßwerk gefüllt, auch durchbrochen gearbeitet, oft von 2 Fialen flankiert. Auf der Giebelspitze sitzt eine Kreuzblume, die Kanten sind mit Kriechblumen besetzt.

Wimpfen, Bad W., Stadt am Neckar, nördlich von Heilbronn, Bad.-Württ., 5800 Ew., ehem. Reichsstadt, besteht aus Talstadt (röm. Gründung) und Bergstadt (stauf. Gründung). Die stauf. Kaiserpfalz (um 1200; BILD Pfalz) ist die besterhaltene dt. Pfalz mit Pfalzkapelle, Palas mit prachtvollen Säulenarkaden, Steinhaus, Blauem und Rotem Turm, Hohenstaufentor. In der Bergstadt liegen ferner die got. Stadtkirche (Chor um 1300, Rundpfeilerhalle mit Schleifensterngewölben 1489–1516, wohl von A. PILGRAM beg.) mit reicher Ausstattung (13.–18. Jh.), davor eine Kreuzigungsgruppe von H. BACKOFEN (um 1515); die 1713 barockisierte Dominikanerklosterkirche; Heiliggeistspital (weitgehend 18. Jh.), daneben got. Fachwerk-Bürgerspital; Wormser Hof (um 1230; seit 1551 z. T. in Renaissanceformen umgebaut) und zahlreiche qualitätvolle Fachwerkhäuser des 16./17. Jh. Die Benediktinerklosterkirche St. Peter im Tal ist eine got. Gewölbebasilika (1269 beg.) mit roman. doppeltürmigem W-Bau (11. Jh.) und bes. reich gegliederter got. südl. Querhausfassade; bed. Skulpturenschmuck, wertvolle Ausstattung des 13. Jh.; Kreuzgang (14./15. Jh.) mit reichem Maßwerk.

Winchester [w'ɪntʃɪstə], Stadt in der County Hampshire, England, 31 000 Ew., deren Anfänge noch in vorröm. Zeit zurückreichen. Die heutige roman. Kathedrale wurde 1079–93 als Querhausbasilika errichtet, deren urspr. Gliederungssystem nach normann. Vorbild im Querhaus erh. ist, während die Apsis ab 1189 durch den hallenartigen Retro-Choir in frühgot. Formen ersetzt wurde; spätgot. Umgestaltung des Langhauses (1366 beg.), mit Blendmaßwerk gegliederte W-Fassade; im Innern normann. Taufbecken, Wandmalereien, got. Glasfenster. Südöstlich der Kathedrale sind die Reste des im 12. Jh. als Residenz erbauten und um 1800 abgebrochenen Wolvesey Castle mit dem erh. Flügel von C. WREN zu sehen. Südlich der Altstadt, von deren Befesti-

Winchester: Kathedrale

gung das King's Gate und das Westgate aus dem 13. Jh. erh. sind, liegt das 1136 gegr. Hospital of St. Cross, dessen vierflüglige Hofanlage mit kreuzförmiger Chapel in spätgot. Form erneuert wurde. 1382 Gründung des W.-College. Seine 1394 voll. Chapel ist mit einem hölzernen Fächergewölbe geschlossen, während in dem südlich von ihr gelegenen Kreuzgang 1425–37 die zweigeschossige Chantry Chapel von Bischof FROMOND mit Bibl. im Obergeschoß errichtet wurde.

Winchester-Schule [w'ɪntʃɪstə-], neben der →Canterbury-Schule Hauptzentrum angelsächs. Buchmalerei, gelangte zu besonderen künstler. Leistungen im 11. Jh. Stilcharakteristika sind das Akanthusornament und der illusionist. Zeichenstil, die einem dekorativen Schema eingefügt wurden. Das gilt auch für die in ihren dramat. Gebärden sehr dynamisch wirkenden Figuren mit flatternden Gewändern, deren Falten sich ornamental zu verselbständigen scheinen. Im 12. Jh. trat eine Stilwende ein, die als 2. W.-S. bezeichnet wird. Italo-byzantin. Einflüsse mischen sich mit französischen und englischen.

F. WORMALD: The Winchester Psalter (London 1973); W. OAKESHOTT: The two Winchester Bibles (ebd. 1981).

Winckelmann, Johann Joachim, Archäologe, *Stendal 9. 12. 1717, †(ermordet) Triest 8. 6. 1768, veröffentlichte 1755 seine ›Gedanken über die Nachahmung der grch. Werke in der Malerei und Bildhauerkunst‹ und ging im gleichen Jahr mit einem königl. Stipendium nach Rom, wo er anfänglich Bibliothekar, seit 1763 Präs. der Altertümer und Scriptor der Vatikan. Bibliothek war. Er erwarb umfassende Kenntnisse der antiken Kunstwerke in Rom, Florenz und Neapel, die er in seiner ›Geschichte der Kunst des Altertums‹ (1764) u. a. Schriften in den geschichtl. Zusammenhang einordnete. Dadurch wurde er der Gründer der neueren Archäologie und der modernen vergleichenden Kunstgeschichte. Seine Auffassung vom Wesen der grch. Kunst als ›edle Einfalt und stille Größe‹ wurde bestimmend für die dt. Klassik.

J. W.s sämtliche Werke, 12 Bde. (1825–29), 1 Tafelbd. (1835). K. JUSTI: W. und seine Zeitgenossen, 3 Bde. ([5]1956).

Windberg, Gem. im Kr. Straubing-Bogen, Niederbayern, mit 1142 gegr. Prämonstratenserkloster; die Kirche ist im Kern eine roman. Pfeilerbasilika (12. Jh.) mit reich gegliedertem W-Portal und besitzt eine hervorragende barocke Altarausstattung (1755/56).

Wind|eisen, bei Monumentalverglasungen in regelmäßigem Abstand angebrachte Eisenstäbe zur zusätzl. Verstrebung der einzelnen Felder, in die Bleiverglasungen (Glasmalereien, Butzenscheiben u. a.) wegen ihres großen Eigengewichts und des Winddrucks unterteilt werden müssen.

Windheim, Dorothee von, Plastikerin, *Volmerdingen 11. 7. 1945, uspr. Restauratorin, löste Putzfragmente alter Wände und Mauern von ihrem ursprüngl. Ort und zog sie mit allen Zeichen von Baugeschichte und Verwitterung als Bildreliefs auf. Andere Arbeiten beschäftigen sich mit dem Turiner Grabtuch.

Windisch, Gem. im schweizer. Kt. Aargau, 7500 Ew., an der Stelle des röm. Legionslagers **Vindonissa** (Ruinen des Lagers, der Thermen und des Amphitheaters, reiche Funde im Vindonissa-Mus. in Brugg); im Chor der frühgot. Kirche qualitätvolle Wand- und Deckenfresken (um 1400).

Windsheim, Bad W., Stadt in Mittelfranken, 11600 Ew. Das schloßartige Barockrathaus wurde 1713–17 nach Plänen von G. DE GABRIELI erbaut. Die Stadtpfarrkirche ist eine 1730 wiederaufgebaute spätgot. Staffelhalle mit Doppelemporen (der Zwölfbotenaltar von T. RIEMENSCHNEIDER heute im Kurpfälz. Mus. Heidelberg). Die got. Spitalkirche (14. Jh.) wurde 1730 barockisiert. Der Bauhof (15. Jh.) ist ein HW des spätmittelalterl. Ständerbaus. Mus. im Ochsenhof (Fachwerkbau von 1537) mit Zunft- und Stilzimmern. Reicher Bestand an Fachwerkhäusern des 15./16. Jh.

Windsor Castle [w'ınzə kɑ:sl], königl. Residenzschloß in der Cty. Berkshire, England, 1. Bau 1070 von WILHELM DEM EROBERER. Der Kern der Anlage ist ein kreisförmiger, im 18. Jh. erhöhter Keep des letzten Viertels des 12. Jh. In der 1. H. des 13. Jh. wurde unter König HEINRICH III. der westl. Hof mit halbkreisförmig vortretenden Türmen zugefügt. Der obere Hof erhielt im späten 14. Jh. beim Ausbau zur königl. Residenz seine heutige architekton. Erscheinung mit spätgot. Turmbauten. 1474 begann der Bau der St. George's Chapel in den späten Formen des Perpendicular Style als monumentaler Rechtecksaal, dessen Netzgewölbe 1528 eingezogen wurde. Östlich schließt an sie die heutige Albert Memorial Chapel an, in der sich noch das frühgot. Kapellenportal von etwa 1240 befindet. Ihr heutiges spätgot. Aussehen erhielt sie nach 1500 in einem Umbau unter König HEINRICH VII. Unter KARL II. wurde die Schloßanlage 1660–85 umgebaut und erhielt ihre barocke Ausstattung; im frühen 19. Jh. wurde W. C. durch J. WYATVILLE (*1776, †1840) romantisierend umgestaltet. – In der Suite von Staatsgemächern mit histor. Ausstattung liegen das Porzellan-Kabinett, der Rubens-Saal, das königl. Schlafgemach mit A. VAN DYCKS Reiterporträt Karls I., die Gemäldegalerie (H. MEMLING, A. DÜRER, H. HOLBEIN D. J., P. P. RUBENS, REMBRANDT), der Van-Dyck-Saal u. a.; im Schloß wird ferner eine bed. Samml. von Handzeichnungen aus der Royal Library (H. HOLBEIN D. J., LEONARDO DA VINCI) aufbewahrt. In der Umgebung des Schlosses entstand 1862–68 im Park von Frogmore das Mausoleum für Prinz ALBERT nach Entwürfen von A. J. HUMBERT (*1822, †1877).

Winiarski, Ryszard, poln. Maler, Bühnenbildner, *Lemberg 2. 5. 1936. Ausgehend vom Konstruktivismus, experimentiert er mit z. T. mathematisch errechneten Kombinationen von Farbe und Flächengliederung.

Wink, Winck, 1) Christian, Maler, *Eichstätt 19. 12. 1738, †München 6. 2. 1797, seit 1769 ebd. kurfürstl. Hofmaler, malte in bayer. Dorfkirchen und Schlössern frische, volkstümlich erzählende Fresken im weichen, gebrochenen Ton des Spätrokoko. W. war auch Theatermaler und schuf für die kurfürstl. Manufaktur Entwürfe für Wandteppiche. – Bed. sind seine Ölskizzen.

Wörter, die man unter W vermißt, suche man unter Ou oder V

HW: Fresken in den Kirchen zu Starnberg (1766), Inning (1767), Lohe bei Deggendorf (1768), St. Leonhard bei Dietramszell (1769), Hörgertshausen bei Freising (1790/91). – Deckenfresken im Speisesaal von Schloß Schleißheim (1767) und im Großen Saal von Schloß Zell a. d. Pram (1772).

2) Joseph Gregor, Maler, *Deggendorf 8. 5. 1710, †Hildesheim 11. 4. 1781, vermutlich Schüler von C. D. ASAM, malte Fresken im Rittersaal des Hildesheimer Doms (1744, 1752), in der Kapelle von Schloß Liebenburg bei Goslar (1758) und in der Jesuitenkirche zu Büren (1761–65).

Winkel, Teil von Oestrich-W. im Rheingau, Hessen; mit dem roman. Grauen Haus (um 1075) und der im Kern got. Pfarrkirche (2. H. 17. Jh. verändert). Brentano-Haus (1751) mit originaler Einrichtung. Bei W. Schloß **Vollrads,** bestehend aus maler. Turmburg (14. Jh.) und zweiflügeligem Barockschloß (um 1680).

Winnipeg, Hauptstadt der Prov. Manitoba, Kanada, 243 200 Ew.; Regierungsgebäude (1913–19 erbaut) im neoklassizist. Stil, auf der 80 m hohen Kuppel vergoldete Statue eines Jungen (›Golden Boy‹). In der W. Art Gallery Werke europ. und kanad. Kunst.

Wint, Peter de, engl. Maler, *Stone (Staffordshire) 21. 1. 1784, †London 30. 6. 1849, bekannter Aquarellmaler seiner Zeit; schuf u. a. von T. GIRTIN beeinflußte Landschafts- und Architekturbilder.

Winter, 1) Fritz, Maler, *Altenbögge (heute zu Bönen, NRW) 22. 9. 1905, †Herrsching am Ammersee 1. 10. 1976, studierte 1927–30 am Bauhaus, erhielt 1937 von den Nationalsozialisten Malverbot. W. malte abstrakte Bilder, in denen sich nach anfänglich halborgan. Formen schwarze Zeichen und schwarzes Gitterwerk vor leuchtendem Grund verflechten.

H. KELLER: F. W. (1976); F. W., Ausst.-Kat., Münster (1982).

2) Martin, Glasschneider, *Rabishau (Schlesien), †Berlin 21. 5. 1702, stand im Dienst des Großen Kurfürsten, von dem er 1684 ein Privileg für Gläser mit →Hochschnitt erhielt. W. gehört neben seinem Bruder Friedrich (†um 1712), der in Schlesien arbeitete, zu den Meistern des barocken Glasschnitts.

Wintergerst, Joseph, Maler, *Wallerstein 3. 10. 1783, †Düsseldorf 25. 1. 1867, Mitgründer des Lukasbundes in Wien, lebte 1811–13 mit den Nazarenern in Rom. W. malte in der Art von F. PFORR romantisch-histor. Motive und Porträts.

Winterhalter, Franz Xaver, Maler, *Menzenschwand (Schwarzwald) 20. 4. 1805, †Frankfurt am Main 8. 7. 1873; 1834 bad. Hofmaler, 1841 am Hof von Königin Victoria in London. Nach Genrebildern wandte sich W. in den 1830er Jahren, von J. STIELER ausgehend, dem Porträt zu; er wurde der bekannteste Porträtmaler des frz. und europ. Hochadels, der eine dekorativ-repräsentative Auffassung bevorzugte. Die Kostüme seiner Porträts hat häufig sein Bruder Hermann (*1808, †1891) ausgeführt.

Wintersberger, Lambert Maria, Maler, Graphiker, *München 23. 4. 1941, gestaltet in überdimensionaler Vergrößerung und kühler Farbgebung insbes. ›Verletzungen‹ (durch Nägel, Schraubstock, Messer) menschl. Körperteile, bes. der Finger.

Winterthur, Stadt im schweizer. Kt. Zürich, 87000 Ew. Im alten Stadtkern liegen die spätgot. Laurenzenkirche (Neubau nach Brand 1313, weiter erneuert 1485–1515, Orgelprospekt der 1809 vom Kloster Salem gekauften Orgel von J. A. FEUCHTMAYER, in 3 frühgot. Fenstern Glasmalerei von AUGUSTO GIACOMETTI, 1923), das frühklassizist. Alte Rathaus (1782–84), das got. ›Waaghaus‹ (1503) und zahlreiche Bürgerhäuser des Barock und Rokoko. Am N-Rand der Altstadt das Stadthaus (1867–69) von G. SEMPER. Frühbarockes Schloß Wülflingen (1644–45) mit barocker Ausstattung (Mus.). Bed. Kunstsammlungen: Kunstmus., Stiftung Oskar Reinhart, Samml. Oskar Reinhart, Gewerbemus. Roman. Kirche St. Arbogast →Oberwinterthur.

Wirtel, Schaftring, Baukunst: wulstartiger Ring um Rundpfeiler oder Säulen, bes. im 12. und 13. Jh. Der W. war urspr. als Binder konstruktiv bedingt und bekam bald ornamentale Funktion.

Wischer, Maltechnik: aus Wildleder oder Löschpapier gedrehte Stäbchen, mit denen kräftig aufgesetzte Pastell- oder Kohlestriche zu weichen Halbtönen verwischt oder fließende Übergänge erzeugt werden.

Wiślica [visjl'itsa], histor. Ort (1326–1869 Stadt) in der Wwschaft Kielce, Polen. – Unter dem Steinboden der got. Kollegiatskirche (nach 1350 bis 1388; Glockenturm 1460–70 gebaut) wurden bei Ausgrabungen (1959) Reste eines roman. Baus mit Krypta aus dem 12. Jh. entdeckt (im Gipsfußboden der Krypta figürl. Motive). In der Kirche Wandmalerei (1397–1400), wertvolle Ausstattung (14.–15. Jh.). Neben der Kirche das spätgot. ›Długosz-Haus‹ (Vikarkurie), von J. DŁUGOSZ 1460 gebaut. In einem Pavillon freigelegte Fundamente einer Kirche (10.–12. Jh.).

Wismar, Stadt an der Wismarer Bucht der Ostsee, Dt. Dem. Rep., 57100 Ew., 1648–1803 in schwed. Besitz. Die von Backsteinbauten geprägte, ehem. reiche Hansestadt erlitt 1945 starke Schäden. Von der got. Marienkirche (13./14. Jh.) ist nur der Turm erh.; auch die spätgot. Georgenkirche (15. Jh.) ist Ruine. Erh. ist die Nikolaikirche (um 1380–1487), nach dem Vorbild der Lübecker Marienkirche, jedoch mit gesteigerter Betonung der Vertikalen; in der reichen Ausstattung Stücke der zerstörten Kirchen, darunter wertvoller spätgot. Flügelaltar (um 1430) aus der Georgenkirche; am Markt klassizist. Rathaus (1817–19), der Renaissancebau der ›Wasserkunst‹ (1580–1602) und das älteste Wohnhaus der Stadt, der ›Alte Schwede‹ (14. Jh.); Fürstenhof im ital. Renaissancestil (1553/54) mit Terrakottafriesen.

Wismutmalerei, Maltechnik: Buntfarbenmalerei auf metallisch glänzendem Grund. Wie bei einer Vergoldung wurde der zu bemalende Gegenstand grundiert, mit geleimtem Wismutpulver überstrichen und mit Achat poliert. Die metall. Fläche wurde bemalt und anschließend zum Schutz gegen Veränderung gefirnißt.

Wörter, die man unter W vermißt, suche man unter Ou oder V

W., eine Spielart der Faßmalerei, war vom 15. bis 18. Jh. gebräuchlich zur Bemalung von kleinen Möbeln und Gebrauchsgegenständen.

Wiśnicz Nowy [v'isjnitʃ n'ɔvi], Ort in der Wwschaft Tarnów, S-Polen, rd. 10000 Ew. (1616–1934 Stadt); frühbarocke Pfarrkirche (1618–21) und Rathaus (1620). Auf einer Anhöhe das Schloß (heute Mus.) der Familie Kmita (1. H. 16. Jh.), im 17. Jh. für Fürst Lubomirski in eine barocke Festung mit Bollwerken umgebaut; unweit das Karmeliterkloster (1622–34).

Wissel, Ortsteil von Kalkar, NRW, mit ehem. Stiftskirche St. Clemens, einer gewölbten roman. Pfeilerbasilika mit Querhaus und mächtigen Chorflankentürmen (um 1150); spätgot. Chorschluß; Taufstein (12. Jh.), Vesperbild (16. Jh., H. DOUVERMANN zugeschrieben).

Wissembourg [visãb'u:r], frz. für →Weißenburg 2).

Wit, 1) Jacob de, holländ. Maler, getauft Amsterdam 19. 12. 1695, †ebd. 12. 11. 1754, schuf als Hauptmeister der Plafondmalerei des 18. Jh. Decken-, Tapeten-, Kaminbilder und Sopraporten, bes. Basreliefnachahmungen in Grisaille.

2) auch **Witte,** Pieter de, seit 1574 **Candid (Candido),** Peter, niederländ. Maler, *Brügge um 1548, †München 1628, lernte in Florenz bei G. VASARI, war seit 1586 Hofmaler in München; malte Altarbilder für Münchner Kirchen (St. Michael, Frauenkirche) und den Freisinger Dom, Fresken für die Münchner Residenz und das Schloß in Schleißheim; schuf Entwürfe für Wandteppiche. Sein Stil gehört zum späten Manierismus.

Witebsk, Gebietshauptstadt im NO der Weißruss. SSR, an der Düna, 303000 Ew. – W., seit 1101 Hauptstadt eines Fstt., war ein bed. Handelsplatz. An ma. Bauten ist nur die Verkündigungskirche (12. Jh.), eine 6-Pfeiler-Kirche mit 3 Apsiden, erhalten. Klassizistisch sind der Gouverneurspalast (1772 voll.) und das Rathaus (1775, 3. Stockwerk aus dem 19. Jh.).

Witte, Witt, Emanuel de, holländ. Maler, *Alkmaar um 1617, †Amsterdam Anfang 1692, der bedeutendste Meister des holländ. Kirchenraumbildes, tätig in Rotterdam, nach 1640 in Delft, nach 1650 in Amsterdam. In seinen reifen Arbeiten hat er das Innere holländ. Kirchen, häufig mit Zuhörern während der Predigt, in breiter Malweise, von warmen Lichtstreifen und -flecken durchsetzt, in ihrer Raumstimmung gekonnt geschildert; auch Bilder von Phantasie-Architekturen. (BILD S. 252)

Witteberge, Bergland zw. Großer und Kleiner Karru, Kapprovinz, Rep. Südafrika; zahlreiche Höhlen mit Buschmannmalereien (→Felsbilder).

Wittel, Gaspar van, in Italien Gaspare **Vanvitelli** gen., niederländ.-ital. Maler, *Amersfoort 1653, †Rom 13. 9. 1736, seit 1672 in Rom, Neapel und Venedig tätig, malte kleinformatige ital. Veduten, die sich durch topograph. Treue, kultivierte Farbigkeit und kleinfigurige Staffage auszeichnen; Vater von L. VANVITELLI.

Emanuel de Witte: Amsterdamer Börse (Rotterdam, Museum Boymans van Beuningen)

Witten, Hans, Bildhauer, *zw. 1470 und 1480, †bald nach 1522, früher nur durch das Monogramm der von ihm bezeichneten Werke bekannt **(Meister H. W.),** 1501 in Chemnitz nachweisbar, seit 1506 in Annaberg. Sein bedeutendstes Werk ist die frei stehende, 4 m hohe ›Tulpenkanzel‹ (um 1510; aus Stein) im Dom zu Freiberg. In der spätgot. Kunst W.s, die wohl aus niedersächs. Überlieferung und einer Lehrzeit in Ober-Dtl. erwuchs, verbinden sich eigenwillige Erfindung und Formsprache mit lebendigem Ausdruck.

WW: Steinfigur der Hl. Helene (um 1501/02; Halle, Rathaus, heute: Halle, Mus. Moritzburg); Schreinaltar (um 1507; Ehrenfriedersdorf, Stadtkirche); Vesperbild (um 1508–10; Goslar, Jakobikirche; Holz); Altar (1511; Borna, Katharinenkirche); ›Schöne Pforte‹ (um 1512; Annaberg, Annakirche; steinernes Portal mit figürl. Schmuck); Geißelungsgruppe (um 1515; Chemnitz, Schloßkirche).
W. GRUNDMANN: Der Meister H. W. (1976).

Hans Witten: Tulpenkanzel im Dom zu Freiberg; um 1510

Wittenberg, Stadt an der Elbe, östlich von Dessau, Dt. Dem. Rep., 53 200 Ew.; wurde 1502 Sitz einer Univ., Wirkungsstätte M. LUTHERS. Die got. Stadtkirche St. Marien (Ende 13.–16. Jh.) mit mächtiger Doppelturmfassade birgt eine reiche Ausstattung, u. a. Flügelaltar von L. CRANACH D. Ä. (1547), Bronzetaufbecken von P. VISCHER D. Ä. (1457), zahlreiche sehr qualitätvolle Epitaphien. Das dreiflügelige Schloß, 1490–1525 als kurfürstl. Residenz erbaut, wurde durch spätere Umbauten entstellt; in der Schloßkirche (1490–99, nach Brand 1767–70 spätbarock erneuert) die Grabstätten Luthers und P. Melanchthons; urspr. Ausstattung weitgehend vernichtet. Das Augusteum (1564–86) wurde als Univ.-Gebäude im Renaissancestil erbaut; in dessen Hof das Lutherhaus, urspr. Klausurflügel (beg. 1504) des Klosters der Augustiner-Eremiten. Prächtiges Rathaus (1524–40, Umbau 1570–73); zahlreiche stattl.

Wörter, die man unter W vermißt, suche man unter Ou oder V

Bürgerhäuser, darunter die Wohnhäuser von P. Melanchthon, J. Bugenhagen, L. Cranach d. Ä.

Wittenburg, Stadt im Kr. Hagenow, südöstlich von Schwerin, Dt. Dem. Rep.; Backstein-Hallenkirche im Übergangsstil (beg. um 1240, Einwölbung 14. Jh.), mit wertvollem spätgot. Schnitzaltar und von 4 Kapuzenmännern getragenem Bronzetaufbecken (1342).

Wittingau, tschech. **Třeboň** [trʃ'ɛbɔnj], Stadt im Südböhm. Kr., ČSSR, östlich von Budweis, mit z. T. erh. Stadtmauern aus dem 14. Jh. (im 16. Jh. erneuert und mit Befestigungen versehen) und 3 Stadttoren. Am Marktplatz Häuser mit Renaissance- und Barockgiebeln, Rathaus (1566; im 18. Jh. renoviert) sowie der auf Grundsteinen des 13. Jh. gebaute Schloßkomplex um 4 Höfe (2. H. 14. Jh. bis Ende 17. Jh.; im 19. Jh. verändert). An das Schloß grenzt das Augustinerkloster (1367) mit Fresken (14./15. Jh.) im Kreuzgang; aus der zweischiffigen Kirche, Vorbild für weitere got. Kirchen in Böhmen und Mähren, stammt der Altar mit Gemälden des →Meisters von Wittingau.

Wittstock, Stadt in der Ostprignitz, an der Dosse, Dt. Dem. Rep., 11700 Ew.; Stadtkirche St. Marien (13. Jh., Chor 2. H. 15. Jh.), eine got. Backstein-Hallenkirche, mit wertvollem, aus 2 Flügelaltären zusammengesetztem Hochaltar; der untere Altar von C. Berg (um 1530), der obere süddt. Herkunft (Anf. 16. Jh.). Von der Stadtbefestigung sind große Teile erh.

Witz, Konrad, Maler, Bildschnitzer(?), *Rottweil(?) um 1400, †Genf oder Basel um 1445, ebd. 1434 mit

Konrad Witz: Kaiser Augustus und die Tiburtinische Sibylle, aus einem Flügel des Heilsspiegelaltars; um 1434 (Dijon, Musée des Beaux-Arts)

seiner Aufnahme in die Zunft, 1435 als Bürger nachweisbar. Wie H. MULTSCHER gehört W. zu den großen Realisten, die sich mit Entschiedenheit gegen den höfisch ausgerichteten Schönen Stil wandten. Von ähnl. Wirklichkeitssinn wie P. UCCELLO und A. DE CASTAGNO malte er wuchtige, körperhaft erfaßte und durch Licht-Schatten-Wirkung modellierte Gestalten, die er in einen klar abgegrenzten Tiefenraum stellte. Auf seinem Genfer Altar ist erstmals eine bestimmbare Landschaft (am Ufer des Genfer Sees) wiedergegeben. Frühe Bilder zeigen noch z.T. einen goldenen Hintergrund mit Brokatmustern. – Skulpturen von seiner Hand sind nicht bekannt; in der Plastizität seiner Figuren ist der Einfluß des Bildhauers C. SLUTER spürbar.

HW: Flügelbilder von 3 großen Altären: Heilsspiegelaltar, benannt nach typolog. Darstellungen im Anschluß an den →Heilsspiegel auf der Innenseite, um 1434; Berlin-West, Staatl. Museen, Dijon, Musée des Beaux-Arts, und Basel, Kunstmus.), Marienaltar (um 1440; Flügelbilder in Basel, Kunstmus., Nürnberg, German. Nat.-Mus., und Straßburg, Musée des Beaux-Arts), Petrusaltar, auch Genfer Altar (1444; Genf, Musée d'Art et d'Histoire; BILD Landschaftsmalerei).

Witzenhausen, Stadt im Werratal, N-Hessen, 17000 Ew. Die romanisch-got. Stadtkirche ist eine Stufenhalle (13.–15. Jh.) mit originellen Pfeilern (roman. Pfeiler mit Kantensäulen im Übergang zu got. Bündelpfeilern); ehem. Wilhelmitenkloster (1291 gegr.) mit Gebäuden des 13./14. Jh. (stark verändert); zahlreiche bed. Fachwerkhäuser (15.–17. Jh.), v.a. Ermschwerder Straße, Kirchplatz und Markt.

Witzwort, Gem. im Kr. Nordfriesland, Schlesw.-Holst.; in der evang. Kirche großer spätgot. Schnitzaltar (um 1510/20). Der ›Rote Haubarg‹ (17./18. Jh.) mit riesigem Reetdach ist ein Beispiel dieser für die Halbinsel Eiderstedt charakterist. Bauernhausform.

Wladimir, Gebietshauptstadt in der Russ. SFSR, an der Kljasma, 301000 Ew. 1108 von WLADIMIR II. MONOMACH als Grenzfestung gegr., wurde W. 1157 Hauptstadt des Fstt. W.-Susdal und war polit., relig. und kultureller Mittelpunkt Rußlands. In W. sind bed. Bauwerke der W.-Susdaler Bauschule des 12. Jh. erh., die es (neben Nowgorod und Kiew) als ein Zentrum der russ. Baukunst ausweisen: Das Goldene Tor, Haupttor der Stadt, ist nur noch in seinem Kern der urspr. Bau von 1164 (Umbauten im 17./18. Jh.). Die Uspenskij-Kathedrale, Krönungskirche der späteren russ. Großfürsten, wurde nach dem Vorbild der Uspenskij-Kathedrale des Kiewer Höhlenklosters 1158–61 als dreischiffige Kreuzkuppelkirche errichtet; nach Brand 1185–89 durch Umgangsbauten an 3 Seiten, Apsidenvergrößerung und 4 Kuppeln erweitert, am Außenbau Blendgalerien und plast. Schmuck, stark von der roman. Kunst des W (Lombardei) geprägt; im Innern Freskenfragmente aus dem 12./13. Jh. sowie Arbeiten von DANIIL TSCHORNYJ (etwa 1360–1430) und A. RUBLJOW. Die Demetrius-Kathedrale (1194–97), eine kleinere, dreischiffige Kreuzkuppelkirche aus weißem Kalkstein, hat reichen plast. Dekor, der den Außenbau teppichartig überzieht; Freskenfragmente von 1194, größtenteils von einem grch. Meister. Ebenfalls aus dem 12. Jh. stammen die Kirchen des Roschdestwenskij-Klosters

(1192–95) und des Fürstinnenklosters (1200/01, Umbauten um 1500; bed. Wandmalereien aus dem 17. Jh.).
Nordöstlich von W. liegt das Dorf →Bogoljubowo.

Wladimir, Gottesmutter von W., doppelseitig bemalte byzantinisch-russ. Gottesmutterikone der 1. H. des 12. Jh. vom Typ der Eleusa (russ. Umilenije ›Gottesmutter der Rührung‹); gelangte zw. 1120 und 1130 von Konstantinopel nach Wladimir; seit 1395 in Moskau (heute Tretjakow-Gal.). Seit Ende des 14. Jh. entstanden zahlreiche Kopien, unter denen die A. RUBLJOW zugeschriebene besonderen Rang besitzt.

Wladimir-Wolynskij, Stadt im Gebiet Wolynien, Ukrain. SSR, 28000 Ew. W. ist eine der ältesten russ. Städte (für 988 erstmals erwähnt). Die halbkreisförmig angelegte ma. Stadt wurde Ende des 19. Jh. rekonstruiert; bed. Baudenkmäler sind die Uspenskij-Kathedrale (1160), die Basilius-Kirche (13./14. Jh.) und der Bischofspalast (16. Jh.) im Renaissancestil.

Włocławek [vłɔtsł'avɛk], dt. **Leslau,** Hauptstadt der Wwschaft W., Polen, am linken Weichselufer, 87000 Ew., eine der größten Städte Polens z. Z. der Piasten, bis 1793 im Besitz der Bischöfe von Kujawien. Am alten Marktplatz mit got. und barocken Häusern steht der 1340–65 gebaute Dom, eine Backsteinbasilika (im 15. Jh. ausgebaut und 1891–93 umgebaut; Kapitelsaal von 1530; Glasmalereien um 1300) mit reicher Innenausstattung (u. a. Grabmal eines Bischofs von V. STOSS, 1493; Skulpturen aus dem 13. Jh., Bilder 15. Jh.); neben dem Dom die got. Vitaliskirche von 1330 (z. T. umgebaut); spätgot. Pfarrkirche (1538), barocke Franziskanerkirche und Kloster (1639–44; Türme von 1764/65).

Wobe, Ouobé [uɔb'e], kleine Volksgruppe im W der Elfenbeinküste, umgeben von einer Reihe kunstschaffender Stämme mit ausgeprägten Stilen (den Dan im W, den Ngere, Niabwa und Bete im S, den Guro und Senufo im O und NO). Das spiegelt sich in den Masken (Figuren sind äußerst selten) der W. wider; diese haben meist Kastagnetten-Augen, die häufig andersfarbig (weiß) übermalt sind, so daß der Eindruck einer Augenbinde entsteht.

Woburn Abbey [w'u:bə:n 'æbɪ], Ort in der Cty. Bedfordshire, S-England, mit Sitz des HERZOGS VON BEDFORD. Das heutige Schloß wurde um 1747 an der Stelle einer Zisterzienserabtei im palladian. Stil von H. FLITCROFT (*1697, †1769), die Skulpturen-Gal. 1787 von H. HOLLAND im Stil des Greek Revival erbaut (umfangreiche Kunstsamml.).

Wodnan, tschech. **Vodňany** [v'ɔdnjani], Kleinstadt im Südböhm. Kr., ČSSR, nordwestlich von Budweis; im MA. gegr., Teile der Stadtmauern sind erh. Die got. Kirche von 1317 wurde, nach Zerstörung, 1894–96 restauriert und mit Sgraffitos ausgeschmückt.

Woensam [v'o:n-], Anton, **W. von Worms,** Holzschneider, Maler, *Worms(?) um 1500, †Köln vor 1541, ebd. seit 1528 nachweisbar, bestimmte mit seinen Holzschnitten (u. a. Stadtprospekt von Köln, um 1531) die Kölner Buchornamentik. Seine Gemälde zeigen den Einfluß der Antwerpener Manieristen.

Woerden [w'urdə], Stadt in der niederländ. Prov. Südholland, am Alten Rhein; spätgot. Kirche mit Umgangschor (14. Jh., mehrfach umgebaut), Chorgitter, Kanzel und Taufgitter (um 1680), Orgel mit Schnitzereien (1768); ehem. Rathaus (16./17. Jh.) mit Treppentürmchen, im Innern Holzschnitzereien, heute Städt. Mus. (u.a. Gemälde 19./20. Jh., Stiche).

Woestijne [wust'ɛjnə], Gustave van de, belg. Maler und Graphiker, *Gent 2. 8. 1881, †Uccle (bei Brüssel) 21. 4. 1947, lebte 1899–1925 in Laethem-Saint-Martin gemeinsam mit anderen Künstlern, die den Impressionismus überwinden wollten und eine emotionale, dem Symbolismus nahestehende Kunst anstrebten. W. stellte v.a. einfache Menschen und ihre Gebrechen dar, später auch relig. Themen.

Wohlau, poln. **Wołów** [v'ɔłuf], Stadt in der poln. Wwschaft Wrocław (Breslau), Schlesien, 11 000 Ew. Im 15./17. Jh. zeitweise Residenzstadt; hat got. Pfarrkirche (1341–1408; Gewölbe nach 1465) mit barocker Innenausstattung (1701–11); barockes Karmeliterkloster mit Kirche (1713–26; nach 1781 verändert). Das spätgotische Schloß (14. Jh.) wurde im 16. Jh. im Renaissance-Stil erweitert und im 18./19. Jh. umgebaut; Renaissance-Rathaus aus dem 15. Jh., im Barockstil erweitert und nach Zerstörung 1960 wiederhergestellt.

Wolbeck, Stadtteil von Münster, NRW, mit dem Drostenhof (1545–57), mit Torbau, Wirtschaftstrakt und Herrenhaus, einem Backsteinbau mit reichem Renaissanceschmuck.

Wolfegg, Gem. im Kr. Ravensburg, Bad.-Württ., 2900 Ew., Sitz der Fürsten von Waldburg zu W. und Waldsee; vierflügeliges Renaissanceschloß mit Eckpavillons (1578–86), 52 m langem Rittersaal (Deckengemälde 1749 von JOHANN ZICK) und Schloß-Mus. (Waffen, Gemälde, Möbel); in der ehem. Kollegiatsstiftskirche (1733–42) Fresken von F. J. SPIEGLER.

Wolfenbüttel, Stadt im nördl. Harzvorland, Ndsachs., 50 200 Ew., war 1283–1754 Residenz der Herzöge von Braunschweig-Lüneburg; planmäßiger Ausbau zur Renaissancestadt (›Heinrichsstadt‹, 2. H. 16. Jh.), im 17. Jh. Anlage der ›Auguststadt‹. Die Marienkirche (1608–26) von P. FRANCKE ist eine Hallenkirche in gotisierender Renaissance mit prächtigen Ziergiebeln und kostbarer gleichzeitiger Ausstattung; sie gilt als erster bed. Kirchenbau des Protestantismus. Das Schloß (16.–18. Jh.) besteht fast ganz aus Steinbauformen imitierendem Holz; Mus. (histor. Schloßräume, Teile der ehem. herzogl. Kunstsamml.); Neue Kanzlei (1587/88) von H. VREDEMAN DE VRIES; Zeughaus mit reich geschmückten Zwerchhäusern (1613 beg. von Francke). Die außergewöhnl. Fassadengestaltung der barocken Trinitätskirche (1719 gew.), eines sechseckigen Zentralbaus mit doppelten Emporen, beruht auf dem Umbau eines Festungstores mit seitl. Durchfahrtstürmen zu einer Kirche; Lessinghaus (um 1735, Mus.);

Rathaus (1599–1609), Johanniskirche (1661–64) und rd. 500 Fachwerkhäuser. Die Herzog-August-Bibl. befindet sich in einem Neurenaissancebau (1882–86).

Wolff, 1) Albert, Bildhauer, Vetter von 3), *Neustrelitz 14. 11. 1814, †Berlin 20. 6. 1892, Schüler, später Mitarbeiter von C. D. RAUCH, seit 1866 Prof. der Berliner Akad. Sein (schulbildender) Stil übernahm schon früh die bewegte Thematik von A. KISS und T. KALIDE und fügte ihr eine maler. Komponente hinzu.

HW: Athena begeistert die Krieger (1853; Berlin-Ost, Schloßbrükke); Löwenkämpfer (1854–61; Berlin-Ost, Treppenwange des Alten Mus.).

JUTTA V. SIMSON: Der Bildhauer A. W. (1982). Weitere Lit.: →Berliner Bildhauerschule.

2) David, niederländ. Glaskünstler, *Herzogenbusch 8. 8. 1732, †Den Haag Febr. 1798. W. war der berühmteste ›Glasstipper‹ seiner Zeit (nicht der Erfinder dieser Technik). Seine Arbeiten zeigen allegor. Szenen und Porträts; signierte und datierte Gläser stammen aus der Zeit um 1784–96.

3) Emil, Bildhauer, Vetter von 1), *Berlin 2. 3. 1802, †Rom 29. 9. 1879, Schüler seines Onkels G. SCHADOW, übernahm in Rom (ebd. seit 1822) das Atelier von R. SCHADOW. Für ihn schuf W. in der klassizist. Art B. THORVALDSENS das Epitaph (1823; Rom, S. Andrea delle Fratte).

WW: Nike lehrt die Knaben Heldengeschichte (1847; Berlin-Ost, Schloßbrücke); Denkmal für B. Thorvaldsen (1871; Rom, vor dem Palazzo Barberini). – Porträtbüsten.

B. Thorvaldsen, Ausst.-Kat., Köln (1977). – Weitere Lit.: →Berliner Bildhauerschule.

4) Gustav Heinrich, Bildhauer, Maler, Übersetzer, *Wuppertal-Barmen 24. 5. 1886, †Berlin 22. 4. 1934, studierte Bildhauerei in Rom, war seit 1908 als Maler und Zeichner in Paris tätig, seit 1920 als Bildhauer in Berlin, lehrte 1931–33 an der Akad. Leningrad. W.s Skulpturen sprechen eine herbe, lapidare Sprache; in den späten 1920er Jahren erinnern sie an von der Natur geformte Steine. W. war Fürsprecher des jungen H. MOORE. Ein wesentliches Thema seiner Skulptur und Druckgraphik war die griechische Antike, deren tragischer Aspekt ihn besonders beschäftigte. Weiterhin schuf er Porträts und Zeichnungen aus dem Berliner Alltag.

5) Jakob d. Ä., Baumeister, Bildhauer, Vater von 6), *Bamberg um 1546, †Nürnberg vor dem 16. 7. 1612, seit 1596 ebd. Stadtbaumeister, schuf in Würzburg 1601–05 den Neubau der Feste Marienberg und das Echtertor, in Nürnberg das Pellerhaus (1602–07), in der eleganten Verbindung dt. und venezian. Formen einer der vornehmsten Privatbauten der dt. Renaissance (im 2. Weltkrieg zerstört, Reste des Arkadenhofes im modernen Gebäude erh.).

6) Jakob d. J., Baumeister, Sohn von 5), *wohl Bamberg 1571, †Nürnberg 25. 2. 1620, errichtete ebd. nach einer Italienreise (1616–20) in selbständiger Übertragung des monumentalen ital. Stadtpalastes in die Gegebenheiten des dt. Stadtbildes das Rathaus (voll. 1622, nach Zerstörung im 2. Weltkrieg wiederaufgebaut), neben dem Augsburger Rathaus von E. HOLL der bedeutendste dt. Bürgerbau der Zeit.

7) Willy, Maler, Graphiker, Zeichner, *Dresden 5. 7. 1905, griff in den 1960er Jahren Elemente der Pop Art auf und arbeitete mit Collagetechniken. Seine Beschäftigung mit Problemen der Farbwertigkeit hatte stärkste Wirkung auf die abstrakte Richtung in der Malerei der Dt. Dem. Rep.

W. W., Ausst.-Kat., Leipzig (1980).

Wolfgang, Heiliger, *Pfullingen(?) um 924, †Pupping (OÖ) 31. 10. 994, als volkstüml. Heiliger häufig in S-Dtl. (auch in Böhmen) dargestellt, als Bischof mit Stab und Buch, in der Hand oft ein Kirchenmodell. Sein Attribut, ein Beil (das ›Wolfgangihackl‹), ist ein Hinweis auf die Legende, daß W. den Platz für seine Kirche durch einen Beilwurf gefunden haben soll. Bed. ist die Statue M. PACHERS in St. Wolfgang (1471–81; Hochaltar). Ein W.-Zyklus M. Pachers stammt aus Neustift bei Brixen (1486, Außenflügel des Kirchenväteraltars; München, Alte Pinakothek).

Hl. W. in Gesch., Kunst und Kult, Ausst.-Kat., St. Wolfgang (1976).

Wolfhagen, Stadt im Kr. Kassel, Hessen, 12300 Ew. Die Stadtkirche ist eine got. Rundpfeilerhalle (13. bis 15. Jh.) mit figurierten Schlußsteinen, die einen Weltgerichtszyklus zeigen; Fachwerkhäuser im niedersächs. Typ (17.–18. Jh.), bes. reich das Rathaus (1657 bis 1659); nördlich von W. das vierflügelige Renaissanceschloß Elmarshausen (15./16. Jh.).

Wolframs-Eschenbach, Stadt im Kr. Ansbach, Mittelfranken, 2000 Ew., war bis 1805 im Besitz des Dt. Ordens. Altertüml. Stadtbild: Befestigung (13.–15. Jh.), Altes Rathaus (1471), ehem. Ordensschloß (jetzt Rathaus, 1623), ehem. Fürstengasthaus (1609) mit Schweifgiebeln und Sgraffitodekor; in der Pfarrkirche, einer der ältesten got. Hallenkirchen in Dtl. (13. Jh.), Rosenkranzaltar (um 1520).

Wolfratshausen, Stadt im Kr. Bad Tölz-W., Oberbayern, 15700 Ew.; Hallenkirche St. Andreas (1484, 1619–31 erneuert) mit geometr. Stuckdekor und mächtigem Hochaltar (1659–61). Der Stationsweg des Kalvarienberges beginnt bei der achteckigen Frauenkirche (1643–49) und endet bei der Dreifaltigkeitskirche (1715). Die Wallfahrtskirche St. Nantwein ist ein spätgot., 1624 umgestalteter Bau.

Wolfsberg, Stadt an der Lavant, Kärnten, Österreich, 29000 Ew.; Pfarrkirche St. Markus, eine spätroman. dreischiffige Hallenkirche mit got. Chor (13. bis 14. Jh.), prachtvoller Hochaltar mit Gemälde von H. J. SCHMIDT (1776/77); spätgot. Annenkapelle (1497) mit bemerkenswertem Flügelaltar; Renaissanceschloß Bayerhofen mit Arkadenhof (2. H. 16. Jh.); Bürgerhäuser (16.–18. Jh.). Oberhalb der Stadt liegt das Schloß, eine mächtige ma. Anlage, 1846–53 im Stil von Windsor Castle erneuert; in der Nähe Mausoleum (1858/59) der Gräfin Henckel-Donnersmarck von F. A. STÜLER.

Wolfsburg, Stadt am Mittellandkanal, Ndsachs., 126900 Ew., wurde 1938 aus mehreren Gem. und dem

Rittergut W. gegr. Das vierflügelige, im 16. Jh. umgebaute Schloß ist das nördlichste Beispiel der Weserrenaissance; darin die Städt. Gal. (Kunst seit 1945). Die Marienkirche (2. H. 17. Jh.) hat Fachwerkanbauten mit Herrschaftslogen. Der 1,5 km lange, mit Klinker verkleidete Verwaltungstrakt des Volkswagenwerks (1938/39) ist durch 22 vorspringende bastionsähnl. Treppenhäuser gegliedert, in seinen Ausmaßen ein Beispiel der nationalsozialist. Repräsentationsarchitektur. A. AALTO entwarf die Heilig-Geist-Kirche (1960–62), St. Stephan (1965–68) sowie das Kulturzentrum (1958 bis 1962); Theater von H. SCHAROUN (1971–73).

Wolfskehlmeister, nach dem Grabmal des Bischofs Otto von Wolfskehl (1348–50; Würzburg, Dom) benannter Bildhauer der Mitte des 14. Jh. in Würzburg.

HW: Grabmal des Bischofs Friedrich von Hohenlohe (†1352; Bamberg, Dom).

Wolgast, Hafenstadt an der Peene, Dt. Dem. Rep., 16600 Ew., ehem. Hansestadt. Die spätgot. Petrikirche ist (14. Jh.) eine Backstein-Hallenkirche mit Freskenresten (15. Jh.), Totentanz-Gemälde (1700, aus der Gertrudenkapelle), spätgot. Schnitzfiguren (15. Jh.); Gertrudenkapelle (um 1400), Zentralbau über zwölfeckigem Grundriß mit reichem Sterngewölbe.

Wolgemut, Michael, Maler und Zeichner für den Holzschnitt, *Nürnberg 1434, †ebd. 30. 11. 1519, bildete sich an der niederländ. Malerei und übernahm 1473 mit der Heirat der Witwe von H. PLEYDENWURFF dessen Werkstatt. In ihr wurden – zum großen Teil nach seinen Zeichnungen – viele Holzstöcke angefertigt (96 Holzschnitte für den ›Schatzbehälter‹, ein Andachtsbuch, 1491; 1809 Holzschnitte für Schedels ›Weltchronik‹, in Zusammenarbeit mit seinem Stiefsohn W. PLEYDENWURFF, 1492), die für die Entwicklung des bei ihm ausgebildeten A. DÜRER von Bedeutung waren. – W. war auch als Porträtist geschätzt.

Michael Wolgemut:
Kreuztragung Christi, aus dem Seitenflügel des Passionsaltars der Friedenskirche in Nürnberg; um 1486/88

WW: Altarflügel ›Messe des Hl. Gregor‹ (um 1470; Andechs, Wallfahrtskirche Mariä Verkündigung); Hochaltar (1476–79; Zwickau, Marienkirche); Altar (1484; Feuchtwangen, Stiftskirche); Passionsaltar (um 1486/88; Nürnberg, Friedenskirche); Hochaltar (1506 bis 1508; Schwabach, Stadtpfarrkirche).

Wolkenband|ornament, Ornament der islam. Kunst in Form von Wolkenballen, flammenähnl. Wolkenpaaren oder geschwungenen Schleifen. Das W. entwickelte sich in der iranisch-islam. Buchmalerei und wurde für Teppichentwürfe, Fliesen und Gefäße übernommen.

Wolkenburg, Gem. im Kr. Glauchau, Dt. Dem. Rep.; Schloß (v.a. 18. Jh., ma. Kern) mit klassizist. Stuckarbeiten; klassizist. Neue Dorfkirche (1794 bis 1804).

Wolkenstein, Städtchen im Erzgebirge, an der Zschopau, Dt. Dem. Rep.; in der Stadtkirche (15. Jh., 1689 erneuert) prächtiger Barockaltar (1648); Schloß (um 1500, mehrfach umgebaut).

Wollaton Hall [w'ulətən hɔːl], Adelssitz in der Cty. Nottinghamshire, Mittelengland, erbaut um 1580–88 von R. SMYTHSON als H-förmige zweigeschossige Schloßanlage mit erhöhten Eckpavillons und einer zentralen Hall, über der als aufragender Baublock das ›Great Chamber‹ angeordnet ist. In der Grundrißkonzeption folgt das Schloß einem Entwurf von S. SERLIO, in der Fassadendekoration (Pilastergliederung, Beschlagwerkgiebel) dem Niederländer A. DE VRIES.

Wolmirstedt, Stadt nördlich von Magdeburg, Dt. Dem. Rep., 11 400 Ew.; Burg, 1009 erwähnt, 1480 und 1575–82 Umbauten; spätgot. Burgkapelle (beg. 1480) mit reich verziertem Portal an der südl. Schauseite, im Innern Freskenreste.

Wologda, Gebietshauptstadt in der Russ. SFSR, an der Wologda, 241 000 Ew.; im alten Stadtkern der von Mauern umgebene Komplex des Erzbischöfl. Hofes (1671–75) mit der Sophienkathedrale (1568–70; Wandmalereien von 1686; achteckiger Glockenturm, 1654 bis 1659, im 19. Jh. umgebaut) und vielen Kirchen und Palästen des 17./18. Jh. (Barsch-Haus, 1781; Gouverneurshaus, 1786–92); reichverzierte Holzhäuser.

Wolokolamsk, Stadt im Gebiet Moskau, Russ. SFSR, 16 000 Ew.; Auferstehungskirche (16. Jh.). 17 km nordöstlich von W. liegt das Joseph-Wolokolamsk-Kloster (1479 gegr.), eine von hohen, schießschartenbewehrten Mauern und Wehrtürmen (1543 bis 1566, umgebaut 1676–88) umgebene Anlage, die nach Zerstörung durch die Polen (1610) seit 1676 wiederaufgebaut wurde; mit Uspenskij-Kathedrale (1688–92, Vorgängerbau aus dem 15. Jh.), Peter-und-Paul-Torkirche (1678), Glockenturm (1490, nach 1670 umgebaut).

Wołów [v'ɔuf], poln. Name für →Wohlau.

Wols, eigtl. Wolfgang **Schulze,** Maler, Graphiker, *Berlin 27. 5. 1913, †Paris 1. 9. 1951, ging 1932 nach Paris, wo er die Surrealisten kennenlernte; war zeitweilig in Spanien und Südfrankreich und wandte sich seit seiner Internierung in Frankreich (1940) ausschließlich

Wols: Das trunkene Schiff; um 1945 (Zürich, Kunsthaus)

der Malerei zu; schuf zunächst kleinformatige Aquarelle und Zeichnungen. W. ist einer der Begründer und ein Hauptmeister des Tachismus. In seinen zunächst von P. KLEE beeinflußten und an biomorphe Vorgänge und mikroskop. Schnitte erinnernden Bildern sind Stimmungen und existenzielle Nöte, unmittelbar als Farbflecken und subtile lineare Gespinste ausgedrückt. Er schuf Radierungen zu Werken von J.-P. SARTRE, F. KAFKA u. a. und bed. Photographien.

W., Aufzeichnungen, hg. v. W. HAFTMANN (1963); L. GLOZER: W., Photograph (1978).

Wöltingerode, Stadtteil von Vienenburg, Kr. Goslar, Ndsachs., hat ehem. Zisterzienserinnenkloster (1174 als Benediktinerabtei gegründet), das im 13. Jh. wegen seiner Buchmalerei berühmt war. Die roman. Kirche, eine gewölbte Basilika mit Stützenwechsel, entstand im 12./13. Jh.; Veränderungen im 18. Jh.

Wolvini(us), Volvinius, karoling. Goldschmied, der sich auf der Rückwand des Goldaltars von S. Ambrogio in Mailand (um 840) im Devotionsgestus vor dem Hl. Ambrosius dargestellt hat und sich ›Volvini magist(er) phaber‹ nennt (BILD karolingische Kunst). Der Name W. verweist auf alemann. Herkunft; der Stil seiner Goldschmiedearbeiten hat Vorbilder in der Hofkunst KARLS D. GR.

Wondjina, einheim. Bez. für mundlose spirituelle Wesen, die durch ihre meist auf den Kopf (mit einer Art Strahlenkranz) beschränkte Darstellung in der Felsmalerei der trockenen Zone NW-Australiens, bes. in der nördl. Kimberley Range, bekannt geworden sind. Das Anbringen der Malereien war Bestandteil von Riten,

Grant Wood: ›American Gothic‹; 1930 (Chicago, Art Institute)

die der Auslösung von Regenfällen und der Förderung der Fruchtbarkeit dienten.

H. PETRI: Sterbende Welt in NW-Australien (1954).

Wood [wʊd], **1)** Grant, amerikan. Maler, *bei Anamosa (Iowa) 13. 2. 1892, †Iowa City 12. 2. 1942, malte nach Studien in Paris und einem Aufenthalt in München Menschen und Landschaften seiner Heimat, die er mit einem der Neuen Sachlichkeit entsprechenden Realismus darstellte (→American Scene). Sein bekanntestes Gemälde ist ›American Gothic‹ (1930; Chicago, Art Institute).

2) John d. Ä., gen. **W. of Bath** [-ɔv bɑ:θ], engl. Baumeister, Vater von 3), *wohl Yorkshire 1704, †Bath 23. 5. 1754, Vertreter des palladian. Klassizismus, entwarf seit 1724 die Stadtanlage von Bath, baute Landsitze (Prior Park, 1735–43), die Börse in Bristol (1740–43) und das Rathaus in Liverpool (1754 ff.). W. war auch Architekturschriftsteller.

3) John d. J., engl. Baumeister, Sohn von 2), †Bath 18. 6. 1782, baute Landsitze und Kirchen, vollendete die von seinem Vater beg. Arbeiten in Bath, entwickelte mit dem dortigen Circus (1764 ff.) den Typus der ›crescents‹, halbrunder Platzanlagen, wie sie auch in London u. a. ausgeführt wurden.

Worbis, Stadt im Bez. Erfurt, auf dem Eichsfeld, 3900 Ew.; barocke Pfarrkirche (1756) mit qualitätvollem spätgot. Altarschrein (um 1500); frühbarocke Saalkirche des ehem. Franziskanerklosters (1670–77, 1765 umgebaut, aus dieser Zeit die reiche Ausstattung); zahlreiche Fachwerkhäuser (seit 16. Jh.).

Worcester [w'ʊstə], **1)** Stadt in der Cty. Hereford and W., Mittelengland, am schiffbaren Severn, 74 100 Ew., seit 961 Bischofssitz. Die heutige Kathedrale wurde 1089 beg., von ihr ist neben dem Querhaus die Krypta unter dem urspr. Umgangschor erh. Nach Beschädigung beim Einsturz des W-Turms 1175 wurde das Langhaus um 2 spätroman. Joche mit Triforium und Obergadenlaufgang erweitert und ab 1224 der kreuzrippengewölbte frühgot. Chor mit zusätzl. Querhaus und Lady Chapel errichtet. Im 14. Jh. wurde das Langhaus in gestalter. Anlehnung an die O-Teile erneuert und ab 1374 der mächtige Vierungsturm in Formen des Perpendicular Style aufgesetzt. Die Außenerscheinung des Baus ist weitgehend von den Restaurierungen Mitte des 19. Jh. bestimmt (1865 neugot. Maßwerkfenster der W-Fassade). Südlich der Kathedrale schließt sich der spätgot. Kreuzgang mit dem kreisförmigen roman. Chapter House des frühen 12. Jh. an. Die Stadt mit ihren zahlreichen Kirchen ist von den georgian. Bauten des 18. Jh. geprägt.

2) Stadt in Massachusetts, USA, 161 800 Ew. Das ›Worcester Art Museum‹ enthält Werke der ägypt. und mesopotam. Kunst sowie eine Samml. europ. Kunst mit Werken u.a. von Q. Massys, El Greco, W. Hogarth und C. Monet.

Worcester-Porzellan [w'ʊstə-], das Porzellan der 1751 in Worcester gegr. Manufaktur, die die bedeutendste im 18. Jh. in England war. Das W.-P. der ersten Jahrzehnte war hauptsächlich dünnglasiertes Geschirr, vielfach unterglasurblau bemalt, und orientierte sich an Vorbildern aus Ostasien, Sèvres und Chelsea. Besondere Qualität hatte die Goldbemalung in Form von reichdekorierten Spitzen- und Rankenmustern. Seit der 2. H. des 19. Jh. wird v.a. Gebrauchsporzellan hergestellt. (Bild Porzellan)

Worksop [w'ə:ksɔp], Stadt in der Cty. Nottinghamshire, England, südöstlich von Sheffield, 36 000 Ew., im MA. Sitz eines Augustinerchorherrenstifts; roman. Kirche (1180), deren Mittelschiff durch stark profilierte Arkadenfolgen über Rund- und Achteckpfeilern im Erdgeschoß und mit kleineren Zwischenbögen in den Emporen gegliedert ist.

Workum [w'ɔrkəm], Stadt in der niederländ. Prov. Friesland. Am histor. Markt stehen das Rathaus (im Kern gotisch, 1727 erneuert) mit Ausstattung des 18. Jh. und Waage (1650) im Renaissancestil. Die spätgot. ref. Kirche (W-Turm wohl 1523 beg.) wurde nie voll.; im Innern reich geschnitzte Kanzel (1718) und bemalte Totenbahren der Zünfte. Doopgezinde Schuurkerk ist eine Versteckkirche in Form einer Scheune (1694).

Wörlitz, Stadt östlich von Dessau, Dt. Dem. Rep., 2400 Ew. Das frühklassizist. Schloß (1769–73 von F. W. v. Erdmannsdorff) enthält neben der originalen Einrichtung eine bed. Gemälde- und Antikensamml.; im Park (beg. 1765) ›Got. Haus‹ (Kunstsamml.), ›Pantheon‹, ›Venustempel‹, ›Floratempel‹. Erdmannsdorff baute auch das Rathaus (1792–95).

Wormditt, poln. **Orneta,** Stadt in der poln. Wwschaft Elbląg (Elbing), 8700 Ew. Am Marktplatz got. Rathaus (14. Jh.) mit anliegenden Krämerläden aus dem 17./18. Jh. und die Pfarrkirche St. Johann, eine got. Basilika (1379 gew.) mit im 15. Jh. angebauten Kapellen; Innenausstattung 15.–18. Jh.

Worms, Stadt links des Rheins, Rheinl.-Pf., 73 500 Ew., seit dem 7. Jh. eine der politisch wichtigsten Städte des MA., Ort zahlreicher Reichstage; 4. Jh.–1805 kath. Bischofssitz. 1689 und 1945 wurde W. stark zerstört. Der Dom ist ein HW der Romanik und Schlüsselbau für die Entwicklung der oberrhein. Baukunst. Er ist eine doppelchörige, turmreiche Pfeilerbasilika mit elsäss. Einflüssen (BILD Doppelchoranlage); die Chorflankentürme stammen noch aus dem 11. Jh., der heutige Bau wurde 1181 gew., W-Chor um 1200/20, ab 1320 Bau der südl. Seitenkapellen, 1738–42 Neueinrichtung des O-Chores durch J. B. NEUMANN (Hochaltar und Rokoko-Chorgestühl); einzigartig sind die apotropäischen Tierskulpturen am O-Chor; am S-Portal großer frühgot. Figurenzyklus. An der Stelle der 1002 abgebrochenen Salierburg erhebt sich die Paulskirche, die 2 Rundtürme vom Gründungsbau (1016) mit byzantin. Anklängen hat; spätromanisch-frühgot. Um- und Neubau (1. H. 13. Jh.), der polygonale O-Chor in der Nachfolge des Dom-W-Chores, 1706–16 barocker Umbau des Langhauses (seit 1928 Dominikanerklosterkirche). Die Martinskirche (Kern 10./11. Jh., Um- und Neubau 1265 gew.) ist eine spätroman. rippengewölbte Pfeilerbasilika mit prächtigem W-Portal und Doppelturmfassade. Das urspr. Erscheinungsbild der Magnuskirche (8.–14. Jh.) ist spätromanisch; 1712 renoviert, 1952/53 wiederhergestellt. Die Andreaskirche ist eine roman. kreuzrippengewölbte Pfeilerbasilika (11.–13. Jh.) mit quadrat. Chorflankentürmen; mit dem 1020 gegr. Stift beherbergt sie das Mus. der Stadt W. (röm. und fränk. Kunst u. a.). Die spätgotische Liebfrauenkirche

Worms: Westchor des Domes

(14./15. Jh.) hat Doppelturmfront und polygonalen Umgangschor. Die im frz. Barockstil gehaltene Dreifaltigkeitskirche (1709–25) wurde 1955–59 im Innern modern wiederaufgebaut. Die Lutherkirche (1910–12) hat eine vorzügl. Jugendstilausstattung. W. besitzt die bedeutendste Synagoge Europas (1174–1213 erbaut, nach 1945 rekonstruiert) und den ältesten Judenfriedhof mit 2000 Gräbern vom 11. Jh. an. Weiterhin bemerkenswert: Reformationsdenkmal (1856–68 von E. RIETSCHEL beg., weitergeführt von A. DONNDORF, G. KIETZ und J. SCHILLING); Kunsthaus Heylshof mit bed. Samml. europ. Malerei und Graphik (16.–19. Jh.), Keramik u. a. Bei W. das klassizist. Schloß **Herrnsheim** (1809–25) mit weitläufigem engl. Park nach Schwetzinger Vorbild (1788–92 von F. L. v. SCKELL). Im Stadtteil **Hochheim** stehen die Bergkirche mit quadrat. 4-Säulen-Krypta (um 1010) und das ehem. Dominikanerinnenkloster St. Maria Himmelskron (13./18. Jh.).

Woronịchin, Andrej Nikiforowitsch, russ. Baumeister, *Nowoje Ussolje (Gebiet Perm) 28. 10. 1759, †St. Petersburg 5. 3. 1814, lehrte seit 1802 an der St. Petersburger Akad., bed. Vertreter der russ. klassizist. Architektur (Kasaner Kathedrale in Leningrad, 1802–12).

Worpswẹde, Gem. im Kr. Osterholz am S-Rand des Teufelsmoors, Ndsachs., 8300 Ew. Seit 1889 ist W. Künstlerkolonie (die Maler F. MACKENSEN, O. u. PAULA MODERSOHN, H. AM ENDE, F. OVERBECK, H. VOGELER, der Architekt B. HOETGER u. a.). ›Café W.‹ (1925 von Hoetger), daran 1927 angebaut das Ausstellungsgebäude ›Große Kunstschau‹ mit Werken der Worpsweder Maler; Heinrich-Vogeler-Samml. im ›Haus im Schluh‹.

W., eine dt. Künstlerkolonie um 1900, Ausst.-Kat., Bremen (1980).

Wörth an der Donau, Stadt im Kr. Regensburg, Bayern, 3400 Ew., mit Schloß der Bischöfe von Regensburg (Ausbau 1570–1616); im Innern prunkvoll dekorierte Räume mit schwerem Barockstuck (1676).

Fritz Wotruba: Stehende Figur; Stein, 1956

Wọtruba, Fritz, österr. Bildhauer, *Wien 23. 4. 1907, †ebd. 28. 8. 1975, Schüler von A. HANAK in Wien, emigrierte 1938 in die Schweiz und lehrte seit 1945 an der Wiener Akad. W. entwickelte aus den Formen des menschl. Körpers ein differenziertes System von kub. Blocksegmenten. Aus einem Zusammenspiel zw. Archaik, Klassik und architekton. Struktur baute er seine Figuren zunächst in strengen Steinskulpturen, dann in weicher modellierter Bronze als organisch entwickelte ›menschliche Kathedrale‹ neu auf; schuf auch Bühnenbilder und Radierungen. Nach seinen Entwürfen wurde die Dreifaltigkeitskirche in St. Georgenberg bei Wien errichtet (voll. 1976).

Wouters [w'ɔutərs], Rik, belg. Maler, Bildhauer, *Mecheln 21. 8. 1882, †Amsterdam 11. 7. 1916, malte, v. a. von P. CÉZANNE beeinflußt, Figurenbilder (häufig seine Frau) und Landschaften i. S. eines durch Farbklang und lichtüberflutete Helligkeit bestimmten Expressionismus. Als Bildhauer wurde er v. a. von A. RODIN beeinflußt.

Wouwerman [w'ɔu-], Philips, holländ. Maler, getauft Haarlem 24. 5. 1619, begraben ebd. 19. 5. 1668,

Philips Wouwerman: Reiter am Brunnen (Köln, Wallraf-Richartz-Museum)

Sohn des Historienmalers Pauwels Joosten W. (†1642), wohl Schüler von F. HALS, malte, von P. VAN LAER beeinflußt, Landschaften mit Jagdgesellschaften und Reiterszenen, auch mit dörfl. Staffage. Die sich immer um Pferde gruppierenden kleinen Figuren sind in feinster atmosphär. Malerei und gewandter Komposition sicher und leicht in die duftige Landschaft gesetzt. Sein farbiger Ton ging vom Warmbräunlichen allmählich mehr ins Bläulichsilbrige über. W. hat etwa 1000 Bilder hinterlassen und wurde von vielen, auch dt. Malern, nachgeahmt, u.a. von seinen Brüdern Pieter (*1623, †1683) und Jan (*1629, †1666).

Wren [ren], Sir (1673) Christopher, engl. Architekt, *East Knoyle (Wiltshire) 20. 10. 1632, †Hampton Court bei London 25. 2. 1723. Nach dem großen Brand von London 1666 wurde er zum Generalarchitekten des Wiederaufbaus ernannt, wenn auch sein grandioser Plan zur Neugliederung nicht ausgeführt wurde. Er baute 51 Stadtkirchen, meist einfache Ausführungen barocker Zentralbauten, von denen noch etwa 15 erh. sind. Sein HW ist St. Paul's Cathedral (1675–1709; BILD London), die sich an Vorbilder der ital. Renaissance und des frz. Barock anlehnt. Die Kuppel weist eine komplizierte Konstruktion auf. In seinen Profanbauten ist W. strenger an der klassisch-antiken Baukunst orientiert als die meisten seiner Zeitgenossen auf dem Kontinent, etwa bei den langen Kolonnaden des Greenwich Hospital (1695 ff.) und dem schlichteren Chelsea Hospital (1681–89), beide in London.

N. PEVSNER: C. W. (Mailand 1959); MARGARET WHINNEY: W. (London 1971); C. W., Ausst.-Kat., London (1981); K. DOWNES: The architecture of W. (London 1982).

Wright [raɪt], **1)** Frank Lloyd, amerikan. Architekt, *Richland Center (Wisconsin) 8. 6. 1869, †Phoenix (Arizona) 9. 4. 1959, arbeitete 1888–93 bei D. ADLER und L. H. SULLIVAN in Chicago. Ausgehend von dem Grundsatz Sullivans, den Plan von innen nach außen zu entwickeln, schuf er Bauten, die aus den Gegebenheiten der Landschaft, Zweck, Material, Konstruktion erwachsen und organisch gestaltet sind (→Organische Architektur). Mit der Natur in Einklang gesetzt sind seine Landhausbauten, für die er Holz und Stein (›Präriehäuser‹: Willits House, Chicago, 1902; Robie House, ebd., 1908/09), später auch Beton verwendete (Haus über dem Wasserfall, Bear Run, Pennsylvania, 1937 bis 1939); seit 1930 Einfamilienhäuser (›Usonia-Häuser‹); baute das Imperial Hotel in Tokio (1915–23), das Verwaltungsgebäude der Fabrik Johnson in Racine, Wisconsin (1936–39), das Florida Southern College in Lakeland, Florida (1940–49), den Morris Shop in San Francisco (1948), die Unitarier-Kirche bei Madison (1950), den Price Tower in Bartles, Oklahoma (1955), und das Guggenheim-Mus. in New York (1956–59; Rundbau mit spiralförmig emporführender Rampe).

W. A. STORRER: The architecture of F. L. W. (Cambridge, Massachusetts, [2]1978; vollständiger Kat.).

2) Joseph, gen. **W. of Derby** [-ɔv d'ɑ:bɪ], engl. Maler, *Derby 3. 9. 1734, †ebd. 29. 8. 1797, Schüler von T. HUDSON in London, malte bes. vielfigurige wissenschaftl. Demonstrationsszenen bei künstl. Beleuchtung (z. B. ›Das Experiment mit dem Vogel in der Luftpumpe‹, 1768; London, Tate Gal.).

B. NICOLSON: J. W. of Derby (London [2]1968).

Wrocław [vr'ɔtsłaf], poln. Name für →Breslau.

Wrubel, Michail Aleksandrowitsch, russ. Maler, Graphiker, Bildhauer, *Omsk 17. 3. 1856, †(in geistiger Umnachtung) St. Petersburg 14. 4. 1910, studierte an der St. Petersburger Akad., bereiste Italien, Frankreich

Frank Lloyd Wright: Solomon R. Guggenheim Museum, New York; 1956–59

Michail Aleksandrowitsch Wrubel: Sitzender Dämon; 1890 (Moskau, Tretjakow-Galerie)

und Griechenland. Sein Werk (monumentale Wandgemälde, Porträts, Illustrationen, Bühnenbilder, Kunstgewerbe) ist durch phantast. Symbolik und monumentaldekorative Vereinfachung gekennzeichnet. Er gilt als Hauptvertreter des russ. Symbolismus.

Wtewael ['œjtəwal], **Wttewael, Uytewael,** Joachim Antonisz., niederländ. Maler, *Utrecht um 1566, †ebd. 1. 8. 1638, war 1586–91 in Padua und Frankreich, malte in spätmanierist. Stil, an A. BLOEMAERT erinnernd, bibl., mytholog. und allegor. Darstellungen, oft in komplizierter Komposition, mit stark bewegten, übertrieben gestikulierenden Figuren.

Wttenbroek ['œjtənbru:k], Moyses van, holländ. Maler, →Uyttenbroeck.

Wu Chen [-tʃen], chines. Maler, Dichter, Kalligraph, *Chiahsing (Prov. Chekiang) 1280, †1354, führte als Taoist ein zurückgezogenes Leben. W. C. zählt mit NI TSAN, HUANG KUNG-WANG und WANG MENG zu den ›Vier Großen Meistern der Yüan-Periode‹. Großen Ruhm erlangte er durch seine virtuosen, an die Sung-Zeit anknüpfenden Bambusgemälde, die er selbst als ›Tuschespiele‹ bezeichnete.

Wüger, Jakob, als Benediktiner **Pater Gabriel,** schweizer. Maler, *Steckborn (Kt. Thurgau) 2. 12. 1829, †Montecassino 31. 5. 1892, Schüler von W. v. KAULBACH, wurde 1865 katholisch, trat 1870 in das Kloster Beuron ein. Hier gründete er mit P. LENZ die →Beuroner Kunstschule. W. malte v. a. relig. Bilder.

Wu Liang-tz'u [-tsə], oberirdische Opferhalle zum Grab der Familie Wu mit guterhaltenen Steinreliefs (→Shantung-Reliefs).

Wülzburg, Festung über Weißenburg i. Bay., an der Stelle eines Benediktinerklosters als ansbachische Landesfestung in Fünfeckform (1588) nach dem Vorbild des Antwerpener Kastells errichtet, eine der wenigen vollständig erh. barocken Höhenfestungen.

Wunderlich, Paul, Maler, Graphiker, *Berlin 10. 3.

Paul Wunderlich: Jagdpoesie; 1973 (Hamburg, Privatsammlung)

1927. Sein auch technisch eigenwilliges lithograph. Schaffen verbindet surrealist. Figurengestaltung und Erfahrungen der gegenstandslosen Malerei zu Szenen zw. Phantastik und Eleganz. W. verarbeitet Anregungen aus der Mythologie und der erotischen Dichtung; schuf auch Plastiken (manieristisch gestreckte Gestalten) und Objekte.

J. C. JENSEN: P. W. (1980); ders.: P. W., Werkverz. der Gemälde, Gouachen und Zeichnungen 1957–1978 (1982).

Wundertaten Christi, die als Zeichen der Offenbarung geltenden bibl. Taten Christi, die, für sich genommen, dem Naturgesetz widersprechen (Totenerweckungen, Krankenheilungen, Speise- und Seewunder). Zu den Totenerweckungen gehören v. a. die Erweckung des →Lazarus, der Tochter des Jairus (Sepulkralkunst des 4. Jh., Lipsanothek von Brescia), des Jünglings von Naim (Sepulkralkunst, später oft als Szene ausgestaltet). Im MA. wurden die versch. Erweckungen häufig zu einem Bild zusammengestellt. Krankenheilungen finden sich v. a. seit dem 5./6. Jh. als Motiv von Zyklen. Einzelszenen sind die Heilung der Besessenen (Buchmalerei des 9. und 10. Jh.), die →Blindenheilung, die Heilung des Gichtbrüchigen (Mosaik, 520–25, Ravenna, S. Apollinare Nuovo; Buchmalerei des 12. Jh.) und des Lahmen beim Teich Bethesda, daher als Taufsymbol verstanden, u. a. Zu den Speisewundern gehört die Verwandlung von Wasser in Wein (Hochzeit von →Kana), die Brotvermehrung (in vereinfachter Bild-

Würfelhocker
des Petamenophis, um 680 v. Chr. (Berlin-West, Staatl. Museen)

form auf Sarkophagen des 4. Jh.: Christus inmitten von 2 Aposteln, die ihm das Brot reichen, Mosaik, 520–25; Ravenna, S. Apollinare Nuovo). Die Seewunder stehen im Zusammenhang der Ikonographie des →Petrus.

Wunstorf, Stadt im Kr. Hannover, südöstlich des Steinhuder Meeres, Ndsachs., 37 300 Ew. Die ehem. Kanonissen-Stiftskirche ist eine roman. Gewölbebasilika mit sächs. Stützenwechsel (um 1200) und reicher Bauornamentik in der Nachfolge von Hildesheim (St. Godehard, St. Michael) und Braunschweig (Dom); Marktkirche (Ende 12. Jh., Langhaus um 1700).

Wuppertal, Stadt im Berg. Land, NRW, 394 600 Ew. Im 2. Weltkrieg wurden fast alle histor. Bauten zerstört. Erh. sind (in W.-Elberfeld): Ref. Kirche (1688 bis 1690), klassizist. Laurentiuskirche (1825–35), Altes Rathaus (1828–42), darin das →Von der Heydt-Museum; Uhren-Mus.; im Garten des Friedrich-Engels-Hauses (Mus.) Engels-Denkmal von A. HRDLIČKA (1980).

Würfelfries, Baukunst: →Schachbrettfries.

Würfelhocker, ägypt. Statuenform eines hockenden Mannes (häufig Beamte des Königs) auf einen Würfel reduziert, meist nur der Kopf herausgearbeitet; auf seinem um die Beine geschlungenen Mantel Inschriften und Darstellungen.

Wurstkrug, der →Ringkrug.

Würtenberger, Ernst, Maler, Graphiker, *Steißlingen (Kr. Konstanz) 23. 10. 1868, †Karlsruhe 5. 2. 1934, lebte 1902–21 in Zürich, war dann Prof. an der Akad. in Karlsruhe; schuf von F. HODLER und H. THOMA beeinflußte Porträts und Landschaften.

Wurzach, Bad W., Stadt im Kr. Ravensburg, Bad.-Württ., 11 700 Ew., war 1675–1903 Residenz der Grafen von Waldburg-Zeil-W. Im Barockschloß (1723–28) bed. Treppenanlage nach dem Vorbild des Schlosses in Bruchsal, deren Meister bisher nicht identifiziert wurden. Frühklassizist. Pfarrkirche St. Verena (1775–77 nach dem Vorbild von Bad Buchau).

Würzburg, Stadt in Unterfranken, am Main, 127 500 Ew., war ein wichtiges geistl. Zentrum Dtl.s; seit 742 Sitz eines kath. Bischofs, seit 1582 einer Univ. Die v. a. vom Barock geprägte Stadt wurde 1945 stark zerstört, aber inzwischen großenteils originalgetreu wiederaufgebaut. Die Festung Marienberg (Ausbau 13.–18. Jh.) war 1253–1720 Residenz der Fürstbischöfe; die Marienkirche ist der wohl älteste dt. Nischenrundbau (um 1000); die Festung beherbergt das Mainfränk. Mus. (u. a. größte Samml. der Werke T. RIEMENSCHNEIDERS).

Die ehem. fürstbischöfl. Residenz (1720–44 nach Plänen von M. v. WELSCH, J. L. v. HILDEBRANDT, J. B. NEUMANN) ist der bedeutendste Schloßbau des dt. Barock (1981 von der UNESCO als Weltkulturerbe für schutzwürdig erklärt). An der einzigartigen Ausstattung der 167 m langen Ehrenhofanlage mit 4 Binnenhöfen wirkten u. a. die Maler J. R. BYSS und JOHANN ZICK sowie die Bildhauer J. W. v. D. AUWERA und J. P. WAGNER; herausragend Gartensaal, Weißer Saal und v. a. Trep-

Wörter, die man unter W vermißt, suche man unter Ou oder V

penhaus (BILD Barock) und Kaisersaal mit den Fresken von G. B. TIEPOLO (1750–53; BILD), einem HW der europ. Deckenmalerei; Hofkirche (1732–43; BILD J.B. Neumann). Im S-Flügel der Residenz das Martin-von-Wagner-Mus. (Antiken- und Vasen-Samml., Gemälde und Graphik 16.–18. Jh.). Der Dom St. Kilian ist nach Mainz und Speyer der drittgrößte roman. Sakralbau in Dtl. (Pfeilerbasilika mit hochaufragender Doppelturmfront, 1188 gew., Neubau der O-Teile 1. H. 13. Jh., 1699–1709 und 1749–51 barockisiert; bed. Reihe von Bischofsgrabmälern); angebaut die barocke Schönbornkapelle (1721–24 von M. v. WELSCH); spätgot. Domkreuzgang (1420–53). Das Neumünster ist eine spätroman. Pfeilerbasilika (11.–13. Jh.), die ab 1711 unter Leitung von J. GREISING barockisiert wurde: imposante Fassade im röm. Barockstil, Hochaltar 1724 von D. ZIMMERMANN, Fresken 1732 von J. B. ZIMMERMANN; im Kreuzgang (›Lusamgarten‹) bed. roman. Kapitelle (um 1170/80). St. Burkard ist eine flachgedeckte roman. Basilika mit Stützenwechsel und Krypta (1033 bis 1042), spätgot. Neubau der O-Teile im 15. Jh.; nahebei das ehem. Zuchthaus (1809/10), eine originelle Verbindung ägypt. und klassizist. Elemente unter dem Einfluß der frz. Revolutionsarchitektur. An den spätroman. Turm der got. Deutschhauskirche (1260–96) schließt das barocke Komtureigebäude (1694 von A. PETRINI) an. Am Markt stehen die spätgot. Marienkapelle (1377–1479, Ausbau des Turmhelmes 1856–58) und das ›Haus zum Falken‹ mit Rokoko-Stuckfassade (1751). Vom 1032 gew. Gründungsbau der ehem. Benediktinerklosterkirche St. Stephan blieben Teile erh., O-Teile 1715 umgebaut, 1788/89 Neubau des Langhauses. Daneben liegt die ehem. Jesuitenkirche St. Michael (1765–98). Der barocke Neubau der Peterskirche (1717–20 von Greising) bezog die roman. Türme und den got. Chor ein; Rokoko-Kanzel von J. W. v. d. Auwera. Die 1266 beg. Augustinerkirche (ehem. Dominikanerkirche) wurde 1741–44 durch Neumann barock verändert. Die Kirche in der Alten Univ. wurde 1582 bis 1591 im Echter-Stil erbaut. Die Hauger Stiftskirche (1670–91 von Petrini) gilt als erster barocker Großbau in Franken mit beherrschender Kuppel und mächtiger, von Figurennischen durchsetzter Doppelturmfassade. Die Wallfahrtskirche ›Käppele‹ auf dem Nikolausberg ist ein 1747–50 von Neumann errichteter Kuppelzentralbau mit Zwiebeltürmen.

Im Stadtteil **Zellerau** das ehem. Zisterzienserinnen-(jetzt Karmelitinnen-)Kloster **Himmelspforten** (13. Jh., 16.–18. Jh. erneuert). Das Rathaus (13.–16. Jh.) ist ein Konglomerat aus dem roman. Grafeneckartbau mit zweischiffigem Wenzelsaal, dem Roten Bau (1659/60) der Spätrenaissance und dem ehem. Karmelitenkloster (barocke Dreiflügelanlage um 1720). Am Bau des schloßartigen vierflügeligen Juliusspitals (1576 beg., 1793 voll.) wirkten u. a. Petrini und Neumann mit. Auf der alten Mainbrücke (1473–1543) stehen 12 Heiligenstatuen (1725/30). Es bestehen noch zahlreiche Domherren-, Kloster- und Adelshöfe von Petrini, Greising und Neumann (16.–18. Jh.). In der Städt. Gal. ist mainfränk. Kunst des 19./20. Jh. ausgestellt.

Benedikt Wurzelbauer: Tugendbrunnen vor St. Lorenz in Nürnberg, 1585–89

Die Kunstdenkmäler von Bayern, Unterfranken, Bd. 12: W. (²1981).

Wurzelbauer, Benedikt, Erzgießer, Bildhauer, *Nürnberg 25. 9. 1548, †ebd. 2. 10. 1620, erlernte sein Handwerk bei dem mit ihm verwandten P. LABENWOLF, dessen Werkstatt er später übernahm. W. schuf im Stil des niederländ. Manierismus den Tugendbrunnen in Nürnberg (1585–89; vor St. Lorenz, mit Statuetten der 8 Kardinaltugenden und wappenhaltenden Putten) den Venusbrunnen in Prag (1599/1600; Becken auf dem Hradschin, Gruppe Venus und Amor – Gruppe mit Delphin im Kunstgewerbemus.), Bronzeepitaphien und kleinplast. Arbeiten.

Wurzel Jesse, →Jesse.

Wurzen, Stadt östlich von Leipzig, Dt. Dem. Rep., 19700 Ew.; Marienkirche (›Dom‹), urspr. roman. flachgedeckte Pfeilerbasilika (1114 gew.), 1260–80 gotisch erweitert, auffallend langgestreckter Grundriß mit O- und W-Chor, in der Ausstattung 3 spätgot. Steinfiguren (um 1500); gegenüber der Kirche spätgot. Schloß (1491–97, 1519 erneuert) mit Parallelen zur Albrechtsburg in Meißen; den dreieckigen Domplatz nach N abschließend das ehem. Kornhaus (15. Jh.); spätgot. Wenzelskirche (Anf. 16. Jh.).

Wüstenschlösser, Residenzen und Lagerpaläste omajjad. Kalifen, ihrer Familienmitglieder sowie reicher Grundbesitzer im Wüstengebiet Syriens und des heutigen Jordanien, z. T. auf der Linie des röm. Limes. Die wohl nach dem Vorbild großer, festungsartig gebauter Landresidenzen der Spätantike angelegten W. (ummauertes Viereck mit Eck- und halbrunden Türmen an den Seiten) dienten als Jagd-, Bade- und Lustschlösser. Sie waren immer mit einer Moschee verbunden. Die reiche Ausstattung mit Mosaiken, Marmor, Fresken und figürl. Rundplastik zeigt byzantin., kopt. und pers. Einflüsse, aus denen sich der frühislam. Stil entwickelte. (→Anjar, →Kasr al-Hair al-Gharbi, →Khirbat al-Mafjar, →Kusair Amra, →Mschatta)

Wut'aishan, Wutaishan [-ʃan], Bergland im NO der Stadt Wut'ai in der chines. Prov. Shansi. Im W. liegt der Tempel Fo-kuang-ssu; seine Haupthalle ist die einzige aus der T'ang-Zeit erh. Halle in China (zw. 850 und 860 erbaut). In ihrer Wuchtigkeit und in der schlichten Klarheit ihrer Konstruktion ähnelt diese klass. Halle den japan. Gebäuden dieser Epoche (z. B. →Horyuji). Die Schräge des Walmdachs verläuft fast geradlinig, die das Dach stützenden Konsolensysteme sind rein funktional und noch nicht (wie in späterer Zeit) als Schmuckelemente ausgestaltet.

Wu Tao-tzu [-dsə], chines. Maler, *Yangchou (Prov. Honan), tätig etwa 710–760, malte Landschaften, buddhist. und taoist. Wandzyklen in Ch'angan und Loyang, diente als Hofmaler unter dem T'ang-Kaiser HSÜAN-TSUNG. Die dynam. Spontaneität seiner klaren, schwungvollen Linienführung (variierender, an- und abschwellender Pinselduktus) machten ihn zum großen Vorbild späterer Figurenmaler. Kopien seiner Werke sind nur in Steinabreibungen erh., so das ›Emblem des

Nordens‹, repräsentiert durch eine von einer Schlange umwundene Schildkröte (London, British Mus.).

Wyatt [w'aıət], James, engl. Baumeister, *Burton Constable (Staffordshire) 3. 8. 1746, †Marlborough (Wiltshire) 4. 9. 1813, baute in klassizist. und neugot. Stil, wurde v. a. bekannt durch sein für den Dichter und Sammler W. Beckford entworfenes gewaltiges Schloß Fonthill Abbey (Wiltshire, 1796) mit 84 m hohem Zentralturm (eingestürzt 1825). Sein Sohn Benjamin (*1775, †um 1848/50) baute in London u. a. das Drury Lane Theatre (1809–12).

Wyborg, Wiborg, Stadt im Gebiet Leningrad, Russ. SFSR, am Finn. Meerbusen, 77 000 Ew. Die um eine Burg (1293, 1891–94 rekonstruiert; mit halbrunden Ecktürmen und achteckigem Bergfried) entstandene Stadt wurde 1944 fast völlig zerstört; bed. Baudenkmäler: Runder Turm (1550), Rathausturm (15.–16. Jh.), Festungsanlagen (1740), Bronzedenkmal Peters I. (1910).

Wyckaert [w'ɛjka:rt], Maurice, belg. Maler, *Brüssel 15. 11. 1923, malte anfänglich Bilder i. S. des Abstrakten Expressionismus. Seit etwa 1959 finden sich in seinen starkfarbigen Bildern auch Anklänge an gegenständl. Motive.

Wyczółkowski [vitʃulk'ɔfski], Leon, poln. Maler, Graphiker, *Huta Miastowska (Kr. Garwolin) 11. 4. 1852, †Warschau 27. 12. 1936, Schüler von J. Matejko in Krakau, 1895–1911 ebd. Prof., seit 1934 in Warschau Prof. für Graphik an der Akad. der bildenden Künste, malte anfangs nach histor. Motiven, dann v. a. Porträts und Salonszenen. In seinen Porträtstudien näherte sich W. dem Impressionismus und wandte sich später dem Symbolismus zu.

Wydyz, Bildschnitzer, →Weiditz.

Wyeth [w'aıəθ], Andrew, amerikanischer Maler, *Chadds Ford (Pennsylvania) 12. 7. 1917. Seine Aquarell- und Temperabilder, die photograph. Momentaufnahmen vergleichbar sind, fangen Poesie und Dramatik des Alltagslebens auf dem Land ein und zeigen einen idealisierten ›American way of life‹.

A. W., Ausst.-Kat., London (1980).

Wynants [w'ɛj-], Jan, holländ. Maler, →Wijnants.

Wyspiański [vispi'aĩski], Stanisław, poln. Maler, Schriftst., *Krakau 15. 1. 1869, †ebd. 28. 11. 1907, führender Vertreter der dem Jugendstil nahestehenden literar. Bewegung ›Młoda Polska‹, stand als Maler unter dem Einfluß des Impressionismus und der frz. Gruppe der Nabis (Aufenthalt in Paris 1891–94). W. malte v. a. in Pastelltechnik Pflanzenbilder und Porträts. Seine meist relig. Glasmalereien und Buchillustrationen sind erste Zeugnisse der modernen angewandten Kunst in Polen.

Xanten, Stadt links des Niederrheins, NRW, 15 700 Ew., entstand südlich der röm. Siedlung ›Colonia Ulpia Traiana‹, die als einzige größere röm. Stadt nördlich der Alpen nicht überbaut wurde (seit 1956 Ausgrabungen, Archäolog. Park mit Rekonstruktionen röm. Bauwerke). Der Dom St. Viktor ist eine ehem. Stiftskirche; W-Bau (um 1190–1213) mit W-Chorhalle und romanisch-got. Doppeltürmen, anschließend fünfschiffige got. Basilika mit gestaffelter Choranlage (1263–1530). Die wertvolle Ausstattung dieses bedeutendsten dt. Sakralbaus nördlich von Köln konnte trotz starker Zerstörung im 2. Weltkrieg gerettet werden: Hochaltar (1529–49) mit Viktorschrein (1129–70), Chorgestühl (13. Jh.), 28 got. Pfeilerfiguren (14./15. Jh.), Marienaltar (um 1535, ein HW von H. DOUVERMANN), bronzener Leuchterbogen (1501), spätgot. Wandteppiche u. a.; im Kapitelsaal die Domschatzkammer; Kalvarienberg (1525–36). Das Klever-Tor (1393) ist eines der seltenen ma. Doppeltore mit Zwinger. Regional-Mus.

W. BADER: Der Dom zu X. (1978).

Xanthos, im Altertum die bedeutendste Stadt in Lykien (beim heutigen Dorf Kınık, in der Prov. Antalya, SW-Türkei). X. wurde 545 v. Chr. durch die Perser zerstört, erlebte Blütezeiten unter ALEXANDER D. GR., den Nachfolgestaaten und später als Hauptstadt der röm. Prov. Lykien. Bedeutendste Hinterlassenschaft von X. sind die zahlreichen, haus- oder turmähnl., reliefgeschmückten Grabdenkmäler, wohl für die Stadtfürsten von X. errichtet; darunter v. a. das ›Löwengrab‹ mit den ältesten lyk. Reliefs (um 550 v. Chr.), das ›Harpyienmonument‹, das auf einem 5 m hohen Monolithpfeiler das reliefgeschmückte (Harpyiendarstellungen?) Grabhaus trug (um 480 v. Chr., London, Brit. Mus.), sowie das →Nereidenmonument (spätes 5. Jh. v. Chr.). Durch Ausgrabungen wurden in X. v. a. Baureste aus röm. Zeit

Xanten: Dom

freigelegt; außerhalb der Stadt wurde ein zu X. gehöriges Heiligtum der Leto (Letoon) mit 3 Tempeln und einem Nymphaeum aufgedeckt.

Xenakis, Constantin, frz. Künstler grch. Abstammung, *Kairo 28. 12. 1931, lebt in Paris. Sein Werk (geometr.-konstruktive Malerei, dann Kinet. Kunst, graph. Zeichenkombinationen, Piktogramme) konzentriert sich auf die Erforschung visuell-kinet. Zusammenhänge, oft unter Einbeziehung von Spiegeleffekten.

Xi'an [sjian], Stadt in China, →Sian.

Xianyang [sjianjaŋ], Stadt in China, →Sienyang.

Xipe Totec [ʃ'ipə t'otɛk, Nahuatl ›unser Herr der Geschundene‹]; Vegetationsgott der Azteken. Dargestellt ist er meist mit der übergezogenen Haut eines Menschenopfers.

Xoanon [grch.], aus Holz geschnitztes Götterbild der grch. Antike.

Xochicalco: Reliefs an der Hauptpyramide

Xochicalco [sɔtʃi-], Ruinenstätte im Bundesstaat Morelos, Mexiko, südlich von Cuernavaca. Elemente in Anlage und Ausschmückung der Gebäude lassen Einflüsse der Maya-Kultur, aber auch von El Tajín und Veracruz, erkennen. X. war von etwa 100–1050 besiedelt, hat aber wohl erst nach dem Untergang von Teotihuacán wesentl. Bedeutung in dieser Region gehabt. Erh. sind mehrere Gebäude und ein Ballspielplatz; sie werden überragt von der Hauptpyramide (Pyramide des Quetzalcóatl); vom Tempel ist nur der untere Teil der Wände erh. Der Sockel der Pyramide ist mit Reliefs geschmückt (von Federschlangen umgebene, sitzende Figuren mit reichem Federschmuck, Hieroglyphen).

Xpuhil [ʃ-], Zeremonialzentrum der Maya in Mexiko, im Bundesstaat Quintana Roo, an der Grenze zu Campeche, um 500–900, mit Gebäuden im Río-Bec-Stil; ›Bau 1‹ zeigt die typ. turmähnl. Stufenpyramiden- und Tempelattrappen bei palastähnl. Gebäuden; Baudekoration sind vertikale Maskenfelder.

Xylographie [grch.], ältere Bez. für den →Holzschnitt, auch synonym für den →Holzstich verwendet.

Xystos [grch.] *der*, bei den Griechen Säulenhalle, die in Gymnasien als gedeckte Laufbahn diente; bei den Römern auch bildgeschmückter Promenadenweg in Gartenanlagen.

Y

Yaguarón [jaɣuar'ɔn], ehem. Missionsstation der Franziskaner in Paraguay, südöstlich von Asunción; 1536 gegr. Die bes. schöne Pfarrkirche (1670–1720) ist eine dreischiffige Hallenkirche mit barocken, bemalten Schnitzereien (Kanzel, Chorgestühl, Beichtstühle), die zu den HW des Jesuitenstils gehören. Die reich vergoldeten, farbig gefaßten Altäre zählen zu den eindrucksvollsten Werken des indianisch beeinflußten Barock in Paraguay (Guaraní-Barock).

Yagul [jaɣ'ul], archäolog. Fundort bei Mitla, im Bundesstaat Oaxaca, Mexiko. Y. hatte seine Hauptblütezeit vermutlich um 900; die ethn. Zugehörigkeit der Bewohner ist unklar (vielleicht Zapoteken und Mixteken, zu versch. Zeiten). Die viereckigen Gebäudekomplexe ähneln denen von Mitla; die Steinmosaike sind jedoch gröber als dort. Die in den großen unterird., kreuzförmigen Gräbern gefundene Grabkeramik (nachklass. Epoche) ist schwarz auf orange-rot verziert.

Yaka, Volksgruppe in S-Zaire, östlich des Kwango an der angolan. Grenze, mit bed. Schnitztradition. Typ. Merkmal der Y.-Skulpturen und -Masken ist die nach oben weisende Nasenspitze. Sie findet sich auch an den Köpfen auf den oft bes. kunstvoll gearbeiteten Kämmen, Nackenstützen, Signalpfeifen, Musikinstrumenten u. a. Die Augenlider liegen in gleichmäßig ovalen Vertiefungen und öffnen sich in einem waagerechten Schlitz, ähnlich wie bei den Skulpturen und Masken der südöstlich benachbarten →Chokwe. Die sehr klein gehaltenen Masken sind meist von Raphia-Fasern dicht umschlossen und haben phantasievolle, aus Pflanzenfasern gefertigte Aufbauten, die etagenförmig spitz zulaufen, häufig aber auch von einem Tier oder einer figürl. Szene (Geburt, Kopulation) gekrönt sind. Der Nachbarschaft des alten Kongo-Reiches im W wird die häufige Verwendung von Zauberfiguren zugeschrieben, die wie dort Medizin (mag. Substanz) enthalten.

Yaki [japan. ›gebranntes‹], japan. Bez. für keram. Erzeugnisse, meist als Zusatz zum Namen einer Provinz, eines Töpferdorfes oder eines Künstlers (→Keramik).

Yaksha [jakʃa, Skt.], volkstüml. Berg- oder Baumgottheit im alten Indien, ähnlich den Schlangengöttern (Naga) schon in vorchristl. Jh. in monumentalen Steinplastiken dargestellt (Manibhadra von Parkham bei Mathura). Die Y. wurden von den ind. Hochreligionen adaptiert und als Schutzgeister z. B. von Pfeilern buddhist. Steinzäune im Relief dargestellt (in Bharhut, Pauni u. a.); ihr König: Kubera (buddhistisch Jambhala).

Yakushi, Yakushi-Nyorai, japan. Buddha der Heilkunst; außer Dainichi-Nyorai der einzige Buddha, der mit Attributen dargestellt wird. Er hält in der geöffneten Linken eine runde Arzneibüchse oder eine Frucht. (Bild S. 277)

Wörter, die man unter Y vermißt, suche man unter J

Yakushi: Y.-Nyorai im Horyuji bei Nara; vergoldete Bronzeplastik, aus dem Jahr 607

Yạma [Skt.], der hinduist. Todesgott, dargestellt mit einem Büffel als Reittier und einer Schlinge, der Seelenfessel, als Hauptattribut. Y. gilt als Herrscher und Dikpala der Südregion.

Yamasaki [engl. jəməz'eɪkɪ], Minoru, amerikan. Architekt japan. Herkunft, *Seattle (Washington) 1. 12. 1912, †New York 6. 2. 1986, gewann durch den 1951–56 mit G. F. HELLMUTH und J. LEINWEBER errichteten Flughafen in St. Louis (Missouri) internat. Ansehen.

WW: Pruitt-Igoe Housing, Wohnungsbau in St. Louis (1952–55; 1972 gesprengt); Macgregor Memorial Community Center der Wayne State Univ., Detroit (1954); Flughafengebäude in Dharan, Saudi-Arabien (1962, mit R. M. PARSON); World Trade Center in New York (1960–76).

Schrift: American architecture and traditional architecture of Japan (Washington, D. C., 1961).

Yamato-e [japan. ›Yamato-Malerei‹], eine Gattung eigenständiger japan. Malerei, benannt nach der Yamato-Ebene um die histor. Hauptstadt Nara; eine illustrierend erzählende Malerei, die in Tusche und Deckfarben, meist auf →Querrollen, aber auch Stellschirmen und Schiebeelementen (Fusuma) japan. Themen, Szenen aus Geschichte, Legenden, höf. Romanen oder Kurzgedichten (Waka, Haiku) behandelt. Die Darstellungsformen des Y.-e, wie ornamentale Wolken, dachlose Häuser in Draufsicht und Parallelperspektive sowie stilisierte Figuren mit schematisierten Gesichtszügen, selbst beim höf. Porträt (Nise-e), wurden später in der Tosa-Schule, der Rimpa-Schule und dem Ukiyo-e beibehalten. Obwohl künstler. Ausdrucksform ma. japan. Kultur, hielt sich diese Tradition bis in die Neuzeit (z. B. bei den Frauenbildern der Meiji-Malerin UEMURA SHOEN, *1875, †1949).

Yạmuna [Skt.], die Personifikation des gleichnamigen Ganges-Nebenflusses (N-Indien) als Göttin. Auf einer Schildkröte stehend, bildet sie mit Ganga die kanon. Gruppe der Portalfiguren hinduist. Tempel.

Yánez [j'anεθ], Fernando (auch Hernando), gen. **Y. de Almedina,** span. Maler aus Almedina (La Mancha), wahrscheinlich in Italien ausgebildet, 1506–36 in Valencia nachweisbar, arbeitete eng zusammen mit FERNANDO DE LOS LLANOS. Einer von beiden ist vermutlich der ›Fernando Spagnolo‹, der Gehilfe LEONARDO DA VINCIS beim Karton für die ›Schlacht von Anghiari‹ (1504/05). Für die Entwicklung der Malerei in Valencia war ihr Wirken von größter Bedeutung, denn sie verschafften der Kunst Leonardo da Vincis überragende Geltung.

HW (mit Fernando de Llanos): 12 Szenen aus dem Marienleben für den Hochaltar der Kathedrale von Valencia (1509 voll.; Zuschreibung).

Yang, →Yin und Yang.

Yanhuitlán [januitl'an], Stadt im Staat Oaxaca, Mexiko, etwa 10000 Ew.; ehem. Dominikanerkloster (1550–75); die einschiffige Kirche hat got. Gewölbe und got. Fenster sowie eine der ältesten plateresken Fassaden im Land; im Innern Altäre mit Estípite-Karyatiden, Marienaltar mit kunstvollen Holzschnitzereien, Gemälde, Skulpturen, polychromes Marmorrelief (Kreuzabnahme, um 1670).

Yantra [Skt.], magisch-geometr. Diagramm der Tantra-Kunst Indiens als Sinnbild von Gottheiten oder kosm. Beziehungen, z. B. der Mann-Frau-Dualität, dargestellt im Shri-Yantra aus 4 und 5 gegeneinander gerichteten, sich in Fixpunkten schneidenden Dreiecken innerhalb eines Mandala.

Yaoundé [ja:und'e], **Yaunde, Jaunde,** Hauptstadt von Kamerun, 274400 Ew.; im Kloster Mont Fébé Samml. Kameruner Kunst (bes. zeremonielle Bamum-Pfeifen).

Yaqut al-Musta'simi [jak'ut-], Kalligraph, †1298, ein aus Äthiopien stammender Sklave des letzten Kalifen in Bagdad, galt schon seinen Zeitgenossen als unübertreffl. Meister der Kalligraphie. Die Vollkommenheit seiner Schrift erklärte man mit einer neuen Art, das Schreibrohr zuzuschneiden.

Yaure, Yaouré [jaur'e], Unterstamm der →Baule im Zentrum der Elfenbeinküste, mit stilistisch sehr ähnl. Holzschnitzkunst. Die Masken (Figuren sind seltener als bei den übrigen Baule) unterscheiden sich jedoch meist durch betonte Zackenumrahmung des Gesichts.

Yaxchilán [jaʃtʃil'an], Zeremonialzentrum der vorkolumb. Maya (BILD) im Bundesstaat Chiapas, Mexiko, im dichten trop. Regenwald am Usumacinta, aus der klass. Epoche (600–900). Nur ein geringer Teil der in der Ebene und auf den ansteigenden Hügeln stehenden Gebäudekomplexe ist bisher freigelegt. Die palastähnl. Bauwerke haben z. T. Dachkämme (wie die in Palenque) und waren mit Stuckornamenten geschmückt. Bedeutung hat Y. v.a. durch seine große Zahl bes. schön gearbeiteter Reliefs auf Türstürzen, Stelen, Treppenstufen und Altären, mit großer Vielfalt der szen. Darstellungen und mit Hieroglyphen-Inschriften. Das Kunstschaffen blühte v.a. zw. 665 und 772, nach 800 begann der künstler. Niedergang.

Wörter, die man unter Y vermißt, suche man unter J

Yazd [jazd], Oasenstadt in Iran, →Jesd.

Yazılıkaya [jazıl'ıkaja, türk. ›beschriebener Fels‹], hethit. Felsheiligtum, 1,5 km nordöstlich der einstigen Hauptstadt Hattuscha: 3 natürl. Felskammern wurden durch Anbau eines Propylons und weiterer Gebäude zu einem Tempelkomplex ausgebaut, der wohl Neujahrsfesthaus und Totentempel vereinte. Aus dem Felsen ist in der Hauptkammer eine Götterprozession mit 42 männl. und 20 weibl. Figuren in flachem Hochrelief herausgearbeitet; in der Mitte treffen sich die Hauptgötter, der Wettergott Teschup und die Göttin Chepat. Reliefs in einer Nebenkammer (B) stellen u.a. eine Reihe von 12 Göttern sowie den hethit. König TUDCHALIJA IV. (Mitte 15. Jh. v. Chr.) mit seinem Schutzgott Scharruma dar. Das Heiligtum wurde in der hethit. Großreichszeit (2. H. 13. Jh. v. Chr.) geschaffen.

K. BITTEL u.a.: Das hethit. Felsheiligtum Y. (1975).

Yecapixtla [jekap'istla], Stadt im Staat Morelos, Mexiko, 6000 Ew. Kirche und Kloster (Augustiner, um 1540) zeigen Festungscharakter (Turm), got. Stilelemente (u.a. Rosette am Hauptportal) und spätere platereske Ornamentik sowie frühe Wandmalereien.

Yen Li-pen, chines. Maler, *Wannien (Prov. Shensi) um 600, †Ch'angan 673, hatte hohe Beamtenposten inne, wurde zum führenden Figurenmaler der T'ang-Zeit. Einige der idealtyp. Porträts auf der Querrolle ›Dreizehn Kaiserporträts‹ (Boston, Mus. of Fine Arts) werden ihm zugeschrieben. Die Schattierung der Gewand- und Gesichtsfalten geht auf zentralasiat. Einflüsse zurück (Wandgemälde der Höhlentempel von Tunhuang). Die Platten der Sockelreliefs aus dem Grab des T'ang-Kaisers T'AI-TSUNG wurden nach den Entwürfen des Y. L.-p. in Stein übertragen (›Lieblingspferde des Kaisers‹, 2 Reliefplatten in Philadelphia, Univ. Mus.).

Yeovil [j'əuvil], Marktstadt in der Cty. Somerset, SW-England, 26000 Ew., mit bed., um 1380 von W. WYNFORD erbauter spätgot. Pfarrkirche, einer dreischiffigen Hallenkirche mit W-Turm und seitlich vortretenden Kapellen in klaren Baukörperformen der frühen engl. Spätgotik. Das in den Rechteckchor durchlaufende Mittelschiff besitzt eine offene Dachstuhlkonstruktion in Form einer Spitztonne.

Yesería [je-, aus span. yeso ›Gips‹], span. Bez. für maur. Stuckwerkdekoration; oft bemalte und vergoldete Stuckornamente mit geometr. und pflanzl. Mustern an Fassaden, Gewölbelaibungen, Nischen, Portalen und Kuppeln, so in der Alhambra; bes. verbreitet an Bauten des Mudéjar-Stils (z.B. im Paraninfó der ehem. Univ. von Alcalá de Henares, am Portal zur Capilla del Rosario in Maluenda).

Yi-Dynastie, korean. Herrscherhaus, regierte von 1392–1910; →koreanische Kunst.

Yinan, Ort in der chines. Prov. Shantung, mit Grabrelief aus der Han-Zeit; →Shantung-Reliefs.

Yin und Yang [chines. ›dunkel und hell‹], Begriffe der chines. Philosophie, die etwa seit dem 4. Jh. v. Chr. als sich ergänzende kosmolog. Prinzipien auftreten.

Yin und Yang

Alle Wesenheiten des Universums werden einem der beiden zugeordnet. Dem Yang entspricht das Männliche, Sonnige, Helle, Warme, Trockene und der Himmel, dem Yin u.a. das Weibliche, Schattige, Dunkle, Kalte, Feuchte und die Erde; wichtiges Motiv im Kunsthandwerk.

Yogạsana [Skt.], die Sitzhaltung des Meditierenden in Indien. Die am häufigsten dargestellte Beinstellung an Bildwerken des Buddha, der Tirthankaras, Shivas als Mahayogin u. a. war Padmasana (→Asana).

Yọgin [Skt.], asket. Mystiker in Indien, der durch Yoga-Meditation und -Übungen Gotteserkenntnis anstrebt. Als Sinnbild des hinduist. Yogatums wird Shiva als aschebestrichener, ithyphall. Asket mit wirren Haarsträhnen (Jatamukuta) in Padmasana sitzend mit einer Akshamala in der Hand dargestellt (Mahayogin).

Yọgini [Skt.], weibl. Yogin, in der ind. Mythologie: hexenartiges Wesen aus dem Kreis der archaischen ›Muttergottheiten‹ oder Krankheitsdämonen. Die kanon. Gruppe der 64 Y. wurde in besonderen Tempeln durch tantrische Kulte verehrt (Bheraghat, Khajuraho).

Yogyakạrta, früher **Jogjakarta, Djogjakarta,** Stadt im S von Zentral-Java, 400000 Ew.; künstler. Mittelpunkt Indonesiens (Gamelanmusik, Tanz) mit traditionellem Batik- und Silberwarengewerbe. Y. ist seit über 200 Jahren Hauptstadt des Sultanats Y. Der Sultanspalast (Kraton) ist städtebaul. Zentrum der Stadt; er enthält Waffen und Herrscherinsignien, ein Teil dient der Gajah-Mada-Univ. Nahe dem Palast liegt die Wasserburg Taman Sari (Mitte 18. Jh.). – Nordöstlich von Y. die Tempel →Kalasan und →Prambanan.

Yokohama, größte Hafenstadt Japans, südlich von Tokio, 2,8 Mio. Ew.; entwickelte sich aus einem Fischerdorf, das 1859 den Ausländern als Siedlungsort zugewiesen wurde. Wie Tokio wurde Y. zweimal fast völlig zerstört (Erdbeben 1923 und 1945). Im S der Stadt ist einer der ältesten Tempel, der Gumyo-ji, erh.; er beherbergt einen elfköpfigen Kannon aus dem 9. Jh. Ein Beispiel für den Stil der Meiji-Zeit ist das Gebäude des Präfektur-Mus. (ehem. Bankgebäude).

Im Sankei-en, einem großen (19 ha), parkartigen Landschaftsgarten (Kaiyu-shiki), Freilicht-Mus. mit histor. Gebäuden aus versch. Regionen Japans, u. a. dreigeschossige Pagode (15. Jh.) von dem Tomyo-ji-Tempel in Kamo (bei Kioto), Teehäuser aus versch. Epochen sowie der Rinshukaku, ein Villengebäude der Tokugawa-Familie aus Momoyama (Biwa-See), das einzige erh. Beispiel der Villenarchitektur der Tokugawa.

Yombe, Unterstamm der →Kongo im Küstengebiet der Dem. Rep. Kongo und der Enklave Cabinda, mit bed. Schnitztradition.

Yonglezhen [jɔŋledʒen], **Yunglochen,** Stadt in China. Tempel von Y. →Yung-lo-kung.

Yọni [Skt.], symbol. Darstellung des weibl. Genitals in der hinduist. Tantra-Kunst. Sockel von Linga-Kultbildern in Y.-Gestalt repräsentieren die weibl. Komponente Shivas (Shakti) und dienen zum Auffangen der

Libationsflüssigkeiten, die über eine Auskragung nach Norden ablaufen (Region der ›Bergtochter‹ Parvati).

York [jɔːk], Stadt in der Cty. North Yorkshire, England, am Ouse, 101 000 Ew., in röm. Zeit als **Eburạcum** bed. Garnisonsstadt und seit 627 Erzbistum des Kgr. Northumbria. Die Kathedrale entstand seit dem 2. Viertel des 13. Jh. an der Stelle eines ergrabenen roman. Vorgängerbaus. Dem frühgot. Querhaus mit steilen Lanzettfenstern folgte ab 1291 das basilikale Langhaus mit einem zweigeschossigen, Triforium und Obergaden zusammenziehenden Aufrißsystem. Die zweitürmige W-Front, deren 1338 verglastes Mittelfenster in der Häufung von Fischblasenformen bereits dem späten Decorated Style angehört, ist vollständig mit got. Blendnischen überzogen. 1361 wurde die östl. Verlängerung des Chores mit einem zusätzl. Querhaus und einer aufwendig gestalteten spätgot. O-Fassade beg., ab 1385 der Abschnitt zw. den beiden Querhäusern einschließlich des 1407 eingestürzten Vierungsturms in dem kub. Stil der frühen Spätgotik ersetzt. Im Innern sind die Hochschiffe mit einem hölzernen Netzgewölbe geschlossen, das ab 1829 von R. SMIRKE erneuert wurde. Im letzten Viertel des 15. Jh. entstand der reiche spätgot. Lettner mit Statuen engl. Könige. – Der ma. Stadtkern mit seinen 19 erhaltenen Pfarrkirchen wird heute noch vollständig von der stark restaurierten Stadtmauer mit ihren Türmen und Toren umschlossen. Von den beiden unter WILHELM DEM EROBERER errichteten Castles ist eines (erneuert um 1250) erhalten. Unter den zahlreichen öffentl. und meist in Fachwerk oder Ziegel ausgeführten Wohnbauten der Altstadt ist die Säulenhalle der Assembly Rooms bes. erwähnensert, die 1730 von LORD BURLINGTON nach dem Vorbild der vitruvian. Basilika erbaut wurde. Außerhalb der Altstadt sind, einbezogen in die 1827–30 von W. WILKINS erbaute Anlage des Yorkshire Mus., die hochgot. Ruinen der 1088 gegründeten St. Mary's Abbey erhalten.

Yọruba, Volk in SW-Nigeria und im angrenzenden Teil von Benin, mit etwa 13 Mio. eines der größten Völker Afrikas, mit großem künstler. Formenreichtum. Die Kunst der Y. wurde stark von →Ife und →Benin beeinflußt, ist jedoch viel stärker stilisiert. Sie manifestiert sich v. a. in den Kultgegenständen ihres komplexen relig. Systems (mit dem altgrch. Götterpantheon vergleichbar). Die am häufigsten dargestellten Göttergestalten sind Eshu, eine zwielichtige Schalkfigur (Till Eulenspiegel vergleichbar), sowie der Donnergott Shango, der symbolhaft in Gestalt einer Doppelaxt dargestellt wird (›Oshe Shango‹), deren Griff meist als Figur, oft als Frauenfigur in kniender Haltung, ausgebildet ist. Die Geräte des Ifa-Orakels, das in der Glaubenswelt der Y. eine wichtige Rolle spielt, sind kunstvoll gestaltet: Die Schale zur Aufbewahrung der Palmnüsse (›Ajere Ifa‹) ist oft von Figuren getragen; ein meist rundes Brett (›Oqua Ifa‹), mit Ornamenten und dem Kopf des Eshu beschnitzt; kleine Köpfe aus Elfenbein, ebenfalls Eshu darstellend; eine oft figürlich beschnitzte Glocke (›Ikin Ifa‹) aus einem Elefantenzahn; ein Zeigestab (›Iroke‹) sowie ein Rasselstab (›Orere‹) aus Eisen, mit 2 übereinander sitzenden Vögeln. Stülpmas-

Yoruba:
OBEN Leibmaske des ›Gelede‹-Geheimbunds aus hellem, teilweise schwarz gefärbtem Holz mit Schmucknarben; 40 cm;
UNTEN Kultstab ›Oshe Shango‹ aus gefärbtem Holz mit einer stehenden Frauenfigur, die in der rechten Hand die Doppelaxt trägt; 51 cm
(beide Privatsammlung)

ken, Leibmasken und große Aufsatzmasken werden vom Gelede-Bund, einem der wichtigsten Geheimbünde der Y., benutzt. Der Ogboni-Bund, eine religiös-polit. Organisation, erfordert Gerätschaften wie den ›Edan‹, ein oft verkettetes Figurenpaar aus Bronze, das der Novize als Ermahnung zur Verschwiegenheit erhält. Der Egungun-Ahnen- und Totenkult verwendet sehr expressive Maskentypen anthropo- oder zoomorpher Art. Eine Eigentümlichkeit bei den Y., bei denen es eine hohe Zwillingsrate gibt, sind rituell verwendete kleine Zwillingsfiguren aus Holz (›Ere Ibedji‹).

Die Hofkunst der Y. manifestiert sich v. a. in den Palastpfosten und -türen der Königsresidenzen und in den Attributen der dortigen Ahnenaltäre.

Ein Merkmal der Y.-Kunst ist die namentl. Identifizierung der Schnitzkünstler, was bei anderen afrikan. Stämmen nur selten möglich ist; über hundert Y.-Schnitzer mit persönl. Stil sind namentlich bekannt, u. a. Bamgboye, Agbonbiofe von Efon Alaye (†um 1945), Fakeye und Aregun von Ise (*1880, †1954).

Seit Anfang der 1960er Jahre hat sich eine nicht kultbezogene künstler. Richtung, bes. in der Malerei, in Oshogbo entwickelt.

E. M. McClelland: The cult of Ifa (1983).

Yoshida [-ʃ-], Minoru, japan. Künstler, *Osaka 1935, malte Bilder mit floral wirkenden Ornamenten, die er später i. S. der ›Shaped-canvas‹-Malerei weiterentwickelte, in der die äußere Bildbegrenzung den dargestellten Formen folgt. 1965 trat er der Gutai-Gruppe bei und kam zu kinet. Environments aus Plexiglas, mit elektr. Licht- und Toneffekten, die ihn zu einem Pionier der Verbindung von Kunst und Technik in Japan machten.

Yoshihara [-ʃ-], Jiro, japan. Maler, *Osaka 1905, †ebd. 1972, einer der ersten abstrakten Maler in Japan und Anreger der japan. Avantgarde der 1950er und 1960er Jahre. Seine frühen Bilder stehen teils in der Tradition des Konstruktivismus, teils nehmen sie Tendenzen des Action-Painting vorweg. 1954 gründete er die →Gutai-Gruppe, die ein Zentrum der Aktionskunst wurde. Er malte u. a. eine Serie von ›Kreisbildern‹ (Meditationen in der Tradition zen-buddhist. Pinselmalerei).

Yoshitoshi [-ʃ-], **Taiso** oder **Daiso,** japan. Holzschnittzeichner, Maler, *1839, †Tokio 1892, mit Kuniyoshi einer der letzten Meister des Ukiyo-e, die häufig europ. Stilmittel mit einbezogen, jedoch durch übersteigerten Realismus und Vorliebe für Anilinfarben den Niedergang des Ukiyo-e einleiteten. Y. widmete sich anfänglich Theatermotiven, später auch polit., v. a. blutrünstigen Themen; seit 1880 Illustrationstätigkeit für Bücher, Zeitschriften und Zeitungen.

Ypern, fläm. **Ieper** [ˈi: pər], frz. **Ypres** [ˈiprə], Stadt in Westflandern, 34 200 Ew. Die im MA. bed. Handelsstadt wurde im 1. Weltkrieg fast völlig zerstört und im alten Stil rekonstruiert: Bed. Bauwerke sind die got. Tuchhallen (1280–1304), die ältesten und größten Belgiens, mit hohem Belfried über der Hauptfassade; östlich anschließend der Renaissancebau ›Nieuwwerk‹ (1620–24). Die St.-Maartens-Kathedrale (13.–15. Jh.) zeigt den Wandel von der Früh- zur Hochgotik.

Wörter, die man unter Y vermißt, suche man unter J

Heinrich Yselin: Moses vom Weingartner Chorgestühl; um 1478 (Berchtesgaden, Schloßmuseum)

Yselin ['i:-], **Iselin,** Heinrich, Bildschnitzer, †Konstanz 1513, ebd. 1478 erwähnt, Schüler des N. GERHAERT VAN LEYDEN ebd. An dessen Stelle führte er am Chorgestühl des Münsters die freien Skulpturen, H. HENKEL (†1478) die Flachschnitzerei aus; mit diesem arbeitete er am Westportalflügel des Münsters. Ferner schuf Y. die 12 Büsten des Weingartner Chorgestühls (um 1478; Berchtesgaden, Schloßmus.) und die Chorgestühlbüsten aus St. Katharinental (Mus. Frauenfeld und Barnard Castle, Durham).

Ysenbrant, Adriaen, niederländ. Maler, →Isenbrant.

Ystad ['y:stɑ:d], südschwed. Hafenstadt, 23 900 Ew.; altertüml. Stadtbild mit rd. 300 Fachwerkhäusern (16.–18. Jh.). Beispiele der Backsteingotik sind die Marienkirche (13. Jh.) am ma. Marktplatz, eine dreischiffige Basilika mit Umgangschor (15. Jh.), und die Petrikirche (13. Jh.) mit westl. Blendfassade (um 1500); von dem zur Petrikirche gehörenden ehem. Franziskaner (Gråbröder-)Kloster (wohl 1267 gegr.) ist der Hauptflügel (um 1400) mit Kapitelsaal, Refektorium und Dormitorium erh. Mehrere Museen, darunter Kunst-Mus. (schwed. und dän. Malerei), Kunstgewerbe-Mus.

Yüan, mongol. Dynastie, →chinesische Kunst.

Yung-lo-kung, taoist. Tempel in China, in der Prov. Shansi; urspr. bei Yunglochen (amtl. Yonglezhen), dort 1952 wiederentdeckt, 1959 wegen eines Dammbaus in die Nähe der Stadt Juich'eng versetzt. Das ehem. Haus des taoist. Meisters LÜ TUNG-PIN (einer der Acht Unsterblichen), während der nördl. Sung-Zeit in einen taoist. Tempel umgewandelt, wurde nach 1244 wiederaufgebaut. Davon sind 4 Hallen erh. mit eindrucksvollen Wandmalereien der Yüan-Zeit (zw. 1325 und 1358), z.T. aus der Werkstatt des Berufsmalers MA CHÜN-HSIANG. Die überlebensgroßen Figuren des reichen taoist. Pantheons weisen z.T. buddhist. und konfuzian. Elemente auf. Sie sind in kräftigen Linien mit Tusche konturiert und farbig ausgemalt. Sie belegen das Weiterleben der bis in die T'ang-Zeit zurückreichenden Tradition der Wandmalerei und sind zugleich Zeugnis der gildemäßig organisierten, volkstüml. Berufsmalerei im

Yünkang: Buddhaskulpturen

traditionellen China, die nicht als ›höhere Kunst‹ geachtet war und von der daher nur wenige ältere Beispiele erh. sind. Aus der gleichen Zeit stammende, stilistisch ähnl. Wandmalereien aus der Prov. Shansi finden sich im Royal Ontario Mus., Toronto.

Yünkang, amtlich chines. **Yungang** [jyngaŋ], Höhlentempelanlagen etwa 16 km westlich von Tat'ung in der chines. Prov. Shansi. Die reich skulptierten Höhlentempel stammen größtenteils aus der Zeit zw. 460 und 494, als Tat'ung Hauptstadt der turkstämmigen Nördl. Wei-Dynastie (385–535) war; danach wurde mit der Anlage von →Lungmen begonnen. Aus allen verfügbaren Wänden wurden bis zu 17 m hohe Buddhaskulpturen herausgehauen, wobei größere Figuren sich in sorgfältig ausgearbeiteten Nischen befinden, welche sich wiederum in den Zusammenhang einer in Hochrelief imitierten hölzernen Ständerbauarchitektur einordnen. Der betont lineare Stil läßt den Einfluß ind. Vorbilder noch erkennen. (WEITERES BILD Höhlentempel)

Yverdon [ivɛrd'ɔ̃], dt. **Iferten,** Stadt im schweizer. Kt. Waadt, am Neuenburger See, 20300 Ew., mit altertüml. Stadtbild und zahlreichen Bürgerhäusern des 17. und v. a. 18. Jh. Das Schloß (2. H. 13. Jh.) ist eine Viereckanlage mit mächtigen runden Ecktürmen (Mus.); gegenüber die Pfarrkirche (1753–57 Neubau unter Einbeziehung des spätgot. Turms des Vorgängerbaus) mit repräsentativer Schaufassade; den Platz nach S abschließend Hôtel de Ville (Rathaus, 1767–73) und Préfecture (1776).

Z

Zaandam [za:nd'am], Stadt in der niederländ. Prov. Nordholland; ref. Kirche (1638–40) mit Renaissanceausstattung (Kanzel 1644), altkath. Versteckkirche (1695) mit Barockausstattung; das Freiluft-Mus. Zaanse Schans hat Holzhäuser und Windmühlen (17./18. Jh.); im Wohnhaus Zar Peters d. Gr., der 1697 in Z. als Zimmermann arbeitete, Mus. (Gemälde, Stiche).

Zabern, frz. **Saverne** [sav'ɛrn], Stadt im Unterelsaß, 10400 Ew., mit spätgot. Stadtpfarrkirche (14. bis 15. Jh.; roman. W-Turm, 12. Jh.; im Innern Glasfenster des 15. Jh.); Neues Schloß (1779 beg.) mit prächtiger Säulengliederung auf der Gartenseite.

Zacatecas [zakat'ekas], Hauptstadt des Staates Z., Mexiko, 60000 Ew., war Zentrum des ehem. reichen Silberbergbaus und hat gut erh. kolonialzeitl. Stadtbild. Zu den bed. Bauten gehören die Kathedrale (heutiger Bau im wesentlichen 1731–48), eine dreischiffige Basilika mit der am kunstvollsten ausgearbeiteten churrigueresken Fassade im N Mexikos und verzierten Türmen; Kuppel (1836) und Inneres klassizistisch; die Jesuitenkirche S. Domingo (1746), dreischiffig, mit churrigueresken Altären. Das ehem. prunkvolle Kloster S. Agustín (18. Jh.) ist großenteils zerstört, an der Klosterkirche ein noch gut erh. plattereskes Portal. In der Nähe das ehem. Franziskanerkloster Nuestra Señora de Guadalupe (gegr. 1707; mit erlesener Kunstsamml.; die

Zacatecas: Teil der Westfassade der Kathedrale

Klosterkirche (gew. 1721) mit reich gestalteter Fassade: Säulen und Statuennischen sowie ein herrliches Hochrelief, das die Jungfrau von Guadalupe darstellt.

Zacharias, im N. T. Vater von Johannes dem Täufer, dargestellt seit dem MA. in einer Art Meßgewand mit Weihrauchfaß, auch gemeinsam mit seiner Frau Elisabeth (HANS VON KULMBACH, 1510; München, Alte Pinakothek), im Barock als Hoherpriester.

Zackenstil, →Thüringisch-Sächsische Malerschule.

Zaculeu [z-], Zeremonialzentrum aus der frühen nachklass. Epoche der Maya-Kultur (ab 900) im westl. Hochland Guatemalas. In der Architektur sind Einflüsse der Tolteken festzustellen; das zeigt die mit Balustraden geschmückte Treppe des mit einem Balkendach aus Mörtel (nicht Kraggewölbe, wie im Tiefland üblich) versehenen höchsten Gebäudes. Der Ballspielplatz ist, wie in der Nachklassik typisch, an den Enden geschlossen und hat hohe Seitenwände.

Zadar [z'adar], ital. **Zara,** Stadt und Hafen in Kroatien, Jugoslawien, am Adriat. Meer, 43 200 Ew. Die ehem. illyr. Siedlung wurde um 35 v. Chr. röm. Kolonie und gehörte seit dem 9. Jh. zu Byzanz, später stand Z. unter kroatisch-ungar., karoling., venezian., österr. und ital. Oberhoheit. Die ma. Stadt, auf einer Halbinsel gelegen, hat ihr Stadtbild größtenteils erh.; sie entwickelte

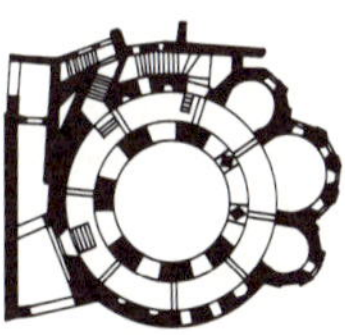

Zadar: Sveti Donat; 9. Jh. (Grundriß)

Ossip Zadkine:
Die zerstörte Stadt;
Bronzeguß nach dem
1947 entstandenen
Modell für das Denkmal
in Rotterdam

sich auf dem Grundriß der antiken Stadtanlage. Reste röm. Bauten (Forum, Kapitol, Triumphbögen) sind erh. Auch die mittelalterl. Stadtbefestigung (im 16. Jh. erweitert) wurde auf älteren Fundamenten gebaut (u. a. erh. sind der Turm Bablja kula). Die nur z. T. erh. vorroman. Sakralbauten zählen zu den bedeutendsten an der Küste Dalmatiens, v. a. die Kirche der Hl. Dreifaltigkeit (Sveti Donat) aus der 1. H. des 9. Jh. (antike Teile in den Mauern), eine Rotunde mit 3 halbrunden Apsiden und zweigeschossigem Umgang. Die St.-Laurentius-Kirche (11. Jh.) ist stark beschädigt. Teile dieser Kirche sowie 2 Wandplatten mit plast. Schmuck der St.-Nedelja-Kirche befinden sich im Archäolog. Mus. Bedeutend sind die roman. Bauten: Die Marienkirche (Sveta Marija) des Benediktinerinnenklosters, 1091 gebaut (im 16. Jh. z. T. umgebaut), eine dreischiffige Basilika (Glockenturm mit Kapitolhalle von 1105–11) mit Fresken aus dem 12. Jh.; Schatzkammer. Im NW der Halbinsel das Tor (Morska vrata) mit der Statue des Hl. Grisogonus (Sv. Krševan), daneben die Kirche, wahrscheinlich aus dem 10. Jh., 1175 umgebaut und erweitert. Ein repräsentativer roman. Bau ist der Dom St. Anastasia (Sveta Stošija), im 13. Jh. entstanden (Glokkenturm 15./19. Jh.). Die Fassade der Basilika mit roman. Portalen (im Tympanon des Hauptportals ein got. Relief) hat Blendarkaden und Rosetten. Im Innern Fresken aus dem 13. Jh., Ziborium von 1332, Chorgestühl (15. Jh.); dreischiffige Krypta. In der Kirche St. Simon (12. Jh.; später umgebaut) befindet sich der Schrein des Hl. Simeon aus vergoldetem Silber mit Reliefs geschmückt, ein Meisterwerk der Goldschmiedekunst (1377–80). Weitere nennenswerte Bauten in Z. sind u. a. Kirche des Hl. Petrus (9. Jh.; Reste von Wandmalereien), Franziskanerkirche (1283, später umgebaut), Marienkirche (Gospa od zdravlja), Stadtloggia (13. Jh.; 1565 erneuert), got. Paläste. Bed. Samml. sind im Archäolog. Mus. und in der Kunstgal. des Nat.-Mus. (Ikonen und Bilder der dalmatin. Schulen).

Zadkine [zadk'in], Ossip, frz. Bildhauer, Graphiker russ. Herkunft, *Smolensk 14. 7. 1890, †Paris 25. 11. 1967, studierte in London und kam 1909 nach Paris. Seit etwa 1914 verband Z. seine blockige Stilisierung mit kubist. Elementen. In den 1920er Jahren kam ein emotionaler, bewegter Zug in Z.s – jetzt oft durch Binnenzeichnung bereicherte – Skulpturen (Hauptmotiv: Orpheus), der sich seit den 1930er Jahren, auch unter dem Einfluß des Surrealismus, ins Barocke komplexer Figurengruppen mit vielen kurvigen und kantigen, konkaven und konvexen Formen steigerte. 1953 schuf er das Mahnmal ›Die zerstörte Stadt‹ in Rotterdam.

CHRISTA LICHTENSTERN: O. Z. (1980).

Zaghouan [zagu'an], Stadt in N-Tunesien, 89 km südlich von Tunis, an der Stelle des antiken **Ziqua** (Triumphpforte); Marabut des Sidi Ali Azouz mit grüner Azulejo-Kuppel, prachtvollem Stuckdekor, Fayence-Wandverkleidung; 2 km westlich am Fuß des Djebel Z. großes röm. Nymphäum (2. Jh.) mit Tempelcella, Portikusflügeln und Sammelbecken.

Zagorạ [z-], Oasen-Großdorf in S-Marokko, am

Ende der ›Straße der Kasbas‹ im Dra-Tal. Auf dem Djebel Z. die Ruinen einer gewaltigen Almoraviden-Doppelfestung (Ende des 11. Jh.) mit basteibestücktem Haupttor und Hammam. 22 km südöstlich liegt **Tamegrout** [-r'ut]: bed. Zawija (in der Bibliothek illuminierte Koranbücher aus Gazellenhaut, 13. Jh.); Berberkeramik.

Zagreb [z-], dt. **Agram,** Hauptstadt der jugoslaw. Teilrep. Kroatien, an der Save, 763 300 Ew.; röm. Ursprungs, später slawisch besiedelt; 1094 ungar. Bistumsgründung (ältester Ortsteil Kaptol, ›Kapitelstadt‹, auf dem Kaptol-Berg), daneben auf der Anhöhe Grič, als weltl. Zentrum Gradec (später Gornji Grad, ›Oberstadt‹), das 1242 königlich-ungar. Freistadt wurde; in der Ebene die neuere Unterstadt (Donji Grad). Z. war Sitz eines Banus (Vertreter des ungar. Königs), kam im 16. Jh. an Österreich. – In Kaptol steht der zweitürmige Dom (1217 gew., nach Zerstörung durch die Mongolen, 1242, im 14./15. und im 17. Jh. erneuert, nach dem Erdbeben von 1880 wiederhergestellt); im Dom Renaissance-Chorgestühl (um 1520), Marmorkanzel (1696), barocke Altäre, Schatzkammer (u. a. Werke des 11. Jh.), in der Sakristei Fresken des 14. Jh.; am Dom der barocke Bischofspalast (17./18. Jh.); Franziskanerkirche (13. Jh., Seitenkapellen 17. Jh., nach 1880 neugotisch restauriert). – In der Oberstadt sind Reste der ma. Stadtmauern (13. Jh.) erh.; Markuskirche (Ende 14. Jh., mehrmals umgebaut, zuletzt 1937) mit reich verziertem Portal (14. Jh.) und buntem Ziegeldach; die barocke Katharinenkirche (1620–32; im 19. Jh. restauriert), daneben das Steintor mit eingebauter Muttergotteskapelle (17. Jh.); mehrere Barockpalais (17./18. Jh., u. a. der Banus-Palast) sowie klassizist. Bauten (u. a. Theater, 1837–42). – In der schachbrettartig angelegten Unterstadt sind bed. historist. Bauten, v. a. die Jugoslaw. Akad. der Wiss. (1876–84; Neurenaissance) und das kroat. Nationaltheater (von H. Helmer und F. Fellmer, 1855; Neubarock). – Museen: Štrosmajer-Bildergal. in der Akad. der Wiss. (ital. und niederländ. sowie kroat. Kunst); Archäolog., Ethnograph. Mus. (jugoslaw., bes. kroat. Volkskunst), Mus. für Kunst und Handwerk (1896 im Jugendstil erbaut) u. a.

Zahnschnitt, grch. **Geisipodes** [›Gesimsfüße‹], Gesimsglied unter dem Geison des grch. Tempels ionischer und korinth. Ordnung, in Form einer dichten Reihe rechteckiger Steine (›Zähne‹; Bild Säulenordnung h^1); in der roman. Baukunst ein Schmuckfries aus übereck gestellten Steinen (**Zahnschnittfries;** Bild Fries).

Zahrtmann, Kristian, dän. Maler, *Rønne 31. 3. 1843, †Frederiksberg (Amt Kopenhagen) 22. 6. 1917, bevorzugte histor. Motive, die er realistisch im Detail in lebhaften Farben darstellte. Z. war dank seiner pädagog. Begabung ein gesuchter Lehrer.

Zakros, Kato-Zakros, Ausgrabungsstätte an der O-Küste Kretas (Karte kretisch-mykenische Kunst), unterhalb des Ortes Epano Zakros; seit 1961 wird hier eine minoische Hafenstadt mit einem Palast freigelegt. Der Palast (auf den Ruinen einer um 1700 v. Chr. zer-

Zakros:
Marmoramphora
aus dem Palast von Z.;
um 1500 v. Chr.
(Heraklion, Archäolog.
Museum)

störten, bald darauf neu errichteten Anlage) folgt in Plan und Ausgestaltung den größeren Palästen in Mittelkreta (Knossos, Phaistos, Mallia). Sein ebenfalls von N nach S orientierter Mittelhof ist jedoch nur etwa 30 m lang. Die Repräsentationsräume lagen hinter einer Halle am O-Rand des großen Hofes, an seiner W-Seite befand sich ein Magazintrakt; am N-Ende führte, nach dem Muster von Mallia, ein Treppenhaus mit einer Windung zu einem auf 6 Stützen ruhenden Saal im Obergeschoß. Die Zerstörung des Palastes 1450 v. Chr. läßt sich nach neueren Erkenntnissen nicht mehr mit dem Ausbruch des Thera-Vulkans in Verbindung setzen (→Thera). – Oberhalb des Palastes wurde die dichtgebaute Stadtsiedlung (3 Bauperioden) freigelegt, u. a. eine 2,60 m breite Straße mit Plattenpflaster (›Hafenstraße‹); die Siedlung überdauerte die Zerstörung des Palastes. An Qualität übertreffen die Funde von Z. die der großen Paläste: Luxusgefäße aus Stein, Obsidian und Bergkristall sowie Keramik, mit Korallen und versch. Arten von Tintenfischen bemalt. Musterbeispiel des Naturalismus der minoischen Blütezeit ist ein Rhyton aus Stein mit der Reliefdarstellung eines Gipfelheiligtums in felsiger Umgebung von bizarren Formen, das von dahinstürmenden und ruhenden Wildziegen belebt wird (Heraklion, Archäolog. Mus.). Bei **Epano Z.** wurde ein stattl. spätminoischer Landsitz (u. a. mit Keltervorrichtung) freigelegt.

Zaltbommel [z-], Städtchen in der niederländ. Prov. Gelderland. Die St. Maartenskerk ist eine große Basilika im Stil der niederrhein. Spätgotik (Chor 14. Jh., Schiff um 1450 beg.) mit mächtigem, reich gegliedertem W-Turm; im Innern Wandmalereien (Anf. 16. Jh.), geschnitztes Chorgestühl (um 1450). Das Maarten-van-Rossum-Haus, 1535 als Torhaus eines geplanten Schlosses gebaut, ist ein frühes Beispiel niederländ. Renaissance (histor. Mus.).

Zamora [θam'ora], span. Provinzhauptstadt und Bischofssitz auf einem Felssporn über dem Duero, 52 500 Ew. Z.s ma. Stadtbild mit Resten der Befestigungsmauern, Stadttoren und Kastell wird v. a. beherrscht von den vielen roman. Kirchen. Älteste Kirche ist S. Tomé (1128; 3 Chorkapellen mit quadrat. Apsiden, Kapitelle mit figürl. und pflanzl. Motiven); qualitätvolle Kapitelle mit figürl. Darstellungen auch in S. Claudio de Olivares und Santiago el Viejo; Magdalenen-Kirche (1167 erwähnt) mit reich skulptiertem S-Portal und Baldachin-Grabmal einer Unbekannten. Wichtigste Kirche ist die dreischiffige Kathedrale (1151–74; Chor und Apsis gotisch, 1496–1506) mit fünfstöckigem Turm (nach 1200, unvoll.), reich gegliederter S-Fassade mit Bogenportal (Puerta del Obsipo) und byzantinisch anmutender zylindr. Tambourkuppel mit 4 kleinen Türmen, die wiederum kleine Kuppeln tragen; im Innern reich geschnitztes Chorgestühl (1496–1506), prächtige Altarretabel (v.a. Ildefonso-Altar von F. GALLEGO, vor 1468) und das Prunkgrabmal des Doctor Juan de Grado (Anf. 16. Jh.); im Kreuzgang (17. Jh.) Kathedral-Mus. mit fläm. Wandteppichen aus dem 15.–17. Jh. Unter den zahlreichen Palästen ragt der Palacio de los Momos mit wappengeschmückter Renaissancefassade (16. Jh.) heraus. Mus. de la Semana Santa (mit Pasos).

Zamość [z'amɔsjtsj], Hauptstadt der Wwschaft Z. im südl. O-Polen, 44000 Ew.; gegr. 1580 von dem königl. Kanzler JAN ZAMOYSKI. Die auf schachbrettartigem Grundriß von B. MORANDO aus Padua gebaute Stadt hat einen ›Großen‹ Marktplatz und 2 kleinere Marktplätze und ist von Bollwerken (16./17. Jh., im 19. Jh. umgebaut) umgeben (Stadttore aus dem 16./17. Jh.). An den Marktplätzen Häuser aus dem 16./17. Jh. mit Laubengängen, Attiken und Steinverzierungen, an der N-Seite des Großen Marktes das Rathaus (1591–1600; 1639 bis 1651 umgebaut; Außentreppe 1767–70), unweit das barocke Gebäude (17. Jh., später umgebaut) der Zamoyski-Akad. (heute Abt. der Lubliner Univ.), die ehemalige Synagoge mit manierist. Stuckdekor und der Residenzpalast der Zamoyski (1581–86; 1741–51 spätbarock und nach 1831 klassizistisch verändert). Im SW des Marktes eines der Tore (1603; 19. Jh.) und die Kollegiatskirche, 1587–1600 gebaut, mit urspr. manierist. Fassade, 1825–27 klassizistisch umgebaut; im Innern reiches Schnitzwerk; Schatzkammer; in der kirchl. Bibl. Inkunabeln und alte Drucke.

Zampieri, Domenico, ital. Maler, →Domenichino.

Zande [z-], **Azande,** Volksgruppe in N-Zaire, S-Sudan und dem SO der Zentralafrikan. Rep., über 2 Mio. Menschen. Die Holzskulpturen der Z., ebenso wie die geschnitzten Köpfe auf Instrumenten u.a., haben eine meist platte Kopfform mit spitzem Kinn und breiten Backen sowie flachen, spitz-ovalen Augen. Neben diesen naturalistisch konzipierten Figuren gibt es auch ganz abstrakte Schöpfungen, die Zauber- und Schutzfunktion erfüllen und dem ›Mani‹-Geheimbund gehören; diese ›Yanda‹ sind meist aus Holz, gebranntem Ton oder (seltener) Stein. Die Musikinstrumente werden künstlerisch gestaltet, wie bei den benachbarten Mangbetu. Während diese jedoch ihre Instrumente meist nur mit Figuren oder Köpfen schmücken, fassen die Z. das ganze Instrument anthropomorph auf.

Zander, Heinz, Maler, Graphiker, *Wolfen 2. 10. 1939, studierte bei B. HEISIG und F. CREMER, folgt bei seiner Themenwahl den Forderungen des Sozialist.

Realismus, bedient sich jedoch, mit W. Tübke vergleichbar, altmeisterl. Techniken, woraus sich die seinen Werken eigene Spannung ergibt.

Zangenlöcher, Baukunst: regelmäßige Löcher in Quadersteinen, v. a. im Kirchenbau des 14. und 15. Jh., zum Ansetzen von an Seilen befestigten Zangen, wodurch die Steine am Bau nach oben befördert wurden.

Zangs, Herbert, Maler, Objektkünstler, *Krefeld 27. 3. 1924, lebt seit 1961 meist in Frankreich, schuf bereits vor der Gruppe Zero weiße Reliefbilder aus Wellpappe, nahm mit seinen Reihungen von Scheibenwischern (1957) serielle Kunstrichtungen der 1960er Jahre vorweg; schuf auch Brandbilder, Staubmalereien und Buchobjekte, in denen er Bücher in weiche oder fragile Skulpturen zum Umblättern verwandelte.

Zanth, Karl Ludwig, Baumeister, *Breslau 6. 8. 1796, †Stuttgart 7. 10. 1857, schuf v. a. die königl. Villa Wilhelma bei Stuttgart, ein bed. Zeugnis des romant. Historismus.

Zao Wou-ki [zaɔwuk'i], frz. Maler und Graphiker chines. Abstammung, *Peking 13. 2. 1921, lebt seit 1948 in Paris; verbindet in seinen Bildern eine landschaftlich wirkende Form der Lyrischen Abstraktion mit der Tradition der chines. Tuschmalerei und Kalligraphie.

Zapoteken, Volk im Bundesstaat Oaxaca, Mexiko, dessen vorkolumb. Kultur im Hauptzentrum Monte Albán von 500 v. Chr.–1000 n. Chr. nachweisbar ist (Blütezeit 200–900); um 900 wurde Zaachila (15 km südlich von Oaxaca) zum Zentrum. Charakterist. Kennzeichen sind die in den unterird. Grabkammern von Monte Albán gefundenen Urnen mit überreich gekleideten und mit Verzierungen versehenen Figuren aus der zapotek. Götterwelt. Die figürl. Darstellungen sind meist an zylindr. Tongefäßen angebracht. Diese werden zwar als Urnen bezeichnet, enthielten aber keine Knochenreste; möglicherweise waren es Behälter für Opfergaben (Eß-

Zapoteken: Tongefäß mit menschl. Figur; 36 cm hoch (Wien, Museum für Völkerkunde)

und Trinkwaren) für die Götter oder Räuchergefäße. Die männl. Figuren stützen ihre Hände meist auf den Knien der gekreuzten Beine ab, die weiblichen halten sie vor der Brust gekreuzt. Die Gesichter zeigen oft einen halbgeöffneten Mund und schwere Augenlider. Bereits aus der 1. Phase von Monte Albán (500–200 v. Chr.) sind Anfänge der Schriftentwicklung bei den Z. in Form von Punkten und Strichen (Zahlen für Kalenderaufzeichnungen) zu finden. Voll ausgeprägt mit Personen- und Ortsnamen-Hieroglyphen ist die Schrift der Z. auf den Stelen der klass. Epoche.

Zappetini, Gianfranco, ital. Maler, *Genua 16. 6. 1939, Vertreter der →Analytischen Malerei.

Zara, ital. Name für →Zadar.

Zaragoza [θaraɣ'ɔθa], span. Stadt, →Saragossa.

Zarcillo y Alcaraz [θarθ'iʎo i alkar'aθ], auch **Salzillo** [salθ'iʎo], Francisco, span. Bildschnitzer, *Murcia 12. 5. 1707, †ebd. 2. 3. 1783, Sohn und Schüler des aus Neapel eingewanderten Bildschnitzers Niccolò Z., unterhielt in Murcia eine vielbeschäftigte Werkstatt, aus der rd. 1800 Werke hervorgegangen sind. Z. schuf im genrehaften Rokokostil neapolitan. Tradition v. a. Prozessionsgruppen (Pasos) und Krippenfiguren aus bemaltem Holz und Terrakotta. Seine HW befinden sich im Museo Z. in Murcia. Z. ist der Hauptmeister der spätbarocken Plastik Spaniens im 18. Jh.

Zarrentin, Stadt am Schaalsee, westlich von Schwerin, Dt. Dem. Rep., mit ehem. Zisterzienserinnenkloster; in der Kirche (Mitte 13. Jh., um 1460 in Backstein spätgotisch erneuert) gute Ausstattung; Kanzel (1668) mit hervorragenden Schnitzreliefs (1533/34).

Zarskoje Selo, bis 1918 Name von →Puschkin.

Zarza [θ'arθa], Vasco de la, span. Bildhauer, †Ávila 1524, wo er hauptsächlich tätig war, wahrscheinlich ausgebildet im Kreis der für die Certosa di Pavia beschäftigten lombard. Bildhauer; arbeitete im Platereskenstil.

HW: Skulpturen des Hochaltars der Kathedrale von Ávila (1505); Grabmal des Bischofs Don Alonso de Madrigal (1518; ebd.).

Žatec [ʒ'atɛts], Stadt in der ČSSR, →Saaz.

Zauner, Franz Anton Edler von (1807), Bildhauer, *Unterfalpetan (heute zu Kannerberg, Tirol) 5. 7. 1746, †Wien 3. 3. 1822, war ebd. seit 1782 Lehrer (seit 1806 Direktor) der Akad. In seiner Frühzeit arbeitete Z. noch in der Tradition von G. R. Donner, nach einem Aufenthalt in Rom (1776–81) i. S. eines sehr persönlich abgewandelten Frühklassizismus.

HW: Brunnen (1775 ff.; Schloß Schönbrunn, Ehrenhof); Reiterstandbild Josephs II. (1795–1806; Wien, Josephsplatz, Bronze); Grabdenkmäler für die Grafen Fries in Vöslau (1788–90), für Laudon im Wald von Hadersdorf (1790–95) und für Leopold II. (1793–95; Wien, Augustinerkirche).

Zawija [z-], **Sawija,** im westislam. Bereich ein klosterähnl. Bau mit Betraum, überkuppeltem Heiligengrab (Marabut), Schulräumen, Zellen für ›Mönche‹, Lehrer, Schüler, Pilger und Gäste.

Zbraslav [z-], Ort in der ČSSR, →Königsaal.

Žd'ár nad Sázavou [ʒdja:r n'atsa:zavɔu], Stadt in der ČSSR, →Saar.

Zebra, 1965 in Hamburg gegr. Vereinigung der Maler D. ULLRICH, D. ASMUS, P. NAGEL und NIKOLAUS STÖRTENBECKER (*1940). Ihre Bilder und Graphiken stehen in der Tradition der Neuen Sachlichkeit und sind ein eigenständiger manierist. Beitrag zum Realismus der 1960er Jahre (1977 konstituierte sich die Gruppe Z. erneut. Störtenbecker trat aus, die Bildhauer CHRISTA und K. BIEDERBECK und H. JACOB kamen hinzu).

Zeeman [z'e:-], holländ. Maler und Radierer, →Nooms.

Zehnbambushalle, chines. **Shih-chu-chai shu-Hua-P'u** [ʃi dʒu dʒaɪ ʃu-, ›Samml. von Kalligraphien und Malereien aus der Z.‹], die bekannteste der frühen chines. mehrfarbigen Holzschnittserien mit Wiedergaben von Gemälden alter Meister und Kalligraphien beigefügter Gedichte auf Querformat, zusammengestellt und hg. in Nanking von HU CHENG-YEN (*um 1582, †1672). Die 1. Aufl. erschien 1622/33, die 1. Gesamtausg. 1643. Um 1645 publizierte derselbe Hg. das ›Shih-chu-chai chien p'u‹ (›Samml. von verziertem Briefpapier aus der Z.‹). Es folgten, bes. in der Ch'ing-Zeit (1644–1912), zahlreiche, häufig schwer zu datierende Nachschnitte sowie ein Nachdruck im Verlag Jung-pao-chai in Peking 1952. Wie der →Senfkorngarten war auch die Z. als Lb. für Malerei konzipiert.

J. TSCHICHOLD: Die Bildersamml. der Z. (1970).

Zehner|ring, um 1923/24 gegr. Vereinigung unabhängiger Architekten in Berlin (→Ring).

Zehrfuss [zerf'ys], Bernard-Louis, frz. Architekt, *Angers 20. 10. 1911, war anfangs beeinflußt von A. PERRET und LE CORBUSIER. Als ›Architecte en Chef des Bâtiments Civils et Palais Nationaux‹ prägt er die Entwicklung der offiziellen frz. Architektur.

HW: Unesco-Gebäude, Paris (1952–58, mit M. BREUER u. P. L. NERVI); Centre National des Industries et Techniques (CNIT), ebd.

Zehnbambushalle: Farbholzschnitt aus der Z.; 1. Hälfte des 17. Jh.

Wörter, die man unter Z vermißt, suche man unter C, S oder Sch

Zeichnung: Leonardo da Vinci, Studie für die ›Anbetung der Könige‹; Feder laviert, Ausschnitt (Florenz, Uffizien)

(1956–58, mit R. CAMELOT, J. DE MAILLY u. J. PROUVÉ); Generalplan für die Univ. von Tunis (1960).

Zeichnung, Handzeichnung, Gestaltung auf der Fläche (v. a. durch Linien), die formalen Eigenwert hat.

TECHNIK

Träger der Z. sind Pergament, Papier, auch farbig oder farbig grundiert, seltener Pappe, Leinwand, Holz, Bein, Rinde, Stein, Verputz, Glas (Glasmalerei) u. a.

Man unterscheidet trockene und flüssige Zeichenmittel. Trockene Zeichenmittel sind: Silberstift (vorherrschend im 15./16. Jh.), Bleigriffel (vom MA. bis ins 19. Jh.), Bleistift (Graphit, seit dem frühen 19. Jh. überwiegend verwendet), Kohle, Holzkohle (tiefschwarzer körniger Strich, eines der ältesten Z.-Mittel, erst seit Ende des 15. Jh. durch Fixierung haltbar gemacht, bis heute gebräuchlich), schwarze Kreide, fälschlich als Kreide bezeichnet (›Steinkreide‹ mit schwarzgrauem oder braungrauem mattem Strich, bes. im 15.–17. Jh., und ›Kunstkreide‹ mit tiefschwarzem, weichem Strich, seit dem 18. Jh. gebräuchlich), weiße Kreide (versch. Naturkreiden, zum ›Höhen‹ der Z.), Rötel (seit LEONARDO DA VINCI), Pastell (farbige Kunstkreiden, im 16., 18. und seit dem späten 19. Jh. beliebt).

Flüssige Zeichenmittel sind: Gallustinte (schwarz, mit der Zeit braun werdend), Pigmenttinte (meist Bister, aus Kienruß, braun), chines. Tusche (schwarz bis grau), farbige Tinten, Sepia (graubraun, erst seit dem 18. Jh. für Z. verwendet), Deckweiß (zum Höhen), Aquarellfarben u. a.

Zum Auftragen der flüssigen Zeichenmittel dienen Federn (→Rohrfeder, Federkiel, seit dem 19. Jh. Me-

Zeichnung: Hans Holbein d. J., ›Lady Vaux‹; Kreide (Windsor Castle)

tallfeder) und Pinsel. Mit dem spitzen Pinsel können feine Linien wie mit der Feder gezeichnet werden (dunkle Z., weiße Höhung; im 16. Jh. bes. in Dtl. beliebt). Der seit dem 16. Jh. bevorzugte breite Pinsel wird entweder allein verwendet (maler. Pinsel-Z., dem Aquarell nahe) oder zur Ergänzung von Feder- und Stift-Z. (dunkel lavierend, farbig tönend oder weiß höhend).

Auf Z. beruhen die graph. Verfahren wie Kupferstich, Radierung, Holzschnitt, Lithographie.

GESCHICHTE

Die Z. ist die älteste Kunstübung überhaupt. Von den Höhlen-Z. der Eiszeitkunst an hatte sie in der Frühzeit als gezeichnete (oder geritzte) Darstellung auf versch. Materialien die Bedeutung magischer Verbildlichung und war Vorstufe der Malerei bis in histor. Zeit (BILD Felsbilder). In diesen Zusammenhang gehören auch die zeichner. Flachreliefs des Alten Orients. Die Binnenzeichnung war bei der Liebe der Orientalen zum Detail bei diesen Reliefs zur Andeutung von Schmuck, Stoffdekor usw. recht beliebt. – Vorzeichnungen von evtl. nicht ausgeführten Steinmetzarbeiten lassen sich selten nachweisen: Sie setzen ›Musterbücher‹ voraus, die aber nicht erhalten sind. Außerdem gab es noch Z. als Ritzungen in Tontafeln (z. B. in Fara). Ägypt. Z., die nur eingeschränkt als eigenständige Kunstform anzusehen sind, sind v. a. als Papyrusillustrationen (Totenbuch) und auf Ostraka überliefert; Ostraka-Z. umfassen einen weitgespannten Themenkreis, v. a. Szenen aus dem ägypt. Alltagsleben, die aus der großen Kunst der Tempel und Gräber nicht bekannt sind. Als Entwurf und Vorzeichnung für Malereien und Reliefs an Grabwänden spielte die Z. eine wichtige Rolle.

Seit der grch. Antike hatte die Z. die Bedeutung eines Hilfsmittels oder einer Schwesterkunst der Malerei. Die grch. Vasenmalerei, die Pinsel- und Ritz-Z. ist, läßt den hohen Stand der damaligen Z.-Kunst erkennen (BILDER Vase). – Neue Aufgaben bot der Z. seit der Spätantike

Zeichnung: Rembrandt, ›Landschaft mit Windmühle vor einer Stadt‹; Feder laviert, um 1641, Ausschnitt (Chantilly, Musée Condé)

die Buchillustration (→Buchmalerei). Ein HW sind die Feder-Z. des →Utrecht-Psalters (9. Jh.).

Im MA. zeichneten die reisenden Maler, Bildhauer und Baumeister ihre Vorbilder in →Musterbücher (→Villard de Honnecourt). Sonst gab es nur die Vor-Z. unter Wand- oder Tafelbildern. Die Entwurfs-Z., den Riss, verwendeten bis ins späte MA. nur die Baumeister. Zu nennen ist auch die angewandte Z. im Kunsthandwerk wie Gravur, Niello, Ätzung.

Erst mit der ital. Frührenaissance wird die Z. als Studie (nach der Natur, bes. PISANELLO) und Entwurf (Skizze oder ausführl. Z. für ein Werk) bedeutsam. In Dtl., wo sich in spätgot. Zeit die Kunst der Z. in enger Verbindung mit der Druckgraphik entwickelte (MEISTER E. S., M. SCHONGAUER, HAUSBUCHMEISTER), erreichte sie ihre höchste Vollendung mit A. DÜRER und H. HOLBEIN D. J., in der ital. Hochrenaissance mit LEONARDO DA VINCI, MICHELANGELO und RAFFAEL. Leonardo da Vinci öffnete der Z. neue Wege in seinen wissenschaftl. Traktaten. Im Manierismus wurde das ›Ideal der selbstgültigen Linie‹, das ›disegno interno‹, als die treffendste Möglichkeit geistiger Äußerung entwickelt. Die Z. erlangte damit ihre bisher höchste Wertschätzung. Die Barockkünstler gaben der ›malerischen Z.‹ (mit weichen Stiften und größerem Pinsel) schon etwas von der Wirkung des gemalten Bildes. Daraus ergab sich, wie v. a. bei REMBRANDT, ein Eigenwert der Z., die nun als selbständiges Kunstwerk geschätzt wurde. Zu hervorragender Plastizität gelangte P. P. RUBENS.

Im ausgehenden 18. Jh. entstanden für die weitere Entwicklung so wichtige und zugleich unterschiedl. Z. wie die von F. DE GOYA, J. H. FÜSSLI, W. BLAKE, J. FLAXMAN. Den Klassizismus repräsentieren J. L. DAVID und

Zeichnung: Francisco de Goya, Entwurf zu Blatt 16 der ›Caprichos‹; Feder und Pinsel, 1795/98 (Madrid, Prado)

J. A. D. INGRES, die dt. Romantik P. O. RUNGE und C. D. FRIEDRICH; deutlich hiervon unterschieden waren die Nazarener. Die frz. Entwicklung in nachnapoleon. Zeit wurde bestimmt durch T. GÉRICAULT und E. DELACROIX. Die aus der engl. Kunst übernommene Karikatur findet ihren Höhepunkt im Schaffen von H. DAUMIER. Die größte Begabung unter den dt. Zeichnern um die Mitte des 19. Jh. ist A. v. MENZEL, nicht zuletzt durch seine Buchillustrationen. Gleichzeitig begann die Entwicklung der Bildergeschichten (R. TOEPFFER, W. BUSCH), die zu den →Comics führten. Ausgeprägte individuelle Leistungen der Folgezeit finden sich bei A. FEUERBACH, H. v. MARÉES, W. LEIBL, M. KLINGER, KÄTHE KOLLWITZ, nach der Jahrhundertwende bei M. LIEBERMANN, L. CORINTH und M. SLEVOGT. Bei den frz. Impressionisten ist bes. E. DEGAS zu nennen.

Nach 1880 kann der Beginn der modernen Z. mit G. SEURAT, V. VAN GOGH, H. DE TOULOUSE-LAUTREC und P. CÉZANNE angesetzt werden. Hier nimmt die Autonomie der Z. über die Eigenschaft als Studie oder Skizze hinaus spürbar zu. Neugewonnene Ausdrucksmittel erlauben das spontane Erfassen der sichtbaren Wirklichkeit (im Fauvismus H. MATISSE; im dt. Expressionismus E. L. KIRCHNER, M. BECKMANN) ebenso wie das unmittelbare Aufschreiben (Automatismus) der aus dem Unbewußten kommenden Formen (Surrealismus: M. ERNST, J. MIRÓ; Futurismus: U. BOCCIONI; abstrakte Kunst: W. KANDINSKY, J. POLLOCK, WOLS). In der gleichen Weise wie die Malerei spiegelt die Z. eine neue, hinter der Oberflächengestalt des Dinges suchende Weltsicht

Wörter, die man unter Z vermißt, suche man unter C, S oder Sch

(Kubismus: P. PICASSO, G. BRAQUE; Blauer Reiter: A. MACKE, F. MARC), mit gegenständl. Prägnanz wird sie Medium der Zeitkritik (G. GROSZ, O. DIX), zur Zeichensprache neuer Mythen gelangen P. KLEE und J. DUBUFFET. Von den Künstlern der Pop Art ragen D. HOCKNEY und T. WESSELMANN hervor. Die junge Generation der Krit. Realisten bevorzugt die Bleistiftzeichnung als Mittel der Wirklichkeitserfassung.

⇒ Aquarellmalerei · Architekturzeichnung · Bildhauerzeichnung · Felsbilder · Karikatur · Kupferstich · Lithographie · Pastell · Radierung · Skizze · Studie · Tuschmalerei · Vasen

(BILDER Arakawa, Corinth, Fohr, Hausbuchmeister, Klee, Pisanello, Rubens, Villard de Honnecourt)

IRA MOSKOWITZ: Kindlers Meister-Z. aller Epochen, 4 Bde. (1962); J. SCHOLZ: Ital. Meister-Z. v. 14. bis zum 18. Jh. (1963); documenta III: Hand-Z., Ausst.-Kat., Kassel (1964); Internationale der Z., Ausst.-Kat., Darmstadt, 1 (1964), 2 (1967), 3 (1970); Dt. Hand-Z. u. Aquarelle der letzten zwanzig Jahre, Ausst.-Kat., Hannover (1967); Die Hand-Z. der Gegenwart, Ausst.-Kat., Stuttgart (1970). W. KOSCHATZKY: Die Kunst der Z. (1977); Die Dt. Z. des 19. Jh., Ausst.-Kat., Karlsruhe, 2 Bde (1978); Z. heute, Ausst.-Kat., Nürnberg, 4 Bde. (1979/82); J. LEYMARIE u. a.: Die Z., Entwicklungen, Stilformen, Funktion (a. d. Frz., 1980); Neue Tendenzen der Z., Ausst.-Kat., München u. a. (1981).

Zeil, Schloß bei Leutkirch, Kr. Ravensburg, Bad.-Württ., seit 1595 Residenz der Grafen/Fürsten von Waldburg-Z., eine vierflügelige Anlage der Renaissance (1598) nach dem Vorbild von Schloß Wolfegg mit manierist. Architekturmalerei; mit dem Schloß verbunden die Pfarrkirche (1612 gew., 1782/83 klassizistisch umgestaltet) mit Rokoko-Hochaltar von J. A. FEUCHTMAYER und J. G. DIRR (1763/64).

Zeiller, Johann Jacob, Maler, *Reutte (Tirol) 8. 7. 1708, †ebd. 8. 7. 1783, schuf nach Ausbildung in Neapel (F. SOLIMENA) und Wien (P. TROGER) barocke Altarbilder und v. a. Fresken, in denen die einheitl. Komposition zugunsten der maler. Form weitgehend aufgegeben wurde: Deckenfresken in Ettal (1752) und Ottobeuren (1763/64; zus. mit seinem Vetter Franz Anton Z., *1716, †1793).

Zeitblom, Bartholomäus, Maler, *Nördlingen um 1455, †Ulm 1518, Schüler von F. HERLIN, seit 1482 in Ulm. Hier übernahm Z. die Werkstatt des H. SCHÜCHLIN und schuf als vielbeschäftigter Meister (oft unter Mitarbeit von Gesellen) Altartafeln. Sein Stil – an der Wende von der Spätgotik zur Renaissance – wird von der schwäb. Neigung zu ruhiger Haltung der Figuren und ausgeglichener, flächiger Komposition bestimmt.

HW: Kilchberger Altar (um 1482; Stuttgart, Staatsgal.); Hochaltar, mit Schreinfiguren von G. ERHART (1493/94; Blaubeuren, ehem. Klosterkirche); Hochaltar (um 1495; Bingen bei Sigmaringen, kath. Pfarrkirche Mariä Himmelfahrt); Eschacher Altar (1496; Stuttgart, Staatsgal.); Heerberger Altar (1497; ebd.); Valentinslegende (Augsburg, Staatsgal.).

zeitgenössische Kunst, die Kunst der Gegenwart. Die Abgrenzung zur →modernen Kunst bleibt fließend, denn es gibt auch zeitgenöss. Künstler, deren Werk in die ›klassische Moderne‹ einzuordnen ist. Der Begriff umfaßt über die chronolog. Gleichzeitigkeit hinaus eine gewisse Kontinuität der Problemlage bis zur unmittelbaren Gegenwart und eine dialekt. Beziehung zur vorausgehenden Periode der ›modernen Kunst‹. So gesehen, setzt die z. K. gegen 1960 ein, als in Europa und den USA der subjektive malerische Gestus des →Abstrakten Expressionismus abgelöst wurde.

Um 1960 wurde die alltägl. Umwelt (industrielle Produktion, Medien- und Konsumwelt) zum zentralen Thema der Kunst. Daraus entstanden die neue Formensprache und die Ikonographie der →Pop Art und des →Nouveau Réalisme sowie die neuen Kunstformen von →Happening, →Fluxus, →Mixed-Media, →Combine-Painting und →Materialbild. In den Bildkünsten wurde die primäre Wirklichkeit weitgehend durch die sekundären Wirklichkeiten von Photographie, Reproduktion und Zitaten aus der Kunstgeschichte ersetzt, deren Wahrnehmungsproblematik zw. Abbild und Wirklichkeit von der Pop Art über den Kapitalist. Realismus bis zum →Fotorealismus reicht. Selbst gesellschaftskritisch engagierte Schulen wie der →Kritische Realismus oder die span. Realisten gehen häufig von Medienvorlagen und ihren visuellen Klischees aus (Realismus).

Mit der Verarbeitung einer inflationär gewordenen Bilderwelt kontrastieren die auf Formreduktion und -logik beruhenden Richtungen. Diese entstanden gleichfalls in Opposition zum emotionalen Pathos des Abstrakten Expressionismus. Grundlage sind der →Konstruktivismus und die (qualifiziert fortlebende) →Konkrete Kunst seit den 1930er Jahren. Sie führten zur →Op Art, zur dekorativen oder meditativen →Kinetischen Kunst und zur Lichtkinetik, 1961–68 international als ›Nouvelle Tendance‹ zusammengefaßt. Auffällig ist der hohe Anteil roman. Länder (einschließlich Südamerikas) an dieser stark formbestimmten Gruppierung. Aber auch in Dtl. überwand die Gruppe →Zero schon vor 1960 die Informelle Kunst durch serielle Strukturen. Im Lauf der 1960er Jahre dominierten dann die →Minimal Art und parallele oder teilverwandte Strömungen in der Malerei wie →Post Painterly Abstraction mit den Sonderformen Hard Edge und Farbfeldmalerei, die mit elementaren, geometr. Gestaltformen, kalkulierten Formsystemen und weitgehender Monochromie ein purist. Gegenkonzept zur Bilderflut der Medien vertreten. Von der Minimal Art führt ein direkter Weg zur ›Entmaterialisierung der Kunst‹ in der →Concept Art.

Eine grundlegende Neuorientierung der Plastik erwuchs gegen 1970 aus der ›Expansion der Kunst‹. Das →Environment geht durch die Inszenierung ganzer Räume über das Objekt hinaus. Die →Land Art greift in landschaftl. und geolog. Formationen ein und verwendet sie als plast. Material. Die →Prozeßkunst bringt Materialveränderungen, biolog. Wachstumsvorgänge und die natürl. physikal. Schwerkraft in die Plastik ein und bestimmt Plastik als ablesbaren Arbeitsprozeß. Bez. wie →Arte Povera oder ›Anti-Form‹ belegen die Aufhebung, ja Umkehr des herkömml. Plastikbegriffs durch ehem. ›unplastische‹ Verfahren und Materialien (z. B. Filz, Fett, Erde).

Ein weiterer Aspekt der z. K. ist die Verbindung mit Elementen des Theaters oder allg. der Ablauf von Aktion und Rezeption in der realen Zeit. Das gilt bereits für Happening, Fluxus und die →Aktionskunst und verstärkt sich mit dem Aufkommen der →Performance als eigener Gattung in den 1970er Jahren, aus der sich bes. die →Body Art und die Kunst der Transformer (Spielart der Travestie) herausheben. Neu war auch die →Frauenkunst mit feminist. Ideologie.

Nach den auf Erneuerung bedachten 1960er Jahren kam im folgenden Jahrzehnt auch eine Tendenz zum Rückblick, zu Sublimierung und Innerlichkeit sowie zur Reflexion auf, die immer wieder zu vorschnellen Aussagen vom ›Ende der Avantgarde‹ oder zur Ankündigung einer ›Postmoderne‹ führte. Dabei ist die unmittelbare Gegenwart entschieden pluralistisch geprägt und ordnet sich weniger nach Stileinheiten als nach Problemlagen und künstler. Verfahrensweisen. Die Spannweite reicht von den →Individuellen Mythologien mit ihrem Rückzug auf die Rituale einer radikalen Subjektivität über die →Spurensicherung, die subjektive Welt- und Selbsterfahrung mit der Fiktion einer wissenschaftlich-systemat. Untersuchung verbindet, bis zur →Analytischen Malerei und Plastik, die ihre eigenen materiellen Grundlagen untersucht und darstellt.

Die 1970er Jahre brachten die Integration der techn. Medien Photographie und Video (→Videokunst), in geringerem Maß auch des experimentellen Films in die z. K. Bes. die Photosequenz und das Videoband wurden zum künstler. Ausdrucksmittel verschiedenster Richtungen (Body Art, →Narrative Art, Spurensicherung). Neue künstler. Gattungen sind das Video-Environment und die Film-Performance. Anfänge einer Laser- und →Computer-Kunst und der Electronic Art (elektronisch gesteuerte Lichtkunst und kinet. Plastiken) weisen auf eine technolog. Zukunft.

Seit den späten 1970er Jahren setzte sich auch eine vehement gestische, expressive oder dekorative Malerei durch, deren Sinnlichkeit und Subjektivität als Gegenreaktion auf die formale Askese und den intellektuellen Purismus der vorausgehenden Richtungen gedeutet wurde. Ausstellungen wie die Kölner ›Westkunst‹ (1981), die 7. documenta und die Berliner Ausstellung ›Zeitgeist‹ (beide 1982) zeigten diese Malerei als repräsentativen Ausdruck der frühen 1980er Jahre. Dabei blieben erhebl. Unterschiede zw. den poet. Metaphern und Psychogrammen der ital. →Arte Cifra, dem hitzigen Punk-Klima des dt. →Neoexpressionismus und dem kurzlebigen exot. Ornamentalismus des amerikan. →Pattern Painting erkennbar, die durch Oberbegriffe wie ›Neue Wilde‹ nur verdeckt werden. Ob die Verfügung über alle Stilmittel und Bildsprachen der Kunstgeschichte, verbunden mit psych. Impulsivität, die Überwindung der ›Moderne‹ durch eine ›Postmoderne Malerei‹ jenseits der alten Stilfolgen ankündigt, ist noch nicht abzusehen. Die Nähe zur neohistor. Stilvielfalt der Postmodernen Architektur ist offenkundig.

Dt. Kunst seit 1960, bearb. v. JULIANE ROH u.a., 5 Bde. (1971 bis 1979); KARIN THOMAS: DuMont's kleines Sach-Wb. zur Kunst des 20. Jh. (1973); dies. u. G. DE VRIES: DuMont's Künstler-Lexikon ([2]1979); H. J. ALBRECHT: Skulptur im 20. Jh. (1977); E. LUCIE SMITH u.a.: Kunst der Gegenwart, in: Propyläen Kunstgesch., 18,2 (1978). – Ausst.-Kat. der Documenta 1–7 (1955–82); G. CELAN: Kat. der

Samml. Panza, Düsseldorf (1980); Projekt '74, Ausst.-Kat., Köln (1981); Zeitgeist, Ausst.-Kat., Berlin-West (1982); M. SCHNECKENBURGER: Die Kunst der Gegenwart (1983).

Zeittafeln, chronologische Übersichten über Kunstepochen und Kunststile findet man auf den Seiten 302 bis 313.

Zeitz, Stadt im Bez. Halle, an der Weißen Elster, 44000 Ew. Der im Kern roman. Dom wurde 1433–44 spätgotisch umgebaut, unter dem Chor otton. Krypta (Ende 10. Jh.), südlich anschließend frühgot. Kreuzgang. Das festungsähnl. frühbarocke Schloß Moritzburg (beg. 1657) war 1663–1718 Residenz von Sachsen-Z., heute Mus. (Kunstsamml.). Die got. Michaeliskirche (im Kern romanisch, 14.–15. Jh. umgebaut) hat frühgot. Fresken im Chor; frühgot. Kirche des ehem. Franziskanerklosters (um 1300), von den Klostergebäuden am besten der Kreuzgang erh.; Rathaus (1505 bis 1509) mit 5 reich verzierten Zwerchgiebeln.

Zell, 1) Z. am Main, Markt im Kr. Würzburg, Bayern, mit ehem. Doppelkloster: Prämonstratenserinnen in **Unterzell** (Kirche im nachgot. Echter-Stil, 1609–11), Prämonstratenser in **Oberzell** (roman. Säulenbasilika, 12. Jh., im 17./18. Jh. barockisiert, reiche W-Fassade); spätbarocker Abteiflügel 1744–60 von J. B. NEUMANN und seinem Sohn FRANZ IGNAZ mit Treppenhaus.

2) Z. (Mosel), Stadt im Kr. Cochem-Z., Rheinl.-Pf., 4800 Ew. Die Pfarrkirche ist ein frühklassizist. Saal (1786–92) mit weiß-gold gefaßter gleichzeitiger Ausstattung; ehem. kurfürstlich-trier. Schloß, eine maler. spätgot. Zweiflügelanlage mit 5 Türmen (1530–42). Im Ortsteil **Kaimt** Herrenhaus Boos von Waldeck (1551), eines der schönsten Fachwerkhäuser im Moseltal; im Ortsteil **Merl** ehem. Minoritenklosterkirche (13. und 17. Jh.) mit Antwerpener Schnitzaltar (um 1520).

Zellengewölbe

Zellengewölbe, Baukunst: Gewölbeform der Spätgotik (bes. der Ostseeländer) aus kerbschnittartig eingebuchteten Zellen zw. scharf hervortretenden Graten.

Zellenschmelz, frz. **Email cloisonné** [em'aj klwazɔn'e], Technik der →Emailkunst.

Zellentechnik, auch **Zellverglasung, Verroterie cloisonnée** [vɛrɔtr'i klwazɔn'e, frz.], Verzierungsweise der spätantiken und früh-ma. Goldschmiedekunst, bei der ein Netzwerk aus Goldstegen mit farbigen Edelsteinen (Almandin, Granat) ausgelegt wird. Bei der Z., die in der Völkerwanderungskunst auf Fibeln und Waffen bes. ausgeprägt ist, erscheinen die Steine wie Emailarbeiten (Email cloisonné) als sekundäre Grundlage der Schmuckfläche, von der sich das Netzwerk der Goldstege als besonderes Muster abhebt.

Zeltdachkirche, Kirchenbautyp der altruss. Architektur: Auf einem von einer Galerie umzogenen Sockel erhebt sich ein turmartiges Monument, das oben mit einem schlanken, vieleckigen ›Zeltdach‹ abschließt. Bed. Beispiel: Himmelfahrtskathedrale in Kolomenskoje. (BILD S. 301)

Zen, eine freie Gruppe abstrakter dt. Maler, die sich 1949 in München zusammenschlossen und an die ja-

Zeltdachkirche: Himmelfahrtskathedrale in Kolomenskoje, 1532

pan. Zenmalerei anlehnten; Mitgl. waren u.a. W. Baumeister, H. Berke, J. Bissier, R. Cavael, G. Fietz, R. Geiger, T. Sonderborg und F. Winter.

Zenmalerei, die monochrome →Tuschmalerei der Anhänger des Zenbuddhismus. Der Zenbuddhismus wurde im 13. Jh. in Japan aus China (chines. Ch'an-Buddhismus) eingeführt und war in Japan Mitte des 14. Jh. fest etabliert. Die ersten Meister der hier **Suiboku-ga** (Wasser-Tusch-Malerei) oder **Sumi-e** genannten Kunst waren Mokuan und Kao, beide Zenmönche der 1. H. des 14. Jh. Die Z. befaßt sich mit Themen der Zenlegende, Zenheiligen oder dem Augenblick der Erleuchtung. Während der Kamakura-Zeit entstanden Priesterporträts (japan. Chinso) und vereinzelt Naturbilder. Der Höhepunkt der Z. lag im 15. Jh. (gefördert von den kunstliebenden Ashikaga-Shogunen), als in China die Ch'an-Malerei kaum noch existierte. Die Tuschlandschaft im Stil der südl. Sung-Zeit mit chines. Landschaftsmerkmalen wurde zum häufigsten Thema, als Ausdruck der eigenen myst. Weltsicht i. S. des Zen. Bed. Maler des frühen 15. Jh. waren Mincho, Josetsu (›Welsfang mit einem Flaschenkürbis‹, Samml. des Myoshin-ji, Kioto) und Shubun (›Beim Lesen in einer Waldeinsiedelei in den Bergen‹). Diese Thematik wurde bes. beliebt für Bilder, die bei der Teezeremonie verwendet wurden (Chagake), und für Hängerollen, die mit Gedichtaufschriften von Priestern versehen wurden. Der bedeutendste Meister der Z. ist Sesshu mit Landschaften in Haboku- oder Hatsuboku-Technik (gespritzte Tusche). Gegen Ende der Muromachi-Zeit (Mitte 16. Jh.) wurde die Z. von Schulrichtungen mehr weltl., dekorativer Malerei in den Hintergrund gedrängt. Masanobu, der Begründer der Kano-Schule,

Zenmalerei: Bodhidharma, Tuschmalerei des Hakuin

Jahr	deutsche Kunst	italienische Kunst	französische Kunst
1020	**ottonische Kunst** (bis 1024),		
1030	auch **Frühromanik;** Bernwardskunst		
1040	**salische Kunst** 1024 bis 1125	roman. Dombauten (Parma, Pisa, Modena)	
1050	Echternacher Malerschule		
1060	Speyerer Dom	byzantin. Einfluß in Venedig (Markuskirche)	**Normann. Baustil** (Caen, Bayeux,
1070		**toskan. Inkrustationsstil** (Florenz, Pisa)	Jumièges, Mont-Saint-Michel)
1080	**Hochromanik** bis 1150,	**Protorenaissance** in der Toskana	
1090	Hirsauer Bauschule		Burgundische Bauschule
1100		Wiligelmus von Modena	Aquitanische Kuppelkirchen
1110		**Normannischer Baustil** in Unteritalien	Provenzal. Bauschule
1120	Weser-Schule	(Salerno) und Sizilien (Palermo, Cefalù, Monreale)	Zisterzienserbaukunst
1130	Abteikirche Maria Laach	Niccolò (Ferrara, Verona)	**Frühgotik** (Saint-Denis)
1140	**staufische Kunst** bis 1240,	byzantinisch beeinflußte Mosaikkunst	Skulpturen (Chartres, Sens, Senlis)
1150	auch **Spätromanik**	auf Sizilien (Palermo, Monreale, Cefalù)	Glasmalerei (Chartres, Le Mans,
1160	Welfenschatz	byzantin. Einfluß in Süditalien (Barisanus	Bourges, Sainte-Chapelle Paris)
1170	Imervard-Kreuz (nach 1173)	von Trani; Sant' Angelo in Formis)	
1180	Dome: Braunschweig, Mainz, Worms	Bonanus von Pisa, B. Antelami	Kathedralen von Laon, Bourges,
1190	Nikolaus von Verdun	Eindringen der Gotik durch die Zisterzienser	Notre Dame Paris, Chartres
1200	Zisterzienserbaukunst	**stauf. Kunst** in Süditalien bis etwa 1250	**Hochgotik** (13. Jh.)
1210		(Bari, Capua, Castel del Monte)	Kathedralen von Reims, Amiens
1220	Bamberger Dom (1237 gew.)	Cosmaten in Rom	klass. Kathedralskulptur (Notre
1230	**Frühgotik**		Dame Paris, Amiens, Reims)
1240	Naumburger Meister	byzantinisierender Stil (Maniera Greca)	**Plantagenet-Stil** in Südwest-
1250	Kölner Dom	**Duecento** (13. Jh.)	frankreich (1150–1250)
1260	Freiburger Münster (W-Turm),		**Style Rayonnant** (1226–70)
1260	Regensburger Dom, Straßburger		
1270	Münster	Niccolò Pisano,	
1280	Backsteingotik bis ins 15. Jh.	Arnolfo di Cambio, Cimabue,	
1290	v.a. im Norden (Lübeck, Danzig u.a.)	G. Pisano, Duccio	**Flamboyant-Stil,** z.T. bis Anfang
1300	Stephansdom in Wien	**Trecento** (14. Jh.)	16. Jh.
1310	Manessische Liederhandschrift	Malerschule von Siena	
1320			
1330		P. Cavallini, Giotto,	
1340	Böhmische Malerschule	Simone Martini, P. u. A. Lorenzetti,	
1350	Fam. Parler (Parlerstil)	A. Pisano, Nino Pisano, A. Orcagna	
1360	Magdeburger Dom (1363 gew.)		Höhepunkt der Bildwirkerei:
1370	Ulmer Münster (1377 beg.)	Scaliger-Gräber in Verona	Zyklus von Angers
1380		Dom in Mailand (1386 beg.)	Buchmalerei: Brüder Limburg,
1390			Boucicaut-Meister
1400	**Schöner Stil:** Schöne	**Quattrocento** (15. Jh.)	**Schöner Stil:** C. Sluter in

1450 1460 1470 1480 1490	Kölner Malerschule H. Multscher, N. Gerhaert von Leyden, M. Pacher, M. Schongauer, P. Vischer d.Ä., Meister HL, M. Grünewald	A. del Verrocchio, Piero della Francesca, Benedetto da Maiano, A. del Pollaiuolo, Francesco di Giorgio Martini, A. Mantegna, Giorgione, Giovanni Bellini Malerschule von Venedig	J. Fouquet Loire-Schlösser:
1500 1510 1520 1530 1540 1550 1560 1570 1580 1590	T. Riemenschneider, V. Stoß, N. Hagenauer, A. Dürer, Donauschule, H. Holbein d.J., P. Flötner **Nachgotik** Weserrenaissance Echter-Stil in Mainfranken	**Cinquecento** (16. Jh.) Bramante, Leonardo da Vinci, Raffael, Michelangelo, A. Sansovino, Correggio, Parmigianino, B. Cellini, Tizian, Fam. Sangallo, Paolo Veronese, Tintoretto, G. da Vignola, B. Ammanati, Giambologna »klass.« venezian. Architektur (J. Sansovino, A. Palladio, V. Scamozzi) Beginn der Barockmalerei: Caravaggio, Fam. Carracci; Malerschule von Bologna	Amboise, Blois, Chambord, Chenonceaux **François-premier** (1515–1547) 1. Schule von Fontainebleau J. Goujon, P. Delorme, P. Lescot, J. Ducerceau, Fam. Limosin **Henri-deux** (1547–1589) **Henri-quatre** (1589–1610) 2. Schule von Fontainebleau
1600 1610 1620 1630 1640 1650 1660 1670 1680 1690	A. Elsheimer **Frühbarock** E. Holl in Augsburg, Salzburger Dom (1614–24) Vorarlberger Bauschule A. Schlüter in Berlin	**Seicento** (17. Jh.) Gestaltung des barocken Rom: C. Maderno, F. Borromini, Pietro da Cortona, G.L. Bernini, C. Rainaldi venezian. Barock (B. Longhena) Turiner Barock (G. Guarini) spätbarocke Malerei (A. Pozzo)	**Classicisme** (17. u. 18. Jh.) **Louis-quatorze** bis 1715 L. Levau, C. Perrault, C. Lebrun, A. Le Nôtre, J. Hardouin-Mansart, F. Girardon, A. Coysevox, A.C. Boulle
1700 1710 1720 1730 1740 1750 1760 1770 1780 1790	**Hochbarock** J. Prandtauer, Fam. Dientzenhofer, M. Pöppelmann, G. Bähr, J.E. Fischer v. Erlach, J.L.v. Hildebrandt, B. Neumann, Brüder Asam **Rokoko** F. de Cuvilliés, Brüder Zimmermann, Fam. Feuchtmayer **Romantik**	**Settecento** (18. Jh.) piemontes. Spätbarock (F. Juvarra) Höhepunkt der venezian. Rokoko-Malerei: S. Ricci, G.B. Piazzetta, G.B. Tiepolo, Canaletto, B. Bellotto, F. Guardi L. Vanvitelli A.R. Mengs A. Canova	**Régence** 1715–23 A. Watteau **Louis-quinze** bis 1774 G. Boffrand, F. Boucher, J.H. Fragonard **Louis-seize** bis 1789 J.-G. Soufflot, J.-A. Gabriel Revolutionsarchitektur; Directoire
1800 1810 1820 1830	P.O. Runge, C.D. Friedrich, K.F. Schinkel, L.v. Klenze **Historismus** bis zum Jh.-Ende **Biedermeier** bis 1850	**Ottocento** (19. Jh.)	**Empire** bis 1830 J.L. David, C. Percier, P.F.L. Fontaine
	ROMANIK	GOTIK	RENAISSANCE

Farbsymbole zu den Kunstepochen siehe auch Seite 305

englische Kunst	niederländische Kunst	spanische und portugiesische Kunst	Jahr
		Vorherrschaft der islam. Kunst	1020
Blüte der Buchmalerei: Canter-		etwa vom 8. bis 15. Jh., v.a. im Süden	1030
bury-Schule, Winchester-Schule			1040
anglo-normannischer Stil bis 1175			1050
		Mozarabischer Stil,	1060
Ausbau von London		v.a. im nördl. Spanien	1070
			1080
		Mudéjar-Stil in Toledo	1090
	Maaskunst im Lütticher Raum	roman. Kirchen auf dem Pilgerweg	1100
	Reiner von Huy	nach Santiago de Compostela	1110
		bed. Wandmalereien, v.a. in	1120
Kathedrale von Durham (1133 gew.)		Katalonien (Tahull)	1130
	Godefroid de Huy		1140
		Zisterzienserbaukunst (Poblet,	1150
		Santes Creus, Alcobaça)	1160
Early English bis 1. H. 13. Jh.		im Süden arab. Kunst der Almo-	1170
Kathedralen von Canterbury und		haden bis Anf. 13. Jh. (Sevilla)	1180
Lincoln		Kathedrale in Évora	1190
			1200
			1210
Kathedrale von Salisbury		Kathedralen in Léon, Burgos,	1220
		Toledo	1230
Geometrical Style (Hochgotik)		**Mudéjar-Stil** in Córdoba, Valencia,	1240
Westminster Abbey in London	Dom von Utrecht (1254 beg.)	Sevilla	1250
		im Süden arab. Kunst des Nasriden	1260
		bis 1492 (v.a. Alhambra in Granada)	1260
Decorated Style bis Mitte 14. Jh.			1270
Kathedrale von Exeter			1280
			1290
			1300
			1310
			1320
			1330
Perpendicular Style (bis etwa 1530)			1340
Kathedrale von Gloucester	Kathedrale von Antwerpen (1352 beg.)		1350
	Belfriede, Tuchhallen, Bürger- und		1360
	Rathäuser in reich verziertem Stil		1370
Windsor Castle	bis ins 16. Jh., v.a. in Flandern (Gent,	Klosterkirche Batalha	1380
Westminster-Hall in London	Brügge)		1390
		Kathedrale in Sevilla	1400
			1410

Oxford **Tudor Style** bis etwa 1530	Rogier van der Weyden, Hugo van der Goes		N. Gonçalves **Isabellin. Stil** bis Anf. 16. Jh. (Toledo, Valladolid), J. Guas **Mudéjar-Stil** in Granada	1450 1460 1470 1480 1490
zahlreiche Adelssitze entstehen Hampton Court H. Holbein d.J. **Elizabethan Style** 1558 bis 1603 Burghley House Lyme Park	H. Bosch Antwerpener Manieristen J. Patinir, Q. Massys, J. Gossaert, Lucas van Leyden **Romanismus** J. van Scorel, A. Mor, P. Bruegel d.Ä. C. Floris **(Florisstil)**, F. Floris bed. Künstler arbeiten im Ausland: Giambologna, A. de Vries H. Goltzius		**Cisneros-Stil** (etwa 1495–1517) A. Berruguete **Platereskenstil** Ende 15. bis Mitte 16. Jh. (Salamanca, Burgos) **Emanuelstil** um 1500 bis etwa 1550 (Batalha, Belém, Sintra, Tomar) Errichtung des Escorial im **Desornamentadostil** (J.B. Toledo, J. de Herrera) J. de Arfe	1500 1510 1520 1530 1540 1550 1560 1570 1580 1590
Jacobean Style bis 1625 Audley End, Hatfield House A. van Dyck I. Jones **Palladianismus** (Anf. 17.–18. Jh.) Wiederaufbau Londons nach Brand C. Wren **William and Mary Style** 1689–1702	**flämische Kunst** viele Barockkirchen nach röm. Vorbild A. Brouwer, P.P. Rubens, A. van Dyck, F. Snyders, A. Quellinus d.Ä., J. Jordaens, D. Teniers d.J.	**holländische Kunst** **Palladianismus:** H. de Keyser, J. van Kampen, P. Post Caravaggisten F. Hals, Rembrandt, J. Vermeer, G. Terbroch, W. Kalf	El Greco Estofado-Skulptur Goldenes Jh. der Malerei: F. Ribalta, J. de Ribera, D. Velázquez, F. de Zurbarán, B.E. Murillo	1600 1610 1620 1630 1640 1650 1660 1670 1680 1690
Queen Anne Style 1702–14 Blenheim Palace (J. Vanbrugh) **Georgian Architecture** (bis 1820) Engl. Gartenkunst (W. Kent) W. Hogarth, T. Chippendale, T. Gainsborough, J. Reynolds **Adam Style** (nach R. Adam) J. Wood d.J., W. Chambers, J. Wyatt, J. Wedgwood			Kloster Mafra (1717–30) J.B. Churriguera **Churriguerismus** N. Tomé A.R. Mengs V. Rodríguez Tizón, J. de Villanueva antiklassizist. Tendenz bei F.J. de Goya	1700 1710 1720 1730 1740 1750 1760 1770 1780 1790
J. Constable, J.M.W. Turner **Regency** (bis 1830) **Greek Revival** **Gothic Revival**	**Romantik** Beginn der belg. Kunst			1800 1810 1820 1830

MANIERISMUS — BAROCK UND ROKOKO — KLASSIZISMUS

Farbsymbole zu den Kunstepochen siehe auch Seite 303

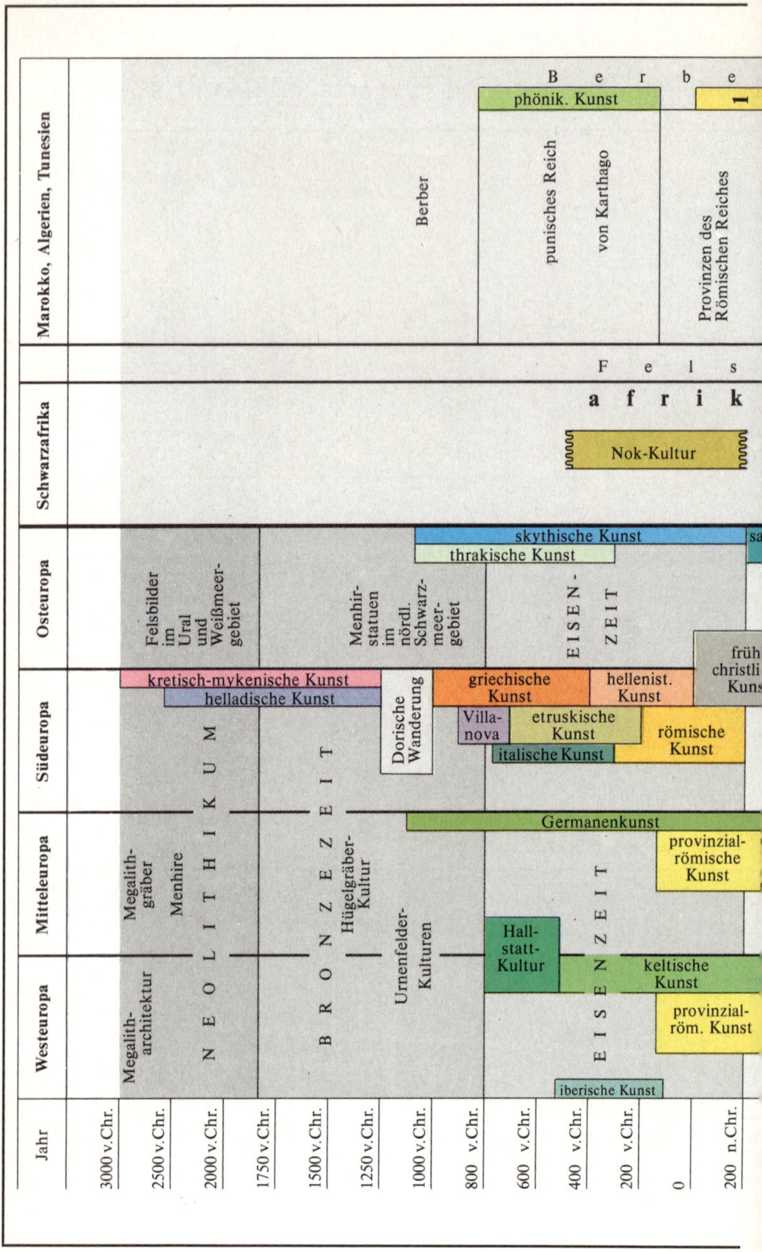
Jahr
3000 v.Chr.
2500 v.Chr.
2000 v.Chr.
1750 v.Chr.
1500 v.Chr.
1250 v.Chr.
1000 v.Chr.
800 v.Chr.
600 v.Chr.
400 v.Chr.
200 v.Chr.
0
200 n.Chr.
Westeuropa
Mitteleuropa
Südeuropa
Osteuropa
Schwarzafrika
Marokko, Algerien, Tunesien
Megalith-architektur
Megalith-gräber
Menhire
N E O L I T H I K U M
Felsbilder im Ural und Weißmeer-gebiet
kretisch-mykenische Kunst
helladische Kunst
B R O N Z E Z E I T
Hügelgräber-Kultur
Urnenfelder-Kulturen
Menhir-statuen im nördl. Schwarz-meer-gebiet
Dorische Wanderung
skythische Kunst
thrakische Kunst
E I S E N - Z E I T
griechische Kunst
hellenist. Kunst
früh christli Kuns
Villa-nova
etruskische Kunst
italische Kunst
römische Kunst
Germanenkunst
provinzial-römische Kunst
Hall-statt-Kultur
E I S E N Z E I T
keltische Kunst
provinzial-röm. Kunst
iberische Kunst
Nok-Kultur
a f r i k
F e l s
Berber
phönik. Kunst
punisches Reich von Karthago
Provinzen des Römischen Reiches
B e r b e

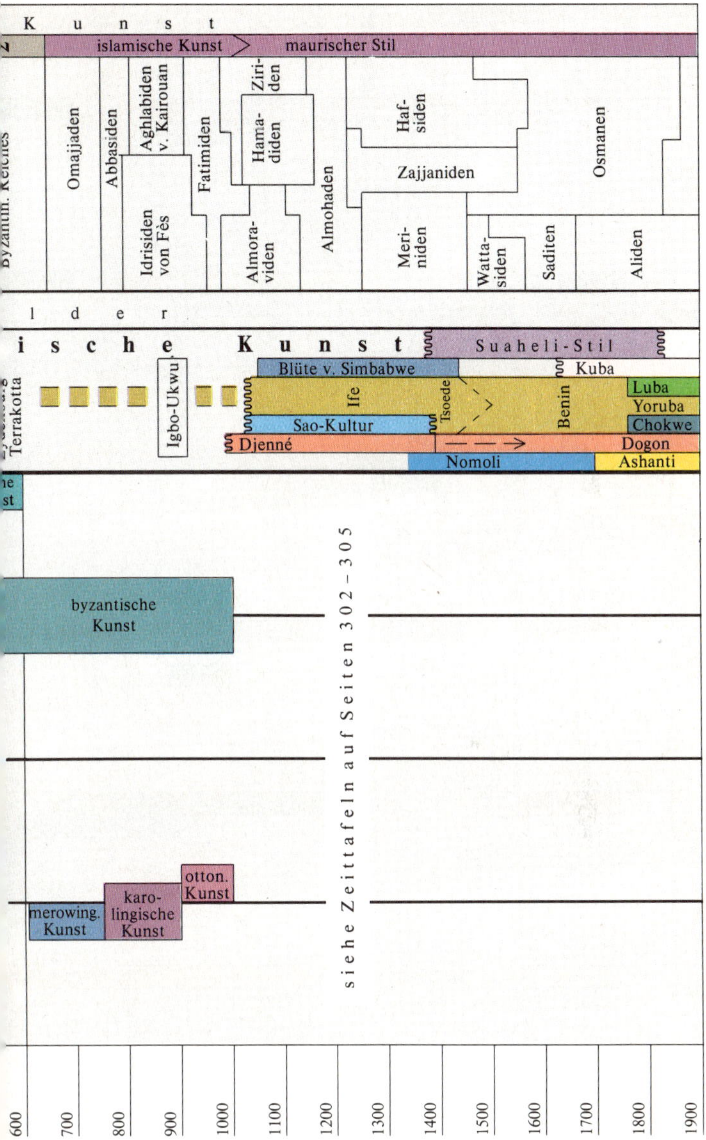

1 provinzialröm. Kunst, **2** frühchristlich-byzantin. Kunst

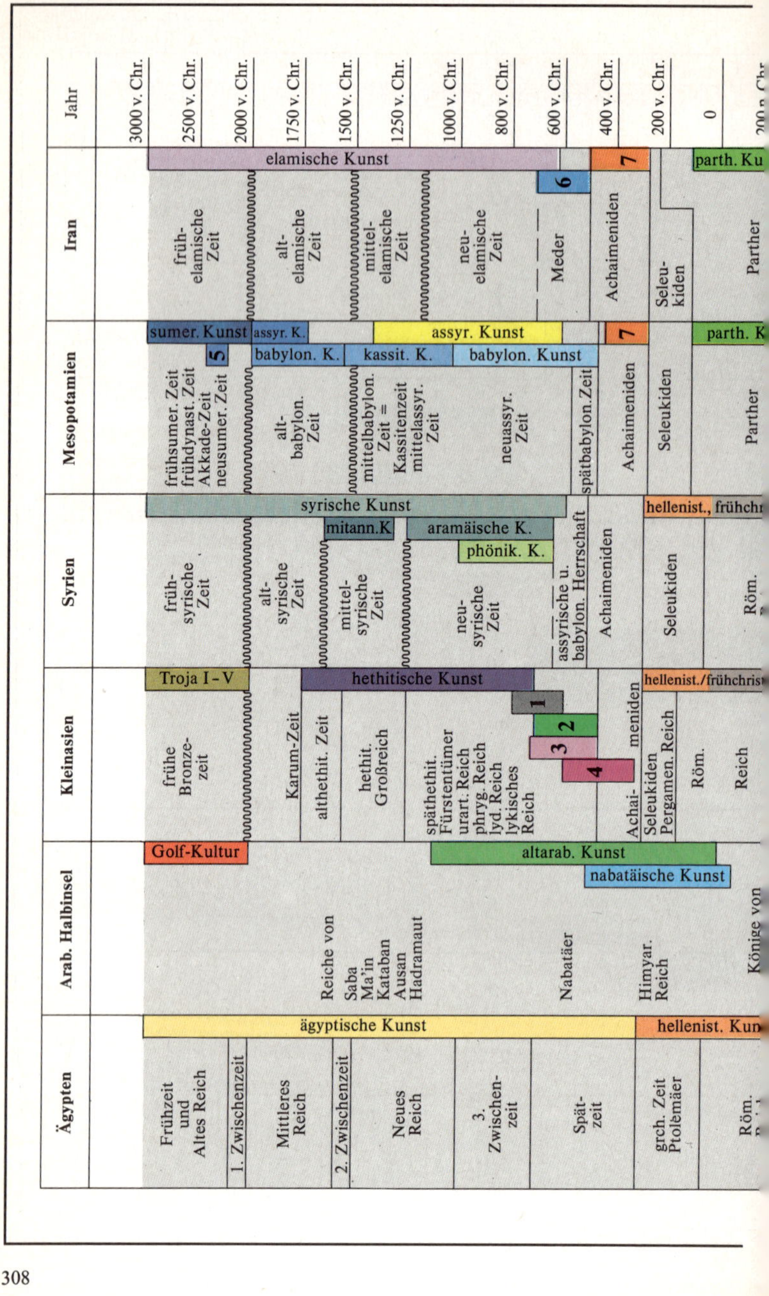

Jahr
3000 v. Chr.
2500 v. Chr.
2000 v. Chr.
1750 v. Chr.
1500 v. Chr.
1250 v. Chr.
1000 v. Chr.
800 v. Chr.
600 v. Chr.
400 v. Chr.
200 v. Chr.
0
Iran
elamische Kunst
7
parth. Ku
6
früh-elamische Zeit
alt-elamische Zeit
mittel-elamische Zeit
neu-elamische Zeit
Meder
Achaimeniden
Seleu-kiden
Parther
Mesopotamien
sumer. Kunst
assyr. K.
assyr. Kunst
7
parth. K
5
babylon. K.
kassit. K.
babylon. Kunst
frühsumer. Zeit
frühdynast. Zeit
Akkade-Zeit
neusumer. Zeit
alt-babylon. Zeit
mittelbabylon. Zeit = Kassitenzeit
mittelassyr. Zeit
neuassyr. Zeit
spätbabylon. Zeit
Achaimeniden
Seleukiden
Parther
Syrien
syrische Kunst
hellenist., frühchr
mitann. K
aramäische K.
phönik. K.
früh-syrische Zeit
alt-syrische Zeit
mittel-syrische Zeit
neu-syrische Zeit
assyrische u. babylon. Herrschaft
Achaimeniden
Seleukiden
Röm.
Kleinasien
Troja I-V
hethitische Kunst
hellenist./frühchris
1
2
3
4
frühe Bronze-zeit
Karum-Zeit
althethit. Zeit
hethit. Großreich
späthethit. Fürstentümer
urart. Reich
phryg. Reich
lyd. Reich
lykisches Reich
Achai-meniden
Seleukiden
Pergamen. Reich
Röm. Reich
Arab. Halbinsel
Golf-Kultur
altarab. Kunst
nabatäische Kunst
Reiche von Saba Ma'in Kataban Ausan Hadramaut
Nabatäer
Himyar. Reich
Könige von
Ägypten
ägyptische Kunst
hellenist. Kun
Frühzeit und Altes Reich
1. Zwischenzeit
Mittleres Reich
2. Zwischenzeit
Neues Reich
3. Zwischen-zeit
Spät-zeit
grch. Zeit Ptolemäer
Röm.

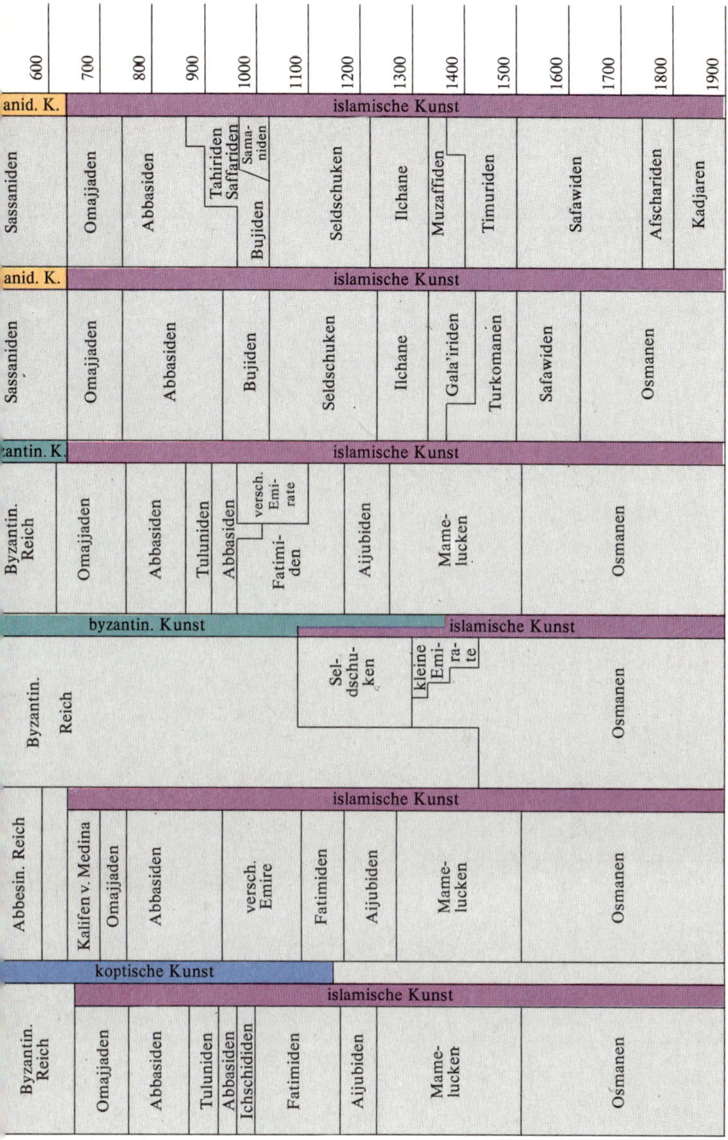

1 urartäische Kunst, **2** phrygische Kunst, **3** lydische Kunst, **4** lykische Kunst, **5** akkadische Kunst, **6** medische Kunst, **7** achaimenid. Kunst

Jahr	Indien	Birma, Thailand, Kambodscha, Vietnam	China
3000 v.Chr.			
2500 v.Chr.			Yangshao-Periode (Honan)
2000 v.Chr.	Harappa-Kultur		
1750 v.Chr.			Lungshan-Periode (Shantung)
1500 v.Chr.		südliche Dong-Son-Kultur	Shang-Dynastie
1250 v.Chr.	vedische Periode		
1000 v.Chr.			westl. Chou-Dynastie
800 v.Chr.			
600 v.Chr.	Buddha		östl. Chou-Dynastie; Ch'un-ch'iu-Periode
400 v.Chr.	pers. Eroberung; Alexander d.Gr.	erste Berührung mit Indien	Chan-kuo-Periode
200 v.Chr.	Mauriya-Periode, Shunga-Dynastie, Satavahana-Kshatrapa-Periode		Ch'in-Dynastie
0			westl. Han-Dynastie
200 n.Chr.	Kushana-Dynastie	indische Expansion; chines. Annexion, chines. Expansion	östl. Han-Dynastie

chinesische Kunst

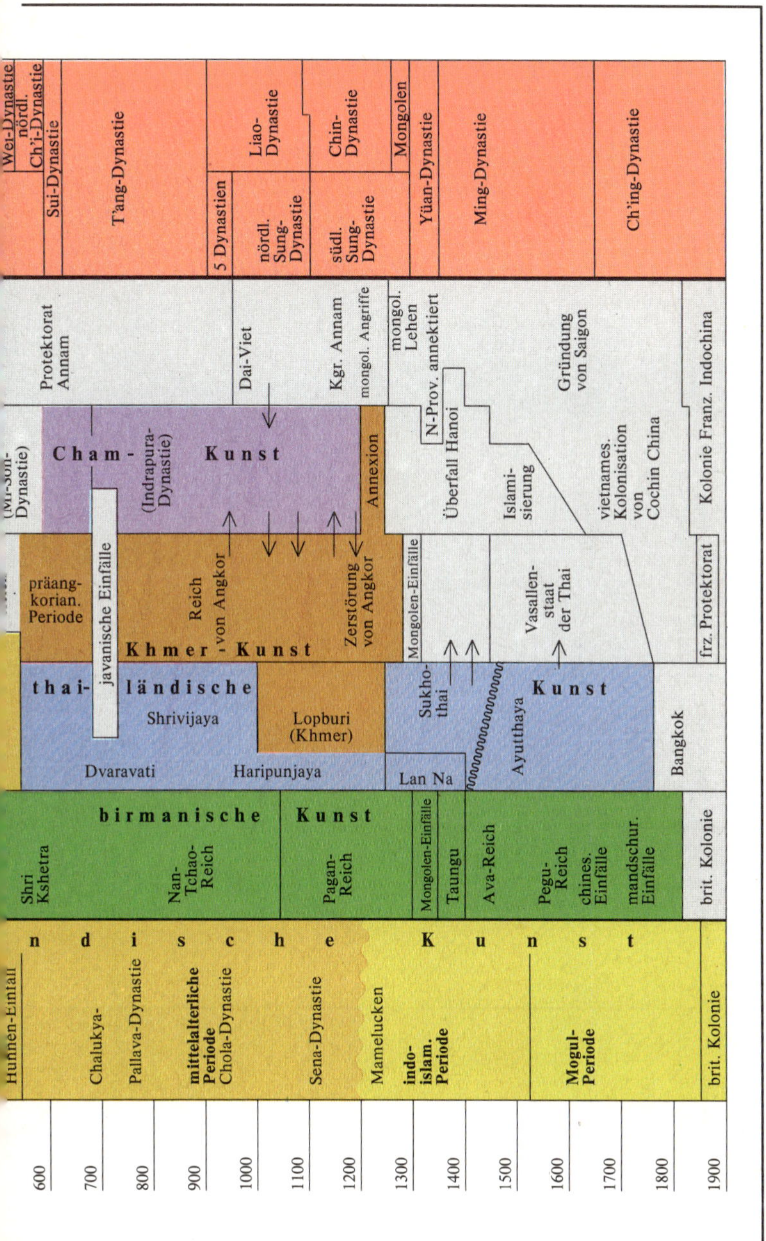

Wei-Dynastie
nördl. Ch'i-Dynastie
Sui-Dynastie
T'ang-Dynastie
5 Dynastien
Liao-Dynastie
nördl. Sung-Dynastie
Chin-Dynastie
südl. Sung-Dynastie
Mongolen
Yüan-Dynastie
Ming-Dynastie
Ch'ing-Dynastie
Protektorat Annam
Dai-Viet
Kgr. Annam
mongol. Angriffe
mongol. Lehen
N-Prov. annektiert
Überfall Hanoi
Gründung von Saigon
Kolonie Franz. Indochina
Islami-sierung
vietnames. Kolonisation von Cochin China
(Mi-Son-Dynastie)
Cham- Kunst
(Indrapura-Dynastie)
Annexion
präang-korian. Periode
javanische Einfälle
Reich von Angkor
Zerstörung von Angkor
Khmer - Kunst
Mongolen-Einfälle
Vasallen-staat der Thai
frz. Protektorat
thai- ländische Kunst
Shrivijaya
Lopburi (Khmer)
Sukho-thai
Ayutthaya
Dvaravati
Haripunjaya
Lan Na
Bangkok
birmanische Kunst
Shri Kshetra
Nan-Tchao-Reich
Pagan-Reich
Mongolen-Einfälle
Taungu
Ava-Reich
Pegu-Reich
chines. Einfälle
mandschur. Einfälle
brit. Kolonie
indische Kunst
Hunnen-Einfall
Chalukya-
Pallava-Dynastie
mittelalterliche Periode
Chola-Dynastie
Sena-Dynastie
Mamelucken
indo-islam. Periode
Mogul-Periode
brit. Kolonie
600
700
800
900
1000
1100
1200
1300
1400
1500
1600
1700
1800
1900

Jahr	Andenländer Norden	Andenländer Mitte	Mesoamerika	Nordamerika	Japan	Korea
3000 v. Chr.		A n d i n e	M e s o a m e r i k a n i s c h e			
2500 v. Chr.	Valdivia-Kultur					
2000 v. Chr.						
1750 v. Chr.						
1500 v. Chr.			V o r k l a s s i k			
1250 v. Chr.			Anfänge von Teotihuacán, Monte Albán, Golfküsten-Kulturen		Jomon	
1000 v. Chr.		Chavín-Kultur				
800 v. Chr.		Paracas-Cavernas				
600 v. Chr.						
400 v. Chr.	Calima San Agustín Nariño	Vicús	Blüte der Olmeken-Kultur			
200 v. Chr.		Recuay Paracas-Necropolis		Indianer Eskimo:		Bronze- u. Eisen-Zeit
0			Westmexik Kultu	Anasazi-Kultu Hopewell-Kul Ipiutak-Ku	Yayoi	Lo-lang
200 n. Chr.						

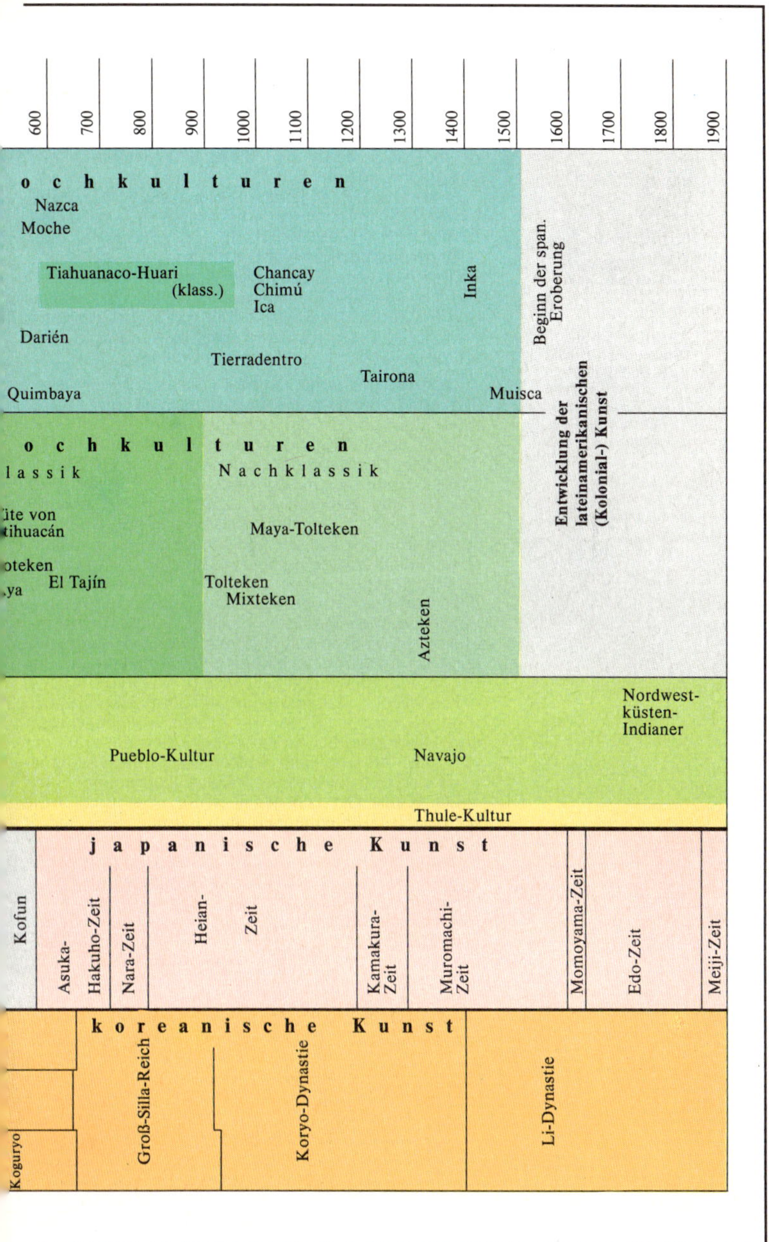
600
700
800
900
1000
1100
1200
1300
1400
1500
1600
1700
1800
1900
o c h k u l t u r e n
Nazca
Moche
Tiahuanaco-Huari (klass.)
Chancay
Chimú
Ica
Inka
Darién
Tierradentro
Tairona
Quimbaya
Muisca
Beginn der span. Eroberung
Entwicklung der lateinamerikanischen (Kolonial-) Kunst
o c h k u l t u r e n
l a s s i k
N a c h k l a s s i k
ite von
tihuacán
Maya-Tolteken
oteken
ya
El Tajín
Tolteken
Mixteken
Azteken
Nordwest-küsten-Indianer
Pueblo-Kultur
Navajo
Thule-Kultur
j a p a n i s c h e K u n s t
Kofun
Asuka-
Hakuho-Zeit
Nara-Zeit
Heian-
Zeit
Kamakura-Zeit
Muromachi-Zeit
Momoyama-Zeit
Edo-Zeit
Meiji-Zeit
k o r e a n i s c h e K u n s t
Koguryo
Groß-Silla-Reich
Koryo-Dynastie
Li-Dynastie

zentralasiatische Kunst: Hochrelief des Bodhisattva Avalokiteshvara; Ton, 29,5 cm hoch (Zürich, Privatsammlung)

malte u. a. noch Zenthemen (Version des Hotei). Herausragendster Zenmaler des 18. Jh. war HAKUIN (*1685, †1768), Vertreter der ›Zenga‹ (Zenmalerei) genannten Richtung, schöpferischen Laienschaffens voll Kraft, Naivität und Humor (u. a. Selbstporträt). Mit SENGAI (†1837) und einem noch leichteren, humorvollen Stil, der eher den Haiga, den Bildern der Haiku-Dichter, entsprach, endet die Z.

H. BRINKER: Die Zen-buddhist. Bildnismalerei in China und Japan (1973); H. MUNSTERBERG: Zen-Kunst (1978); T. HOOVER: Die Kultur des Zen (a. d. Amerikan., 1978).

Zentralamerikanische Kulturen, die vorkolumb. Kulturen in dem Gebiet zw. Mesoamerika und dem südlich angrenzenden Zwischengebiet (Kolumbien und Ecuador), das den östl. Teil von Honduras sowie Nicaragua, Costa Rica und Panama umfaßt, mit den Kulturen →Nicoya, →Coclé und →Chiriquí.

zentralasiatische Kunst, die Kunst in West-Turkestan (Sowjetisch-Mittelasien, auch kurz Mittelasien gen.; umfaßt die Usbek., Turkmen., Tadschik., Kasach. und Kirgis. Sowjetrepubliken) und in Ost-Turkestan (Autonome Rep. Sinkiang der VR China). Über 2 große Durchgangswege, auch nördl. und südl. Seidenstraße genannt, auf denen sich der gesamte Landverkehr zw. dem hellenist. Westen und China abspielte, konnten sich seit dem 1. nachchristl. Jh. die unterschiedlichsten relig. und kulturellen Strömungen verbreiten und mischen: iran., ind., hellenist., chines., tibet. und türk. Strömungen. Das belegen die Ausgrabungen in West-Turkestan (auch Russisch-Turkestan). Hier wurden neben höf. Baukunst buddhist. Tempelanlagen gefunden mit reichhaltiger Wandmalerei und Plastik, an Plätzen wie den kushanzeitl. →Dalversin-Tepe, →Kara-Tepe, →Chaltschajan, →Toprak-kala und den sogd. →Adschina-Tepe, →Afrasiab, →Pendschikent und →Warachscha. So entwickelte sich die z. K. der vorislam. Zeit aus dem Kulturbereich der Kushanaherrschaft und aus ererbten lokalen Traditionen.

Die Kunst Ost-Turkestans ist im wesentlichen die Kunst der Höhlentempel und Klöster. Sie umfaßt hauptsächlich Wandmalereien, figürl. Darstellungen aus Lehm, Holz und Metall, Malereien auf Stoff, Holz und Papier. Die ältesten Objekte stammen aus dem 2. bis 3. Jh., die jüngsten reichen bis in den Anf. des 2. Jahrtsd. hinein. Die Hauptschaffenszeit lag zw. 500 und 900. Die wichtigsten Funde sind in den Gebieten →Miran und →Khotan im S, v. a. aber um →Kucha und →Turfan im N zutage getreten. Die ältesten Wandmalereien stammen aus Miran. Im Bereich der nördl. Seidenstraße heben sich 2 Kunstkreise deutlich voneinander ab: ein westl., älterer (etwa 500–700) in der Gegend um Kucha und ein östl., jüngerer (etwa 650–950) im Oasengebiet von Turfan. Die Kunst von Kucha unterscheidet sich von der der Turfan-Oase durch die in ihr erkennbaren ind. und iran. Einflüsse und durch das Fehlen ostasiat. Elemente, die in den Turfan-Wandmalereien dominieren. Die älteste Malerei im Kucha-Gebiet entstand nach Aussage des Schriftcharakters einer Inschrift in der ›Malerhöhle‹ in der Zeit um 500 und wird auf Grund versch. übereinstimmender Stilkrite-

zentralasiatische Kunst: LINKS Buddhist. Gottheit, aus einer Höhle in Schor-Tschuq (bei Kucha), 7./8. Jh.; RECHTS Drache in einem Bergsee, Wandmalerei vom Sockel eines Stupas in Bezeklik (bei Turfan), 9./12. Jh.

rien als 1. indo-iran. Stil bezeichnet (fein abgestufte gleichartige erdfarbene Farbtöne mit einziger Kontrastfarbe Grün; auf den Grundton abgestimmte Konturierung). Diese Stilart entwickelte sich über Zwischenstadien zum 2. indo-iran. Stil (600–700), der sich durch stark kontrastierende Farben und das leuchtende Lapislazuliblau auszeichnet. Die westl. Kunst weist nirgends ostasiat. Einflüsse auf, doch wurden in einem anderen Ort der Kucha-Oase, in →Kumtura, Wandbilder buddhistisch-chines. Stils gefunden, der in dem Gebiet um Turfan vorherrschte. →Khocho und →Bezeklik sind hier die bedeutendsten Fundorte. Diese Malereien der uigur. Periode (8.–9. Jh.) sind als Proben der berühmten chines. Malerei der T'ang-Zeit bes. beachtlich. Doch ist unter ihnen eine Anzahl von Bildern nichtbuddhist. Inhalts, denn die uigur. Herrscher von Khocho regierten zwar ein buddhist. Volk, waren aber selbst Anhänger der synkretist. Lehre des pers. Religionsstifters Mani, des Manichäismus. Manichäische Buchminiaturen aus Khocho bilden eine weitere bed. Gruppe von Kunstwerken im buddhistisch-chinesischem Stil. Aber noch eine 3. Religion, das Christentum in nestorianischer Form, hinterließ in der Kunst von Turfan seine Spuren.

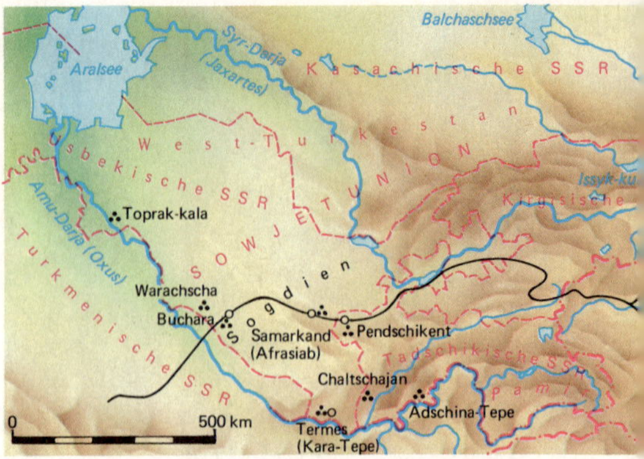

Der buddhistisch-chines. Stil der Turfan-Oase leitet über zur buddhist. Höhlenkunst von →Tunhuang, mit der die Grenze zur chines. Kunst überschritten wird. Das Schicksal dieser Höhlentempel ist charakteristisch für viele Kulturoasen der Wüste, die während der Islamisierung versanken. Die Tempel wurden von flüchtenden Buddhisten zugemauert und blieben für die buddhist. Nomadenbevölkerung der Umgebung ein mit verborgenen Einstiegslöchern versehenes heiml. Pilgerziel, bis sie Ende des 19./Anf. des 20. Jh. von Europäern entdeckt wurden.

M. A. STEIN: Ancient Khotan, 2 Bde. (Oxford, 1907); A. v. LECOQ: Die buddhist. Spätantike in Mittelasien, 5 Bde. (1922–26, Nachdr. 1973–75); E. WALDSCHMIDT: Gandhara-Kutscha-Turfan (1925); ders. u. A. v. LECOQ: Die buddhist. Spätantike in Mittelasien, 6 (1928), 7 (1933); M. BUSSAGLI; Malerei in Zentralasien (a. d. Ital., 1963); B. ROWLAND: Zentralasien (a. d. Engl., 1970); G. GROPP: Archäolog. Funde aus Khotan (1974); B. STAWISKI: Mittelasien – Kunst der Kuschan (a. d. Russ., 1979); A. M. BELENIZKI: Mittelasien – Kunst der Sogden (a. d. Frz., 1980); V. M. MASSON: Das Land der tausend Städte (a. d. Russ., 1982); Along the ancient silk routes. Central Asian art from the West Berlin State Museums, Ausst.-Kat., New York (1982); H. W. HAUSSIG: Die Geschichte Zentralasiens und der Seidenstraße in vorislam. Zeit (1983).

Zentralbau, ein Bau, bei dem i. Ggs. zum Langhausbau (→Basilika) alle Teile auf einen Mittelpunkt bezogen sind. Der Grundriß kann aus einem Kreis, einem Vieleck, meist Achteck (Oktogon), auch einer Ellipse entwickelt sein. Den oberen Abschluß des Raums, dessen Unterbau z. B. durch Umgang, Kreuzarme, Apsiden erweitert sein kann, bildet meist eine Kuppel.

In der Baukunst des Altertums schufen die Ägypter auf quadrat. Grundriß die →Pyramide, die Griechen errichteten auf rundem Grundriß die →Tholos, einen Rundbau mit ringsum laufender Säulenstellung, den die Römer für einige Tempel übernahmen (Rom, Vestatempel). Die röm. Grabbauten waren massive, meist zylindr. Z. (Mausoleum des Augustus, des Hadrian, Grabmal der Caecilia Metella), auch vieleckige Bauten (Mausoleum des Diokletian in Split). Großartigstes Zeugnis eines antiken sakralen Z. ist das →Pantheon in Rom.

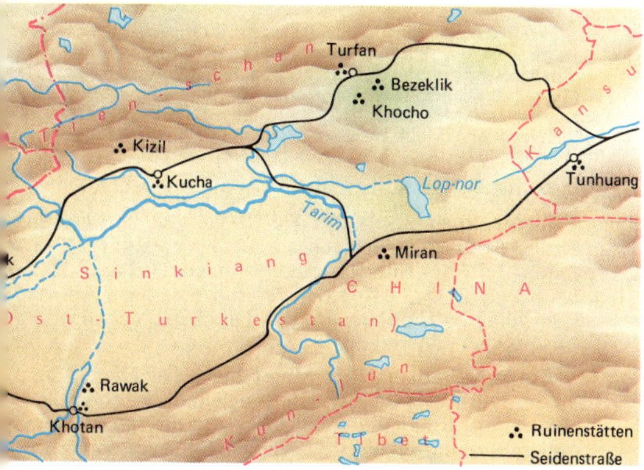

Karte zur **zentralasiatischen Kunst**

Die →frühchristliche Kunst, die den für die kirchl. Baukunst des Abendlandes entscheidenden Typus der Basilika schuf, übernahm den antiken Z. v.a. für das →Baptisterium und die Grabkirche.

Im Kirchenbau des christl. Ostens setzte sich in mannigfachen Abwandlungen der Z. durch (→byzantinische Kunst, →Kreuzkuppelkirche). Das HW ist die Hagia Sophia in Istanbul (532–37). Der Z. blieb im Bereich des orthodoxen Christentums vorherrschend und wurde auch von der →islamischen Kunst aufgenommen.

In der ma. Baukunst des Westens gehören größere Z. zu den Ausnahmen: Oktogon des Aachener Münsters (um 800 gew.; Bild Aachen), Klosterkirche zu Ottmarsheim (1049 gew.), Liebfrauenkirche in Trier (um 1250), Marienmünster in Ettal (1330 gegr.), Karlshofer Kirche in Prag (1377 gew.). Bei Taufkirchen hielt man am Z. fest, so auch bei Grabkirchen und Mausoleen: Michaelskirche in Fulda (9. Jh.), Olavs-Rotunde in Trondheim (Ende 13. Jh.), die Capelas Imperfeitas in Batalha, Portugal (1490 beg.), und anderen kapellenartigen Bauten (→Heiliges Grab).

In der Renaissance wurde der Z. wieder häufiger. Seine Idealvorstellung verwirklichte Bramante in dem kleinen Rundtempel im Hof von S. Pietro in Montorio in Rom.

Der Bau der →Peterskirche in Rom vollzog sich im Kampf zw. den Verfechtern des Z. und des Langhausbaus. Im Barock wurden Z. über ellipt. Grundriß bes. beliebt (Wallfahrtskirche Wies). Der Klassizismus griff z.T. auf den reinen Z. nach Vorbild des Pantheons in Rom zurück. Im Kirchenbau des 20. Jh. herrscht der Z. in vielfältigen Variationen vor. – Neue Aufgaben boten dem Z. im 19. und 20. Jh. Zirkusbauten, Planetarien, Fest- und Ausstellungshallen u.a.

Zentralinstitut für Kunstgeschichte, München, gegr. 1946 mit der Aufgabe, Forschungen, bes. auf dem Gebiet der abendländ. Kunstgeschichte von der frühchristl. Zeit bis zur Gegenwart, durchzuführen. Das Z.f.K. besitzt die wichtigste Fachbibl. in der Bundesrep. Dtl. und eine bed. Photothek.

Veröffentlichungen: Reallexikon zur dt. Kunstgesch., hg. v. OTTO SCHMITT, bisher 7 Bde. und 3 Lieferungen (1937–83); Kunstchronik, Monats-Hefte (seit 1948); Jahresber. Z. f. K. in München (seit 1949); Münchner Jb. der Bildenden Kunst (seit 1950, zus. m. d. Staatl. Kunstsamml. München); Veröffentlichungen des Z. f. K. in München (seit 1955); Bibl. zur kunstgeschichtl. Lit. in slaw. Ländern, 1 (1965).

zentraljavanische Periode, →indonesische Kunst.

Zentralmexikanische Kulturen, die vorkolumb. Kulturen aus dem Gebiet des zentralen mexikan. Hochlands (Teile der Bundesstaaten Mexiko, Hidalgo, Tlaxcala, Puebla und Morelos); es sind dies die Kulturen von Tlatilco, Teotihuacán, der Tolteken, Azteken und Gruppen der Mixteken.

Zerbst, Stadt im Bez. Magdeburg, Dt. Dem. Rep., an der Nuthe, 19400 Ew. Die Innenstadt der ehem. Residenz von Anhalt-Z. (1603–1793) mit ihrem einst reizvollen Straßenbild wurde 1945 fast völlig zerstört, auch das dreiflügelige frühbarocke Schloß (1681–1747); der als Ruine erh. östl. Seitenflügel soll wiederhergestellt werden; die spätgot. Nikolaikirche ist ebenfalls Ruine. Wiederhergestellt ist die Trinitatiskirche, ein frühbarokker Zentralbau (1683–96). Erh. ist ein großer Teil der Stadtmauer mit mehreren Türmen und 3 Toren. – 1721 bis 1796 bestand hier eine von Fürst AUGUST VON ANHALT-Z. unterstützte Fayencemanufaktur, die um 1800 mit der Herstellung von Steingut begann (bis 1861).

Zero [z'e:ro, frz. ›null‹], Künstlergruppe, der O. PIENE, H. MACK und G. UECKER (seit 1960) angehörten. Sie trug um 1960 mit seriellen Bildordnungen und vibrierenden Lichtstrukturen wesentlich zur Überwindung des Informel bei und begründete, trotz europ. Verflechtungen (MANZONI, Y. KLEIN), eine neue Phase der dt. Nachkriegskunst, in der die Kunst sich für elementare Medien wie Licht, Wasser, Luft und moderne Technologien öffnete. Die Gruppe Z. begann 1957 mit Abendausstellungen in Düsseldorf und veröffentlichte seit 1958 die Katalog-Ztschr. ›Zero‹; letzte gemeinsame Ausst. 1966, Auflösung 1967.

Z., hg. v. O. PIENE (1973).

Zeshin [zɛʃin], Familienname **Shibata** [ʃ-], japan. Maler, Lackmeister, *Edo 1807, †ebd. 1891, kam mit 11 Jahren zu dem Lackmeister KOMA KANSAI in die Lehre und siedelte 1825 nach Kioto über, wo er bei den führenden Meistern der Shijo-Schule, OKAMOTO TOYOHIKO und SUZUKI NANREI, Malerei studierte. Der eigenwillig kühne Stil seiner Gemälde bestimmt auch den Dekor seiner Lackarbeiten, die wie die Werke KORINS in Europa dem Jugendstil Anregungen gaben.

Zettler, Franz Xaver, Glasmaler, *München 21. 8. 1841, †ebd. 27. 3. 1916, gründete dort 1871 das Institut für kirchl. Glasmalerei. Er schuf Glasfenster und restaurierte auch alte Kirchenfenster (Ulm, Münster, 1909).

Zeugdruck, Verfahren zum Bedrucken von Geweben im Handdruck mit hölzernen Formmodeln, seit dem 12. Jh. belegt. Den Modeln wurde das gewünschte Muster erhaben eingeschnitten; sie konnten in versch.

Wörter, die man unter Z vermißt, suche man unter C, S oder Sch

Farben eingefärbt werden. Diese Technik steht in enger Bindung zum →Holzschnitt.

Zeughaus, Armeria, Arsenal, früher Gebäude zur Aufbewahrung von Vorräten und Kriegsmaterial. Es ging aus den städt. Rüstkammern des MA. hervor. Seit dem 16. Jh. errichtete man neben schlichten Nutzbauten (Siegen, Anfang 17. Jh.) repräsentative städt. Z. in Ulm (Altes Z., 1522, Neues Z., 1665), Wien (1564, umgebaut 1732), Augsburg (1602–07), Danzig (Großes Z., 1602–05). Fürstl. Z. des 16. Jh. waren das auf dem Hradschin in Prag, das Kaiserl. Z. in Wien (1584–87), das Alte Z. (Albertinum) in Dresden (1559–63). Außer Z. in Festungsanlagen (Königstein in Sachsen, 1594 und 1631) entstanden im Barock aufwendige Repräsentationsbauten (Mainz, 1738–40), die oft nicht nur Waffenarsenal, sondern auch fürstl. Trophäensamml. (insoweit oft zugleich Siegesmonument und Mus.) waren. Der Große Kurfürst legte für ein geplantes Z. in Berlin eine Samml. von Ansichten von Z. (darunter das Z. von Warschau) an. Kurfürst FRIEDRICH III. von Brandenburg ließ 1695–1706 als ersten monumentalen Staatsbau des Kgr. Preußen das Z. in Berlin mit den 22 Masken sterbender Krieger von A. SCHLÜTER errichten.

Zeus
als Blitzeschwinger, Bronzestatuette aus Dodona, um 470 v. Chr. (Berlin-West, Staatl. Museen)

Zeus [zu altind. dyaus ›lichter Himmel‹, ›Tag‹], lat. **Iuppiter,** dt. Schreibung **Jupiter,** der höchste grch. Gott, Sohn des Kronos und der Rhea, Gemahl der Hera. In gewaltigem Kampf mit Kronos und den Titanen begründete er die Herrschaft der olymp. Götter über die dunklen Mächte der Tiefe. Seine urspr. heterogenen Züge, die von einem Konflikt patriarchal. mit mittelmeerisch-matriarchal. Gottheiten zeugen, gewannen in homer. Zeit die festen Umrisse einer universalen, allmächtigen Vatergottheit, die Z. über alle anderen Götter erhoben. Er teilte die Weltherrschaft mit seinen Brüdern Poseidon und Hades, wobei er der Gott der Höhe (Sitz auf dem Olymp, daher der **Olympi|er),** der Wetter- und Gewittergott wurde, der Glück und Unglück nach Gutdünken verteilte und doch auch Schutzgott war. Seine Züge wurden durch Eigenschaften wie Weisheit und Güte zunehmend milder, und er gewann die Funktionen eines Hüters von Freiheit, Recht, Sitte und Staat. Wenn auch hochverehrt, gelangte er nie zu absoluter Geltung. Der Moira war auch er untertan. Von seiner Potenz zeugten zahlreiche Nachkommen: Athene, Persephone, die Musen, die Dioskuren, Herakles, Perseus. Seinen unsterbl. und sterbl. Geliebten näherte er sich oft in verwandelter Gestalt (Stier, Schwan, goldener Regen u. a.). Die bedeutendsten Z.-Kultstätten befanden sich in Athen, Dodona und Olympia; zu den Weltwundern zählte der Z.-Altar von Pergamon. Dargestellt wurde er meist bärtig, entweder schreitend und Blitze schleudernd oder thronend. Adler, Blitze und Zepter waren seine häufigsten Attribute. Seine überragende Gestalt trat in der Kunst schon früh in Erscheinung, v. a. in der Prozession der Olympier (Zwölfgötter), auch seine Begegnung mit Typhon, die Hl. Hochzeit (Hieros Gamos), die Geburt der Athene, der Kampf mit den Titanen und mit den Giganten. Unter den freiplast. Darstellungen ragte die (nicht erh.) des Phidias in Olympia hervor. Im Z. von Otricoli (BILD) treten die väterl. Züge stärker in den Vordergrund. Auch die Liebesbeziehungen des Z. lassen sich in der Kunst früh nachweisen (Kypseloslade), mehren sich mit fortschreitender Kultur (Pompeji) und wurden zum bevorzugten Z.-Thema der neuzeitl. Kunst (CORREGGIO, TIZIAN, REMBRANDT, P. P. RUBENS).

Zeuxis, grch. Maler, Anf. 4. Jh. v. Chr. in Athen tätig, wegen der Vervollkommnung der von APOLLODOROS angebahnten illusionist. Schattenmalerei geschätzt. Z. schuf für den Heratempel von Kroton das Bild einer nackten Helena. Sein Bild einer Kentaurenfamilie wurde von LUKIAN ausführlich beschrieben. Keines seiner Werke ist erh.

Žiča [ʒ'itʃa], Kloster bei Kraljevo in Serbien, Jugoslawien, 1208 von König STEPHAN gegr., war Residenz der serb. Patriarchen und Krönungsort serb. Könige. Die Klosteranlage wurde mehrmals zerstört und erneuert. Die rot verputzte Kirche ist typisch für die Kirchenbauten des alten Serbien (Raszien); im Innern Fresken aus dem 13./14. Jh.

Zichy [z'itʃi], Mihály Graf, ungar. Maler, *Zala (Komitat Somogy) 15. 10. 1827, †St. Petersburg 29. 2. 1906, seit 1847 meist in Rußland (1859–74 Hofmaler des Zaren), 1874–80 in Paris; schuf neben Bildern im Stil der Salonmalerei satir. Werke und Buchillustrationen.

Zick, Nürnberger Kunstdrechslerfamilie des 17. und 18. Jh.; bed. Mitgl.: Lorenz (*1594, †1666), Caspar (*1623, †1682) und Stephan (*1639, †1715). – Es wurden v. a. Dreifaltigkeitsringe, Contrefait-Büchsen, Pokale und anatom. Modelle aus Elfenbein, Horn, Holz und Metall hergestellt.

Zick, 1) Januarius, Maler, Sohn von 2), *München 6. 2. 1730, †Ehrenbreitstein 14. 11. 1797, war ebd. nach Bildung in Paris und Rom (A. R. MENGS) u. a. seit 1760 kurtrier. Hofmaler. Seine Fresken verbinden die Anmut des ausgehenden Rokoko mit der feinen Klarheit des frühklassizist. Zopfstils. Die Tafelbilder von Z. sind v. a. in der Manier von REMBRANDT gemalt.

HW: Fresken im Schloß zu Engers (1760), in den Klosterkirchen Wiblingen bei Ulm (1778–80), Zell bei Riedlingen (1781), Obereichingen bei Ulm (1782–85) und Rot a. d. Rot (1784). – Möbelentwürfe für D. Roentgen.

O. METZGER: J. Z. Datierbare und undatierbare Gemälde (1981); Johann und Januarius Z., Ausst.-Kat., München (1982).

2) Johann, Maler, Vater von 1), *Lachen bei Ottobeuren 10. 1. 1702, †Würzburg 4. 3. 1762, nach Ausbildung in Konstanz und Venedig 1732 Hofmaler in München, 1749 in Würzburg. Das Kolorit seiner Fresken zeigt (in zunehmender Aufhellung) seine Wendung zum Rokoko, später auch den Einfluß von REMBRANDT.

HW: Fresken im Gartensaal der Würzburger Residenz (1749/50), im Schloß zu Bruchsal (1751–54) und in den Pfarrkirchen von Amorbach (1753) und Grafenrheinfeld (1757).

Zickzackfries, Baukunst: →Deutsches Band.

Ziębice [zjɛmb'itsɛ], poln. Name für →Münsterberg.

Ziebland, Georg Friedrich, Baumeister, *Regensburg 7. 2. 1800, †München 24. 7. 1873, baute nach Studien in Italien (1826–28) in München im Stil des Historismus die Bonifatiusbasilika (1835–47, im Rundbogenstil) und gegenüber der Glyptothek die Neue Staatsgal. (1838–45, 1967 nach Zerstörung im 2. Weltkrieg als Antikensamml. wiederaufgebaut, klassizistisch).

Ziegel, aus Lehm, Ton oder tonigen Massen geformte, luftgetrocknete oder gebrannte Erzeugnisse, die seit vorgeschichtl. Zeit zum Bauen verwendet wurden; über Jahrtausende hin bestimmte dieses Material in großen Teilen Asiens und Europas sowie in einigen Regionen Afrikas das Bild der örtl. Architektur.

Mauer-Z.: Die luftgetrockneten Z. (Lehm-Z.) wurden in Kleinasien, N-Syrien und Palästina bereits seit dem Spätneolithikum, in Mesopotamien und Ägypten seit dem 4. Jahrtsd. v. Chr. bei fast allen Bauaufgaben verwendet. Sie wurden aus mit Wasser und Häcksel oder anderen vegetabilen Zuschlagstoffen vermischter lehmiger Erde hergestellt, frei oder in einfachen Holzrahmen geformt und an der Sonne getrocknet. Als Bindemittel diente ein aus dem gleichen Material hergestellter Mörtel; zur Verbesserung des Mauerverbandes wurden bei größeren Bauwerken (z. B. Zikkurat-Unterbauten) oft Schilfmatten zw. einzelne Z.-Schichten eingelegt. Ihre Formen reichen von einfachen Lehmklumpen über handgeformte, etwa rechteckige Z. mit gelegentlich leicht gewölbten Oberflächen bis zu allseits gerade begrenzten Rechteckformen von 20–40 cm Seitenlänge und etwa 8–12 cm Stärke.

Neben dem ungebrannten (nicht sehr dauerhaften) Lehm-Z. finden sich seit der 2. H. des 4. Jahrtsd. auch gebrannte Z., anfangs ebenfalls in plankonvexer Form, später überwiegend als rechteckige Flach-Z. mit Seitenlängen von 25–42 cm und Stärken von 8–12 cm; sie tragen oft Stempel oder Siegelabdrücke mit Bauherren- oder Königsnamen. Anfangs vorwiegend für Bodenbeläge verwendet und dabei oft mit Bitumenmörtel verlegt, wurden später alle Arten von Mauern und Gewölben aus gebrannten Z. errichtet. Für besondere Bauaufgaben (Tempel, Paläste, Toranlagen) wurden auch glasierte und mit Dekor bemalte oder reliefierte Z. verwendet (z. B. an spätbabylon. Bauten in Babylon).

Auch für einfachere Wölbkonstruktionen (Rundbögen, Tonnengewölbe) sowie gelegentlich als Form-Z. für den Bau von freistehenden Rund- und Rechteckpfeilern wurden Z. verarbeitet. Luftgetrocknete und gebrannte Z. wurden auch in allen Phasen und Regionen der Alten Welt (v. a. Griechenland, Röm. Reich, auch China, dort Lehm-Z. seit dem 4. Jh. v. Chr.) in großem Umfang verwendet. Im grch. Kulturraum wurden Lehm-Z. seit dem Anf. des 3. Jahrtsd. benutzt; sie finden sich bis in klass. Zeit hinein sogar bei Sakralbauten auf Marmorsockeln im oberen Wandaufbau. Gebrannte Z. wurden erst in hellenist. Zeit üblich. Große Bedeutung erlangten diese in der röm. Architektur, in der der →Ziegelbau eine bed. Rolle spielte. Über die weitere europ. Entwicklung →Backsteinbau.

In Indien wurden für Tempel, v. a. bis zur Gupta-Zeit, Z. verwendet. In Bengalen, wo der alluviale Boden naturgemäß arm an zum Tempelbau geeigneten Stei-

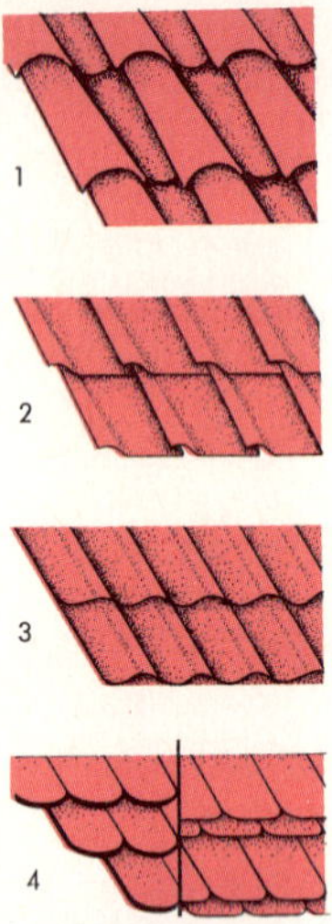

Ziegel: Dachziegel; **1** Mönch und Nonne, **2** Krempziegel, **3** Hohlpfanne, **4** LINKS Biberschwänze, RECHTS Schwalbenschwänze

nen ist, wurden ab dem 7. Jh. buddhist. Klosteranlagen und hinduist. Tempel aus gebrannten Z. erbaut, die mit Reliefs aus →Terrakotta verkleidet wurden.

In Hinterindien verwendeten die Khmer und Cham für ihre Heiligtümer luftgetrocknete Z. aus Laterit (roter Boden in trop. Gebieten mit Vorherrschen von Eisen- und Aluminiumoxidhydraten und wenig Kieselsäure).

Der **Dach-Z.** (stets gebrannt) wurde im grch. Raum seit dem 8. Jh. v. Chr. verwendet und verbreitete sich in den folgenden Jh. über das ganze Mittelmeergebiet. Er kommt vor als Biberschwanz- oder Flach-Z., der mit einer Nase in die Dachlattung eingehängt wird. Durch Versatz oder Doppeldeckung können mit ihm versch. Muster erzielt werden. Weitere Formen sind die S-Pfanne, der Kremp-Z. und der Falz-Z., bei denen die Z.-Ränder hakenartig ineinandergreifen. Neben dem griechisch-röm. Flach-Z. sind die ältesten Z.-Formen ›Mönch‹ und ›Nonne‹ aus denen das Klosterdach gebildet wurde und die noch heute im Mittelmeerraum vorherrschen. In Ostasien fanden die Dach-Z. die augenfälligste Gestaltung. Die Farbe ihrer Glasuren hatte symbol. Bedeutung (in China gelb bei den Palästen der kaiserl. Familie, blau für den Himmelstempel).

Form-Z.: Vorgeformte Z. wurden schon für Bauten des Alten Orient verwendet, als Figurenschmuck z. B. am Karaindasch-Tempel in Uruk, Mitte 2. Jahrtsd. v. Chr. In der grch. Antike wurde beim Tempelbau die Zweckmäßigkeit des Z.-Daches sehr bald mit schmükkenden Formen wie Antefix, Akroterion, Sima u. ä. (ebenfalls aus Ton) verbunden. Für diese Form-Z. ist auch die Bez. Dach-Terrakotta üblich.

In Ostasien sind an Palast- und Tempeldächern apotropäische Form-Z. angebracht. Themen sind die Tiere der 4 Himmelsrichtungen (Phönix, Drache, Tiger, Schildkröte), Löwen- und Teufelsmasken. Für Japan sind silbergraue Schmuck-Z. mit dem Motiv der ›wandernden Welle‹ und Lotosranken und -rosetten charakteristisch. Der große End-Z. am Dachfirst (oni-gawara) weist oft die Fratze eines Schutzteufels auf, manchmal einen Kranich, an Kaiserpalästen immer die 16blättrige Chrysanthemenblüte. Eine Besonderheit der i. a. nach chines. Vorbild verlaufenden korean. Entwicklung waren in der Koryo-Zeit Stirn-Z. und Trauf-Z. aus Seladon.

Ziegelbau. Aus Ziegeln gemauerte Bauten sind seit vorgeschichtl. Zeit bekannt; aus handgeformten, luftgetrockneten Lehmziegeln wurden sie in Kleinasien (Çatal Hüyük VI), in N-Syrien (Tell Buqras II) und in Palästina (Jericho) seit dem Spätneolithikum, in Mesopotamien und Ägypten seit dem 4. Jahrtsd. v. Chr. festgestellt (→Lehmarchitektur). Bauwerke aus gebrannten Ziegeln traten seit der 2. H. des 4. Jahrtsd. v. Chr. (Chafadji, Bauten der 1. Dynastie von Ur) neben die weniger dauerhaften Bauten aus ungebrannten Ziegeln. Nach Verwendung von plankonvexen Ziegeln in der Frühzeit überwog später der rechteckige Flachziegel, aus dem sich die für die mesopotam. Architektur typ. Schmuckformen mit zurückgestuften Nischenbildungen, die die Wände senkrecht gliederten, ergaben.

In Ägypten wurden in der Frühzeit alle Bauten aus Lehmziegeln errichtet, später nur noch Wohn- und Palastbauten, während Tempel- und Grabanlagen aus Stein gebaut wurden. In der röm. Architektur spielte der Bau aus gebrannten Ziegeln (opus testaceum) eine überragende Rolle, da die seit Mitte des 1. Jh. n. Chr. immer komplizierteren Grundriß- und Aufrißformen (u. a. Domus Aurea, Rom; Hadriansvilla, Tivoli; Pantheon, Rom) mit den bisher gebräuchl. Techniken (Quader- und Netzmauerwerk) nicht mehr zu bewältigen waren. Die gekurvten Mauern und schwierigen Wölbformen dieser Bauten wurden nun entweder gänzlich aus gebrannten Flachziegeln errichtet, oder eine betonartige Füllung (opus caementitium) wurde mit Ziegeln verschalt. Die Ziegeloberflächen konnten verputzt oder auch mit wertvollerem Material (Marmorplatten o. ä.) verkleidet werden.

Solche u. ä. Arten von Mischmauerwerk sowie massives Ziegelmauerwerk spielten auch in der byzantin. Baukunst eine wichtige Rolle (v. a. in Konstantinopel, W-Kleinasien, Ravenna). Röm. und byzantin. Traditionen blieben in der Folgezeit v. a. im oberital. Raum lebendig, der über Jh. hin eines der Zentren des Z. war; von ihm gingen wichtige Einflüsse auf den Backsteinbau in Mitteleuropa aus. In vielen Nahostländern und in N-Afrika wurden in Antike und MA. neben einfachen Bauten vielfach auch Moschee- und Palastbauten aus luftgetrockneten und gebrannten Ziegeln errichtet. Eine neue Blüte erlebte der Z. seit dem 8./9. Jh. in Iran; hier wurden gebrannte Ziegel häufig in unterschiedlich zusammengesetzten Formen für den Oberflächendekor von Moscheen und Grabbauten verwendet; anfangs mit ihrer natürl. Oberfläche, seit dem 11. Jh. z. T. im Wechsel mit farbig glasierten Ziegeln (blau, türkis, weiß, schwarz). Diese Technik kam mit den Seldschuken auch in andere Teile der islam. Welt (Anatolien, Ägypten u. a.), lebte aber v. a. in Iran bis ins 19. Jh. weiter. – Über die europ. Entwicklung →Backsteinbau.

Ziegenhain, Teil der Stadt Schwalmstadt, Oberhessen, war 1537–1807 hess. Hauptfestung; am Großen Paradeplatz das spätgot. Schloß (15./16. Jh.), die barocke Pfarrkirche (1665–67), die Alte Wache (1769) und das stattl. Steinerne Haus (1659/60) mit Mus. der Schwalm (u. a. Werke der Künstlerkolonie Willingshausen). Viele Fachwerkbauten, bes. das Haus ›Zum Rosengarten‹ (um 1620) mit geschnitzter Rokokotür (um 1770). Klassizist. Fachwerkrathaus (1843/44).

Zierikzee [zi:riks'e:], Stadt in der niederländ. Prov. Seeland, 9200 Ew., mit altertüml. Stadtbild (3 Stadttore: Nobelpoort und Zuidhavenpoort, 14. Jh., Noordhavenpoort, um 1500, viele Giebelhäuser). Der Münsterturm (1454 beg.), als höchster Kirchturm Europas geplant (über 200 m), blieb unvoll. (die zugehörige Kirche wurde nach Brand 1842 abgerissen); Rathaus (14. Jh. und 1550–54) mit hölzernem offenem Dachstuhl.

Ziesenis, Johann Georg, Maler, *Kopenhagen 1716, †Hannover 4. 3. 1776, ebd. seit 1760 als Hofmaler des engl. Königs GEORG I. und seitdem mit der engl. Porträtkunst bekannt. Ihren Einfluß zeigen seine Porträts fürstl., später auch bürgerl. Personen.

HW: Porträt des Grafen Friedrich Wilhelm Ernst v. Schaumburg (um 1770; Berlin-West, Staatl. Museen); Porträtskizze Friedrichs d. Gr. (Schloß Blankenburg).

Zikkurat *die,* babylon. Bez. für den abgestuften Tempelturm der Architektur Mesopotamiens und Elams, dessen Erscheinung hinter der bibl. Erzählung vom ›Babylon. Turm‹ (Gen. 11, 1–9) steht. Aus einer kleinen Terrasse, die schon im 4. Jahrtsd. v. Chr. in S-Mesopotamien den Tempel trug, entwickelten sich nach und nach mehrstufige Anlagen, wobei es fraglich ist, ob die von HERODOT genannten 7 Stufen jemals üblich waren. Seit etwa 2000 v. Chr. dürfte fast jede größere Stadt dieses Gebietes eine Z. für den Tempel ihres Hauptgottes

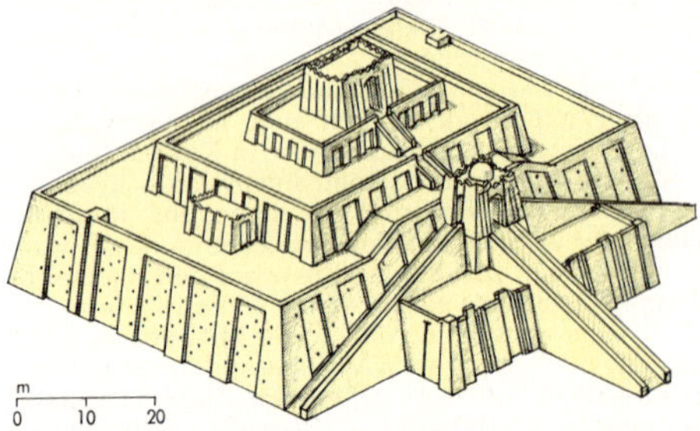

Zikkurat: Rekonstruktion der Z. des Urnammu, Ur

besessen haben. Der Kern der Z., die auf quadrat. oder rechteckigem Grundriß angelegt war, bestand aus ungebrannten, luftgetrockneten Lehmziegeln; er war von gebrannten, z. T. farbig glasierten Ziegeln umkleidet. In Babylonien führte zumindest zum 1. Stockwerk eine zentrale Rampentreppe im rechten Winkel zur Vorderfront, außerdem 2 weitere gegenständig angeordnete Treppen entlang der Wand. Der weitere Aufbau und die Aufgänge sind schlecht überliefert. In Elam (Tschoga Zanbil) wurde die Treppe möglicherweise im Innern heraufgeführt; in Assyrien, wo die Z. z. T. direkt an den Tempel angebaut war, konnte über Aufgänge wenig festgestellt werden, doch dürfte ein außen geführter Wendelgang ausscheiden, trotz der islam. Malwija von Samarra, die vermutlich in Anlehnung an altmesopotam. Tempeltürme errichtet wurde. Monumentale Reste von Z. sind in Uruk, Ur, Borsippa, Aqar Quf, Assur und Nimrud erh. Die Rekonstruktion des Babylon. Turms ›Entemenanki‹ im Hauptheiligtum des Marduk in Babylon ist wegen der schlechten Erhaltung erschwert. Seine quadrat. Grundfläche hatte eine Seitenlänge von 91,5 m; das 1. Stockwerk reichte bis zu 33 m Höhe, darauf folgten vielleicht noch 6 Stockwerke zu einer Gesamthöhe von etwa 90 m; die letzte Stufe bildete ein kleiner Tempel. Diese von NABUPOLASSAR und NEBUKADNEZAR II. im 7./6. Jh. v. Chr. erneuerte Anlage schließt vermutlich an Vorgängebauten der 1. Dynastie von Babylon (18.–16. Jh. v. Chr.) an. – Die Deutung der Z. ist seit dem Altertum umstritten. Sicher ist sie kein Grab (entsprechend den Pyramiden) gewesen, auch nicht das eines Gottes. Die Deutung der Z. als ›Gotteswohnung‹ oder ›Gottesthron‹ kommt ihrer Funktion näher, zumal die Tempeltürme von einem Kultbau gekrönt waren; am ehesten ist an eine symbol. Darstellung des Urhügels als Wohnsitz der Götter zu denken. Dem steht nicht entgegen, daß in der Spätzeit die Z. auch als astronom. Observatorium genutzt wurde.

EVELYN KLENGEL-BRANDT: Der Turm von Babylon (1982).

Žilina [ʒ-], Stadt in der ČSSR, →Sillein.

Zille, Heinrich, Zeichner, *Radeburg bei Dresden 10. 1. 1858, †Berlin 9. 8. 1929, begann als Lithograph, zeichnete u. a. für die ›Lustigen Blätter‹, die ›Jugend‹, den ›Simplicissimus‹. Z.s Hauptthema war das proletar. Milieu Berlins; in der Darstellung seiner Typen und Gestalten verband er volkstüml. Humor mit ernster Satire, ohne in sentimentales Pathos zu verfallen.

Mein Milljöh. Neue Bilder aus dem Berliner Leben, eingel. v. G. HERMANN (1970); H. Z. in Selbstzeugnissen und Bilddokumenten, hg. v. L. FISCHER (1979). – H. Z. Bibl., hg. v. G. SCHMIDT-KÜSTER (1980).

Zillis, Ortsteil von Z.-Reischen im schweizer. Kt. Graubünden, 280 Ew. Die Kirche St. Martin (auf frühchristlich-röm. Grundlage, 831 bezeugt, heutiger Bau 12. Jh.) erhält ihre einzigartige kunstgeschichtl. Bedeutung durch die älteste erh. figürlich bemalte Holzdecke des Abendlandes, auf der in 153 Feldern (13 davon ergänzt) das Leben Jesu und des Hl. Martin geschildert wird (etwa 1130–40).

Zimelien [grch. keimelion ›Kostbarkeit‹], im Buch- und Bibliothekswesen Bez. für bes. kostbar ausgestattete Hss., auch für Bücher mit hohem künstler. Anspruch.

Zimmermann, 1) Dominikus, Baumeister, Bruder von 2), *Gaispoint (heute zu Wessobrunn) 30. 6. 1685, †Wies (heute Gem. Steingaden) 16. 11. 1766, Bürger und Ratsherr von Landsberg am Lech, begann als Stukkateur und war seit 1716 als selbständiger Baumeister tätig. Die erfindungsreiche Gestaltung seiner Kirchen-

Zillis: Detail der Decke von St. Martin; etwa 1130–40

Dominikus Zimmermann: Liebfrauenkirche in Günzburg; 1736–41

räume, seine Vorliebe für die Freipfeilerhalle verbinden sich mit der plast. Dekoration und den Wirkungen des Lichts und der Farben zu einer architekton. Einheit von heiter festl. Stimmung.

HW: Wallfahrtskirchen Steinhausen bei Schussenried (1728 bis 1733) und Wies (1745–54); Liebfrauenkirche Günzburg (1736–41).

2) Johann Baptist, Maler, Stukkateur, Bruder von 1), *Gaispoint (heute zu Wessobrunn) 3. 1. 1680, begraben München 2. 3. 1758, ebd. seit 1729 Hofstukkateur, arbeitete anfangs fast ausschließlich an Stukkaturen, wandte sich in München (ebd. seit 1720) v. a. dem Fresko zu. Für Kirchen und Schlösser malte Z. schon früh im lichten Kolorit des Rokoko Fresken, die nicht durch eine gemalte Architektur verbunden sind, sondern einzelne Motive in den freien Raum stellen. (BILDER Dekkenmalerei, Rokoko)

HW: Stukkierung der ›Reichen Zimmer‹ in der Münchner Residenz (1730 ff.) und in der Amalienburg in Nymphenburg (1734–39); Fresken in der Wallfahrtskirche Wies (1733–34 und 1753–54) und im Steinernen Saal von Schloß Nymphenburg (1756–57).

CHRISTINA THON: J. B. Z. als Stukkator (1977).

3) Mac (eigtl. Max), Maler, Graphiker, *Stettin 22. 8. 1912, lehrte 1964–81 an der Münchner Akad.; folgte in seinen spielerisch skurrilen und phantast. Bildern und Zeichnungen dem Surrealismus von S. DALÍ und Y. TANGUY. Er malte in subtiler Farbgebung Torsi in gespenst. Landschaften, später schemenhafte Figuren in unbestimmbaren Räumen.

M. Z., Gesamtkat., hg. v. C. DÜRR (1983).

Zimrilim, König von →Mari, um 1730 v. Chr., Zeitgenosse HAMMURAPIS von Babylon. Ihm, dem letzten König der Stadt, wird der endgültige Ausbau des großen Palastes der altbabylon. Zeit zugeschrieben. In seine Zeit gehören wahrscheinlich auch die Wandmalereien im Palast, darunter die ›Investitur des Z.‹. (BILDER syrische Kunst)

Zincirli [zindʒ'irli], **Sendschirli,** Ruinenhügel im türk. Teil NW-Syriens (KARTE Alter Orient), war unter dem Namen **Sam'al** im 9./8. Jh. v. Chr. Hauptstadt des unabhängigen Aramäerstaates Ja'udi, der im 8. Jh. von den Assyrern abhängig, Anf. des 7. Jh. v. Chr. von ihnen annektiert wurde. Durch Ausgrabungen (C. HUMAN u. a.) wurde die doppelt ummauerte Stadt mit Zitadelle und Palästen (Gebäudetyp →Hilani) freigelegt, die mit Orthostatenreliefs und Laibungslöwen geschmückt waren. Unter den Funden Stelen, Götterbilder, Statuen mit Herrscher-Inschriften. (BILDER aramäische Kunst)

Zingel, die Ringmauer einer Burg oder Stadt, im Alten Orient auch die Einfriedung (Mauer, Gebäudegruppen) eines hl. Bezirks, der den profanen vom hl. Raum trennte; auch die Abgrenzung des Raums vor dem Heiligtum, der dem Publikum zur Verfügung stand.

Zingg, Adrian, schweizer. Maler, *St. Gallen 15. 4. 1734, †Leipzig 26. 5. 1816, Schüler von L. ABERLI in Bern, 1750–66 in Paris, dann Lehrer an der Akad. in Dresden. Z. wurde bes. durch seine Veduten in Sepiatechnik aus Sachsen, Thüringen und Böhmen bekannt.

Zink|ätzung, Reli|efdruck, graph. Hochdruckverfahren, bei dem die Darstellung mit säurefestem Asphaltlack auf eine Zinkplatte als Druckform gezeichnet wird. Im anschließenden Säurebad werden die unbedeckten Flächen weggeätzt, also vertieft, während die Darstellung im erhabenen Relief stehenbleibt und, vom Decklack befreit, die Druckfarbe annimmt und abdruckt. Die Z. kam Anf. des 19. Jh. auf, nach einer von W. BLAKE erfundenen ähnl. Methode auf Kupfer.

Zinkdruck, Zinkographie, i. w. S. unzutreffende Bez. für alle graph. Druckverfahren auf Zinkplatten; i. e. S. im Gegensatz zur →Zinkätzung ein 1816 von A. SENEFELDER erfundenes, der →Lithographie ähnelndes Verfahren des Flachdrucks, das anstelle des lithograph. Steins eine durch Ätzung aufgerauhte Zinkplatte verwendet.

Zinkfarben, Maltechnik: Zinkverbindungen, die als Pigmente in der Mal- und Anstrichtechnik seit dem 19. Jh. Bedeutung gewannen: 1800 das **Zinkweiß,** um 1850 folgten das **Lithopone** und **Zinkgelb; Zinkeisenfarben** kamen erst in jüngster Zeit hinzu. **Zinkgrün** ist eine Mischung aus Zinkgelb und Preußisch Blau. Zinkweiß gilbt in Öl am wenigsten und ist deshalb als Künstlerfarbe und für Grundierungen geschätzt.

Zinn, weiches, silberglänzendes Metall, das sich zu dünnen Blättchen (›Stanniol‹, Z.-Folie) auswalzen läßt.

Es muß zur Verarbeitung mit Kupfer und gelegentlich Wismut versetzt sein und gilt dann als das ›klare‹, ›gute‹, ›lautere‹ Z., oder es wird ihm Blei beigemischt, wodurch das Z. leichter zu formen ist. Seit dem Spät-MA. wurde das Verhältnis von Z. und Blei festgelegt (›Nürnberger‹ und ›Cölnische Probe‹ mit Mischungen von 10:1 und 6:1). Die Überwachung einer angemessenen Legierung gehörte zu den Aufgaben der Zünfte und fand im Markenwesen (Meister-, Stadtmarke) seinen

Zinn: Kanne aus Hamburg(?), 30,8 cm hoch, 14./15. Jh. (Hamburg, Museum für Kunst und Gewerbe)

Zinn: Schraubflasche, Ulm, 21 cm hoch, Mitte 17. Jh. (München, Bayer. Nationalmuseum)

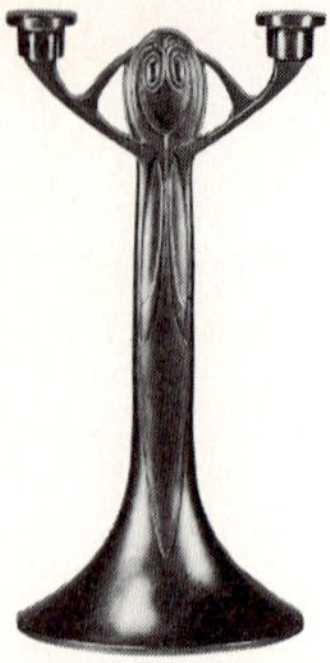

Zinn: Leuchter, Entwurf von J. M. Olbrich, 36 cm hoch, Anfang 20. Jh. (Hamburg, Museum für Kunst und Gewerbe)

Ausdruck. Im 16. Jh. kamen die Qualitätsmarken auf.

Das Z. hat als Legierung mit Kupfer (Bronze) einer Zeitepoche den Namen gegeben (→Bronzezeit). Die Gewinnung der Bronze im 3. Jahrtsd. v. Chr. ging, wenigstens in Europa und im Vorderen Orient, der des eigtl. Z. voraus. Bei den Chinesen war es bereits einige tausend Jahre vor unserer Zeitrechnung in Gebrauch. Aus dem Orient sollen die Etrusker die Kenntnis des Metalls und seiner Gewinnung nach Italien und Spanien gebracht haben. Im MA. grub man seit 1240 im Erzgebirge nach Z.

Z.-Gerät wird im Gußverfahren hergestellt. Über die hierbei verwendeten Formen konnten die Gegenstände einen Reliefdekor erhalten. Da die Oberfläche nach dem Guß rauh ist, werden die Stücke auf einer Drehbank mit Dreheisen abgedreht. Für schwierigere Arbeiten werden die Einzelteile gegossen und später zusammengelötet. Zu den weiteren Ziertechniken gehörten das →Gravieren und das Flecheln (→Tremblieren); daneben die Behandlung mit dem Hammer (Schlagen), das Punzen und das seltene Ätzverfahren. Eine Behandlung mit Farbe ist schon im 16. Jh. bezeugt, Lackmalerei, die ostasiat. Art aufnimmt, findet sich bei Z.-Gerät bes. im Empire und Biedermeier. Durch Vergolden und Versilbern wurde das Z.-Gerät veredelt; die Verbindung von Z. und Messing tritt bes. an den Zentren des Gelbgusses, so in Nürnberg und in Nieder-Dtl., auf. Z.-Intarsien kommen bei Schränken u. a. Holzarbeiten vor.

Z.-Gegenstände sind für die vorgeschichtl. Zeit durch Funde nachgewiesen, so in bronzezeitl. Gräbern auf der Insel Amrum. Im MA. ist Z. im kirchl. Bereich für Pilgerzeichen, Ampullen für geweihte Öle, den Beschlag für Reliquienkästchen, bei liturg. Geräten verwendet worden. Als Gebrauchsgegenstände für gehobene Ansprüche gibt es Kannen von beträchtl. Vielgestaltigkeit, außerdem Becher, Teller, Schüsseln. Gegossene und bemalte Z.-Figuren (z. B. Soldaten) wurden in Nürnberg, in Fürth, Aarau und Straßburg hergestellt.

L. Mory u. a.: Bruckmann's Z.-Lexikon (1977); H. u. Renate Kebbel: Bruckmann's Hb. der Zinnfiguren (1978).

Zinne, Befestigungswesen: pfeilerartiger Aufbau auf einer Mauer. Bei Burgen und Festungsbauten stehen Reihen von Z. **(Zinnenkranz)** mit Zwischenräumen zum Schießen (Scharten) auf der Brustwehr des Wehrgangs, um die Verteidiger zu schützen. (Bild S. 329)

Zinnfoli|e, Stanniol, Maltechnik: zu dünnen Blättern geschlagenes Zinn, das bei Fassungen anstelle von Silber v. a. unter Lüster verwendet wurde.

Zinnkraut, Maltechnik: →Schachtelhalm.

Zinnober [aus pers. šängärf ›Mennig‹], Maltechnik: bergmännisch gewonnenes, leuchtend rotes Mineral, von den Römern als ›minium‹ bezeichnet, außer in China seit frühester Zeit eines der meistgebrauchten Rotpigmente. Z. konnte seit dem späten MA. künstlich hergestellt werden. In wäßrigen Techniken oder dem Sonnenlicht ausgesetzt, ist Z. nur bedingt verwendbar.

Ziriden [z-], **Siriden,** berber. Dynastie in Nordafrika; gelangte seit 972 als Statthalter der Fatimiden in Tunesien und O-Algerien zu großer Macht, verlor sie jedoch Mitte des 11. Jh. wieder. Von den Z. spalteten sich 1015 die Hammadiden (mit der zeitweil. Hauptstadt →Kal'at Beni Hammad) ab; einem Seitenzweig der Z. entstammten im 11. Jh. die Emire von Granada.

Ziselieren [aus frz.], das Überarbeiten von Metallgegenständen mit Meißel, Feile, Stichel, Punze u. a. zur Beseitigung von Gußnähten u. a. Unebenheiten; auch das Herausarbeiten von Ornamenten und Mattierung der Oberfläche.

Zistersdorf, Stadt im östl. Weinviertel, NÖ, 6400 Ew. Die Wallfahrtskirche Maria Moos (1160 gegr.) urspr. romanisch, um 1300 gotisch umgebaut, wurde 1670–1701 zur Barockkirche umgestaltet; Ausstattung 18. Jh., Hochaltarbild von P. Troger (1753).

Zisterzienserbaukunst, Architektur des 1098 von Robert de Molesme in Cîteaux (Cistersium) gegr. Ordens, dessen bedeutendstes Mitgl. Bernhard von Clairvaux war. Von den 5 Mutterklöstern Cîteaux, La Ferté (gegr. 1114), Pontigny, Clairvaux und Morimond (gegr. 1115) wurden zahlreiche Tochterklöster in ganz Europa gegr.; um 1200 bestanden etwa 500 Klöster. Der Orden reformierte die Benediktinerregeln und fügte neue hinzu. Er entstand aus der Reaktion auf sozialrelig. Bewegungen und wurde mit seiner Einrichtung der Konversen (Laienbrüder für handwerkl. und landwirschaftl. Arbeiten) zum Träger der Kolonisation. Die Klöster lagen nach der Vorschrift abgeschieden von Siedlungen inmitten waldreicher, wasserführender Täler. Die Architektur war, entsprechend den Regeln, streng rationalistisch ausgerichtet, auf Prunk und kostbare Materialien wurde verzichtet, ebenso auf Gemälde und Glasmalereien. Die Kirche war den Brüdern vorbehalten und unterteilt in Presbyterium, Mönchschor und Konversenkirche. Der Chorabschluß war flach. Auf Zierfassaden, Türme und Bauschmuck wurde verzichtet, nur ein Dachreiter war erlaubt. Die Klausur war gegenüber dem cluniazens. Schema erweitert um Sprechsaal und Brudersaal. Die oft weiträumigen Wirtschaftshöfe lagen getrennt von der Klausur. Trotz des weitgehenden Verzichts auf Schmuckformen wurde in der Konstruktion der Architektur und in Steinmetzarbeiten auf höchste Qualität geachtet; so wurde die Z. Vorbild für andere Kirchen- und Profanbauten der Zeit. Bed. Klöster der Zisterzienser sind Fontenay, Pontigny, Chiaravalle di Fiastra, Fossanova, Ebrach, Eberbach, Bebenhausen, Maulbronn (Bild).

H. Hahn: Die frühe Kirchenbaukunst der Zisterzienser (1957).

Zitadelle [ital. cittadella ›kleine Stadt‹], am Rand älterer Festungen gelegene Befestigung nach Art eines großen Forts, von der Stadtumwallung zur Verbesserung des Schußfeldes meist durch eine freie Fläche (Esplanade) getrennt.

Zitek, Josef von (1908), Baumeister, *Prag 4. 4. 1832, †ebd. 2. 8. 1909, war nach Studien in Wien und einer Studienreise nach Italien (1858–61) 1868–1904 Prof. am dt. Polytechnikum in Prag. Z. baute v. a. in Formen der Neurenaissance das Mus. in Weimar

Römische Zinnen

Kielbogen-Zinnen (indisch-islamisch)

Schwalbenschwanz-Zinnen (Ghibellinenzinnen)

Zinnen am Gürzenich in Köln

Zinne

(1863–68), in Prag das Nat.-Theater (1868–81) und das Rudolfinum (1876–84).

Zither [aus lat. sanctuarium] *die,* Sakristei, Archiv u. ä.; auch Schatzkammer ma. Kirchen mit Kunst- und Kultgegenständen, z. B. in der Stiftskirche zu Quedlinburg.

Zittau, Stadt in der Lausitz, Dt. Dem. Rep., an der Lausitzer Neiße, 41 900 Ew.; im Mittelpunkt der Altstadt die Johanniskirche (urspr. 15. Jh., 1757 zerstört), klassizist. Neubau (1834–37) nach Plänen von K. F. SCHINKEL; nordöstlich davon die got. Peter-Pauls-(ehem. Franziskaner-)Kirche (13.–15. Jh.) mit ehem., z. T. ma. Klostergebäuden, N-Giebel in reichen Renaissanceformen; im Bibliothekssaal (1709) Stuckdecke mit großem Gemälde; östlich davon spätgot. Kreuzkirche (Anf. 15. Jh.) mit Resten spätgot. Fresken, außerhalb des Stadtkerns die Frauenkirche, urspr. im romanisch-got. Übergangsstil (um 1260), nach Bränden die erh. O-Teile zur selbständigen Kirche ausgebaut (1572 ff.); Bürgerhäuser (16.–18. Jh.), spätgot. Marstall (1511); Altes Gymnasium (nach 1571) mit schönem Renaissanceportal. Von den urspr. zahlreichen Brunnen u. a. Marsbrunnen (1585) und Grüner Brunnen mit schmiedeeisernem Brunnenhaus (1679) erh.; Stadtmus. im ehem. Kloster (u. a. Zittauer Fayencen).

Ziwije [z-], Ort in NW-Iran (KARTE Alter Orient), bei dem ein Schatz, vermutlich Beigaben aus mehreren Gräbern, gefunden wurde. Die Gold- und Elfenbeingegenstände weisen auf assyr., syr., urartäische, vielleicht auch auf mannäische Herkunft. Darstellungen im ›Tierstil‹ lassen vermuten, daß einige Stücke Söldnern skyth. Abkunft gehörten, die an den Kämpfen des 7. Jh. v. Chr. beteiligt waren und neben Beigaben aus eigener Kunsttradition auch solche aus der Kriegsbeute erhielten.

Ziz-Tal [ziz-], 150 km langes Tal in Zentral-Marokko, vom Hohen Atlas nach S verlaufend; am Oberlauf zahlreiche befestigte Berberdörfer vom Typ des →Ksar, am Unterlauf bis Rissani Stampflehm-Kasbas.

Zlabings, tschech. **Slavonice** [-tsɛ], Stadt im Südmähr. Kr., ČSSR, an der Grenze zu Österreich, ehem. bed. Stadt an der Straße Wien–Prag. Patrizierhäuser (15./16. Jh.) mit Fresken und Sgraffiti; im Innern Tonnen- und Zellengewölbe. Reste der Stadtmauer.

Zlatá Koruna [zl'ata: -], →Goldenkron.

Złotoryja [złɔtɔr'ija], poln. Name für →Goldberg.

Znaim, tschech. **Znojmo** [zn'ɔjmɔ], Stadt im Südmähr. Kr., ČSSR, 28 500 Ew. Im Schutz einer Burg aus dem 11. Jh. entstanden Siedlungen, die zu einem Ort vereinigt wurden, der 1226 Stadtrecht erhielt. An der Stelle der Burg steht heute ein Barockschloß (Mus. und Bildergal.), davor die roman. Rundkapelle mit Wandmalereien (1134). Aus dem 14./15. Jh. stammt die Niklaskirche (ab 1338), eine dreischiffige Hallenkirche mit reichem Barockinterieur; daneben die Wenzelkapelle (1520). Die Heiligkreuzkirche des ehem. Dominikanerklosters (1222 gegr.) wurde im Renaissance- und Barockstil umgebaut. Bürgerhäuser aus Renaissance und Barock; ehem. Prämonstratenserkloster (1190 gegr.) mit Klosterkirche (spätromanisch; im 15. Jh. voll., später barockisiert); spätbarocke Hippolytkirche mit Fresken von F. A. MAULBERTSCH.

Zobten, poln. **Sobótka** [sɔb'utka], Stadt in der poln. Wwschaft Wrocław (Breslau), 6100 Ew., am Fuß des Berges Z., einer heidn. und christl. Kultstätte (vorchristl. Skulpturen). An der Stelle einer roman. Steinbasilika die spätgot. Pfarrkirche (15. Jh.), 1739 barock umgebaut; spätgot. Wallfahrts- und Begräbniskirche St. Anna (1498–1516), um 1700 im Barockstil verändert.

Zocha, 1) Johann Wilhelm von, Baumeister, Bruder von 2), *Gunzenhausen 29. 3. 1680, †Lyon 26. 12. 1718, seit 1715 Leiter des markgräflich-ansbach. Bauwesens.

HW: Kunstbrunnen (1717; Schwabach); Umbau des Schlosses Unterschwaningen (abgebrochen).

2) Karl Friedrich von, Baumeister, Bruder von 1), *Gunzenhausen 1. 7. 1683, †Ansbach 24. 7. 1749, wurde nach Studien in Paris (Bauten von J. HARDOUIN-MANSART und R. DE COTTE) 1719 Oberbaudirektor im Dienst der Markgräfin Christiane Charlotte von Ansbach. Z. war Begründer des strengen ›Ansbacher Markgrafenstils‹ und Lehrer von J. D. STEINGRUBER.

HW (in Ansbach): Haus des Hofmusikers Chiavenetto (Gesandtenhaus, 1718 ff.), Schloß, S-, W-Flügel, N-Front des Innenhofes, Orangerie (1725 ff.); Bruckberg, Schloß; Triesdorf, Falkenhaus.

Zoffany [engl. z'ɔfənɪ], **Zauffaly,** Johann Joseph Edler von (1776), engl. Maler dt. Herkunft, getauft Frankfurt a. M. 13. 3. 1733, †Strand Green (heute zu London) 11. 11. 1810, seit 1760 in England, 1769 Gründungsmitgl. der Royal Academy, war 1772–79 in Italien, um 1783–89 in Indien; malte Porträts von Schauspielern, v. a. von D. GARRICK beim Spiel auf der Bühne, und Gruppenbildnisse.

Zofingen, Stadt im schweizer. Kt. Aargau, 9000 Ew.; Stadtkirche (12.–17. Jh.), eine dreischiffige Basilika, mit dreischiffiger roman. Hallenkrypta unter dem spätgot. Chor und bed. Glasmalerei (Passionsfolge, Anf. 15. Jh.); spätbarockes Rathaus (1792–95) mit doppelläufiger Freitreppe an der Schaufront, daneben Metzgerzunfthaus (1602–03). Zahlreiche Bürgerhäuser (seit 16. Jh.), besonders Sennenhof (1732) und Neuhaus (1770).

Zons, Stadtteil von Dormagen am Niederrhein, NRW. Die vollständig erh. Stadtbefestigung (14. Jh.) ist als Rechteckanlage mit Türmen und Wachthäuschen das beste Beispiel ihrer Art am Niederrhein. Ruine der ma. Burg Friedestrom (13./14. Jh.).

Zo|omorphe Junktur [grch.-lat. ›tiergestaltige Verbindung‹] *die,* Stilprinzip der Steppenkunst, bes. der gräkoskyth. Metallarbeiten des 6. und 5. Jh. v. Chr., bei der einzelne Körperteile eines Tieres zu selbständigen Tiermotiven umgebildet wurden. Bekanntestes Beispiel: goldener Fisch von Vettersfelde. (BILD S. 332)

Zoomorphe Junktur: Fisch aus dem Goldfund von Vettersfelde (Berlin-West, Staatl. Museen)

Zopfstil, die Stilstufe bes. der dt. Kunst im Übergang vom Rokoko zum Klassizismus, soweit in ihr das Bürgerliche, Lehrhafte, Nüchterne der Aufklärungszeit hervortritt. Ein Hauptmeister des Z. war D. N. CHODOWIECKI. Die nur noch selten verwendete Bez. geht auf die Mode des Zopfes zurück, der später als Merkmal für Steifheit und Unnatur galt.

Zoppo, Marco, eigtl. Marco di Antonio **di Ruggero** [-ruddʒ'ero], gen. Z. (›der Lahme‹; wohl wegen eines körperl. Gebrechens), ital. Maler, *Cento (Prov. Ferrara) 1433, †Venedig 1478. Ausgebildet in der Werkstatt von F. SQUARCIONE in Padua, ging er 1455 nach Venedig, war 1461/62 in Bologna tätig. Sein herber, oft zu metall. Plastizität der Figuren gesteigerter Stil, verbunden mit venezian. Farbenpracht, entwickelte sich unter dem Einfluß von A. MANTEGNA, DONATELLO und GIOVANNI BELLINI.

Anders Zorn: Porträt Maja von Heyne; Radierung, 1906

Zorn [sɔrn], Anders, schwed. Maler, Radierer, Bildhauer, *Mora (Dalarna) 18. 2. 1860, †ebd. 22. 8.1920, studierte an der Stockholmer Akad. und war 1882–85 in London tätig, wo seine Aquarelle großen Erfolg hatten. In Paris (1888–96) begann Z. mit seiner durch É. MANET und A. RENOIR beeinflußten Ölmalerei. Seit der Jahrhundertwende dominierten Akte, Schilderungen aus der Heimatprovinz Dalarna und Porträts. Er schuf zudem etwa 280 Radierungen und einige Skulpturen, die sich durch einen klass. Realismus auszeichnen. Z. vermachte seine Samml. dem schwed. Staat, der 1939 das Z.-Mus. in Mora errichtete (Architekt R. ÖSTBERG).

Zoutleeuw [z'ɔutle:u], frz. **Léau** [le'o], Städtchen in der belg. Prov. Brabant. Die got. St. Leonhardskirche (13.–16. Jh.) entging als eine der wenigen belg. Kirchen den Bilderstürmen des 16. Jh. und birgt daher eine Fülle ma. Kunst, so mehrere wertvolle Schnitzaltäre (15. und 16. Jh.), Skulpturen (12.–16. Jh.) und bes. das reich skulptierte Tabernakel (1550–52) von C. FLORIS. Spätgot. Rathaus (1530) im Frührenaissancestil.

Zsámbék [ʒ'a:mbe:k], Gem. im Bezirk Pest, Ungarn, westlich von Budapest; Ruinen einer spätroman. Prämonstratenserkirche aus dem 13. Jh. (1763 durch Erdbeben zerstört, im 19./20. Jh. konserviert). Spitzbogenarkaden auf Bündelpfeilern gliedern die zweitürmige Kirche in 3 Schiffe. Neben der Kirche die Klosterruinen.

Zschokke [tʃ-], Alexander, schweizer. Bildhauer, *Basel 25. 11. 1894, †ebd. 17. 8. 1981, war anfänglich Maler, arbeitete seit 1919 als Bildhauer in Berlin, seit 1930 in Düsseldorf (Prof. der Akad.), kehrte 1937 in die Schweiz zurück. Seine Skulpturen mit vereinfachter Naturwiedergabe bleiben der Antike verbunden. Er schuf v. a. Porträtplastiken, besonders von Künstlern

Farbsymbole zu den Kunstepochen siehe auch Seite 305

und Gelehrten sowie Brunnen (Museumsbrunnen in Basel, 1935–42).

Zuccalli, Zugalli, in Bayern tätige Baumeisterfamilie aus Graubünden.

1) Enrico (Johann Heinrich), Onkel von 2), *Roveredo (Kt. Graubünden) um 1642, †München 8. 3. 1724, seit 1673 ebd. Hofbaumeister, beherrschte mit G. A. VISCARDI die noch italienisch geprägte Epoche des Münchner Barocks. Er vollendete die von A. BARELLI begonnene Theatinerkirche (Kuppel, 1688 voll., W-Türme und Ausstattung, 1690 voll.) und baute Schloß Nymphenburg aus. Sein HW ist Schloß Schleißheim (1719 von dem frz. geschulten J. EFFNER fortgeführt). 1697 begann Z. für den Kurfürsten Joseph Clemens von Wittelsbach den Neubau der Bonner Residenz (im 18. Jh. von R. DE COTTE und M. LEVELLY fortgesetzt). Seit 1709 leitete er den Umbau von Kloster Ettal (von F. CUVILLIÉS D. J. geändert).

2) Gasparo (Kaspar), Baumeister, Neffe und Schüler von 1), *Roveredo (Kt. Graubünden) 1667(?), †Adelholzen bei Traunstein (heute zu Siegsdorf) 14. 5. 1717, seit 1689 Hofbaumeister in Salzburg, wo er 1685 bis 1700 die Theatinerkirche St. Cajetan (auf querellipt. Grundriß), 1685–89 St. Erhard im Nonntal (Vorstadt von Salzburg) baute.

Zuccarelli, Francesco, ital. Maler, Radierer, *Pitigliano (Toskana) 15. 8. 1702, †Florenz 30. 12. 1788, zunächst in Rom, ab 1732 in Venedig, wo er, v. a. beeinflußt durch M. RICCI, zu einem Hauptvertreter der venezian. Landschaftsmalerei des Rokoko wurde; schuf auch Bühnendekorationen (u. a. für die Oper in London) und Staffagefiguren für CANALETTO.

Zuccari, Zuccaro, ital. Malerfamilie des 16. Jh.

1) Federico, Bruder, Schüler und Gehilfe von 2), *Sant'Angelo in Vado bei Urbino 1540(?), †Ancona 20. 7. 1609, tätig in Rom, Florenz und Venedig, 1574 in England, 1585–89 in Spanien; malte, in Anlehnung an seinen Bruder, in akademisch trockenem, spätmanierist. Stil. Er erbaute den Palazzo Z. in Rom (Sitz der →Bibliotheca Hertziana). BILD Kartusche 2)

HW: Fresko des Jüngsten Gerichts in der Domkuppel in Florenz (1575–79); Fresken in der Cappella Paolina des Vatikans; Altartafeln für die Kirche S. Lorenzo des Escorial. – Theoret. Schrift: Idea de' pittori, scultori ed architetti (1607; für die manierist. Kunstlehre wichtig); Scritti d'arte, hg. v. D. HEIKAMP (1961).

2) Taddeo, Bruder von 1), *Sant'Angelo in Vado 1. 9. 1529, †Rom 2. 9. 1566, seit 1543 vorwiegend in Rom, führte die dekorative Wandmalerei der Raffael-Schule im manierist. Sinn fort.

HW (z. T. mit seinem Bruder Federico): Fresken im Palazzo Farnese in Caprarola, im Castello Orsini in Bracciano und in der Sala Regia im Vatikan.

Zucchi [ts'ukki], Jacopo, ital. Maler, *Florenz um 1541, †Rom(?) um 1589, Schüler und Mitarbeiter G. VASARIS bei der Innendekoration des Palazzo Vecchio (1563–65; u. a. Deckenmalereien im Salone dei Cinquecento, dem Saal der Fünfhundert, und Gemälde für das Studiolo Cosimos I.), ging 1567 mit Vasari nach Rom. Neben miniaturhaften Kupfertafeln allegor. In-

Alexander Zschokke:
Der Maler René
Auberjonois; 1947

halts schuf er umfangreiche Freskenzyklen; charakterist. Vertreter des florentinisch-röm. Spätmanierismus.

Zuckerbäckerstil, Bez. für die sowjet. Architektur (bis etwa 1955), deren gekünstelte Bauornamentik (viele Aufbauten, Türme, Türmchen) an Konditorwerk erinnert (u. a. Lomonossow-Univ. in Moskau, 1949–53); auch in anderen Ostblockstaaten.

Zug, Hauptstadt des schweizer. Kt. Zug, am NO-Ufer des Zuger Sees, 21 900 Ew. Im ältesten Teil der Altstadt mit Unter- und Obergasse, die weitgehend spätgot. Charakter bewahrt haben, liegt das Rathaus (1505) mit prächtigen Wand- und Deckenschnitzereien im Ratssaal (1507) und Spätrenaissance-Portal (1617). In der erweiterten Altstadt, von deren Befestigung 4 Rundtürme (16. Jh.) erh. sind, die spätgot. Pfarrkirche St. Oswald (15.–16. Jh.), eine dreischiffige Basilika, mit reichem plast. Schmuck an der zweiteiligen Königspforte (vor 1500), im Innern reiches Chorgestühl (um 1484), spätgot. Schnitzaltar (1520). Benachbart die Burg (13. Jh., Umbauten v. a. 1555); in der nördl. Altstadt Kapuzinerkloster (1595–97) mit einschiffiger Kirche (Neubau 1675–76); Münz (1580–1604), Herrenhaus der Spätrenaissance mit bemerkenswertem Innern; außerhalb der Altstadt Zurlaubenhof (1597 bis 1621) mit prächtigem Festsaal (17. Jh.).

Zügel, Heinrich von (1907), Maler, *Murrhardt 22. 10. 1850, †München 30. 1. 1941, ebd. 1895–1922 Prof. der Akad., Mitgründer der Sezession. Z. malte in anfangs realist., dann impressionist. Stil Tierbilder.

E. DIEM: H. v. Z., Leben – Schaffen – Werk (1975).

Zuloaga y Zabaleta [θulɔ'aɣa i θaβal'eta], Ignacio, span. Maler, Radierer, *Eibar (bei Bilbao) 26. 7. 1870, †Madrid 31. 10. 1945, malte, anknüpfend an die ältere span. Malerei und in enger Verbindung zum Jugendstil, Bilder mit oft symbol. Gehalt, meist Szenen aus dem span. Volksleben sowie Porträts eleganter Frauen.

Zülpich, Stadt im Kr. Euskirchen, NRW, 16 400 Ew., eine röm. Gründung, war im 6. Jh. merowing. Königspfalz. In den Neubau der ehem. Benediktiner-Propsteikirche St. Peter (1953–55) wurde die roman. Säulenkrypta (11. Jh.) einbezogen; im ehem. Propsteigebäude das Heimat-Mus., darunter kleine röm. Badeanlage (um 250). Die köln. Landesburg ist eine rechteckige Backsteinanlage mit Ecktürmen und 4 got. Torbauten (14. Jh.); in Z.-Hoven ehem. Zisterzienserinnen-Klosterkirche (13. Jh.) mit Sitzmadonna (um 1175).

Zumbusch, Kaspar Clemens, Ritter von (1888), Bildhauer, *Herzebrock bei Wiedenbrück 23. 11. 1830, †Rimsting bei Prien (Chiemsee) 27. 9. 1915, Schüler (später auch Gehilfe) von J. v. HALBIG, 1873–1901 in Wien Prof. der Akad. Mit dem Denkmal für Maximilian II. in München (1866–72) schuf Z. seine erste Monumentalplastik; ihr folgte in Wien als HW das Denkmal für Maria Theresia an der Ringstraße. Der Stil von Z. zeigt den Einfluß von C. D. RAUCH und L. v. SCHWANTHALER. – Sein Sohn Ludwig (*1861, †1927) war Maler und Mitgl. der Münchener Sezession.

WW: Denkmal für L. van Beethoven (1880; Wien). – Porträtbüsten (R. Wagner, G. Semper), Brunnen, Grabmäler.

Zünd, Robert, schweizer. Maler, *Luzern 3. 5. 1827, †ebd. 15. 1. 1909, malte stimmungsvolle Landschaften (auch mit bibl. Staffage), die den Einfluß von A. CALAME und der Schule von Barbizon zeigen.

Zunfthaus, Gildehaus, Verwaltungs- und Festgebäude der Zünfte und Gilden aus deren Blütezeit vom späten MA. bis ins frühe 17. Jh. Nach Zweckbestimmung und Repräsentationsbedürfnis dem →Rathaus verwandt, konkurriert das Z. oft mit diesem im formalen Aufwand und der Stellung im Stadtbild, so bes. die Tuchhallen Flanderns, das Z. in Konstanz (16. Jh., ›Neues Rathaus‹) oder der Artushof in Danzig (1476 bis 1481). Zu den ältesten erhaltenen Z. in Mitteleuropa gehören die der Metzger in Rufach (1362), der Metzger in Konstanz (14. Jh., Mus.), ›Zur Katz‹, ebd. (1424, Stadtarchiv), und der Schreiner in Trier (15. Jh.). Die bekanntesten Z. sind das Gildehaus in Reval (1410), die Schwarzhäupterhäuser ebd. (15. Jh.). und in Riga (1330, zerstört), das Z. ›Zum Schlüssel‹ in Basel (1485), das Knochenhaueramtshaus in Hildesheim (1529, zerstört), der Schütting in Bremen (1537/38), das Faßbinderhaus in Köln (1539, zerstört), das Gelten-Weinleuten-Z. in Basel (1578), das Gewandhaus in Braunschweig (1591), das Z. ›Zur Schuhmachern‹ in Zürich (1742). Als Z. dienten meist auch die Gewandhäuser sowie im Elsaß die **Zunftstuben,** z. B. der Ackerleute in Colmar (1626), der Rebleute in Türkheim (1567), die ›Gerwerstub‹ in Straßburg (1651).

Zuni [z'u: ni:], Gruppe der Pueblo-Indianer im W von New Mexico, USA, mit hochentwickeltem Kultwesen, in dem holzgeschnitzte Figuren des Kriegsgottes (mehr als 3 m hoch) in streng traditionell-stilisierten Formen eine Rolle spielten. Die früher bunt bemalten Figuren wurden nach dem Ritual weggeworfen. Die Z. stellen auch Kachina-Puppen her. Sie sind ausgezeichnete Silberschmiede, die auch (mit verschiedenfarbigen Steinen und Muscheln) Cloisonné-Arbeiten anfertigen.

Zurbarán [θurβar'an], Francisco de, span. Maler, getauft Fuente de Cantos (Estremadura) 7. 11. 1598, †Madrid 27. 8. 1664, wurde 1617 Meister in Sevilla, lebte anschließend in Llerena (Estremadura), war seit 1629 wieder in Sevilla ansässig, ging 1634–36 an den Hof nach Madrid und siedelte 1658 endgültig dorthin über. Z. malte v. a. Andachtsbilder und Gemäldefolgen aus dem Mönchsleben in der Helldunkelmanier CARAVAGGIOS. Der Einfluß der span. Mystik und Quietistenbewegung ist in seinen kontemplativen Bildern spürbar. Seine sparsame Darstellungsweise beschränkt sich auf die Wiedergabe der Personen und Gegenstände der Kontemplation. Auch seine realist. Stilleben von extremer Einfachheit strömen eine meditative Ruhe aus (›Stilleben mit Zitronen, Orangen und Rose‹, 1633; Florenz, Samml. Contini-Bonacossi).

Zunächst durch das Vorbild des jungen VELÁZQUEZ und J. DE RIBERAS bestimmt, paßte Z. sich nach 1650 der Malweise B. E. MURILLOS an.

Francisco de Zurbarán: Christus am Kreuz und der Hl. Lukas als Maler (Madrid, Prado)

WW: Bilder für das Kloster de la Merced, Sevilla (1628; zerstreut: Sevilla, Mus., Madrid, Prado und Academia di S. Fernando); Zyklus aus dem Leben des Hl. Bonaventura für die Franziskanerkirche in Sevilla (zerstreut: Louvre, Berlin-West, Staatl. Museen u.a.); Apotheose des Hl. Thomas (1631; Sevilla, Mus.); Herkulesfolge mit 2 Schlachtenbildern für das ehem. Schloß Buen Retiro, Madrid (1634; Madrid, Prado); Bilder für die Kartause in Jerez de la Frontera (1638–39; zerstreut: Cádiz, Mus., Grenoble, Mus.); Bilder für das Hieronymitenkloster in Guadalupe (1638/39); Christus am Kreuz und der Hl. Lukas als Maler (Madrid, Prado).

P. Guinard: Z. (Paris 1960); R. Martín Torres: Z. (Madrid 1963); J. Gállego und J. Gudiol: Z. (Barcelona 1976).

Zürich, Hauptstadt des schweizer. Kt. Z., am Ausfluß der Limmat aus dem Zürichsee, 374200 Ew.; ehem. Reichsstadt, 1351 Anschluß an die Eidgenossenschaft.

In der Altstadt rechts der Limmat liegt die Hauptkirche der Stadt, das Großmünster, eine dreischiffige roman. Pfeilerbasilika (11.–13. Jh.) mit spätgot. Doppelturmfassade (1487–92), am S-Turm Sitzfigur Karls d. Gr. aus dem Parler-Kreis (Kopie; Original in der Krypta), reiche Ornamentik am N-Portal (um 1180 im lombard. Stil) und an den Kapitellen der Kirche und des spätroman. Kreuzgangs; in der Hallenkrypta unter dem Chor Wandmalereien (Ende 15. Jh.). Die Wasserkirche ist ein schlichter spätgot. Bau (1479–84) mit Netzgewölben und Dachreiter; Glasmalereien in den Chorfenstern von Augusto Giacometti. Die Predigerkirche (1269 voll.) hat einen Chor (1. H. 14. Jh.) mit bed. hochgot. Maßwerkfenstern, der 1524 profaniert wurde (heute Staatsarchiv); das Langhaus wurde 1609–14 barockisierend umgebaut. Links der Limmat steht das Fraumünster (12.–14. Jh.), eine dreischiffige Pfeilerbasilika mit roman. Chor, Chorflankentürmen und got.

Langhaus; in den Gewölbekappen Malereien (um 1270), Wandgemälde (um 1470 und 16. Jh.), spätgot. Lettner (1469/70); im nördl. Querhaus Glasgemälde von Augusto Giacometti, Chorfenster von M. CHAGALL (1970). St. Peter hat einen roman. Chorturm (13. Jh.) und ein barockes Langhaus (1705/06).

Z. ist reich an bed. Profanbauten. Das frei stehende Rathaus am rechten Limmatufer ist ein Renaissancebau (1694–98) mit barocken Elementen im plast. Schmuck; 3 große Säle, im ›Festsaal‹ üppiger Stuck. Ebenfalls am Limmatquai liegen die Zunfthäuser ›Zum Rüden‹ (1659–62), ›Zur Saffran‹ (1719–23), ›Zur Zimmerleuten‹ (1708); beim Fraumünster liegen ›Zur Waag‹ (1636/37) und ›Zur Meise‹ (1752–57), der prächtigste Rokokobau der Stadt (heute Keramik-Mus. des Schweizer. Landes-Mus.).

Die bedeutendste klassizist. Kirche ist das Neumünster (1836–39) mit Frontturm über ion. Antenhalle. Ein wichtiges Beispiel spätklassizist. Architektur ist die Villa Wesendonck (1853–57), darin heute Rietberg-Mus. (Samml. außereurop. Kunst). Ein beispielhafter Bau des Historismus in der Schweiz ist die Eidgenöss. Techn. Hochschule (1861–64) nach Entwürfen von G. SEMPER, der Vorbildern der Renaissance und des Barock folgte; benachbart ist die Univ. (1911–14) mit neubarocken und neugot. Elementen und Jugendstildekoration. Zu den Monumentalbauten des 19. Jh. gehört auch der Hauptbahnhof (1865–71), dessen Längsflanke mit dem hohen Mittelportal die Bahnhofstraße abschließt, die damals angelegt wurde, aber ihre architekton. Einheitlichkeit heute weitgehend verloren hat. Ein herausragendes Beispiel des ›Neuen Bauens‹ ist die Werkbundsiedlung Neubühl (1930–32). – Z. hat zahlreiche Samml. und Mus.; im Kunsthaus, einem Bau des Jugendstils (1907–10, spätere Erweiterungen), v. a. alte europ. Malerei, Zürcher Malerei 17./18. Jh., moderne Malerei und Plastik; im Schweizer. Landes-Mus., einem Bau im Stil eines spezifisch schweizer. Historismus (1892–98), u. a. reiche Samml. ma. kirchl. Kunst.

W. WIDMER: Z., eine Kulturgesch., 10 Bde. (1976–83).

Zür(i)cher Porzellan, das seit 1763 bis zum Ende des 19. Jh. in Schoren am Zürichsee hergestellte Porzellan. Es zeichnete sich im 18. Jh. bes. durch seine Bemalung aus. Der Manufaktur gehörten u. a. der Maler S. GESSNER an, dessen Entwürfe zeitweise als Vorbild für Geschirrdekore dienten, wie auch H. FÜSSLI, der zw. 1771 und 1781 als Landschaftsmaler dort tätig war.

S. DUCRET: Die Zürcher Porzellanmanufaktur und ihre Erzeugnisse im 18. u. 19. Jh., 2 Bde. (1958/59).

Zürn, oberschwäb. Stein- und Holzbildhauerfamilie, tätig seit Ende des 16. Jh. in Waldsee (bei Ravensburg), im Bodenseegebiet, später im bayerisch-österr. Innviertel, ein Zweig auch in Olmütz (dort 1658–1724 nachweisbar).

C. ZOEGE V. MANTEUFFEL: Die Bildhauerfamilie Z. 1606–66, 2 Bde. (1969); Die Bildhauerfamilie Z. 1585–1724, Ausst.-Kat., Braunau am Inn (1979).

1) Jörg, Bruder von 2), Onkel von 3), *Waldsee um 1583/85, †Überlingen zw. 1635 und 1638, schuf ebd.

1613–18 (unter Mitarbeit von Hans Z. d. Ä., Martin und Michael Z. d. Ä.) den geschnitzten Hochaltar des Münsters (Mittelszene: Anbetung der Hirten), der, aus spätgot. Überlieferung erwachsen und vom niederländ. Manierismus angeregt, im Erfindungsreichtum seiner theatralisch-maler. Komposition und der Volkstümlichkeit der Schilderung zu den Hauptleistungen des dt. Frühbarocks gehört.

WW: Betz-Altar (1607–10; Überlingen, Münster); Sakramentshaus (1611; ebd.); gezeichneter Entwurf für den Hochaltar in Überlingen (um 1613, mit Widmung von 1634; Überlingen, Städt. Mus.).

2) Martin, Bruder von 1), Onkel von 3), *Waldsee zw. 1585 und 1595, †Braunau am Inn 1665, und sein Bruder Michael d. Ä., *Waldsee zw. 1585 und 1595, †Appenzell(?) nach 1651, arbeiteten seit 1624 meist gemeinsam im bayerisch-österr. Innviertel und entwickelten in ihren Werken aus dem späten Manierismus eine barocke Formensprache.

HW: Rosenkranzaltar (1631–40; Überlingen, Münster); Hochaltar (abgebrochen) und Kanzel (1638/39; Wasserburg, Pfarrkirche); Hl. Katharina (1640; Braunau, Pfarrkirche); Hochaltar (1642; ebd., 1906 abgebrochen, Teile in Linz, Landesmus., und Braunau, Pfarrkirche). Grabsteine in Burghausen, Seeon, Kirchdorf am Inn und Braunau.

3) Michael d. J., Neffe von 1), 2) und von Michael Z. d. Ä., getauft Wasserburg am Inn 18. 2. 1654, †Passau 1698, 1675–81 in Olmütz, seit 1681 in Gmunden am Traunsee. Sein HW sind 16 überlebensgroße Engelsgestalten aus Marmor (1682/84 und 1685/86; Kremsmünster, Stiftskirche), deren leidenschaftl. Ausdruck und virtuose Oberflächenbehandlung die Kenntnis von Werken G. L. BERNINIS voraussetzen. Sie gehören zu den besten Werken der österr. Plastik am Ende des 17. Jh. Der Stil des Künstlers wandelte sich seit 1685 vom Hochbarock zum Klassizismus.

WW: Holzplastiken für die Kirchen in Frauenberg bei Admont, Grünau und Mattsee.

Zurzach, alter Messe- und Wallfahrtsort im schweizer. Kt. Aargau, links am Rhein, 3300 Ew., an der Stelle der röm. Siedlung **Tenędo** (Fundamente des Kastells und einer frühchristl. Kirche); Stiftskirche mit roman. Langhaus (10. Jh.), got. Turmchor (13.–14. Jh.), darunter dreischiffige got. Krypta mit Verena-Sarkophag (1613); daneben die profanierte spätgot. Pfarrkirche (1517–18). Die reformierte Pfarrkirche (1717) ist eine achteckige Queranlage. Besterhaltenes Messehaus ist das Gasthaus zur Waag (1679).

Zuschreibung, die Bestimmung des Autors eines Kunstwerks, das weder durch eine Signatur noch durch Urkunden als authent. Arbeit eines Künstlers ausgewiesen ist. Die auf stilist. Vergleichen beruhende Z. kann nicht in jedem Fall eindeutig sein, weil sie von der Kennerschaft des Beurteilers abhängig ist. Die naturwissenschaftl. Untersuchungen können nur eine beschränkte Unterstützung bieten. Die Z. ist für die Preise im Kunsthandel wichtig. Hierzu werden von Fachleuten Expertisen ausgestellt.

Zustandsdrucke, Graphik: Abdrucke von versch. Bearbeitungszuständen einer im Arbeitsprozeß befindl. Druckplatte; sie vermitteln deren stufenweise Entwicklung bis zur endgültigen Fassung vor dem Auflagendruck; sie dienen dem Künstler zur Kontrolle und Korrektur des jeweils erreichten Zustands der Platte.

Zutphen [z'ytfə], Stadt in der niederländ. Prov. Gelderland, 31 200 Ew., mit altertüml. Stadtbild (zahlreiche Häuser, 14.–19. Jh.; Teile der Stadtmauer, Drogenapsturm und Berkeltor, 15. Jh.). Die St. Walburgskerk, urspr. eine romanisch-got. Basilika, wurde im 14. und 15. Jh. zur got. Hallenkirche mit Umgangschor und Kapellenkranz umgebaut; im Innern u. a. Wandmalereien (14. und 16. Jh.), figurenreiches kupfernes Taufbecken (1527), schmiedeeiserner got. Kronleuchter (15. Jh.); in der 1561–63 angebauten spätgot. ›Librije‹ (Lesesaal) mit originaler Ausstattung wertvolle Mss. und Inkunabeln. Got. Broederenkirche mit Gebäuden des ehem. Dominikanerklosters (15. Jh., Kreuzgang, Dormitorium, Refektorium; heute Städt. Mus.).

Zvolen [zv'ɔlɛn], Stadt in der ČSSR, →Altsohl.

Zweibrücken, Stadt östlich von Saarbrücken, Rheinl.-Pf., 37 800 Ew.; Residenz der wittelsbach. Linie Pfalz-Z., die 1654–1718 auch in Schweden regierte. Ab 1715 wurde die Obere, 1756–70 die Untere Vorstadt (Herzogstadt) angelegt. Nach der starken Zerstörung 1945 wurden die spätgot. Alexanderkirche (etwa 1493 bis 1514) und das mächtige Barockschloß (1720–25, HW des Schweden J. E. SUNDAHL) vereinfacht wiederaufgebaut. Ein hervorragendes Beispiel des Jugendstils ist die Villa Ipser (1908).

Zweisimmen, Gem. im schweizer. Kt. Bern, im Obersimmental, 2800 Ew.; in der Kirche (2. H. 15. Jh.) wertvolle Wandmalereien (Schiff 1470–80, Chor um 1500; Marienlegende, Szenen des N. T.), Glasmalereien (15./16. Jh.).

Zweistromland, Mesopotami|en [grch. ›Zwischenstromland‹], im →Alten Orient das Gebiet des mittleren und unteren Euphrat und des Tigris.

Zwerchhaus, aus der Fassade aufsteigende, das Dachgesims überragende, oft mehrgeschossige Sonderform der Lukarne, mit zu einem Giebel (Zwerchgiebel) ausgebauter Front und quer zum Hauptdach stehendem Dach (bes. in der dt. Renaissance-Baukunst).

Zwerg|galerie, Baukunst: an roman. Kirchen (bes. Rheinlande, Lombardei) ein sich in Arkaden öffnender Laufgang unter dem Dachansatz, meist um die Apsis, auch um den ganzen Bau (Speyer, Modena).

Zwettl-Niederösterreich, Stadt im Waldviertel, Österreich, 11 700 Ew.; große Teile der Stadtmauer mit 2 Toren und 6 Stadttürmen erh.; Pfarrkirche, urspr. spätroman. Pfeilerbasilika, um 1490 gotisch umgebaut; roman. Propsteikirche (12. Jh.) mit Karner (13. Jh.); Rathaus (im Kern 1307). Nahebei das 1137 gegr. Zisterzienserkloster Zwettl. Die Stiftskirche (1159 gew.), gotisch umgebaut (Chor und Kapellenkranz 14. Jh., anschließende Langhausjoche 15. Jh.), erhielt 1722–27 die monumentale barocke Einturmfassade (Entwurf M. STEINL, Ausführung J. MUNGGENAST); am Orgelchor got. Glasgemälde (um 1420), spätgot. Flügelaltar (1500, von J. BREU D. Ä.), sonstige Ausstattung barock

(Altarbilder von M. ALTOMONTE, P. TROGER, J. G. SCHMIDT u. a.). Aus roman. Zeit Kapitelhaus (das älteste erh. Zisterzienser-Kapitelhaus, 12. Jh., mit einzigartigem Mittelpfeiler) und Kreuzgang erh.; barocke Klostergebäude (Bibl. mit Deckenfresken von P. Troger).

Zwettl-Niederösterreich: Stiftskirche, Blick in den Kapellenkranz

Zwickau, Stadt am Rand des westl. Erzgebirges, Dt. Dem. Rep., an der Mulde, 122600 Ew., Marienkirche, nach mehreren Bränden got. Neubau (15.–16. Jh.), dreischiffige Hallenkirche mit ebenfalls dreischiffigem Hallenchor, bes. reiche Ausstattung, darunter Flügelaltar (1476–79) von W. WOLGEMUT und seiner Werkstatt, Vesperbild (1502) von P. BREUER, Hl. Grab (1507), zahlreiche Epitaphien; in der Katharinenkirche (im wesentlichen 15. Jh.) Flügelaltar der CRANACH-Werkstatt (1517); vom mehrfach umgebauten Rathaus Jakobskapelle (1473–77, heute Ratssaal) erh.; Gewandhaus (1522–26, heute Stadttheater); Schloß Osterstein (1587–90, Strafanstalt); Städt. Mus. mit Kunstsamml.

Zwickel: Bogen-Z.

Zwickel, Baukunst: das sich bei einem rechteckig umrahmten Bogen beiderseits ergebende dreieckige Flächenstück (**Bogen-Z.,** Spandrille); bei Kuppelbauten der in Form eines sphär. Dreiecks, von dem quadrat. Grundriß zum Kreisrund der Kuppel überleitende Gewölbeteil (**Hänge-Z.,** Pendentif).

Zwiebelhaube, Turmbedachung mit kielbogenartigem Umriß, v. a. in der islam. und russ. Baukunst; in Renaissance und Barock meist Teil der reicher gestalteten Welschen Haube.

Zwiebelmuster, unterglasurblauer Porzellandekor, der ostasiat. Pflanzenornamenten in Form von Blüten, Blättern und Früchten nachgebildet wurde. Die stilisierten Früchte (Granatäpfel) wurden in Europa als

Wörter, die man unter Z vermißt, suche man unter C, S oder Sch

Zwiebeln gedeutet. Eigtl. ist es ein Asternmuster, das in Meißen (seit 1739) u.a. Porzellanmanufakturen bis heute als beliebter Dekor verwendet wird.

Zwiefalten: Klosterkirche, 1739–65 von J. M. Fischer erbaut

Zwiefalten, Gem. im Kr. Reutlingen, am S-Rand der Schwäb. Alb, Bad.-Württ., 2600 Ew. Die Kirche der ehem. Benediktinerabtei (1089 gegr.) ist ein HW des dt. Spätbarock (1739–65) von JOHANN MICHAEL FISCHER. Der Wandpfeilersaal wird durch rötlich-blaue Marmor-Doppelsäulen gegliedert, darüber vorschwingende Emporen; Stuck, Altäre und Kanzel von J. M. FEUCHTMAYER; Großplastik und das prachtvolle Chorgestühl von J. J. CHRISTIAN; Fresken von F. J. SPIEGLER.

Zwingenberg, Gem. im Neckar-Odenwald-Kr., Bad.-Württ., 730 Ew., mit spätgot. Burgschloß (1403 beg.), einer der besterhaltenen Anlagen des Neckartals. Im maler. Innenhof viergeschossige Lauben (1574), in der 1424 gew. Alten Kapelle erh. got. Ausmalung.

Zwinger, zw. der inneren und äußeren Ringmauer einer ma. Stadtbefestigung oder Burg liegender Umgang oder der zur Vorburg gehörende freie Platz, der bei größeren Burgen zu ritterl. Übungen, zur Haltung von wilden Tieren **(Bären-Z.),** als Baumgarten, auch als Akker diente. Z.-Anlagen verbreiteten sich im Abendland seit den Kreuzzügen, kommen aber bereits bei altgerman. Burgen vor.

Für Hoffestlichkeiten wurde der Z. in Dresden errichtet, das HW M. D. PÖPPELMANNS (1711–28, 1945 zerstört, rekonstruiert), eine Barockanlage, bestehend u.a. aus Kronentor, Mathematisch-Physikal. Salon, Zoolog., Wall-, Glockenspiel-, Frz. und Dt. Pavillon, verbunden durch Galerien. Diese den großen Festspielplatz an 3 Seiten umschließende, zur Elbe hin offene Anlage wurde 1847–54 durch den Museumsbau von G. SEMPER geschlossen (darin →Dresdener Gemäldegalerie). Den plast. Schmuck schuf B. PERMOSER.

F. LÖFFLER: Der Z. in Dresden (Leipzig 1979).

Zwinger: Kronentor des Dresdner Z.; von M. D. Pöppelmann; 1711–28

Zwirner, Ernst Friedrich, Baumeister, *Jakobswalde (Oberschlesien) 28. 2. 1802, †Köln 22. 9. 1861, Schüler von K. F. SCHINKEL, baute v. a. Kirchen (St. Apollinaris in Remagen, 1839–43, in neugot. Stil, u. a.) und leitete seit 1833 den Kölner Dombau, der nach seinen Plänen von R. VOIGTEL voll. wurde.

Zwischenfirnis, Maltechnik: farblos transparenter Überzug, mit dem im Entstehungsprozeß eines Bildes magere Farbschichten gegen darüberzulegende fette isoliert werden, damit das Öl nicht abzieht, oder mit dem ungleichmäßig matt und glänzend aufgetrocknete Farben vor dem Weitermalen vereinheitlicht werden. Als Z. dienen je nach Zweck dünne Ölfirnisse, Essenzfirnisse und Balsame wie auch Leime und Gummen.

Zwischengoldglas, →Goldglas.

Zwischgold, Maltechnik: Blattgold auf Blattsilber. Zur Einsparung von Gold wird bei den letzten Arbeitsgängen der Herstellung das Goldblatt auf einem unterlegten Silberblatt ausgeschlagen, wodurch sich die Goldfolie noch wesentlich dünnen läßt. Ungeschützt wird Z. wie Silber mit der Zeit schwarz, oft an Hinterschneidungen ma. Fassungen zu beobachten.

Zwölfgötter, Gruppe von 12 Göttern, die sich seit dem 13. Jh. v. Chr. (Darstellung der Z. auf einem hethit. Felsrelief in Yazılıkaya) in vielen Religionen nachweisen läßt, wobei die Zahl 12 sakrale Bedeutung hatte. Die grch. olymp. Z. wurden paarweise verehrt. Die Gruppierung variierte, doch überwog die Zusammenstellung Zeus-Hera, Poseidon-Demeter, Apoll-Artemis, Ares-Aphrodite, Hermes-Athene, Hephaistos-Hestia. Die röm. Kunst übernahm das Thema, das auch in der Neuzeit als Götterrat noch fortlebte.

Zwolle [z-], Hauptstadt der niederländ. Prov. Overijssel, 81 300 Ew. Von der Befestigung ist das mächtige

Torhaus Sassenpoort (1409) erh. Die got. Grotekerk (St. Michaelskerk), eine Hallenkirche mit Kreuzrippengewölbe, birgt Reste von Wand- und Gewölbemalereien (15. Jh.) und eine reich geschnitzte Kanzel (1617 bis 1622); an der N-Seite spätgot. Portalvorhalle, daran anschließend der Renaissancebau der Hauptwache (1614). Der 91 m hohe Turm (1487 beg.) der spätgot. Liebfrauenkirche ist das Wahrzeichen der Stadt; im Rathaus (im Kern 15. Jh., 1821 umgebaut) got. Schöffensaal (1488).

Zwönitz, Stadt im mittleren Erzgebirge, Dt. Dem. Rep., 10 000 Ew.; Stadtkirche (1458, Neubau 1688–92) mit reichen barocken Schnitzereien, qualitätvollem Kanzelaltar (Ende 17. Jh.).

Zylịnderbureau [-byr'o, frz.], →Schreibtisch.

Zypern, über die Kunst der Insel im Altertum →kyprische Kunst.

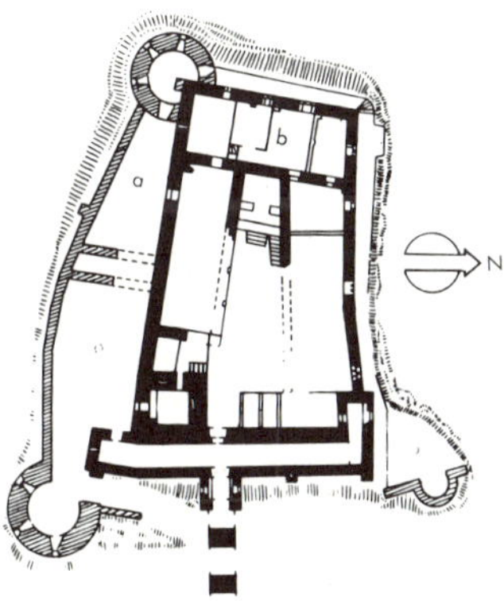

Zwinger: Grundriß der Rudelsburg (12. Jh.) mit nachträgl. hinzugefügtem Zwinger (a), b Palas, c Bergfried

HINWEISE FÜR DEN BENUTZER

Reihenfolge und Schreibung der Stichwörter

Die Stichwörter folgen einander nach dem Abc. Für das Einordnen gelten alle in **fetter Schrift** gedruckten Buchstaben, auch wenn das Stichwort aus mehreren Wörtern besteht. Unterstichwörter sind in **halbfetter Schrift** gesetzt.

Die Umlaute ä, ö, ü werden behandelt wie die einfachen Buchstaben a, o, u; also folgen z. B. aufeinander: **Atum, Ätzgrund, Atzmann, Ätzung.** Ae, oe, ue, auch wenn sie wie ä, ö, ü oder sonst abweichend vom Schriftbild ausgesprochen werden, werden wie getrennte Buchstaben behandelt; z. B. folgen aufeinander: **Godronierung, Goepfert, Goeritz, Goes, Gogh.** Auch die Doppellaute ai, au, äu, ei, eu sowie sch, st, sp usw. werden getrennt alphabetisiert.

Getrennte Aussprache zusammenstehender Buchstaben wird in Zweifelsfällen durch einen senkrechten Strich | angezeigt, z. B. **alt|arabische Kunst.**

Wird ein Stichwort in zwei oder mehreren Formen oder Schreibungen aufgeführt, so ist die erste Form die geläufigere.

Wenn man ein zusammengesetztes Wort nicht im Abc findet, schlage man seine Wortglieder nach.

Verweisungen · Weiterführende Stichwörter

Der Verweisungspfeil → fordert auf, den dahinterstehenden Begriff nachzuschlagen, das Zeichen ⇒ verweist auf Artikel, die in einem weiteren Zusammenhang mit dem betreffenden Stichwort stehen. Hinweise auf Bilder an anderer Stelle stehen ohne Verweisungspfeil; das entsprechende Stichwort ist mit dem Hinweis BILD versehen.

Geographische Namen, die aus mehreren Wörtern bestehen, sind im Abc wie folgt zu finden:

a) mit ›Bad‹ beginnende Namen unter dem eigentlichen Ortsnamen (z. B. Bad Münstereifel unter Münstereifel, Bad);
b) mit ›Sankt‹ (und den fremdsprachigen Entsprechungen Saint, San, São usw.) beginnende Namen jeweils unter S . . .;
c) Zusammensetzungen mit fremdsprachigen Artikeln unter dem Anfangsbuchstaben des Artikels dann, wenn dieser als fester Bestandteil des Namens geläufig ist (z. B. Los Angeles, Le Havre, La Coruña), sonst unter dem Eigennamen (z. B. Mohammedia, La).

Von diesen Regelungen gibt es Ausnahmen;
Grundsatz der redaktionellen Bearbeitung ist es,
die Texte möglichst dort zu bringen,
wo der Leser sie erfahrungsgemäß am ehesten sucht.

Umschrift (Transkription und Transliteration)

Wörter aus Sprachen mit nichtlateinischer Schrift erscheinen in einer der Aussprache angepaßten Umschrift (Transkription), sofern nicht ein eingedeutschter Name geläufig ist (z. B. *Kairo*).

Umschrift (Transkription und Transliteration)

Die Transkription aus slawischen Sprachen mit kyrillischer Schrift folgt einer volkstümlichen, der deutschen Aussprache angeglichenen Umschrift *(Tschernigow);* die wissenschaftl. Transliteration (buchstabengetreue Umsetzung: *Černigov)* ist, wo es angebracht erscheint, als Zweitstichwort angegeben.

Arabische Namen und Begriffe werden in einer gegenüber der wissenschaftl. Umschrift vereinfachten, in der Regel dem Lautwert entsprechenden Form wiedergegeben; dabei werden auch regional (z. B. in den Maghrebländern französisch) oder dialektal bedingte Formen berücksichtigt.

Die Transkription chines. Namen und Bezeichnungen richtet sich nach dem modifizierten Wade-Giles-System, unter Weglassung der diakritischen Zeichen außer der Aspiration. Chines. Ortsnamen, für die sich im dt. Sprachraum eine geläufige Umschrift eingebürgert hat (z. B. *Peking, Hongkong*), werden unter dieser aufgeführt. Sämtliche Ortsnamen werden außerdem in der heute offiziellen Pinyin-Umschrift unter Verweisung auf das Stichwort in Wade-Giles-Umschrift aufgeführt.

Für Namen aus dem japanischen und indischen Bereich werden weitgehend die international gebräuchlichen englischen Transkriptionsformen benutzt (Ausnahmen wiederum geläufige deutsche Formen wie *Kioto, Pandschab*).

Betonung und Aussprache

Wo beim Stichwort Zweifel über die Betonung auftreten können, ist diese durch einen Punkt unter dem betonten Laut angegeben, z. B. *Ọtranto, Bernạu.*

Die Aussprache (mit Betonung) von fremdsprachlichen oder sonst schwierigen Wörtern und Namen steht in eckiger Klammer hinter dem Stichwort. Sie wird nach dem Internationalen Lautschriftsystem der Association Phonétique Internationale bezeichnet, z. B. *Atelier* [atəlj'eː]. Die verwendeten Zeichen bedeuten:

a = helles a, dt. Bl*a*tt
ɑ = dunkles a, dt. w*a*r, engl. B*a*th
ã = nasales a, frz. Ch*an*ce
ʌ = dumpfes a, engl. B*u*tler
β = halboffener Reibelaut b, span. Ála*v*a
ç = deutscher I*ch*-Laut
ð = stimmhaftes engl. th, engl. *th*e
æ = breites ä, engl. h*a*t
ɛ = offenes e, dt. f*e*tt, frz. Cal*ai*s
e = geschlossenes e, engl. *e*gg, dt. B*ee*t
ə = dumpfes e, dt. all*e*
ɛ̃ = nasales e, frz. f*in*
ɣ = geriebenes g, span. Tarra*g*ona
i = geschlossenes i, dt. W*ie*se
ɪ = offenes i, dt. b*i*n, engl. B*i*nham
ĩ = nasales i, portugies. *I*nfante
ɫ = dunkles l, poln. Wrocław
ʎ = lj, ital. Ca*gl*iari
ŋ = ng-Laut, dt. la*ng*e
ɲ = nj-Laut, ital. Bolo*gn*a
ɔ = offenes o, dt. K*o*pf
o = geschlossenes o, dt. T*o*r

Betonung und Aussprache

õ = nasales o, frz. *on*
ø = geschlossenes ö, dt. H*ö*hle
œ = offenes ö, dt. H*ö*lle
œ̃ = nasales ö, frz. *un*
s = stimmloses s, dt. wa*s*
z = stimmhaftes s, dt. *s*ingen
ʃ = stimmloses sch, dt. *Sch*uh
ʒ = stimmhaftes sch, frz. *j*our
θ = stimmloses th, engl. *Th*ornhill
u = geschlossenes u, dt. K*u*h
ʊ = offenes u, dt. b*u*nt
ũ = nasales u, portugies. *Fun*chal
v = deutsches stimmhaftes w, dt. *W*ald
w = halbvokalisches w, engl. *W*ebb
x = deutscher Ach-Laut, dt. Ba*ch*
y = geschlossenes oder offenes ü, *ü*ber, M*ü*tter
ɥ = konsonantisches y, frz. S*ui*sse
: bezeichnet Länge des vorhergehenden Vokals
ʹ bezeichnet Betonung und steht vor dem *Vokal* der betonten Silbe, z. B. bʹə:klɪ = Berkeley

b d f g h j k l m n p r t geben in den meisten Sprachen etwa den Lautwert wieder, den sie im Deutschen haben. Im Englischen wird ›r‹ weder wie ein deutsches Zäpfchen-R noch wie ein gerolltes Zungenspitzen-R gesprochen, sondern mit der Zungenspitze an den oberen Vorderzähnen oder am Gaumen gebildet.

Herkunft der Wörter (Etymologie)

Kurze Herkunftsangaben stehen in der eckigen Klammer hinter dem Stichwort. Im allgemeinen wird nur die Herkunftssprache genannt, z. B. **Abozzo** [ital.]; das Herkunftswort wird angegeben, wenn es zweckdienlich ist, z. B. **Akt** [lat. actus ›Bewegung‹, ›Tätigkeit‹]; ebenso die wörtliche deutsche Entsprechung des einer fremden Sprache entlehnten Begriffs, z. B. **Akropolis** [grch. ›Oberstadt‹].

Nennung der Werke fremdsprachiger Autoren

Erscheinungsorte werden immer genannt, wenn sie nicht im deutschsprachigen Raum liegen. Bei Titeln, denen nicht zu entnehmen ist, in welcher Sprache sie erschienen sind, kann auf diese Weise die Sprache erschlossen werden, z. B. (bei Velázquez) J. LÓPEZ-REY: V. (London 1968).

Schriften fremdsprachiger Künstler werden in der Originalsprache zitiert; liegt eine dt. Übersetzung vor, steht hinter dem Erscheinungsjahr des Originalwerks der Hinweis: ›dt.‹, z. B. bei **Albers:** Interaction of color (1963, dt.).

Bei der Nennung weiterführender Literatur wird dagegen nur die dt. Übersetzung angeführt und als solche gekennzeichnet.

Anfragen, Anregungen und Verbesserungsvorschläge

Seit vielen Jahrzehnten erreichen den Verlag aus dem Kreis der Lexikonbenutzer Fragen und Anregungen. Fragen der Leser werden ohne besondere Formalitäten und kostenlos von der Lexikonredaktion in Verbindung mit ihrem großen Mitarbeiterkreis beantwortet. Expertisen und rechtliche Beratungen sind davon ausgeschlossen.

Anregungen und Verbesserungsvorschläge sind stets willkommen. Da der Verlag nicht auf jeden Hinweis antworten kann, spricht er seinen Dank für jede Hilfe bereits hier aus.

Hinweise für den Benutzer sind auch im Band 1 zu finden.

Abkürzungen

Endungen oder Wortteile werden zur Raumersparnis weggelassen, wo sie ohne Schwierigkeit ergänzt werden können, z. B. abgek. für abgekürzt; Abt. für Abteilung; geistl. für geistliche(r); künstler. für künstlerische(r). An stärkeren, formelhaften Abkürzungen werden verwendet:

Abk. .... Abkürzung
ags. .... angelsächsisch
ahd. .... althochdeutsch
Akad. .... Akademie
allg. .... allgemein
Am. .... Amos (A. T.)
Anf. .... Anfang
Apg. .... Apostelgeschichte (N. T.)
Art. .... Artikel
ASSR .... Autonome Sozialistische Sowjetrepublik
a. St. .... alten Stils
A. T. .... Altes Testament
Aufl. .... Auflage
Ausst.-Kat. ..... Ausstellungskatalog
Ausw. .... Auswahl
Auton. Geb. ... Autonomes Gebiet
Bad.-Württ. .... Baden-Württemberg
Bar. .... Baruch (A. T.)
Bd., Bde. .... Band, Bände
bed. .... bedeutend
beg. .... begonnen
begr. .... begründet
Beitr. .... Beitrag, Beiträge
bes. .... besonders
best. .... bestimmt
Bev. .... Bevölkerung
Bez. .... Bezirk, Bezeichnung
Bibl. .... Bibliothek, Bibliothèque, Biblioteca
Bundesrep. Dtl. .... Bundesrepublik Deutschland
Chr. .... Christus; Chronik (A. T.)
Cod. .... Codex
Coll. .... Collection
ČSSR .... Tschechoslowakei
Cty. .... County oder -ties
d. Ä. .... der (die) Ältere
Dan. .... Daniel (A. T.)
Dep. .... Departamento
Dép. .... Département
dgl. .... dergleichen, desgleichen
d. Gr. .... der Große
d. h. .... das heißt
Distr. .... Distrikt
d. J. .... der (die) Jüngere
dt. .... deutsch
Dt. Dem. Rep. .... Deutsche Demokratische Republik
Dtl. .... Deutschland
Dtn. .... Deuteronomium (A. T.)
ebd. .... ebenda
ed., Ed. .... editio, Edition
ehem. .... ehemalig, ehemals
eigtl. .... eigentlich
Einl. .... Einleitung
Enz. .... Enzyklopädie
Eph. .... Epheserbrief (N. T.)
Erg. .... Ergänzung
erh. .... erhalten
Esr. .... Esra (A. T.)
Est. .... Esther (A. T.)
e. V. .... eingetragener Verein
evang. .... evangelisch
Ew. .... Einwohner
Ex. .... Exodus (A. T.)
Ez. .... Einzahl; Ezechiel (A. T.)
f., ff. .... folgend, folgende (z. B. Seiten, Jahre)
Faks.-Ausg. .... Faksimileausgabe
Fam. .... Familie
Frhr. .... Freiherr
frz. .... französisch
Fstt. .... Fürstentum
Gal. .... Galerie, Galérie, Galleria; Galaterbrief (N. T.)
gegr. .... gegründet
Gem. .... Gemeinde
gen. .... genannt
Gen. .... General; Genesis (A. T.)
Gen.-Gouv. .... Generalgouvernement, Generalgouverneur
Ges. .... Gesetz; Gesellschaft
Gesch. .... Geschichte
Ges. W. .... Gesammelte Werke
gew. .... geweiht
Gfsch. .... Grafschaft
ggf. .... gegebenenfalls
Ghzgt. .... Großherzogtum
Gouv. .... Gouverneur, Gouvernement
grch. .... griechisch
H. .... Hälfte
Hab. .... Habakuk (A. T.)

Hag. .... Haggai (A. T.)
Hb., Hbb. .... Handbuch, -bücher
hd. .... hochdeutsch
hebr. .... hebräisch
Hebr. .... Hebräerbrief (N. T.)
Hg. .... Herausgeber(in)
hg. v. .... herausgegeben von
Hi. .... Hiob (A. T.)
Hl., hl. .... Heilige(r), heilig
Hld. .... Hohelied (A. T.)
Hos. .... Hosea (A. T.)
Hs., Hss. .... Handschrift(en)
HW .... Hauptwerk(e)
Hwb. .... Handwörterbuch
Hzgt. .... Herzogtum
i. a. .... im allgemeinen
i. d. R. .... in der Regel
i. e. S. .... im engeren Sinn
i. Ggs. .... im Gegensatz
i. J. .... im Jahre
internat. .... international
i. S. .... im Sinn
ital. .... italienisch
i. w. S. .... im weiteren Sinn
Jahrtsd. .... Jahrtausend
Jak. .... Jakobusbrief (N. T.)
Jb. .... Jahrbuch
Jdt. .... Judith (A. T.)
Jer. .... Jeremia (A. T.)
Jes. .... Jesaja (A. T.)
Jh. .... Jahrhundert
Jo. .... Joel (A. T.)
Joh. .... Johannesevangelium (N. T.), Johannesbrief (N. T.)
Jon. .... Jona (A. T.)
Jos. .... Josua (A. T.)
jr. .... junior, der jüngere
Jud. .... Judasbrief (N. T.)
Kap. .... Kapitel
Kat. .... Katalog
kath. .... katholisch
Kgr. .... Königreich
Klgl. .... Klagelieder des Jeremia (A. T.)
Kol. .... Kolosserbrief (N. T.)
Kön. .... Könige (A. T.)
Kor. .... Korintherbrief (N. T.)
Kr. .... Kreis
Kt. .... Kanton
lat. .... lateinisch
Lb. .... Lehrbuch
Lev. .... Levitikus (A. T.)
Lex. .... Lexikon
Lfg. .... Lieferung(en)
Lit. .... Literatur
Lk. .... Lukasevangelium (N. T.)
Lw. .... Lehnwort
MA., ma. .... Mittelalter, mittelalterlich
magy. .... magyarisch
Makk. .... Makkabäer (A. T.)
Mal. .... Maleachi (A. T.)
max. .... maximal
md. .... mitteldeutsch
Metrop. Area .... Metropolitan Area
Metrop. Cty. .... Metropolitan County
mhd. .... mittelhochdeutsch
Mi. .... Micha (A. T.)
Mio. .... Million(en)
Mitgl. .... Mitglied
Mk. .... Markusevangelium (N. T.)
mlat. .... mittellateinisch
mnd. .... mittelniederdeutsch
Mos. .... Mose (A. T.)
Mrd. .... Milliarde(n)
Mt. .... Matthäusevangelium (N. T.)
Mus. .... Museum, Musée, Museo
Mz. .... Mehrzahl
N .... Nord(en)
n. .... nach
Nachdr. .... Nachdruck
Nah. .... Nahum (A. T.)
Nat. .... National
n. Ausg. .... neue Ausgabe
n. Chr. .... nach Christi Geburt
Ndsachs. .... Niedersachsen
Neh. .... Nehemia (A. T.)
Neuaufl. .... Neuauflage
ngrch. .... neugriechisch
nhd. .... neuhochdeutsch
nhg. .... neu herausgegeben
nlat. .... neulateinisch
NO .... Nordost(en)
NÖ .... Niederösterreich
NRW .... Nordrhein-Westfalen
n. St. .... neuen Stils
N. T. .... Neues Testament
Num. .... Numeri (A. T.)
NW .... Nordwest(en)
O .... Ost(en)
Ob. .... Obadja (A. T.)
Offb. .... Offenbarung des Johannes (N. T.)
o. J. .... ohne Jahr
OÖ .... Oberösterreich
orth. .... orthodox
österr. .... österreichisch
Petr. .... Petrusbrief (N. T.)
PH .... Pädagogische Hochschule
Phil. .... Philipperbrief (N. T.)
Phlm. .... Philemonbrief (N. T.)
Präs. .... Präsident
prot. .... protestantisch
Prov. .... Provinz

Ps. .... Psalmen (A. T.)
rd. .... rund
ref. .... reformiert
Reg.-Bez. .... Regierungsbezirk
relig. .... religiös
Rep. .... Republik
Rheinl.-Pf. ..... Rheinland-Pfalz
Ri. .... Richter (A. T.)
Röm. .... Römerbrief (N. T.)
Russ. SFSR .... Russische Sozialistische Föderative Sowjetrepublik
S .... Süd(en)
S. .... San, Santo, Santa, São
Sach. .... Sacharja (A. T.)
Sam. .... Samuel (A. T.)
Samml. .... Sammlung
Schlesw.-Holst. .... Schleswig-Holstein
Schriftst. .... Schriftsteller
Sir. .... Jesus Sirach (A. T.)
Skt. .... Sanskrit
SO .... Südost(en)
Spr. .... Sprüche (A. T.)
SS. .... Santi, Santissima, Santissimi
SSR .... Sozialistische Sowjetrepublik
St. .... Sankt, Saint
Ste. .... Sainte
svw. .... soviel wie
SW .... Südwest(en)
Tb. .... Taschenbuch
TH .... Technische Hochschule
Thess. .... Thessalonicherbrief (N. T.)
Tim. .... Timotheusbrief (N. T.)
Tit. .... Titusbrief (N. T.)
Tl., Tle. .... Teil(e)
Tob. .... Tobias (A. T.)

TU .... Technische Universität
u. a. .... unter anderem(n), und andere(s)
u. ä. .... und ähnliche(s)
UdSSR .... Sowjetunion
u. d. T. .... unter dem Titel
ü. M. .... über dem Meeresspiegel
u. M. .... unter dem Meeresspiegel
Univ. .... Universität, University, Université
urspr. .... ursprünglich
USA .... Vereinigte Staaten
usf. .... und so fort
usw. .... und so weiter
u. U. .... unter Umständen
u. v. a. .... und viele(s) andere
v. a. .... vor allem
v. Chr. .... vor Christi Geburt
Verf. .... Verfasser
versch. .... verschieden(e)
Verz. .... Verzeichnis
vgl. .... vergleiche
voll. .... vollendet
Vors. .... Vorsitzender
VR .... Volksrepublik
W .... Westen
Wb. .... Wörterbuch
Weish. .... Buch der Weisheit (A. T.)
Wiss. .... Wissenschaft
WW .... Weitere(s) Werk(e)
Wwschaft .... Woiwodschaft
z. B. .... zum Beispiel
Zeph. .... Zephanja (A. T.)
z. T. .... zum Teil
Ztschr. .... Zeitschrift
zus. .... zusammen
zw. .... zwischen
z. Z. .... zur Zeit
^{3}1977 .... 3. Aufl. 1977
3(1977) .... Band 3 (1977)

Weitere Zeichen: * geboren, † gestorben, ⚭ verheiratet, Ø Durchmesser.

BILDQUELLEN BD. 1 BIS BD. 10

M. Abakanowicz, Warschau · Academy of Arts, Honolulu · A. G. E. FotoStock, Barcelona · P. Alechinsky, Bougival · Ampliaciones y Reproducciones MAS, Barcelona · B. Andreae, Marburg · F. Anton, München · Archiv für Kunst und Geschichte, Berlin · F. Arens, Mainz · The Art Institute of Chicago · Artothek, Planegg · Atlas-Photo, Paris · H. J. Aubert, U. E. Müller, Königswinter · J. Bautze, Berlin · Bavaria-Verlag, Bildagentur, Gauting · Bayerisches Nationalmuseum, München · Bayerische Staatsbibliothek, München · Bayerische Staatsgemäldesammlungen, München · Bildagentur Mauritius, Mittenwald · Bildagentur Prenzel, Gröbenzell · Bildarchiv Foto Marburg, Marburg · Bildarchiv Jürgens, Köln · Bildarchiv Preußischer Kulturbesitz, Berlin · H. W. Böhme, Mainz · J. Bottin, Paris · R. Braunmüller, Baldham · The British Museum, London · J. Brüdern, Braunschweig · E. M. Brugger, Wiesbaden · H. u. R. Bukor, Eltville · Camera Press Ltd., London · H. P. Cordes, Hamburg · Cosmopress, Genf · Deutsche Fotothek, Dresden · U. Didoni, Stuttgart · documenta archiv für die Kunst des 20. Jahrhunderts, Kassel · dpa, Bildarchiv, Frankfurt am Main · Enciclopedică Română, Bukarest · S. Enders, Darmstadt · Ente Turistico del Mendrisiotto, Mendrisio · E. von Erdberg, Aachen · Erzbischöfliches Diözesanmuseum und Domschatzkammer, Paderborn · Ernst Barlach Nachlaßvertretung GmbH, Hamburg · Farbfoto Hinz SWB, Allschwil · I. Fingerling, Kassel · Firo-Foto, Barcelona · Foto Cine Brunel, Lugano · Foto Hörlein, Nürnberg · Fotostudio Otto, Wien · Fotoverlag Huber, Garmisch-Partenkirchen · E. Franck, Erlangen · B. Freund, Steinbach · M. Fries, Wiesbaden · Fürstlich zu Waldburg-Wolfegg'sche Hauptverwaltung, Wolfegg · R. Gaertner, Bergisch-Gladbach · G. Gamer, Tübingen · G. Gerster, Zumikon · A. Gold, Aachen · K. H. Golzio, Bonn · N. Gradisch, Wien · Graphische Sammlung Albertina, Wien · I. Gröblinghoff, Werne · G. Gropp, Hamburg · G. Haag, Eschborn · K. Haase, Frankfurt am Main · E. Halpern, Zürich · C. & L. Hansmann, Stockdorf · R. Harding, London · F. W. von Hase, Mannheim · A. Hauptmann-v. Gladiss, Heidelberg · H. Helfritz, Ibiza · R. Hempel, Hamburg · A. Herold, Gerbrunn · Hessisches Landesmuseum, Darmstadt · Hirmer-Verlag, München · Holle-Verlag, Baden-Baden · R. Höpfner, Wiesbaden · B. Hübner, Wiesbaden · W. Imber, Laufen · R. Kagerer, Grenzach-Wyhlen · R. Kleinhempel, Hamburg · B. Klingwall, Eskilstuna · W. H. Klocke-Verlag, Paderborn · P. Koch, Zollikon · K. Kohut, Duisburg · Georg-Kolbe-Museum, Berlin · G. Kreisel, Stuttgart · Kröller-Müller Stichting, Otterlo · H. J. Kress, Fulda · H. Kühne, Berlin · Kunsthaus Zürich · Kunsthistorisches Museum, Wien · Kunst- und Museumsbibliothek, Köln · Kunstsammlung Nordrhein-Westfalen, Düsseldorf · R. von der Lancken, Krefeld · Linden-Museum, Stuttgart · J. Littkemann, Berlin · E. Kusch, Schwarzenbruck · F. Mandl, Wien · März-Foto H. von

Claer, Berlin · L. von Matt, Buochs · The Metropolitan Museum, New York · Photo Meyer KG, Wien · The Minneapolis Society of Fine Arts, Minneapolis · G. Morawiec, Mainz · A. Münchow, Aachen · Münsterschatzmuseum, Essen · Munch Museet, Oslo · Musée Cernuschi, Paris · Musées Royaux des Beaux Arts, Brüssel · Museo de la Catedral de Gerona · Museum für Kunsthandwerk, Frankfurt am Main · Museum für Ostasiatische Kunst, Berlin · Museum für Ostasiatische Kunst, Köln · Museum für Völkerkunde, Basel · The Museum of Modern Art, New York · Museum Rietberg, Zürich · H. Nachtigall, Marburg · National Museum of New Zealand, Wellington · National Palace Museum, Taipei · National Portrait Gallery, London · W. Neumeister, München · Nordisk Pressefoto, Kopenhagen · B. C. Olschak, Zürich · W. Orthmann, Saarbrücken · Österreichische Nationalbibliothek, Lichtbildwerkstätte, Wien · Petersburg Press Ltd., London · G. Péus, Hamburg · W. Peuser, Merenberg · U. Pfistermeister, Fürnried · Photoatelier Rheinländer, Hamburg · Photographie Giraudon, Paris · Photo-Löbl-Schreyer, Bad Tölz · Picturepoint Ltd., London · Polska Agencja Interpress, Warschau · Preiss & Co., München · H. Presser, Mainz · G. Reinhold, Leipzig · F. Reusch, Wiesbaden · Rijksmuseum, Amsterdam · F. J. Ritter, Speyer · W. Röllig, Kirchentellinsfurt · Römisch-Germanisches Zentralmuseum, Mainz · Foto Sachsse, Bonn · SCALA, Florenz · K. F. Schädler, München · W. Schiering, Heidelberg · B. Schipke, Hamburg · E. von Schlabrendorff, Wiesbaden · A. Schlombs, Heidelberg · M. Schneckenburger, Köln · Smithsonian Institution, Washington · Sowjetunion heute, Köln · Staatliche Kunsthalle, Karlsruhe · Staatliche Museen zu Berlin, Berlin (Ost) · Staatliche Kunstsammlungen, Dresden · Staatliche Kunstsammlungen, Kassel · Staatsgalerie, Stuttgart · Städelsches Kunstinstitut, Frankfurt am Main · Städtische Galerie im Lenbachhaus, München · Städtische Kunsthalle, Mannheim · Statens konstmuseer, Stockholm · Stedeljik Museum, Amsterdam · A. Steinbinder, Groß Gerau · B. Stenger, Wiesbaden · Stichting Johan Maurits van Nassau, Den Haag · Stiftung Seebüll Ada und Emil Nolde, Neukirchen · Studio Koppermann, Gauting · Studio Popp, Mainz · R. Thutewohl, Wiesbaden · Tiofoto AB, Stockholm · W. Volz, Essen · Wallraf-Richartz-Museum, Köln · Karl Wenschow GmbH, München · J. Webb, Cheam/Surrey · P. Weber, Münster · C. A. Willemsen, Alfter-Impekoven · E. Winter, Gusterath · R. Wolf, Frankfurt am Main · M. Wundram, Korb · ZEFA, Düsseldorf · J. Zimmer, Pullach · T. M. Zołtowska, Warschau · Reproduktionsgenehmigungen für Abbildungen künstlerischer Werke von Mitgliedern und Wahrnehmungsberechtigten der Verwertungsgesellschaften S.P.A.D.E.M./Paris, S.A.B.A.M./Brüssel, BEELDRECHT/Amsterdam, V.A.G.A./New York, S.I.A.E./Rom, wurden erteilt durch die Verwertungsgesellschaft BILD-KUNST/Bonn.